strumenti .5

10 rue FAUStin Hélie.

ATELIEr de Mme.

...lénine d'Alheim   METrÓ La M...

Mardi le 28 NoVEMb. 1922 à 21 heur...

Conférence — ILIA ZDAnévitc...

avec le cOncours de Paul ELUA...

Philippe SOUPAULT   TRISTAN TZA...

entrée 10 francs

Ottavio Maria Rolandi Ricci

Nominario universale

40.000 modi di chiamarsi

erre
emme

Ottavio Maria Rolandi Ricci
Nominario universale (1995)

© copyright 1995, coop. Erre emme edizioni
Redazione: via Naro 81 - 00040 Pomezia (Roma)
Versamenti su c.c.p. n. 24957003
Stampa: Editorgrafica - Roma
Prima edizione: novembre 1995
In copertina: *Mcstrna, 007, Che, 3PO* e *C1-P8*
ISBN 88-85378-73-0

INDICE

*a mia madre
con tutto l'affetto*

RINGRAZIAMENTI

Questo libro è dedicato a tutti gli amici che mi hanno incoraggiato e sostenuto in tre lunghi anni di ricerche e alle persone a me vicine, a mia figlia Mirtilla e a sua madre Luce, i cui nomi inusuali mi hanno dato l'impulso a cominciare l'esplorazione nel mondo dei nomi e delle loro origini.

Un ringraziamento a Michele Alghisio per la consulenza e il supporto informatico; a Marina Serfilippi per la sua collaborazione; a Letizia Bettini per le traduzioni; a Pasquale Colaps per aver creduto fin dall'inizio in questo mio lavoro.

O. M. R. R

INTRODUZIONE

Il nome, o nome di battesimo o primo nome o prenome, nell'accezione comune è il sostantivo che serve a designare una singola persona: in grammatica rientra nella classe dei nomi propri e si scrive con l'iniziale maiuscola. Nel diritto italiano il nome è composto dal prenome (nome individuale) e dal cognome (nome di famiglia).

I nomi di persona possono derivare da:

nomi tradizionali (il nome degli antenati),
religiosi (il santo della città - ad es. Ambrogio a Milano, Nicola a Bari - o del giorno in cui si nasce; i nomi ebraici dell'Antico Testamento, quelli del Vangelo, dell'Islam ecc.),
augurali (Pio, Benvenuto, Fortunato, Felice, Benedetto),
letterari (Orlando, Aida),
mitologici (Ercole, Paride);
da *nomi greci, latini, gotici, longobardi* (terminanti in -pol-do, -perto, -prando), *franchi* (terminanti in -baldo, -berto, -brando);
da *nomi di personaggi alla moda* (attori, politici, scienziati, sportivi);
oppure avere origine da *soprannomi*, da *pseudonimi* (tra i quali rientrano i *nomi d'arte* e i *nomi di battaglia*);
da *vezzeggiativi*,
e, in tempi più recenti, da nomi *stranieri*.
Ma possono anche essere *liberamente inventati*, come illustreremo tra breve.

Il *nome proprio* si riferisce a un determinato individuo e si distingue dal *nome comune*. Questo a sua volta può diventare un nome di persona, comprendendo sia i *nomi concreti* - cioè di oggetti percepibili con i sensi (Leone, Palma ecc.) o riferibili a ciascun individuo di una classe o gruppi di individui (Romano, Asia ecc.) - sia i *nomi astratti*, cioè riferiti a creazioni della nostra mente (Fede, Speranza, Amore ecc.).

Presso le popolazioni primitive, in genere, il nome proprio è un elemento che non può essere scisso dalla personalità di un membro della comunità e deve essere individuale quanto lo è il suo spirito.

Ad esempio, gli indiani di molte tribù del Nordamerica credevano che il nome di una persona fosse la sua anima e che perciò dovesse essere del tutto personale. Era credenza diffusa che per andare nel «paradiso dei pellerossa» bastasse dire il proprio nome per esservi ammessi; quindi, se accidentalmente qualcuno portava lo stesso nome, uno dei due alla fine avrebbe dovuto cambiarlo.

Dare al bambino/a un nome che sia totalmente originale è tradizione di molte culture.

Nel mondo occidentale moderno, i motivi che indirizzano la scelta del nome variano da paese a paese, da nazione a nazione, a seconda delle aree culturali, politiche, religiose, delle usanze locali ecc. La tradizione dei paesi di cultura cattolica, per esempio, è dare ai nuovi venuti al mondo nomi legati alla religione; un processo analogo avviene nel mondo ebraico e islamico.

In Cina si ritiene che ogni neonato sia un essere speciale e pertanto non deve portare un nome che altre persone abbiano avuto in precedenza. Sempre in Cina, i Purim Kukis, una piccola tribù tibeto-birmana è divisa in clan e ogni clan ha di fatto il monopolio su alcuni nomi. Se qualcuno prende il nome che appartiene a un altro clan deve pagare un «pedaggio» per poter tenere il nome che ha scelto e tale pedaggio può consistere in un maiale o in una tazza di riso.

In molte culture i nomi dei neonati sono determinati da un qualche evento specifico, significativo nella vita dei genitori. Il nome *Ba chida crush* degli indiani absaroka, per esempio, significa «Uomo-bianco-lo-segue»: si riferisce quindi a un episodio avvenuto nella vita del padre. Oppure il nome del bambino può essere determinato da un evento verificatosi al momento della sua nascita. Una ragazza miwok che si chiama *Huyana*, «Pioggia che cade», dev'essere nata certamente durante un temporale.

Un'altra popolare usanza consiste nel chiamare i figli con il nome del primo oggetto che i genitori vedono dopo la nascita e di qui hanno pertanto origine nomi insoliti come l'indiano zuni *Tachi*, «Mastello» e *Tiwa*, «Cipolle». L'originalità del nome, in questi casi, dipende solo dalle capacità d'immaginazione dei genitori.

Tuttavia, il fenomeno più rilevante a questo riguardo è dato dalla ricerca e dalla creazione di *nomi sempre più personalizzati* nelle società industriali avanzate: una moda che dagli Stati Uniti si va rapidamente diffondendo in Europa. In questa ricerca di nomi nuovi, il più originali possibile, gli americani utilizzano la grande varietà etnologica esistente sul proprio territorio, unita o non a una serie di «tecniche».

Elenchiamo ora alcuni dei più usuali, tra questi procedimenti tecnici utilizzati nella ricerca di «novità» onomastiche. Per le ragioni appena dette, molti degli esempi che proposti apparterranno all'area linguistica angloamericana.

Nomi anagrammati. Si creano prendendo un sostantivo o un nome con un valore particolare e scambiando la posizione delle lettere fino a ottenere un'altra parola.

Per esempio l'inglese *Peace* (Pace) può diventare *Capee*; *Earth* (Terra) può essere cambiato in *Retha* e così via. Lo stesso può essere fatto nella nostra lingua: ad esempio, *Italia* può diventare *Ailita*.

Trasformazione di nomi ispirati all'attualità. Il sistema consiste nello scegliere o nel togliere alcune lettere dal nome prescelto fino a raggiungere l'effetto desiderato.

Per esempio, il nome di Martin Luther King si può abbreviare, ottenendo *Matherin* o *Maring*, oppure il nome della capitale federale degli Stati Uniti, Washington, può essere modificato e italianizzato a formare il nome *Vasinto*.

Nomi creati con l'acrostico. Il metodo consiste semplicemente nell'usare le iniziali di alcune parole allo scopo di creare un nome (*acrostico*).

Per esempio, per formare un nome che abbia in sé il significato di «Pace Universale», si uniscono le iniziali delle parole: *P*ace, *A*more, *S*olidarietà, *C*osmo, *E*ntusiasmo, ottenendo il nome *Pasce*. Oppure, per avere un nome che contenga l'idea di natura incontaminata, si uniscono le iniziali delle parole: *A*lberi, *S*emi, *T*erra, *R*uscelli, *A*ria e si ottiene il nome *Astra*.

Un'altro metodo consiste nell'unire le iniziali delle parole di proverbi, di titoli di film, di libri o di canzoni ecc.

Metodo dell'inversione di sillabe. Per creare un nome si spostano le sillabe di un altro nome. Es.: *Mary* diventa *Ryma*, *Marco* diventa *Comar*, lo spagnolo *Blanco* diventa *Coblan* e *Daniele* diventa *Ledanie* o *Nieleda*, *Manlio* diventa *Lioman* e così via.

Nomi che derivano dal nome dei genitori. Nei paesi anglosassoni un ragazzo può prendere il nome di suo padre, con l'aggiunta di *Junior* o di un numero romano, oppure può chiamarsi con un'abbreviazione del nome paterno. Anthony potrebbe chiamare suo figlio *Tony* o *Toni*.

Allo stesso modo, una ragazza può prendere il nome di suo padre o sua madre, con l'aggiunta di uno dei tanti suffissi femminili. In Italia questi potrebbero essere: *-ina, -ella, -ena, -etta, -ie, -illa, -inna, -ita, -itta, -lina, -uccia, -uccetta, -uccina...*

Usando anche solo i metodi qui indicati, le combinazioni già possono essere infinite. Per esempio, dal nome Giovanna, una ragazza può essere chiamata Gianna, Nina, Gion, Giony, Giannina, Netta, Nuccia, Vanna ecc. - per elencarne solo alcune.

Dal nome della madre, usando vari metodi, si possono ricavare numerose variazioni per i nomi dei figli. Nelle aree linguistiche anglosassoni, ad esempio, il nome Mary o Maria, trasformato in nome maschile, diventa: Marston, Marton, Marten, Marnett, Marsin, Marson, Marald, Mardy, Marle, Marley, Marrand, Marick, Marwin, Marris, Marty, Marren, Marnand e così via. Allo stesso modo Mary o Maria diventa al femminile Mari, Marine, Marisa, Marica o Maritsa, per citarne solo alcuni.

Combinazione dei nomi dei genitori. Si prendono i primi o i secondi nomi dei genitori e le lettere che li formano vengono scambiate, aggiunte e manipolate fino a trovare un nome gradito. Ad esempio Joseph ed Ellen potrebbero chiamare la propria figlia *Joselle*; Daniel e Susan invece, potrebbero chiamare il proprio ragazzo *Dansan* o *Suniel*. Le iniziali dei nomi dei genitori possono essere usate per formare un nuovo nome; in tal caso Gerald ed Emily Adams, chiameranno la loro figlia *Gea*; Franco e Ida la potrebbero chiamare *Frida*; Mario e Ilaria Antonelli invece potrebbero chiamarla *Mia*.

Combinazione di nomi o sostantivi vari. La casistica è sconfinata. Ovviamente tutto è possibile, sulla base della fantasia linguistica dei genitori. Tra i molti diamo due esempi, agli antipodi riguardo al loro grado di «creatività».

Il nome *Avra*, è stato creato combinando due nomi ebraici: Avirice (aria o atmosfera) e Burura (pulito o puro). Pertanto, il nome sarà l'espressione della speranza in un futuro dall'atmosfera pulita e dall'aria fresca e pura.

Nell'Albania dello stalinismo, invece, era diffuso il nome *Marenlin* (Marx + Engels + Lenin).

Il metodo dell'aferesi. Consiste nella soppressione di una o più sillabe iniziali. Esempi: *Vanni* per Giovanni, *Lena* per Milena, *Tilda* per Matilda, *Beth* per Elisabeth.

Altri esempi di aferesi meno comuni sono: *Mira* da Palmira; *Rella* dall'ebraico Arella; *Maliya* o *Liya* dal russo Amaliya e *Poni* dal nativo americano Aponi.

Il metodo dell'apocope. E' la caduta dell'ultima vocale di un nome ed eventualmente anche della consonante che la precede. Per creare un nuovo nome, si possono troncare le ultime sillabe non accentate. Esistono esempi comuni come *Elisa* da Elisabeth o *Nicol* da Nicholas. Si può abbreviare lo swahili Azizi in *Azi*, l'irlandese Delano in *Delan*, o il russo Lidiya in *Lidi*. O anche Franco (Franca) in *Fran*; Federica in *Fede*; Letizia in *Leti*; Gabriella in *Gabri*.

Diminutivi. Usando l'apocope, si può creare un diminutivo, aggiungendovi un suffisso vezzeggiativo (-*uccia, -uccio, -ina, -ino, -etta, -etto* ecc). Per es. si può troncare la vocale finale di Anna e aggiungere il suffisso -*etta*: otterremo così il nome *Annetta*; oppure aggiungendo -*ette* al comunissimo anglosassone Sharon si trasformerà in *Sharette* (con altri suffissi avremo *Sharita, Shareen* ecc.) e Susan diventerà *Susette*.

Se non aggiungiamo suffissi, ma una semplice vocale o un dittongo, Jack diventa *Jackie*. Oppure si può usare il sistema della sottrazione di lettere: Mar(gh)er(ita), ad esempio, si può abbreviare in *Ghita*; Giangiacomo in *Giangi* e così via.

Cambio di sesso e di ortografia. Un metodo che sta cominciando a diffondersi soprattutto nell'area anglosassone. Ci sono esempi di nomi maschili che un tempo erano usati come femminili, tra i quali *Gari* da Gary, *Darsey* da Darcy, *Nicola* maschile e femminile. Le modifiche dell'ortografia consistono nella sostituzione della *i* in *ie* o *y* e viceversa, oppure nella sostituzione di *k* con *c* o viceversa, oppure *e* con *i* o *y*. Ad esempio: Karin, Carin, Caren, Caryn, Karyn, Kari, Karie, Kary ecc. Un altro metodo consiste nello scrivere maiuscola la lettera a metà del nome, creando nomi nuovi come *MariAnn* da Marian e *ArLene* da Arlene o nell'unire con un trattino nomi doppi come *Sue-Ellen*.

Nomi doppi. L'usanza di unire due nomi insieme - con o senza fusione - affonda le sue radici nell'antichità: Giulio Cesare, Marcantonio, Marcaurelio, Michelangelo, Giovanbattista, Francesco Giuseppe, Vittorio Emanuele, Giampaolo, Giampiero, Pierluigi ecc.

Anche per le donne le possibilità sono praticamente infinite. Basti solo pensare a tutte le combinazioni con Maria: Maria Pia, Mariangela, Maria Letizia, Maria Luisa, Anna-Maria ecc. Oppure Rosangela, Annabella ecc.

RIFERIMENTI BIBLIOGRAFICI

*Acta Sanctorum,*Société des Bollandistes,Bruxelles 1887-1972

Martyrologium romanum, Société des Bollandistes, Bruxelles 1940

Webster Third New International Dictionary, Encyclopaedia Britannica, London 1961

FRUTTERO & LUCENTINI, *Il libro dei nomi di battesimo*, Mondadori, Milano 1969

Dizionario Enciclopedico Italiano, Istituto dell'Enciclopedia Italiana, Roma 1970

ALAN BENJAMIN, *A treasure of Baby names*, Nal Books, New York 1983

SELENE, *Dizionario dei nomi*, Siad Edizioni, Milano 1983

SUE BROWDER, *Baby name book*, Workman Publishing, New York 1987

BARBARA KAY TURNER, *Name that Baby*, Berkley Book, New York 1988

ALDO GABRIELLI, *Grande dizionario illustrato della lingua italiana*, Mondadori, Milano 1989

STEFANO BENVENUTI, *Il nominario*, Mondadori, Milano 1990

ALINA RIZZI, *Dizionario completo dei nomi*, Mariotti Publishing, Milano 1991

Il libro dei nomi, Editrice La Lucciola, Varese 1991

Il libro dei nomi più belli, La Biblioteca di «Insieme», Milano 1992

AVVERTENZE

Per una migliore comprensione del dizionario e delle abbreviazioni, si consiglia di consultare il glossario.

Di ogni nome, generalmente, vengono dati:

Il sesso (*m.*) (*f.*). In alcuni casi il nome può essere usato sia al maschile che al femminile e quindi vi sarà l'indicazione (*m.*) e (*f.*).

Il *paese* o la *lingua* in cui viene comunemente usato il nome.

La *lingua d'origine* e l'etimologia

Il significato o più significati

La data o le date degli onomastici

Le varianti - *var.* - in italiano e in altre lingue

I diminutivi - *dim.* - in italiano e in altre lingue

L'abbreviazione *v.* rinvia al nome evidenziato.

GRossEN LOR

CONTRE
DADA
DADA
DADA
iVE
i DA
PAS
LITTÉ
LITÉ
CRISTAN TZARA.

in REEVON

GE PA

ERIC SATIE'S
RAG-TIME...

DiCHTE VoR
LyRIK bis ZuMU

KuRT SchWit

BANALITÄT

iMULTANEÏSTis
dooR H
TREMARCle
VANRiE

EICHER REVOLUTION

...OOR KURT SCHWITTERS

BEI RHEUM ZAHNENSC. UND KOPFW. 2-3 REVOR...

CZETTER

ABSTRALTER

RLAUTD OOR

DADA EXISTE DEPUIS TOUJOURS. LA SAINTE VIERGE DÉJÀ FUT DADAÏSIE

ER S EN S

UNDALS SIE IN DIE TÜTE SA H
DA WAREN ROTE KIRSCHENDRIN
DA MACHTE SIE DIE TÜTE ZU
DA WAR DIE TÜTE ZU.

n-MECHAN:Dans
SZA
DE LA BESTIE
i KLAVIER

Le foto delle pp. 2 e 16-17 raffigurano opere dadaiste. Rispettivamente: composizione manoscritta del russo Iliazd (Il'ja Zdanevic), Parigi, 1922, e testo per «Dada Performance» dell'olandese Theo Van Doesburg, ca. 1920.

A

Aaditya (*m.*) (*India* "Sole")

Aarao (*m.*) (*Port.*) *v.* Aronne

Aaron (*m.*) (*Eu.*; *Isr.*) (*Ebr.:* "Il-luminato" "Elevato") *v.* Aronne

Ab (*m.*) (*Ing.*) *dim.* di Abner

Ab (*m.*) (*Sem.* "Padre")

Aba (*f.*) (*Gha.:* "Nata di giovedi")

Abaco (*m.*) (*It*) 15; 19 *gen. // v.* Abacuc

Abacùc (*m.*) (*Ebr.:* "Amplesso ardente") 15, 19 *gen.*

Abacucco (*m.*) *v.* Abacùc

Abaelardus / Abailardus (*m.*) (*Lat. med.*) *v.* Abelardo

Abailard (*m.*) (*Fr.*) *v.* Abelardo

Abana (*f.*) (*Gha.*) *v.* Abina

Abasi (*m.*) (*Sw.* "Inflessibile")

Abayomi (*f.*) (*Yor. Nig.* "Colei che porta la gioia")

Abbas (*m.*) (*muss.*)

Abbey (*f.*) (*Ing.*) *v.* Abigail

Abbie (*f.*) (*Ing.*) *v.* Abigail

Abbie (*m.*) (*Ing.*) *dim.* di Abner

Abbondanzia (*f.*) (*Lat.*) (*div. rom.*) 16 *set.*

Abbondanzio (*m.*) (*Lat.* "Abbondante") 16 *set.*

Abbondazio (*m.*) (*Lat.* "Abbondante") 1 *mar.*

Abbondio (*m.*) (*Lat.* "Abbondante") *2, 14 apr.*; 27 *feb.* 11 *lug.*; 26, 31 *ag.*; 16 *set.*; 10, 14 *dic.*

Abbot (*m.*) (*Ing.*) (*Ebr.* "Padre di tutti")

Abbott (*m.*) (*Ing.*) (*Ebr.* "Padre di tutti")

Abby (*f.*) (*Ing.*) *v.* Abigail

Abby (*m.*) (*Ing.*) *dim.* di Adam

Abd (*m.*) (*sem.:* "Servo") (*componente di molti nomi arabi*)

Abdalla (*m.*) (*sw.*) *v.* Abdul

Abdel (*m.*) (*Ar*) *v.* Abdul

Abdia (*m.*) (*Ebr.:* "Servo di Jahve") 19 *nov.*

Abdieso (*m.*) (*orig. or.*) 22 *apr.*

Abdon (*m.*) *v.* Abdone

Abdone (*m.*) (*Ebr.:* "Servile") 30 *lug.*

Abdul (*m.*) (*Ar.:* "Servo di..") *var.* Abdel; Abdullah; Abdalla

Abdullah (*m.*) (*isl.:* "Servitore di Allah")

Abe (*m.*) (*Ing.*) *var.* di Abraham

Abeau (*m.*) (*Fr*) *v.* Abel

Abebi (*f.*) (*Yor. Nig* "Colei che cerchiamo") anche Abeni

Abel (*m.*) (*Fr.:* 5 *ag.*) (*Ing.*; *Sp.*) *v.* Abele

Abelard (*m.*) (Abélard) (*Fr.*) *v.* Abelardo

Abelardo (*m.*) (*Lat. med.*) (*Teut.* "Risoluto" "Ambizioso") (da Abele) 5 *ag.*

Abele (*m.*) (*Sum.* Ibila: "Figlio") (*Ebr:* "Respiro" "Realtà effimera") 28 *dic.*; 5 *ag.*

Abelia (*f.*) *v.* Abele

Abelin *v.* Abele

Abell *v.* Abele

Abelinda (*f.*) *v.* Abele

Abeline (*f.*) *v.* Abele

Abella (*femm.* di Abele)

Abena (*f.*) (*Gha.*) *v.* Abina

Abeni (*f.*) (*Yor. Nig.*) *v.* Abebi

Abenzio (*m.*) (*orig.celto-iber.*) 7 *giu.*

Abercio (*m.*) (*orig. Medio or.*) 22 *ott.*

Abi (*m.*) (*Tur.* "Fratello maggiore")

Abia (*m.*) (dall'*ebr., "Abiam"*: "Il Signore è mio padre") (1 *nov.*)

Abibo (*m.*) (dal *sum.* "Padre") 15 *nov.*

Abibone (*m.*) (dal *sum.* "Padre") 3 *ag.*

Abie (*m.*) (*Ing.*) (*dim.*) *v.* Abraham

Abigail (*f.*)(*Ing.*) (*Ebr:* "Fonte di gioia")// *var.* e *dim.*Abbey, Abbie, Abby, Gael, Gale, Gayl, Gayle

Abilio (*m.*) (dall'*ebr.*, Abihail: "Mio padre è forza") 22 *feb.*

Abimola (*f.*) (*Yor.*, Nig. "Nata per essere ricca")

Abina (*f.*) (*Gha.*) *v.* Abana

Abiona (*m.*) e (*f.*) (*Yor. Nig.* "Nato durante un viaggio")

Abiq (*m.*) (*Ing.*) (*dim.*) *v.* Abraham

Abir (*Ar.*: "Profumo")

Abira (*f.*)(*Ebr.*:"Forte") *v.* Adira

Abishag (*f.*) (*Ebr.*)

Abital (*m.*) e (*f.*) (*Ebr.*) Anche Avital

Abner (*m.*) (*orig. ebr.*: "Luminoso")

Abondance (*f.*) (*Fr.*) (*div. rom.*)

(*Lat.:* "Abundantia") 16 *set.*

Abondio (*m.*) *v.* Abbondio

Abra (*f.*) (*Ebr*) *femm.* di Abraham

Abraham (*m.*) (*Fr.*: 20 *dic.*) (*Ing.*; *Ted.*; *Sved.*) *v.* Abramo

Abrahan (*m.*) (*Sp.*) *v.* Abramo

Abram (*m.*) *var.* di Abraham

Abramio (*m.*) (da Abramo) 16 *mar.*

Abramo (*m.*) (*Ass.*) (*Ebr.* "Il padre che ama Colui che sta in alto") 8 *set.*; 16 *mar.*; 15 *giu.* 14 *feb.* // *var.* Abe, Abi, Abie (*dim. Ing.*); Ibrahim (*Ar.*); Avram (*Bulg.*; *Gr.*; *Rum.*); Bram (*Ol.*); Abrao (*Port.*); Abrahan, Abran (*Sp.*); Arram (*Sv*); Avram, Avrum (*yid.*)

Abran (*m.*) (*Sp.*) *v.* Abramo

Abrao (*m.*) (*Port.*) *v.* Abramo

Absalom (*m.*)(*Ing.*) *v.* Assalonne

Absalon (*m.*) (*Fr.*) *v.* Assalonne

Abudemio (*m.*) (*orig. or.; etim. inc.*) 15 *lug.*

Acacia (*f.*) (*Ing.*) (*Gr.*: "Spinosa"; pianta) // *dim.* Casey, Kacie, Kasey

Acacio (*m.*)(*orig. ebr.* da Acazio, *v.*) 27 *nov.*; 31 *mar.*; 8 *mag.*

Acantha (*f.*) (*Ing.*) (*orig gr.*: "Appuntita"; dalla pianta di *Acanthus*)

Acar (*m.*) (*Tur.* "Luminoso")

Acario (*m.*) (*Lat.*: "Ingrato") 27 *nov.*

Acazio (*m.*) (*Ebr.*: "Il Signore tiene") 9, 28 *apr.*; 28 *lug.*

Accorso (*m.*) (*Lat.*: "Accorrere") 16 *gen*

Accursio (*m.*) (*Lat.*) 16 *gen.* // *v.* Accorsio

Ace (*m.*) (*Ing.*) (*Lat.* "Unità")

Acepsima (*m.*)(*etim. sc.*) 22 *apr.*

Acessima (*f.*) *v.* Acepsima

Acey (*m.*) (*Ing.*) *v.* Ace

Achilla (*m.*) (*orig. gr.*: "Bruno") 7 *nov.*

Achille (*m.*) (*It.*) (*Gr.*: "Aquila") (*Per. ant.*: "Orfano") 11, 15 *mag.*; 11 *lug.*; 8 *set.* (*Fr.* 12 *mag.*)

Achillee (*m.*) (*Fr.*) *v.* Achille

Achilleo (*m.*)(*Gr.*) 23 *apr.*; 12 *mag.*

Achilles (*m.*) (*Ing.*) *v.* Achille

Achilleus (*m.*) *v.* Achille

Acillino (*m.*)(*orig. etn.*: "Abitante di Acilia", *Afr.*) 17 *lug.*

Acindino (*m.*)(*Lat.* "Leggermente acido") 20 *apr.*; 2 *nov.*

Aciscolo (*m.*) (*orig. gr.*) 17 *nov.*

Ackerly (*m.*) (*Ing. ant.*: "Abitante del prato")

Ackley (*m.*) *Ing. ant.*: "Abitante del prato della quercia")

Acton (*m.*) (*Ing.*)

Acuzio (*m.*) (*Lat.*: "Aguzzo") 19 *lug.* 19 *set.*

Ad (*m.*) (*Ing.*) *dim.* di Adam

Ada (*f.*) (*Ebr.* "Ornamento"; *Teut.*: "Gioiosa" "Prospera") (*femm.* di Ado) 4 *dic.;* 4 *mag.*; 28 *giu.*; 4, 5, 16 *dic.* // *dim.* Adalgisa, Adelaide; Adah; Adda, Addie; Adda; Addy, Aida,

Eada, Eda (*Fr.*; *Ing.*; *Pol.*) // *v.* Adelaide, Adele, Etel, Ethel

Adabel (*f.*) (*Ing.*) *v.* Adabelle

Adabelle (*f.*) (*Ing.*) Unione di Ada e Belle ("Gioiosa e onesta") // *v.* Adabel

Adah (*f.*) (*Ing.*) (*Ebr.* "Ornamento")

Adair (*m.*) (*Ing.*) (*orig. celt.* "Guado della quercia")

Adajune (*f.*)(*Ing.*)(*Nome doppio*)

Adal (*m.*) (*Germ.* "Nobile")

Adalard (*m.*) (*Ing.*) *v.* Alberto

Adalardo (*orig. celt.* "Audace") (*m.*)

Adalbert (*m.*) (*Fr.*; *Ing.*; *Ted.*) *v.* Alberto; Adalberto, Albert

Adalberta (*f.*) (*Ted.* "Donna splendente di nobiltà") *v.* Alberta (*forma contr.*) 23 *apr.*; 15 *nov.*

Adalberte (*f.*) (*Fr.*) *v.* Adalberta

Adalberto (*m.*) (*Ted.* "Uomo di illustre nobiltà") 3, 5 *dic.:* 23 *apr.*; 22 *mag.* 3, 20 *giu.*; 7 *lug.*; 15 *nov.* // *v.* Alberto

Adalfredo (*m.*) (*Ted.*: "Che protegge la sua progenie")

Adalgisa (*f.*) (*Ted.*: "Nobile freccia" "Di stirpe nobile") 2 *giu.*; 6 *set.*; 20 *apr.* // *v.* Adelchi

Adalgise (*f.*) (*Fr.*) *v.* Adalgisa

Adalgiso (*m.*)(*Ted.*: "Nobile freccia") 6 *ott.*

Adalia (*f.*) (*Ing.*)(*Ted. ant.* "Nobile" "Elevato") *v.* Adelaide

Adaline (*f.*) (*Ing.*) *v.* Adelaide

Adam (*m.*) *v.* Adamo

Adama (*f.*)(*Ebr.*) *femm.* di Adam // *var.* Adamina

Adamec (*m.*) (*Cec.*) *v.* Adamo

Adamek (*Cec.*; *Pol.*) *v.* Adamo

Adamik (*m.*) (*Cec.*) *v.* Adamo

Adamina (*f.*) (*Ing.*) *v.* Adamo

Adamka (*Rus.*) *v.* Adamo

Adamko (*m.*) (*Cec.*) *v.* Adamo

Adamo (*m.*) Capostipite dell'umanità (*ebr.*: "Nato dalla terra") 16 *mag.;* 20, 25 *dic.*; 3 *giu.* // *var.* e *dim.* Ad, Ade, Addison, Adams, Adamson (*Ing*); Adamec, Adamek, Adamik, Adamko, Adamok, Damek(*Cec.*); Adi (*Ung.*); Adomas (*Lit.*); Adas, Adamek, Adok (*Pol.*); Adao (*Port.*); Adamska, Adas (*Rus.*); Adhamh, Keady, Keddy, Keddie (*Scoz*); Adàn (*Sp.*); Adem (*Tur.*); Adi (*yid.*); Adanet (*Fr.*) // Adamuna

Adamok (*Cec.*) *v.* Adamo

Adams (*Ing.*) *var.* di Adamo

Adamson (*m.*) (*Ing.* "Figlio di Adam") *v.* Adamo

Adàn (*m.*) (*Sp.*) *v.* Adamo

Adanet (*m.*) (*Fr.*) *v.* Adamo

Adao (*m.*) (*Port.*) *v.* Adamo

Adar (*m.*) (*orig. ebr.*: "Fuoco")

Adara (*f.*) ("Vergine")

Adas (*Pol.*; *Rus.*) *v.* Adamo

Adauco (*etim. sc.*) (*Lat.*) 7 *feb.*

Adaulfo (*m.*) (*Ted. ant.*: "Nobile lupo") 14 *feb.* *v.* Adolfo

Adautto (*m.*) (*Lat.*: "Aggiunto") 30 *ag.*

Addai (*m.*) (*Ebr.*: "Uomo di Dio") 5 *ag.*

Addi (*f.*) (*Ing.*) *v.* Adelaide

Addie (*f.*) (*Ing.*) *dim.* di Adiel, Ada, Adelaide

Addison (*m.*) (*Anglo-sass.*: "Discendente di Adamo") *v.* Adamo

Addo (*m.*) 4 *dic.* // *v.* Ada

Addolorata (*f.*) (Uno degli attributi della Vergine Maria) (onomastico mobile: cade il venerdì dopo la Domenica di Passione) 15 *set.* // *var.* e *dim.*: Dolly, Doloria, Dolorita, Lolly // Delora, Delores, Deloris, Delorita, Lola, Lolita (*Ing*); Dolore (*Haw.*); Doloritas, Dolorcitas, Lola, Lolita (*Sp.*)

Addy (*f.*) (*Ing.*) *dim.* di Ada, Adiel

Ade (*m.*) (*Ing.*) *v.* Adamo

Adel (*f.*) (*Rus.*; *Ung.*) *v.* Ada; Adelaide

Adela (*f.*)(*Cec.*; *Ing.*; *Sp.*) *v.* Adele; Adelaide

Adelaert (*m.*) (*med.*) (*Frisone, Ol.*)

Adelaida (*f.*) (*Pol.*) *v.* Ada; Adelaide

Adelaide (*f.*) (*It.*; *Fr.*; *Ing.*; *Sp.*) (*Ted.*: "Fanciulla di nobile aspetto" "Splendente per nobiltà") 24, 4, 16, 19 *dic.*; 23 *nov.*; 8 *gen.*; 5 *feb.;* 11, 27 *giu.* (*Fr.* 16 *set.*) *v.* anche Ada e Adele // *var.* e *dim.* Adala, Adalia, Adalie, Adalyn, Adelia, Adelind, Adelinda, Alina, Delia,

Della, Lida // Adaline, Addi, Addie, Addy, Adela, Adele, Adella, Adelina, Adeline, Edeline, Aline (*Ing.*); Ada, Adela, Adele, Adelka, Dela (*Cec.*); Akela (*Haw.*); Adel (*Ung.*); Ada, Adelaida, Ela (*Pol.*); Adel, Adela, Adelina, Adeliya (*Rus.*); Adelaida, Adelita, Alita, Dela, Lela (*Sp.*); Adelhaid, Adelheid

Adelard (*m.*) (*Ing.*) *v.* Adelard

Adelardo (*m.*) (*Celt.*: "Nobile") 2 *gen.*

Adelasia (*f.*) (*Ted.*: "Nobile") 23 *nov.*

Adelbert (*m.*) (*Ing.*) *v.* Adelbert

Adelberto (*m.*) (*Ted.* "Nobiltà illustre") 25 *giu.*; *v.* Alberto

Adelchi (*m.*) (Forma *contr.* di Adalgiso: ultimo re dei Longobardi) (dal *ted.* "Adal": "Nobile") 6 *ott.*

Adele (*f.*) (*Cec.*; *Fr.*; *Ing.*; *It.*) (dal *Ted. ant.* "*adal*": "Nobile") (Forma *abbr.* di Adelaide, ha acquisito una sua autonomia) 11 *giu.*; 18, 24 *dic.*; 23 *nov.*; 5 *ag.* (*Fr.* 24 *set.*) // *v.* Adelaide

Adelfio (*m.*) (*var.* di Adelfo) 11 *set.*

Adelfo (*m.*) (*Gr.*: "Fratello") 29 *ag.*

Adelgarda (*f.*) (*Germ.*)

Adelgardo (*m.*) (*Germ.*: "Custode della nobiltà")

Adelia (*f.*) (*Ing.*) *v.* Adelaide

Adelicha (*f.*) (*Ted.*) *v.* Alice

Adelina (*f.*) (*It.*; *Ing.*; *Fr.*; *Rus.*) (*Ted. ant.*: "Nobile") (*dim.* di Adele) 28 *ag.*; 20 *ott.* // (*Sp.*) *v.* Alida

Adelind (*f.*) (*Ing.*) *v.* Adelaide

Adelinda (dal *ted. ant.*) (*f.*) 23 *nov.* // *v.* Adelaide

Adeline (*f.*) (*Fr.*: 20 *ott.*) (*Ing.*) *v.* Adele e Adelaide

Adelino (*m.*) (*Ted. ant.*: "Nobile") 20 *ott.*

Adelio (*m.*) (*It.*)

Adelisa (*f.*) (*Ol.*) (Adele + Alice)

Adelise (*f.*) *v.* Alice

Adelita (*f.*) (*Sp.*) *v.* Adelaide; *v.* Alida

Adeliya (*f.*) (*Rus.*) *v.* Adelaide

Adelka (*f.*) (*Cec.*) *v.* Adelaide

Adella (*f.*) (*Ing.*) *v.* Adelaide

Adelma (*f.*) (*raro*)

Adelmo (*m.*) (dal *ted. ant.*: "Nobile protettore") 25 *mag.*

Adelpert (*m.*) (*Long.*) *v.* Adalberto

Adelpha (*f.*)(*Gr.*: *femm.* di Adelfo)

Adelphe (*m.*) (*Fr.*) *var.* di Adolphe

Adem (*m.*)(*Tur.*) *v.* Adamo

Ademaro (*m.*) (*etim. inc.*) (Forse dal *ted. ant.*: "Glorioso in battaglia")

Ademia (*f.*) (*Gr.*: "Senza sposo")

Aden (*m.*) (*Ing.*)

Adena (*f.*) (*Ing.*) *var.* di Adine

Adenot (*Fr.*) *v.* Adamo

Adeodato (*m.*) *v.* Deodato

Aderito (*m.*) (*Lat.*: "Trasparente") 27 *set.*

Adhamh (*m.*) (*Scoz*) *v.* Adamo

Adhémar (*m.*)(*Fr.*)(dal *ted.*:"Casa nobile e illustre") 29 *mag.*

Adi (*Ung.*; *yid*) *v.* Adamo; (*Ung.*) *v.* Adriano

Adiel / Adiell (*f.*) (*Ebr.* "Ornamento del Signore") (*Ing.*)

Adila (*f.*) (*Ing.*) *v.* Adelaide

Adimaro (*m.*) (*Ted. ant.*: "Glorioso in battaglia")

Adin (*m.*) (*Ing.*) (*orig. ebr.*: "Voluttuoso" "Sensuale") // *var.* di Adam

Adina (*f.*) (*It.*; *Ing.*) (*Ebr.*: "Delicata"); *var. e dim.* Adena, Adene, Adine, Adna, Dena, Dina

Adine (*f.*) (*orig. ebr.*: "Delicata") (*femm.* di Adin) *v.* anche Adina

Adiodato (*m.*) (*Lat.*) 8 *nov.* // *v.* Adeodato

Adira (*f.*)(*Ebr.* "Forte") *v.* Abira

Adiuto (*m.*)(*Lat.*: "Aiutare") 16 *gen.*; 19 *dic.*

Adiutore (*m.*)(dal *lat.* "Colui che aiuta") 1 *set.*; 18 *dic.*

Adlai (*m.*) (*Ing.*) (*orig. ebr.*: "Giusto")

Adler (*m.*) (*Ted. ant.*: "Aquila")

Admeto (*m.*) (dal *gr.*: "Non domito")

Adna (*f.*) (*orig. ebr.*: "Piacere")

Adnah (*f.*) (*Ing*) *var.* di Adna

Adnet (*m.*) (*Fr.*) *v.* Adamo

Adnetta (*f.*) (*etim. inc.* forse *fr.*) 2 *dic.*

Adney (*m.*) (*Ing. ant.* "Abitante dell'isola maestosa")

Adnot (*m.*) (*Fr.*) *v.* Adamo

Ado (*m.*) (dal *Ted. ant. "Adal"*: "Nobile")

Adocino (*m.*) (Vero nome di San Cristoforo)

Adok (*m.*) (*Pol.*) *v.* Adamo

Adolf (*m.*) (*Fr.* 14 *feb.*) *var.* di Adolph

Adolfa (*f.*) *v.* Adolfo

Adolfina (*f.*) (*Teut.*: "Nobile lupa") 9 *lug.*

Adolfo (*m.*) (*Germ.* "Il più nobile dei lupi" "Il capostipite") 17 *giu.*; 27 *set.*; 11, 14 *feb.* // *var.* Adolph, Adolf, Adulf, Adolpha, Adolphe, Adolphine

Adolph (*m.*) (*Ted.*; *Ing.*; *Fr.*;) *v.* Adolfo

Adolpha (*f.*) (*Ing.*) (*Ted. ant.*) *femm.* di Adolfo

Adolphe (*m.*) (*Fr.* 14 *feb.*) (*Ing*) *v.* Adolfo

Adolphine (*f.*) (*Fr.*) (*femm.* di Adolphe) 14 *feb.*

Adolphus (*m.*) *var.* di Adolph

Adomas (*m.*) (*Lit.*) *v.* Adamo

Adon (*m.*) (*Ing.*) (*Fen.*: "Signore")

Adona (*f.*) (*Gr.*) *femm.* di Adonis // *var.* Adonia // *v.* Adone

Adonais (*m.*) (*Ing.*) *v.* Adone

Adone (*m.*)(*Ebr.* "Signore" "Padrone") 16 *dic.*

Adonella (*f.*) *v.* Adone

Adonia (*f.*) (*Orig. gr.*: "Simile a Dio")

Adonis (*m.*) (*Fr.*; *Ing.*) (*Gr.* "Attraente" "Di bell'aspetto") *v.*

Adone
Adora (*f.*) (*Ted*: "L'amata" "L'a-
dorata")
Adorabelle (*f.*) (*Fr*) (*Lat.* "Bel-
lissimo dono")
Adoree (*f.*)(*Fr.* "Adorata")// *var.*
e *dim.* Adora, Adoray, Dori,
Dorie, Dory
Adorjan (*m.*) (*Ung.*) *v.* Adriano
Adrasto (*m.*) (dal *gr.*: "Imper-
territo")
Adria (*f.*) (*Ing.*; *It.*) (*orig. pre
rom.* da Hàdria) *v.* Adriana // 8
lug.; 2 *dic.*
Adriaan (*m.*) (*Ol.*) *v.*Adriano
Adrian (*m.*) (*Ing.*) *v.*Adriano
Adriana (*Lat.* "Donna del mare") (*orig. etn.*: "Abitante di
Adria", città veneta che diede
il nome al mare Adriatico)
(*femm.* di Adriano) 8 *set.;* 5
mar.; 9, 21 *gen.*; 8 *lug.* // *var.* e
dim. Adra, Adrea, Adria, A-
driana, Adriane, Adrianna, A-
drianne, Adrienne, Hadria, Ha-
drianna
Adriane (*f.*) (*Ing.*) *v.* Adriana
Adrianna (*f.*) (*Ing.*) *v.* Adriana
Adrianne (*f.*) (*Ing.*) *v.* Adriana
Adriano (*m.*) (*orig. etn.*: "Abitante di Adria", città veneta
che ha dato il nome al mare
Adriatico) 5 *mar.*; 9, 21 *gen.*; 8
lug.; 8 *set.* // *var.* e *dim.* Hadrian (*Ing. Sv.*); Adrien (*Fr.*);
Adorjan; Adi (*Ung.*); Adriano
(*Sp.*); Andreian; Adrik; Andrian; Andreyan; Andriyan; An-

dri (*Rus*)
Adriel (*m.*) (*Ing.*) (*dall'ebr.*)
Adrien (*m.*) (*Fr.*) 8 *set.* // *v.* A-
driano
Adrienne (*f.*)(*Fr.*; *Ing.*) *v.* Adria-
na
Adrion (*m.*) *var.* di Adriano
Adrione (*m.*) 17 *mag.* // *var.* di
Adriano
Adua (*f.*) (Nome geografico)
Aduke (*f.*) (*Yor.*, *Nig.*"Amata")
Adulf (*m.*) (*Fr.* 14 *feb.*) *var.* di
Adolphe
Aegea (*f.*) (*Gr.*; *femm.* di Ae-
geus)
Aelfric (*m.*) (*Ing.*)
Aeneas (*m.*) (*Ing.*) (dal *gr.*) *v.*
Enea
Aeola (*f.*) (*Gr.*: *femm.* di Aeolus
= Eolo, Dio dei venti)
Aesop (*m.*) (*Ing.*) *v.* Esopo
Aethelbeorth (*m.*) (*Anglo-sass.*)
v. Adalberto
Affia (*m.*) (*Celt. etim. inc.*) 22
nov.
Affiano (*m.*) (*Celt. etim. inc.*) 2
apr.
Afra (*m.*) (*Lat.* "Originario del-
l'Africa") 4, 24 *mag.*; 14 *giu.*
Afraate (*m.*) (*Lat.* "Originario
dell'Africa") 7 *apr.*
Africa (*nome geografico*)
Africano (*m.*) (*orig. etn.*: "Abi-
tante dell'Africa") 10 *apr.*
Afro (*m.*) (*Lat.*: "Originario del-
l'Africa") 5 *ag.*
Afrodisio (*m.*) (*Gr.*: "Spumeg-
giante") 14 *mar.*; 28, 30 *apr.*

25

Afrodite (*f.*) (La dea dell'amore) (*Gr.* "Spuma" "Schiuma")

Aftonio (*m.*) (Forse *orig. mesop.; etim. inc.*) 2 *nov.*

Ag (*f.*) (*Ing.*) *dim.* di Agata

Aga (*f.*) (*Pol.*) *v.* Agata

Agabio (*m.*) (*orig. long.; etim. sc.*) 4 *mar.*

Agabo (*m.*) (*etim. sc.*) 13 *feb.*

Agace (*f.*) (*med.*) *v.* Agata

Agacia (*f.*) (*med.*) *v.* Agata

Agafia (*f.*) (*Rus.*) *v.* Agata

Agamemnon (*m.*)(*Ing.*; *Fr*) *v.* Agamennone

Agamennon (*m.*) (*Ing.*; *Fr*) *v.* Agamennone

Agamennone (*m.*)(*Gr.*: "Che non ricorda molto")

Agape (*m.*) e (*f.*) (dal *gr.*: "Amore del prossimo") 25 *gen.*; 15 *feb.*; 3 *apr.*

Agapio (*m.*) (*Gr.*: "Amore del prossimo") 24 *mar.*; 28, 29 *apr.*; 19, 21 *ag.*; 10 *set.*; 2, 20 *nov.*

Agapito (*m.*) (*Gr.*: Amabile) 16, 24 *mar.*; 22 *apr.*; 6, 18 *ag.*; 20 *set.*; 20 *nov.*

Agar (*f.*) (*Ebr.*: "La fuggitiva")

Agasha (*f.*) (*Rus.*) *v.* Agata

Agata (*f.*) (*Gr.*"Buona" "Virtuosa") (pietra semipreziosa) 5 *feb.* // *var.* e *dim.* Ag, Agatha, Aggi, Aggie, Aggy (*Ing.*); Agathe (*Fr, Ted.*); Agathi (*Gr.*); Agi, Agota, Agotha (*Ung.*); Aga, Agatka, Atka (*Pol.*); Agueda (*Port.*); Agasha, Agafia, Gasha, Gashka (*Rus.*)

Agatangelo (*m.*)(*Gr.* "Buon messaggero") 23 *gen.*; 7 *ag.*

Agatha (*f.*) (*Ing.*) *v.* Agata

Agathe (*f.*) (*Fr.*: 5 *feb.*) (*Ted.*) *v.* Agata

Agathi (*f.*) (*Gr.*) *v.* Agata

Agathon (*Fr.*) (*masch.* di Agathe)

Agathy (*f.*) (*Ing.*) *v.* Agata

Agatka (*f.*) (*Pol.*) *v.* Agata

Agatoclia (*f.*) (*Lat.*: "Nota per bontà") 17 *set.*

Agatodoro (*m.*) (*Gr.*: "Buona pianta") 4 *mar.*; 13 *apr.*

Agatone (*masch.* di Agata) (*Gr.*: "Buono" "Virtuoso") 14 *feb*; 5 *lug.*; 6, 10 *gen.*; 7 *dic.*; 21 *ott*

Agatonica (*m.*) (dal *lat.*: "Vince con la bontà") 22 *ag.*

Agatopode (*m.*)(dal *lat.*: "Vestito di bontà") 23 *dic.*; 4 , 25 *apr.*

Agave (*f.*) (*Ing.*) (dal *gr.*: "Nobile")

Agazio (*m.*) (dal *gr.*: "Buono") 8 *mag.*

Agenor (*m.*) (*Ing.*) *v.* Agenore

Agenore (*m.*)(*Gr.*: "Virile" "Forte") 21 *mag.*

Agerico (*m.*) (*Celt.*: "Nato nella nebbia") 1 *dic.*

Agesilao (*m.*) (*Gr.*: "Conduttore di popoli")

Agesilas (*m.*) (*Fr.*) *v.* Agesilao

Aggeo (*m.*) (da Agièo, soprannome di Apollo) 4 *lug.*; 4 *gen*

Aggi (*f.*) (*Ung.*; *Ing.*) *v.* Agata

Aggie (*f.*) (*Ing.*) *dim.* di Agata

Aggy (*f.*) (*Ing.*) *dim.* di Agata
Aghate (*f.*) (*Ing.*) *v.* Agata
Aghatha (*f.*) (*Ing.*) *v.* Agata
Aghota (*f.*) (*Ung.*) *v.* Agata
Agi (*f.*) (*Ung.; Ing.*) *v.* Agata
Agide (*m.*) (dal *gr.*: "Condurre")
Agileo (*m.*) (*Lat*: "Pronto" "Attivo") 15 *ott*
Agillo (*m.*) (*Lat*: "Pronto" "Attivo") 30 *ag.*
Agilofe (*m.*)(*Fr.*) *v.* Agilulfo
Agilulfo (*m.*) (*Ted.*) 9 *lug.*
Agilulphe (*m.*) (*Fr.*) *v.* Agilulfo
Aglae (*f.*) (*Fr.*) *v.* Egle
Aglaea (*f.*) *v.* Egle
Aglaia (*f.*) (Una delle Tre Grazie) *v.* Egle
Aglaiane (*f.*) (*Fr.*) *v.* Egle
Agliberto (*m.*) (Nome di *orig. celt., etim. inc.*) 24 *giu.*
Agna (*f.*) (*Ing.*) *v.* Agnese
Agne (*f.*) (*Lit.*) *v.* Agnese
Agnella (*f.*) (*Ing.)* *v.* Agnese
Agnello (*m.*) *dim.* di Angiolo o Agnolo (dal *gr.*Anghelos:"Messaggero") // *v.* Agnese
Agnes (*f.*) (*Fr.* 21 *gen.*) (*Ing.*; *Ted.*; *Sved.*; *yid*) // *v.* Agnese
Agnesa (*f.*) (*Cec.*) *v.* Agnes
Agnese (*f.*) (*Gr.* "Pura" "Casta") (*Lat.*: "Agnello") 21, 28 *gen.*; 20 *apr.*; 6 *mar.*; 13 *mag.*; 7 *giu.*; 3, 5 *lug.*; 1 *set.*; 18, 19 *ott.*; 16 *nov.* // *var.* e *dim.* Aggi, Aggie, Agna, Agneti, Anesse, Annice, Annis, Nesa, Nesi, Nessa, Nessi, Nessie, Nessy, Nesta, Neysa (*Ing*); Agnessa

(*Bulg.*); Agnesa, Agneska, Anezka, Anka (*Cec.*); Agnies (*Fr.*); Agni (*Gr*); Agne, Agnella, Agnesca, Agnola, Ina (*It.*); Agne, Agniya (*Lit*); Aga, Agnieszka, Jaga (*Pol.*); Ines, Inez (*Port.*); Agnessa, Nessa, Nessia, Nyusha (*Rus*); Agneta (*Sv.; Norv.*); Ines, Inez, Necha, Necho, Nesho, Ynes, Ynez (*Sp.*); Anete, Hagne (*Ung.*)
Agneska (*f.*) (*Cec.*) *v.* Agnese
Agnessa (*f.*) (*Bulg.*; *Rus.*) *v.* Agnese
Agneta (*f.*)(*Norv.*; *Sv.*) *v.* Agnese
Agnete (*f.*) *v.* Agnese
Agneti (*f.*) (*Ing.*) *v.* Agnese
Agni (*f.*) (*Gr.*) *v.* Agnese
Agnieska (*f.*) (*Pol.*) *v.* Agnese
Agniya (*f.*) (*Lit.*) *v.* Agnese
Agnolo (*m.*) (*Tosc.*: *var.* di Angelo) 6 *feb.*
Agoardo (*m.*) (Forse *orig. celt., etim. inc.*) 24 *giu.*
Agostina (*f.*) (*Lat.*: "Piccola venerabile") (*femm.* di Agostino) 17 *ott.*; 28 *ag.*// *var.* Augustine (*Fr.*, *Ing.*)
Agostino (*m.*) (*Lat.*) *dim.* di Augusto (ha acquisito una sua autonomia) 28 *ag.*; 7, 19, 27 *mag.*; 21, 22 *lug.* // Augustin (*Fr.*, *Ing.*)
Agota (*f.*) (*Ung.*) *v.* Agata
Agramant (*m.*)(*Fr.*) *v.* Agramante
Agramante (*m.*) (*pers.* dell'Orlando Furioso)

27

Agricola (*m.*) (*Lat.*: "Agricoltore") 4 *nov.*; 3, 16 *dic.*

Agrippa (*m.*) (*Lat.*: nome dato ai neonati che nel parto nascevano per i piedi) 23 *giu.*

Agrippina (*f.*) (*It.*; *Ing.*) (*dim. femm.* di Agrippa: nome lat. dato ai neonati che al momento del parto nascevano per i piedi) 23 *giu.*

Agrippine (*f.*) (*Fr.*) *v.* Agrippina

Agrippino (*m.*) (*dim.* di Agrippa) 7 *giu.*; 9 *nov.*; 1 *gen. // v.* Agrippa

Agrizio (*m.*) (*Lat.*: "Selvatico") 13 *gen.*

Agu (*m.*) (*Nig.*: "Leopardo")

Agueda (*f.*) (*Port.*) *v.* Agata

Agustin (*m.*) (*Sp.*) *v.* Agostino

Ah kum (*f.*) (*Cin.*: "Buona come il pane")

Ah lam (*f.*) (*Cin.*: "Come un'orchidea")

Ahab (*m.*)(*Ing.*) (Dall'*ebr.* "Zio")

Ahahnu (*m.*) (*Ind. Nordam.*)

Aharon (*m.*)*v.* Aaron

Ahavaa (*f.*) (*Ebr.*"Adorata")

Ahdik (*m.*) (*Ind. Nordam.*: "Caribù" "Renna")

Ahern (*m.*) (*Ing.*) (*gael.:* "Signore dei cavalli") // *var.* Ahearn, Aherne

Ahir (*m.*) (*Tur.*: "Fine" "Ultimo")

Ahmad (*m.*) *v.* Ahmed

Ahmed (*m.*)(*Ar.* "Il più glorificato") (anche Muhammad: uno dei nomi del Profeta) *var.* Ahmad

Ahmik (*m.*) (*Ind. Nordam.*: "Castoro")

Ahna (*f.*) *var.* di Ann; *v.* Anna

Ahren (*Ted. ant.* "Aquila")

Ahuda (*f.*)(*Ebr.*) *v.* Ahavaa

Aia (*f.*)(*Celt*: "Che sostiene") 13 *set*

Aiace (*m.*) (dal *gr.*: "Dolente")

Aicardo (*m.*)(*Sass.*: "Forte spada") 15 *set*

Aida (*f.*) (*Eg.*: "Felice") (*Ing.* da Aidano) 31 *ag.*

Aida (*f.*) (*Ing.*) *var.* di Ada

Aidan (*m.*) e (*f.*) (*Irl. gael.*: "Fiamma del focolare") *var.* Aiden

Aidano (*m.*) (*Norm.*: "Splendido capo") 31 *ag.*

Aidè (*f.*) *v.* Aida

Aigulfo (*m.*)(*Sass.*: "Protegge dai lupi") 3 *set*

Aiken (*m.*) (*Anglo-sass.* "Di legno di quercia" "Vigoroso")

Aila (*f.*) (*Finl.*) *v.* Elena

Ailbert (*m.*) *v.* Albert, Alberto

Ailean (*m.*) *v.* Alain, Alano

Aileen (*f.*) (*Ing.*) // *v.* Elena

Ailene (*f.*) (*Irl.*) *v.* Elena

Ailey (*f.*) (*Ing.*) *v.* Elena

Aili (*f.*) (*Ing.*; *Finl.*) *v.* Elena

Ailinn (*f.*) (*Port.*) *v.* Elena

Ailis (*f.*) (*Irl.*) *v.* Alice

Ailsa (*f.*) (*Ing.*) (*Ted.*: "Ragazza gaia")

Aimé (*m.*) (*Fr.*) *v.* Amato

Aimée (*f.*)(dal *fr.*) *v.*Amata, Amy

Aimie (*f.*) *v.* Amata

Aimo (*m.*) (*It.*)

Aimone (*m.*) (*orig. sass.* da "Hagimund": "Difende la casa con la spada") (*nome di casa Savoia*) 18 *ag.* // *var.* Aimon, Aymon, Haymo, Haymon

Ainsley (*m.*) (*Ing. ant.* "Dalla vicina prateria") // *var.* e *dim.*: Ainslie, Lee, Leigh.

Airaldo (*m.*) (*It.*)

Airlia (*f.*) (*Ing.*) (*dal gr.*: "Eterea")

Aisha (*f.*) (*Ar.* "Vita") // *v.* Ayasha, Ayesha

Aislinn (*f.*) (*gael.* "Sogno")

Aitala (*Lat.*: "Colui che aiuta") (*m.*) 22 *apr.*

Aiyana (*f.*) (*Ind. Nordam.*:"Eterno splendore")

Ajax (*m.*) (*Ing.*) (*Gr.* "Aquila") *v.* Aiace

Ajuji (*f.*) (*Hausa, Afr.*)

Akako (*f.*) (*Giap.*: "Rossa")

Akando (*m.*) (*Ind. Nordam.*:"Agguato")

Akanke (*f.*) (*Yor., Nig.*)

Akar (*m.*) (*Tur.*: "Fluido" "Che scorre")

Akela (*f.*) (*Haw.*: "Nobile") *v.* Adele; Adelaide

Aki (*f.*) (*Giap.*: "Nata in autunno")

Akil (*m.*) (*Ar.*: "Intelligente")

Akilah (*f.*) (*Ar.*: "Intelligente")

Akili (*m.*) (*Tanzania*: "Saggio")

Akim (*m.*)(*Rus.* dall'*ebr.* Jehoiakim)

Akin (*m.*) (*Nig.*: "Coraggioso")

Akio (*m.*)(*Giap.*: "Ragazzo vivace")

Akira (*m.*) (*Giap.*) *v.* Akio

Akron (*m.*) (*Ochi, Gha.* "Nono figlio")

Akule (*m.*) (*Ind. Nordam.*: "Lui guarda in alto")

Al (*m.*)(*Ing.*) *dim.* di Albert, Alden,Aldrich, Alexander, Alfred

Ala (*m.*) (*Ar.*: "Glorioso")

Ala (*f.*)(*sost. femm.*) nome legato al Futurismo, movimento artistico, inizi XX sec.

Ala (*f.*) (*Pol.; Rum*) *v.* Alice // *v.* Albina, Alessandra

Aladdin (*m.*) (*Ing.*) *v.* Aladino

Aladin (*m.*) (*Fr.*) *v.* Aladino

Aladina (*f.*) *femm.* di Aladino

Aladino (*m.*) (*Ar.* "Ala ad Din": "Fedele alla religione"; personaggio del romanzo "Le mille e una notte")

Alain (*m.*) (*Fr.* 9 *set.*) *v.* Alano

Alaina (*f.*) (*Ing.*) *v.* Alana

Alaine (*f.*) (*Ing.*: "Allegra") *var.* Alaina, Alayne // *v.* Alana

Alair (*f.*) (*Ing.*) (*raro*)

Alake (*f.*) (*Yor., Nig.*)

Alala (*f.*) (*Gr.*: Dea della guerra, sorella di Marte)

Alamanno (*m.*)(*Celt.* "Di altri luoghi"; nome con cui i Franchi indicavano i Germani) 16 *set.*

Alamea (*f.*)(*Haw.*:"Matura""Preziosa")

Alameda (*f.*) (*Ind. Nordam.*:"Bosco del cotone")(*Sp.*: "Pioppo")

Alan (*m.*)(*Ing.*) 9 *set.* // *v.* Alano

Alana (*f.*)(*Celt.*: "Attraente" "Fata") *femm.* di Alano // *var.* e *dim.* Alaina, Alaine, Alani, Alanna, Alayne Alina, Allana, Allene, Allyne, Lana, Lanna, Lane

Alana (*f.*) (*Haw.* "Offerta")

Alandra (*f.*) (*Ing.*) (*raro*)

Alane (*f.*) (*Ing.*) // *v.* Alana

Alani (*f.*) (*femm.* di Alan) *v.* Alana

Alani (*f.*) (*Haw.*: "Albero d'aranci")

Alanna (*f.*) (*Ing.*: "Armonia")

Alano (*m.*) (nome che deriva dalla famiglia degli Alani, della Sarmazia) (*Celt.* "Bello" "Armonioso") 8, 9 *set.*; 25 *nov.* // *var.* e *dim.* Alan, Aland, Allan, Allyn (*Ing.*); Alain, Allain (*Fr.*); Ailin (*Irl.*); Alao (*Port.*); Ailean (*Scoz*); Alano (*Sp.*) // Al, Allen, Alley, Allie.

Alaqua (*f.*) (*Ind. Nord Am.*: "Albero della gomma profumata")

Alara (*m.*) *v.* Alarico

Alard (*m.*) ("Nobile risoluto")

Alaric (*m.*) (*Ing.*; *Fr.*) *v.* Alarico

Alarica (*f.*)(*Teut.*: "Regina" "Dominatrice di ogni cosa") // *var.* e *dim.*: Alarisa, Alarise, Alarissa // *v.* Alarico

Alarick (*m.*) *v.* Alarico

Alarico (*m.*) (dal *sass.*: "Re" "Dominatore di tutti") (*Teut.*: "Sovrano di tutti") 29 *set.* // *var.* e *dim.* Alarick, Alric, Alrick, Rick, Rickie, Ricky, Ul-

ric, Ulrich, Ulrick

Alarisa (*m.*) *v.* Alarico

Alarise (*f.*) (*Ing.*) // *var.* di Alarice

Alarissa (*m.*) *v.* Alarico

Alary (*m.*) *v.* Alarico

Alasdair (*m.*) (*Scoz*) *v.* Alessandro

Alastor (*m.*) (*Ing.*)

Alathea (*f.*) (*Ing.*) *v.* Aletha

Alauda (*f.*)(*Gal.*: "Allodola")

Alaula (*f.*) (*Haw.*: "Bagliore del tramonto")

Alayna (*f.*) (*Ing.*) *v.* Alana

Alayne (*f.*) (*Ing.*) *v.* Alana

Alba (*f.*) (*Cec.*) *v.* Alberta

Alba (*f.*) (Sost. *femm.*) (*orig. pre rom.* "Monte") (*Lat.* "Bianco") 21 *giu.*; 17 *gen.* // *v.* Albano // (*Ing.*) *v.* Albino // *v.* Albina

Albain (*m.*) (*Fr.*) *var.* di Alban

Alban (*m.*) (*Ing.*; *Fr.* 21 *giu*) *v.* Albano

Albane (*m.*) *v.* Albano

Albano (*m.*)(*orig. etn.:* "Nativo di Alba Longa", oggi Castelgandolfo) 22 *nov.*; 21 *giu.*; 24 *mag.* (Anche dal *lat.* "Albus": bianco)// *var.* Al, Alba, Alban, Albie, Albin, Albion, Alby, Alva, Alvah, Aubin, Aubyn, Benny

Albe (*m.*) (*Fr.*) // *var.* di Alban

Albek (*m.*) (*Pol.*) *v.* Albano

Alben (*m.*) (*Ing.*) *var.* di Albano

Alberht (*m.*) *v.* Alberto

Alberic (*m.*) (*Fr.*) *v.* Alberico

Alberich (*m.*) *v.* Alberico

Alberico (*m.*) (*Scan.*: "Elfo potente") (*Ted.*: "Re degli Elfi" o "Re dei monti" ("Condottiero leale") 26 *gen*; 21 *lug*; 29 *ag.// var.* Alberik, Auberon, Aubrey, Avery, Oberon

Alberigo (*m.*) *v.* Alberico

Albern (*m.*) (*Ing. ant.*) (*Teut.*: "Nobile orso") // *dim.* Bernie, Berny.

Albert (*m.*) (*Ing. Fr.*; *Sve.*; *Ted.*; *yid*) *v.* Alberto

Alberta (*f.*) (*It.*; *Ing*) (*Ted.*: Forma *abbr.* di Adalberta (*v.*), oggi ha acquisito una sua autonomia) 6 *ott.;* 15 *nov.// var.* Albertine, Alli, Allie, Berta, Bertie, Berty, Elberta, Elbertina, Elbi, Elbie, Elby (*Ing.*); Alba, Berta (*Cec*); Albertina (*Ted.*); Alverta (*Gr.*); Albertine (*Let.*); Albertyna, Alka, Berta (*Pol.*); Berta, Bertunga (*Sp.*)

Alberte (*f.*) (*Fr.*) *v.* Alberta

Albertik (*m.*) (*Cec.*) *v.* Alberto

Albertina (*f.*) (*Ing.*; *It.; Pol.; Let.; Ted.*) // *dim.* di Alberta 15 *nov.*; 31 *ag.*

Albertine (*f.*) (*Ing.*; *Fr.*) *v.* Albertina

Albertino (*m.*) 5 *set.* // *dim.* di Alberto

Alberto (*m.*)(*It.*; *Sp.*) (Forma *abbr.* di Adalberto ha acquisito una sua autonomia) (*Ted.* "Uomo splendente di nobiltà") 15, 21 *nov.;* 8 *apr.*; 27 *mag.*; 8, 27 *lug.*; 7, 10, 14, 17 *ag.*; 4, 5 *set.// var.* e *dim.* Adalbert, Ailbert, Delbert, Edelbert, Ethelbert // Adelbert, Al, Albie, Bert, Berti, Berty, Bertie, Elbert (*Ing.*); Albertik, Ales, Berco, Berti, Berty, Bertik (*Cec.*); Aubert (*Fr.*); Albert, Albrecht; Bechtel; Berchten (*Ted.*); Alvertos (*Gr.*); Alberts (*Let.*); Bertek (*Pol.*); Bela (*Ung.*); Berto // Anche Adelberto

Alberts (*m.*) (*Let.*) *v.* Alberto

Albie (*m.*)(*Am.*) *contr.* di Albert

Albin (*m.*) (*Ing.; Cec.*) *v.* Albano

Albin (*m.*) (*Rus.*) *v.* Alvino

Albina (*f.*) (Nome di *orig. lat.*: "Bianca") *dim.* di Alba; 16 *dic.*; 17 *feb.*; 2 *giu.* // *var.* e *dim.* Alvena, Alvinna, Alvinne, Vina, Vinnie // Alba, Albinia, Alvina, Alvinia (*Ing.*); Alva, Bela, Bina (*Cec.*); Alwine (*Ted.*); Ala, Albinka (*Pol.*); Alvina (*Rus.*)

Albinek (*m.*)(*Cec. Pol.*) *v.* Albano

Albinia (*f.*) (*Ing.*) (*Lat.*: "Bianca") *v.* Albina

Albinka (*f.*) (*Pol.*) *v.* Albina

Albino (*m.*)(*Lat.* "Bianco" "Candido") 10, 22 *giu.*; 1 *mar.*; 5 *feb.*; 3 *ag.*; 15 *set.* // *var.* e *dim.* Albek // Al; Alban; Albin, Alby (*Ing.*); Albinek, Binek (*Pol.*); Aubin (*Fr.*); Albins (*Let.*)

Albins (*m.*)(*Let.*) *v.* Albano, Albino

Albio (*m.*) (*It.*)

Albion (*Ing.*) *v.* Albano, Albino

Albizzo (*m.*) *var.* di Alberico

Alboin (*m.*) (*Fr.*) *v.* Alboino

Alboino (*m.*) (*Ted. ant.*: "Amico degli Elfi") 27 *ott.*

Albrecht (*m.*) (*Ted.*) *v.* Alberto

Albrico (*m.*) *var.* di Alberico

Alby (*m.*) (*Ing.*) *v.* Albano

Alcaeus (*m.*) (*Ing.*) *v.* Alceo

Alcee (*m.*) (*Fr.*) *v.* Alceo

Alceo (*m.*) (Antenato di Ercole) (dal *gr.*: "Forte" "Robusto")

Alceste (*f.*) (*femm.* usato anche al maschile) (dal *gr.*: "Sacrificio all'amore coniugale" "Forte") // (*m.*) (*Pers.* del *Misantropo* di Moliere)

Alcesti (*f.*) (*Fr.*; *It.*) *v.* Alceste

Alcestis (*f.*) (*Ing*) (dal *lat.*) *v.* Alceste

Alcibiade (*m.*)(*Gr.*:"Forte" "Violento") 2 *giu*

Alcibiades (*m.*)(*Ing.*) *v.*Alcibiade

Alcide (*m.*)(Soprannome di Ercole) (*It.*; *Fr.*) (*Gr.*: "Uomo forte") *v.* Alceo

Alcides (*m.*) (*Ing.*) *v.* Alcide

Alcina (*f.*) (*Ing.*) (*Gr.*: "Intelligente" "Volitiva") *v.* Alcino

Alcine (*f.*) (*Ing*) *v.* Alcina

Alcinia (*f.*) (*Ing*) *v.* Alcina

Alcino (*m.*)(dal *gr.*: "Forte intelletto")

Alcinoo (*m.*) (*Gr.*: "Alkinoos") *v.* Alcino

Alcinoos (*m.*) (*Fr.*) *v.* Alcinoo

Alcione (*f.*)(Nome di eroine greche)

Alcot / Alcott (*m.*) (*Ing.*) (*Celt.* "Dal vecchio villino")

Alcuin (*Fr.*: Alcuino) (*m.*)

Alcyone (*f.*) (*Fr.*) // *v.* Alcione

Alda (*f.*) (da Aldobrandesca) // (*It.*; *Fr.*; *Ing.*; *Ted.*)(*Celt.*"Squisitamente bella") (*Teut.* "Ricca" "Saggia") // *femm.* di Aldo 10 *gen.* // 26 *apr.*; 18 *ott.* // *var.* Aldene, Aldilon, Aldis, Aud, Auda, Audon // (*Ing.*) *v.* Aldis

Aldas (*f.*) (*Ing.*) *var.* di Aldis

Alde (*m.*) (*Fr.*) *v.* Aldo

Aldebaran (*m.*) e (*f.*) (Stella della costellazion del Toro)

Aldebrando (*m.*) (*Ted. ant.* "Esperto con la spada") 1, 7 *mag.*

Aldegonda (*f.*) (*It.*) (*Long.* "Nobile guerra) 30 *gen.*

Aldegonde (*f.*) (*Fr.*) *v.* Aldegonda

Aldemar (*m.*) (*Fr.*) *v.* Adhémar 24 *mar.* // *v.* Ademaro

Alden (*m.*) (*Anglo-sass.* "Protettore" "Vecchio amico") // *var.* e *dim.*: Al, Aldin, Aldwin, Aldwyn, Elden, Eldin.

Aldene (*f.*) (*Ing.*) *v.* Alda

Alder (*m.*) (*Ing. ant.* "Dall'ontano")

Alderico (*m.*) (*Ant. sass.*: "Sovrano potente")

Aldighiero (*m.*) (*Dan. ant.*)

Aldin (*m.*) (*Ing.*) *var.* di Alden

Aldina (*f.*) *dim.* di Alda, 10 *gen.*

Aldino (*m.*) *dim.* di Aldo, 10 *gen.*

Aldis (*f.*) (*Ing. ant.*: "Dalla vecchia casa") // *var.* di Alda

Aldo (*m.*) (*It, Ing.*) (*Ted.* "Colui che comanda" "Vecchio" "Uomo semilibero") (*Celt.*: "Più alto") Anche *dim.* di nomi quali: Teobaldo, Rinaldo, Romualdo, Ubaldo, Grimoaldo, Boroaldo ecc. ma ha acquisito una sua autonomia // 10 *gen.* // *v.* Aldous, Aldis, Aldino, Alde, Aldus

Aldobrandesca (*f.*) *v.* Alda

Aldobrandino (*m.*) *v.* Dino

Aldobrando (*m.*) (*Sass.* "Esperto nella spada") 2, 22 *ag.*

Aldona (*f.*)("Dono") (*nome raro*)

Aldora (*f.*) (*Ing.*)(dal *gr.*: "Dono alato")

Aldous (*m.*) (*Ing.*; *Ted.*) (*Ing. ant.* "Vecchio" "Saggio")// *var.* Aldis, Aldus // *v.* Aldo

Aldric (*m.*) *v.* Aldrich

Aldrich (*m.*) (*Ted.* "Re") (*Ing. ant.*: "Vecchio e saggio sovrano") // *var.* e *dim.* Aldridge, Alric, Aurdric, Eldric, Eldridge, Richie, Richy // Aldric // *femm.* Audrey

Aldridge (*m.*) *v.* Aldrich

Alduino (*It.*) (*m.*)

Aldus (*m.*) (*Ing.*) var. di Aldo

Aldwin (*m.*) (*Ing.*) var. di Alden

Aldya (*f.*) (*Ing.*) var. di Aldis

Ale (*m.*) (*Frisone, Ol.*)

Aleardo (*m.*) (dal *lat.* "Amante del rischio")

Alec (*m.*) (*Ing.*)(*dim.*) *v.* Alexander, Alessandro

Alecia (*f.*) *v.* Alice

Aleck (*Ing.*) *dim.* di Alexander

Aleda (*f.*) (*Ing.*) *v.* Alida

Aleen (*f.*) *v.* Adeline, Elena

Aleesha (*f.*) (*USA*) *v.* Alice

Aleeza (*f.*) (*Ebr.* "Gioiosa")

Alef (*f.*) (*Alg.*)

Alein (*m.*) (*yid.* "Solo")

Alejandra (*f.*)(*Sp.*) *v.* Alessandra

Alejandrina (*Sp.*) *v.* Alessandra

Alejandro (*Sp.*) *v.* Alessandro

Alejo (*m.*) (*Sp.*) *v.* Alessandro

Alek (*m.*) (*Rus.*) *v.* Alessandro

Aleka (*f.*) (*Gr.*) *v.* Alessandra

Alekko (*f.*)(*Bulg.*) *v.* Alessandra

Alekos (*m.*) (*Gr.*) *v.* Alessandro

Aleks (*f.*) (*Rus.*) *v.* Alessandra

Aleksander (*m.*) (*yid*; *Est.*; *Pol.*) *v.* Alessandro

Aleksandr (*Rus.*) *v.* Alessandro

Aleksandros (*Gr.*) *v.* Alessandro

Aleksandur (*Bulg.*) *v.*Alessandro

Aleksasha(*f.*)(*Rus.*) *v.*Alessandra

Aleksey (*m.*) (*Bulg.*) (*Rus.*) *v.* Alessandro

Aleksy (*f.*) (*Bulg.*) *v.* Alessandra

Alem (*m.*) *v.* Alim

Alena (*f.*) (*Ing.*; *Rus.*) *v.* Elena

Alene (*f.*) (*Ing.* "Nobile") *v.* Aileen; Elena // *var.* Alena, Allena

Aleramo (*m.*) (*ant. ted.*: "Sacro corvo" "Il vittorioso")

Aleria (*f.*) (*Ing*) (*Lat.* "Come un aquila")

Aleron (*m.*) (*tardo lat.* "Aquila") // (*Fr. ant.* "Cavaliere")

Ales (*Cec*) *v.* Alberto, Alexandro, Alessandra

Alesha (*f.*) (*Rus.*) *v.* Alessandra

Aleska (*f.*) (*Pol.*) *v.* Alessandra

Alessandra (*f.*) (*femm.* di Alessandro) (*Gr.:* "Colei che difendei propri sudditi" "Protettrice degli uomini") 26 *ag.*; 20 *mar.*; 18 *mag.* // *var.* e *dim.* Alexia, Alexina, Alix, Elexa, Lexia, Lexina, Sonda // Alex, Alexa, Alexandra, Alexine, Alexis, Alli, Lexi, Lexie, Le-xine, Lexy, Sandi, Sandie, Sandy, Sandra, Zandra (*Ing.*); Alekko, Aleksi, Aleksey, Sander (*Bulg.*); Ales, Leska, Lexa (*Cec.*); Alexandrie, Alexius (*Fr.*); Alexis, Alexius (*Ted.*); Aleka, Alexiou, Ritsa (*Gr.*); Alexa, Elek, Eli, Lekszi*Ung.*); Aleska, Ala, Alka, Ola, Olesia (*Pol.*); Alya, Aleksey, Aleks, Aleksasha, Alesha, Assia, Lelya, Lesya, Oleksa, Olesya, Sasha, Sasa, Shura, Shurka (*Rus.*); Alejandra, Alejandrina, Jandina, Drina (*Sp.*)

Alessandrina (*f.*) 22 *apr.*

Alessandrino (*m.*) 26 *ag. v.* Alessandro

Alessandro (*m.*) (*Gr.* "Colui che difende i propri sudditi" "Protettore degli uomini") 2, 30 *gen.*; 9, 17, 18, 26, 27 *feb.*; 10, 17, 18, 24, 28 *mar.*; 24 *apr.*; 2, 3, 20, 29 *mag.*; 2, 4, 6 *giu.*; 9, 10, 21;1, 11, 26, 28 ago.; 9, 21, 28 *set.*; 11, 14, 17, 22 *ott.*; 9, 24 *nov.*; 12 *dic.* // *var.* e *dim.*: Al, Alaster, Alic, Alick, Alisander, Alistair, Allister, Lex, Sacha, Saunder // Alec, Alek, Aleks, Alex, Alexis, Alika, Aliks, Sande, Sander, Sandy, Saunders, Sawnie (*Ing.*) Sander, Aleksandur, Alekko (*Bulg.)*; Ales, Leksik, Lekso (*Cec.*); Aleksander, Leks (*Est.)*; Alexandre (*Fr.*); Alexandros, Alekos (*Gr.*); Alsandair (*Irl.*); Aleksander, Olek, Oles (*Pol.*); Alexio (*Port.*); Alek, Alekxandr, Alekxei, Alexandre, Les, Oles, Olesko, Oleksandr, Sanya, Sasha, Sashenka, Sashka, Shura, Shurik, Shurka (*Rus.*); Alasdair, Alastair, Alister (*Scoz*); Alejandro, Alejo, Jandino, Jando (*Sp.*); Alik, Axel (*Ted.*); Elek, Sandor, Sanyi (*Ung.*); Aleksander (*yid*)

Alessia (*f.*)(*Gr.)* 8 *gen.*; 17 *lug.*// *var.* Alecia, Aleisha, Alycia, Alysia, Alisha, Alesia

Alessio (*m.*) (*It.*; *Sp.*) (*Gr.* "Colui che difende" "Protettore") 17 *lug.*; 12, 17 *feb.*; 10 *giu.* // *var.* Aleksey (*Rus.*); Alexis (*Fr.*); Alejo (*Sp.*); Alexius (*Ted.*)

Aleta (*f.*) (*Ing.*; *Sp.*) *v.* Alice

Aleta (*f.*) (*Sp.*: "Alata") *v.* Alida; Adelaide

Aletea (*f.*) (*Sp.*) *var.* di Alethea

Aletha (*f.*) *var.* di Alethea

Alethea (*f.*) (*Ing.*) (*Gr.* "Veritiera") // *v.* Aleta, Alice // *var.*

e *dim.* Aletea, Aletha, Aletta, Alita, Alitta, Letha, Lethea, Letta

Aletta (*f.*) (*It.*) (*Gr.* "Veritiera") 4 *apr.* // (*Sp.*) *v.* Alida

Alette (*f.*) (*Fr.*) *v.* Alida

Alex (*m.*) (*Fr.*; *Ing.*) *dim.* di Alessandro

Alexa (*f.*) (*Ung.*) *v.* Alessandra

Alexander (*m.*) (*Ing.*; *Sv.*; *Ted.*) *v.* Alessandro

Alexandr (*m.*) (*Rus.*) *v.* Alessandro

Alexandra (*f.*)(*Fr.*; *Ing.*) *v.* Alessandra

Alexandre (*m.* e *f.*) (*Fr.*: 3 *mag.*) *v.* Alessandro

Alexandrine (*f.*)(*Fr.*) *var.* di Alessandra

Alexane (*f.*) (*Fr.*) *var.* di Alessandro

Alexei (*m.*) (*Rus.*) *v.* Alessandro

Alexi (*f.*) *v.* Alexandra; Alice.

Alexia (*f.*) (*Fr.*) *v.* Alessandra // (*Ted.*) *v.* Alice

Alexiane (*Fr.*) *var.*di Alessandra

Alexie (*f.*) (*Ted.*) *v.* Alice

Alexine (*f.*) (*Ing.*) *v.* Alessandra

Alexio (*m.*) (*Port.*) *v.* Alessandro

Alexiou (*Fr.*; *Gr.*) *v.* Alessandra

Alexis (*f.*) (*Ted.*; *Ing.*) *v.* Alessandra

Alexis (*m.*) e (*f.*) (*Fr.*; *Ing*) *v.* Alessandro, Alessandra

Alexius (*f.*) (*Ted.*) *v.* Alessandra

Aleyde (*Bel.*) 16 *giu.*

Alf (*m.*) (*Ing.*) *dim.* di Alfred

Alf (*m.*) (*Norv. ant.*: "Elfo" "Fol-

letto")

Alfa (*f.*) (*It.*) *v.* Alpha

Alfano (*m.*) (*It.*) (*med.* da Alfeo: "Bianchiccio") 9 *ott.*

Alfaric (*m.*) *v.* Alberico

Alfeo (*m.*) (*Gr.*; *Ted. ant.*: "Bianco") (*sem.* "Far posto a un successore") // 26 *mag.*; 25 *set.*; 17 *nov.*

Alferino (*It.*) (*m.*)

Alferio (*Ted. ant.*: "Nobile guida") (*m.*) 12 *apr.*

Alfhonse (*Ing.*; *Ted.*) (*m.*) // *v.* Alfonso

Alfie (*Ing.*) *dim.* di Alfred (*m.*)

Alfiero (*It.*) (*m.*) *v.* Alferio, 12 *apr.*

Alfio (*m.*) (*Gr.*: "Bianco") 10 *mag.*; 28 *set.*

Alfonsa (*f.*)(*Ted.*"Valorosa" "Nobile") 31 *lug.*; 1, 2 *ag.*

Alfonsina (*f.*) *dim.* di Alfonsa, 1, 2 *ag.*

Alfonsino (*m.*) *dim.* di Alfonso, 1, 2 *ag.* (*m.*)

Alfonso (*m.*) (*It.*; *Sp.*) (*Got.* "Nobile e valoroso" "Valoroso in battaglia") 10 *mag.*; 1, 2 *ag.*; 30, 31 *ott.*// *var.* e *dim.* Al, Alf, Alfie, Alfons, Alfy, Alonso, Alonzo, Alphonse, Alphonsus, Fons, Fonsie, Fonz, Fonzie, Lon, Lonnie, Lonny, Lonso, Lonzo

Alford (*m.*) (*Ing. ant.* "Dall'antico guado")

Alfred (*m.*) (*Sass.*; *Ing*; *Fr*; *Ted.*; *Sved; yid.*) // *v.* Alfredo

Alfreda (*f.*) (*Fr.*; *It.*; *Teut.*) 2 *ag.* // *var.* Alfrida, Elfreda, Elfrida

Alfredine (*f.*)(*Fr.*) *dim.* di Alfred

Alfredo (*m.*) (*It.*; *Sp.*) (*Ing. ant.*: "Consigliato dagli Elfi") (*Ted.*: "Saggio nella pace") // 2, 14 *ag.*; 12 *gen.*; 28 *ott.* // *var.* e *dim.*: Al, Alf, Alfie, Alfy, Avery, Fred, Freddie, Freddy

Alfrida (*f.*) *v.* Alfreda

Alfy (*m.*) (*Ing.*) *dim.* di Alfredo

Algeo (*m.*) (*It.*)

Alger (*m.*) (*Anglo-Sass.* "Nobile lanciere") *var.* Al, Algar, Algie, Algy.

Algernon (*m.*) (*Ing.* "Barbuto")

Algiso (*m.*) (*It.)* *der.* da Adalgiso 2 *giu.*

Algoma (*f.*) (*Ind. Nordam.*: "Valle fiorita")

Alhena (*f.*) (*Ar.* "Anello")

Ali (*m.*)(*Ar.*: "Geova, il Grande"; Ali era il genero del Profeta)

Ali (*f.*) (*U.S.A*) *dim.* di Alice, Alison

Aliberto (*m.*) (*It.*)

Alibrando (*m.*) (*It.*)

Alica (*f.*) (*Cec.*) *v.* Alice

Alice (*f.*) (*Ing.*; *Fr.*; *Sv.*; *It.*; *Ted.*) (*Gr.* "Alethia": "Sincera")(*Gr.*: *Alikè*: "Creatura del mare") (*Germ.*: da "Adalhaid" "Fanciulla di nobile aspetto") (*Fr.*: *A*alis, Alis) (*v.* anche Alicia, Licia) 11, 13 *giu*; 9 *gen.* // Alison, Allison, Alys, Alyss, Alyse, Alyson, Aleta, Alheta, Ali, Alicea, Allie, Alis, Alisa, Alis-

sa, Alisha, Alithia, Ally, Allyce, Allys, Alyce, Alyce, Alycia, Ellie, Elsie, Elsa (*Ing.*) Alisa (*Bulg.*); Alica (*Cec.*); Alix(*Fr.*); Alike, Aliz, Alizka, Lici (*Gr.*); Alika (*Haw.*); Ailis (*Irl.*); Alise (*Let.*); Ala, Alisia (*Pol.*); Elica, Eliza(*Rum.*); Alisa, Alya(*Rus.*); Elza (*Sl.*); Alicia, Elsa, Licha (*Sp.*); Adelicia, Alex, Alexia, Alexie, Elschen, Else, Ilse (*Ted.*); Alisz, Aliz, Alizka, Lici (*Ung.*)

Alicea (*f.*) *v.* Alice

Alicia (*f.*) (*Ing.*; *Sp.*; *Sv.*) *v.* Alice

Alick (*m.*) (*Ing.*) *v.* Alessandro

Alida (*f.*) (dal *ted. ant.*: "Eroina" "Guerriera") (Anche dal *fr.* Aalis o Alis) (dal *lat.*: "Alata") (*Sp.*: "Nobile") 16 *dic.*; 26 *apr.* // *var.* e *dim.*: Aleda, Alita, Alyda, Alyta, Leda, Lida, Lita, Elda, Hilda, Ida // Elida, Elita, Leeta, Lela, Lita, Oleda, Oleta (*Ing.*); Alette (*Fr.*) Adelina, Adelita, Aleta, Aletta(*Sp.*) // *v.* Adelaide, Alina

Alidora (*f.*) (*It.*)

Alietta (*f.*)(*Gr.* "Pescatrice") 4 *apr.*

Aliette (*f.*) *v.* Alice

Alighiero (*m.*) (*Ted.*: "Spezza la lancia per la tua nobile progenie")

Aligi (*m.*)(*It.*) *abbr.* di Fiordaligi

Aligio (*m.*) *v.* Aligi

Alik (*m.*) (*Ted.*) *v.* Alessandro

Alika (*f.*) (*Haw.*) *v.* Alice

Alike (*f.*) (*Ibo, Nig.*)

Alike (*f.*) (*Gr.*) *v.* Alice

Alile (*f.*)(*Afr. Malawi*: "Lei piange")

Alim (*m.*) (*Ar.* "Saggio") // *var.* Alem, Aleem

Alima (*f.*) ("Sirena del mare")

Alina (*f.*) 11giu.// *dim.* di Adele // (*Ing.*) (*f.*) *var.* di Alana

Alina (*f.*) (*It.*) (dal *lat.* "Ago") 19 *giu.*

Alinda (*f.*) (*It.*)

Aline (*f.*)(*Fr.*) *v.* Alina, Adeline// (*Ing*) *v.* Aileen; Ada, Adelaide

Aliplo (*m.*)(*It.*) (*Lat.*: "Ali ai piedi") 15 *ag.*

Aliprando (*m.*) (*Ant. ted.*: "Soldato straniero")

Alirio (*m.*) (*Celt:* "Che percuote") 7 *lug.*

Alis (*f.*) (*Ing.*) *v.* Alice

Alisa (*f.*) (*Bulg.*; *Ing.*; *Rus.*) *v.* Alice

Alise (*f.*)(*Let.;yid.*) *v.* Alice, Elise

Alisha (*f.*) (*Ing.*; *USA*) *v.* Alice

Alisia (*f.*) (*Pol.*) *v.* Alice

Alison (*m.*) (*Teut.* "Di sacra fama") *var.* Aliscn Allison // (*Ing. v.* Alice)

Alissa (*f.*) (*Ing.*) *v.* Alice

Alistair (*m.*)(*Scoz.*) *v.*Alessandro

Alister (*m.*)(*Scoz.*) *v.* Alessandro

Alisz (*f.*) (*Ung.*) *v.* Alice

Alita (*f.*) (*Ing.*) *v.* Alida

Alithia (*f.*) (*Ing.*) *v.* Alice

Alitta (*f.*) *var.* di Alethea

Alitza /Alitzah (*f.*) *v.* Aleeza

Alix (*m.*) *v.* Alessandro; (*f.*) *v.*

Alessandra, Alice

Alixka (*f.*) (*Gr.*) *v.* Alice

Aliz (*f.*) (*Gr.*; *Ung.*) *v.* Alice

Aliza / Alizah (*f.*) *v.* Aleeza

Alizka (*f.*) (*Gr.*; *Ung.*) *v.* Alice

Alizon (*f.*) *v.* Alice

Alka (*f.*) (*Pol.*) *v.* Alberta, Alessandra

Allamay (*f.*)(*Ing.*)(*nome doppio*)

Allan (*m.*) (*Ing.* 9 *set.*) *v.* Alan

Allana (*f.*) (*Ing.*) *var.* di Alana

Allard (*m.*) *v.* Alard

Allegra (*f.*) (*It.*) ("Allegra" "Gioiosa")

Allegro (*m.*) (*It.*)

Allen (*m.*) (*Irl.*) *v.* Alano

Allena (*f.*) *v.* Alene

Allendre (*f.*) (*raro*)

Alli (*f.*) (*Ing.*) *v.* Alberta

Allie (*f.*) (*Ing.*) *v.* Alberta, Alice

Allina (*f.*) ("Luminosa" "Bella")

Allis (*f.*) (*nome con orig. da cognome*)

Allison (*f.*) *v.* Alice

Allister (*m.*) (*Ing.*) *v.* Alessandro

Allmayer (*m.*) (*Ing.*)

Allmon (*m.*) (*Ing.*)

Allon (*m.*)(*Ing.*:"Grande albero")

Allucio (*m.*) (*Med.* "Nutrito di luce") 1, 23 *ott.*

Ally (*f.*) (*Ing.*) *v.* Alice

Allyn (*m.*) *v.* Alan

Allys (*f.*) (*Ing.*) *v.* Alice

Allyson (*f.*) *v.* Alice

Alma (*f.*) (*Ing.*) (*Sp.* "Anima" "Nutrice") (*Lat.* "Che ristora" "Che fa del bene") (*Tur.* "Mela" // Dalla battaglia di

"Alma Aata", in Crimea

Almachio (*m.*)("Nativo di Chio") 1 *gen*; 2 *set*

Almeda (*f.*) (*Sp. Celt.* "Danzatrice") 1 *ag.*

Almerico (*m.*) *v.* Amerigo

Almerigo (*m.*)(*Ted. ant.* "Potente difensore") 11 *set*.

Almira (*f.*) (*Ar.* "Esaltata" "Principessa") // *var.* Elmira, Mira

Almirante (*m.*) (*Ar.* "Comandante")

Almiro (*m.*) (*Celt.* "Come il sole") 11 *set*

Almiron (*m.*)

Almo (*m.*) (dal *lat.*) *v.* Alma

Alò (*m.*)(*Tosc.*) 1 *dic.* // *v.* Eligio

Alodia (*f.*) (*Celt.* "Colei che possiede terre") 21, 22 *ott.*

Alois (*m.*) (*Fr.*)

Aloisia (*f.*) (*It.*)

Aloisio (*m.*)(*It.*)(*Celt.* "Che è nella luce") 21 *giu.*

Alon (*m.*) (*Ebr.* "Quercia")

Alonso / Alonzo (*m.*) (*Sp.* "Amico di tutti") // *v.* Alfonso

Aloysia (*f.*) (*Teut.*: *femm.* di Aloysius) // *var.* e *dim.* Aloise, Lois

Aloysius (*m.*) (*Fr.*; *Ing.*) *v.* Aloisio, Luigi

Alpha (*f.*) (*Gr.* "Primogenita") // *var.* Alfa

Alphonse (*m.*) (*Fr.*) *v.* Alfonso

Alphonsine (*f.*)(*Fr.*) *v.* Alfonsina

Alphonso (*m.*) (*Ing.*) *v.* Alfonso

Alpico (*m.*) (*It.*)

Alpiniano (*m.*) (*Celt:* "Abitante delle Alpi") 30 *giu.*

Alpinolo (*m.*) *v.* Albano

Alric /Alrick (*m.*) *v.* Alarico

Alsandair (*m.*) (*Irl.*) *v.* Alessandro

Alston (*m.*)(*Ing. ant.*: "Di nobile rango")

Alta (*f.*) (*It.* "Alta")

Altair (*m.*) Stella della costellazione dell'Aquila

Altea (*f.*) (*It*) (*Lat.* "Guaritrice" "Curatrice")(*Gr.*"Salutare""Salubre") (*Gr.*: "Malva selvatica", pianta)// *var.* e *dim.* Altha, Altheda, Altheta, Thea, Theda, Theta

Altha (*f.*) (*Ing.*) *v.* Altea

Althea (*f.*) (*Ing.*) *v.* Altea

Altheda (*f.*) (*Ing.*) *v.* Altea

Altheta (*f.*) (*Ing.*) *v.* Altea

Altman (*m.*) (*Ted. ant.*: "Vecchio") // *dim.* Mannie, Manny

Altobello (*m.*) (*It.*)

Altobrando (*m.*) (*It.*)

Alton (*m.*) (*Ing. ant.* "Antica dimora") // *var.* Elton

Altrice (*f.*) (*Lat.* "Che alleva" "Nutrice")

Alva (*f.*) (*Ing.*) (*Lat.*:"Onesta" "Giusta" o "Donna bionda") *v.* Albina, Albano

Alvah (*m.*) ("Alto")

Alvan (*m.*)

Alvar (*m.*) (*Fin.*) *v.* Alvaro

Alvaro (*m.*)(*Sp.*) (*Got.* "Integro e prudente" oppure "Bellicoso") (*Vis.*:"Di antica stirpe" "Difensore di tutti") 11 *giu.*; 19 *feb.*

Alverta (*f.*) (*Gr.*) *v.* Alberta
Alvertos (*m.*) (*Gr.*) *v.* Alberto
Alvia (*f.*) *v.* Alvino
Alvin (*m.*) *v.* Alvino
Alvina (*f.*) (*Teut.*) *v.* Albina
Alvinia (*f.*) (*Ing.*) *v.* Albina
Alvino (*m.*) (*Teut.* "Amato da tutti"; *Dan.* "Amico degli Elfi") 26 *mag.* // *var.* e *dim.* Al, Aluin, Aluino, Alvan, Alvie, Alwin, Alwyn, Vinnie, Vinny
Alvis (*m.*) (*Norv. ant.* "Sapiente")
Alvise (*m.*) (*Ted.* "Saggio della casa") *v.* Luigi
Alviso (*m.*) (*It.*)
Alwin (*m.*)(*Ing.*) *v.* Albino Alden
Alwina (*f.*) (*Ted.*) *v.* Albina
Alya (*f.*)(*Rus.*) *v.*Alessandra, Alice
Alyce (*f.*) (*Ing.*) *v.* Alice
Alycia (*f.*) (*Ing.*) *v.* Alice
Alyda (*f.*) *v.* Alida
Alysa (*f.*) *v.* Alyssa
Alyse (*f.*) *v.* Alice
Alysha (*f.*) (*USA*) *v.* Alice
Alysia (*f.*) ("Catena che non si può rompere")
Alyson (*f.*) *v.* Alice.
Alyssa (*f.*) (Dal fiore di Alisso) // *var.* e *dim.* Alisia, Alysa, Lyssa
Alzira (*f.*) (*raro*)
Amabel (*f.*) (*Ing.*) *v.* Amabile
Amabella/ Amabelle *v.*Amabile
Amabile (*m.*) e (*f.*) (*It.*) (*Lat.* "Piacevole") 11 *lug.* // *var.* Amabella, Amabelle
Amadea (*f.*)(*Lat.: femm.* di Amadeo)
Amadeo (*m.*) *v.* Amedeo
Amadeus (*Ing.*) (*m.*) *v.* Amedeo
Amadigi (*m.*) *v.* Amedeo
Amadio (*m.*) (*Lat.* "Che ama Dio) 17 *feb. v.* Amedeo
Amadis (*m.*) (*Fr.*) *v.* Amadigi, Amedeo
Amadus (*m.*) *v.* Amedeo
Amal (*m.*) ("Lavoro" "Fatica")
Amala (*f.*) ("Amata")
Amalarico (*m.*) (*Long.* "Ricco di energia") *v.* Amerigo
Amalasunta (*f.*) (*Ant. ted.*: "Distinta per solerzia")
Amalea (*f.*) *v.* Amelia
Amalia (*f.*) (*It.* "Amata") (*Ostr.* "Attiva""Laboriosa") 12 *dic.*; 24 *mag.*; 8 *ott.*// *var.* e *dim.* Amalea, Amalee, Amalie, Amelie, Amelita, Amilia, Amy, Em, Emelie, Emelina, Emeline, Emelita, Emilia, Emilie, Emily, Emma, Emmaline, Emmeline, Emmie, Emmy, Millie, Milly // *v.* Amelia, Emmelina
Amalie (*f.*) *v.* Amelia
Amalita (*f.*) *v.* Amelia
Amalric (*m.*) (*Fr.*) *v.* Amerigo, Amaury
Amalrico (*m.*) *v.* Amerigo
Amaltea (*f.*)(*Gr.*: nome di *pers.*)
Amance (*f.*) (*Fr.*) *v.* Amanda
Amand (*m.*) (*Fr.*) 6 *feb.*; 9 *lug.*
Amanda (*f.*) (*It.*) (*Lat.*"Colei che deve essere amata") 31 *ag.*; 6 *feb.*// *var.* e *dim.* Amance, Amandin, Amata, Amato, A-

39

matore, Manda, Mandie, Mandy, Mindie, Mindy

Amandin (*f.*)(*Fr.*) *v.* Amanda

Amandine (*f.*) (*Fr.*) 6 *feb.*; 9 *lug.*

Amando (*f.*) (*It.*) (*Lat.* "Amabile") 6 *feb*; 18 *giu*

Amanzio (*m.*) (*Lat:* "Amabile") 10 *dic.*; 19 *mar.*; 8 *apr*, 6, 10 *giu.*; 26 *set.*; 4 *nov.*

Amara (*f.*) *v.* Amaris

Amaranth (*f.*) (Dal fiore della pianta Amaranto) // *var.* Amaranthe

Amaranto (*m.*) (*Lat.* "Che non appassisce") 7 *nov.*

Amaras (*f.*) *v.* Amaris

Amarette (*f.*) *v.* Amorata

Amari (*f.*) *v.* Amaris

Amarilla (*f.*) *v.* Amaryllis

Amarilli (*f.*) *v.* Amaryllis

Amarillide (*f.*) *v.* Amaryllis

Amarino (*m.*) (*Ebr.* "Jahve ha detto") 25 *gen.*

Amaris (*f.*) (*Ebr.* "Dio ha promesso") // *var.* e *dim.* Amara, Amaras, Amari, Mari, Maris

Amaryllis (*f.*) (*Gr.* "Splendida") // *var.* e *dim.* Amarilla, Amarilli, Amarylla, Marilla, Marylla // (*Fr.*) (*m.*) *var.* Amarilli, Amarillide

Amata (*f.*) (*Lat.* "Diletta") 24 *set.*; 20 *feb.*

Amato (*m.*) (*Lat:* "Amato" "Diletto") 13 *set*

Amatore (*m.*) (*Gal.*) 1 *mag.*; 30 *apr.*; 26 *nov*

Amatrice (*f.*) (*Gal.*) 1 *mag.*; 30

40

apr.; 26 *nov*

Amauri (*m.*) (*Sas.* "Preparato alla guerra") 4 *nov.*

Amaury (*m.*) (*Fr.*) *v.* Amerigo

Amaya (*f.*) *v.* Amata

Amber (*f.*) (*der.* da Ambra: "Resina fossile") // *var.* Ambera, Ambra.

Amberly (*f.*) (*raro*)

Amberta (*f.*)

Ambico (*m.*)(*Celt.* "Servo") 3 *dic.*

Ambie (*m.*) *v.* Ambrogio

Ambra (*f.*) (*It.*) (*der.* dall'*ar.*: "Ambar" "Resina profumata") 7 *dic.*

Ambre (*f.*) (*Fr.* da *Ambroise*) *v.* Ambrogio

Ambrogia (*f.*) *v.* Ambrogio; *var.* Ambrosia, Ambrosie // Ambre, Ambroisine, Ambrosie (*Fr.*)

Ambrogio (*m.*)(dal *gr.* "Immortale") 7 *dic.*; 20 *mar*, 16 *ag.*; 16 *ott*, 2, 20 *nov.* // *var.* e *dim.* Ambie, Ambros, Ambrosi, Ambrosio, Ambrosius, Brosie // Ambroise(*Fr.*); Ambrose (*Ing.*)

Ambroise (*m.*) (*Fr.*) *v.* Ambrogio

Ambroisie (*f.*) (*Fr.*) *v.* Ambrogia

Ambroisine (*f.*) (*Fr.*) *v.* Ambrogia

Ambros / Ambrosi *v.* Ambrogio

Ambrose (*Ing.*)(*m.*) *v.* Ambrogio

Ambrosia/ Ambrosie (*f.*) *v.* Ambrogia

Ambrosio (*m.*) *v.* Ambrogio

Ambrosius (*m.*) *v.* Ambrogio

Amedea (*f.*) *v.* Amedeo // *var.* e

dim. Amada, Amadis, Amma-da, Mada, Madea, Madia

Amedee (*f.*) *v.* Amedeo

Amedeo (*m.*) (*Lat.* "Che ama Dio") 30 *mar.*; 28 *gen.*; 12, 17 *feb.*; 22 *mar.*; 18 *apr.*; 11 *ag.* // *var.*: Amadeus, Amadis, Amadus

Amelberga (*f.*) (*Long., etim. sc.*) 10 *lug.*

Amelia (*f.*)(*It.*; *Ing.*)(*Ostr.* "Vergine della macchia") (*Teut.* "Sforzo""Contessa" "Gara" "Laboriosa") (*Gr.* "Donna trascurata) (Cognome *lat.* di *orig. etr.*) 5 *gen.*; 31 *mag.*; 2 *giu.* // Considerato una *var.* di Amalia

Amelie (*f.*) (*Fr.*) *v.* Amelia

Amelin / Ameline (*f.*) (*Fr.*) *v.* Amelia

Amelio (*m.*) 12 *ott.* // *v.* Amelia

Amelita (*f.*) *v.* Amelia

Amelot (*f.*) *v.* Amelia

Amena (*f.*) (*Celt.* "Onesta")

Americo (*m.*) *v.* Amerigo

Amerigo (*m.*)(*Var. tosc.* dal *ted.* Amalarico: "Potente in patria") (*Teut.*: "Capo industrioso") 15 *lug.*// *v.* Emery // Amery, Amory, Emmerich, Emmery, Emory (*Ing.*); Imrich (*Cec.*); Imrus (*Ung*)

Amerina (*f.*)

Amery (*m.*) *v.* Amerigo

Ames (*m.*) (*Ing.*)

Amico (*m.*) (dal *lat.*) 12 *ott.*

Amie (*f.*) *v.* Amata, Amy.

Amiel (*m.*) (*Ebr.* "Del popolo")

Amilcare (*m.*) (*Fen.*: "Re della città" "Amico di Melcar", divinità fenicia) 15 *apr.*

Amilia (*f.*) *v.* Amelia

Amina (*f.*) (*Ar.* "Fedele" "Fidata")

Aminah (*f.*) (*Ar.* "Fedele" "Fidata")

Amineh (*f.*) (*Ar.* "Fedele")

Aminta (*m.*) e (*f.*) (*Gr.* "Protettore")

Amintore (*m.*) (*It.*) (*Der.* da Aminta)

Amita (*f.*) ("Verità") *var.* Amisa.

Amity (*f.*) (*Fr. ant.* "Amicizia")

Amleto (*m.*) (*etim. sc.*: forse dall'*is.*"Hamlodhi": "Pazzo")(*pers. lett.*)

Ammia (*Ebr.* "Il signore è lo zio paterno") 31 *ag.*

Ammiano (*m.*) 4 *set.*, *v.* Ammia

Ammon (*m.*) (*Ing.*) *v.* Ammone

Ammonaria (*f.*) 12 *dic.*, *v.* Ammon

Ammone (*m.*) (*Eg.* "Che produce luce") 1, 8 *set.*; 20 *dic.*

Ammonio (*m.*) (*Ebr.* "Fedele") 18 *gen.*; 12 *feb.*; 26 *mar.*; 26 *nov*

Amodeo (*m.*)

Amone (*m.*) (*Eg.*: Che produce luce") 23 *ott*

Amora (*f.*) *v.* Amorata

Amorata (*f.*) (*Lat.* "Amata") // *var.* e *dim.* Amarette, Amora, Amoreta, Amorette, Amorita, Amoritta

41

Amore (*Lat.*) 22 *lug.*; 8 *ott.*

Amoreta (*f.*) *v.* Amorata

Amorette (*f.*) *v.* Amorata

Amorita (*f.*) *v.* Amorata

Amoritta (*f.*) *v.* Amorata

Amory (*m.*) ("Affezionato" "Affettuoso") // *v.* Amerigo

Amos (*m.*) (*Ebr.*: "Forte") (*Ing.*) 31 *mar.*; 15 *giu.*

Ampelio (*m.*) (*Gr.* "Vignaiolo") 14 *mag.*; 8, 11 *feb.*; 20 *nov.*

Ampliato (*m.*) (*Lat.* "Benefattore") 31 *ott*

Amulio (*m.*) (*Gr.* "Lusinghiero")

Amy (*f.*) (*Fr. Ing.*: "Amata") // *var.* Amye 15 *lug.*// *v.* Amelia

Amyas (*m.*) (*Ing.*)

Amyre (*f.*) (*raro*).

An (*Viet.* "Pace" "Salvezza" o "Sicurezza")

Ana (*f.*) (*Sp.*) *v.* Anna

Anaba (*f.*) (*Ind. Nordam., Navaho*: "Colei che torna dalla guerra") *var.* Alnaba

Anabela (*f.*)(*Haw.*) *v.* Annabella

Anabelle (*f.*) *v.* Amorata
v. Annabella.

Anacario (*m.*) (*Gr.* "Amante della solitudine") 25 *set.*

Anacleto (*m.*) (*Gr.* "Invocato") 13 *lug.*; 26 *apr.*

Anacretone (*m.*) (*Gr.* "Dominatore")

Anais (*f.*) Dal nome della scrittrice Anais Nin // *v.* Anna

Anala (*f.*) e (*m.*) (*hindi*: "Fuoco")

Ananda (*f.*) (*hindi*: "Beatitu-

42

dine")

Anania (*m.*) (*Ebr.* "Che difende") 1, 16 *dic.*; 25 *gen.*

Anasta (*f.*) *v.* Anastasia

Anastaise (*m.* e *f.*) *v.* Anastasio

Anastase (*m.*) (*Fr.*) 22 *gen.* // *v.* Anastasio

Anastasia (*f.*) (*Gr.*: "Resurrezione") 19 *dic.*; 15 *apr.*; 28 *ott.*; 22 *gen.*; 25 *dic.* // *var.* e *dim.* Anastace, Anastice, Anastyce, Anstice, Stacey, Staci, Stacia, Stacie, Stacy (*Ing.*); Anastazia, Stasa, Staska (*Cec.*); Anastasie (*Fr.; Ted.*); Anya, Asya, Nastasya, Nastka, Nastusya, Stasya, Tasenka, Taska, Tasya (*Rus.; Let.; Lit.*); Tasia (*Sp.*) // Anasta, Anastaise, Anastasiane, Anastasy, Anasthase, Anna, Aspasie, Astasie, Stasia

Anastasiane (*f.*) *v.* Anastasio

Anastasie *v.* Anastasia, Anastasio

Anastasio (*m.*) (*Gr.* "Colui che è risorto") 11 *gen.*; 15, 21 *apr.*; 20, 30 *mag.*; 14 *giu.*; 17, 21 *ag.*; 7 *set.*; 11 *ott.*; 5, 11, 18, 21 *dic.*// *var.* Anastase, Anastas, Anastase, Anastasios, Anastasy, Anasthase, Anastatius, Anstice, Anstiss

Anastasios (*m.*) *v.* Anastasio

Anastasius (*m.*) *v.* Anastasio

Anastasy (*m.*) *v.* Anastasio

Anastatius (*m.*) *v.* Anastasio

Anasthase (*m.*) *v.* Anastasio

Anatalone (*m.*) (*Lat.* "Tendente

all'alto") 24 *set.*
Anathon (*m.*) (*Norv.*)
Anatola (*f.*) (*Gr.*: *femm.* di Anatole) *dim.* Anna
Anatole (*m.*) (*Fr.*) *v.* Anatolio
Anatolia (*f.*) (*orig. etn.* "Proveniente dall'Anatolia") 9 *lug.*; *v.* Anatolio
Anatolie (*f.*) *v.* Anatolio
Anatolij (*m.*) (*Rus.*) *v.* Anatolio
Anatoline (*f.*) *v.* Anatolio
Anatolio (*m.*) (*orig. etn.* "Proveniente dall'Anatolia") (*Gr.*: "Dell'Est") 2 *lug.*; 20 *nov.* // *var.* Anatol, Anatolia, Anatolie, Anatoline, Natolia
Ancelin (*f.*)(*Lat.* "Serva")//*var.* e *dim.* Ancel, Anceline, Ancelle, Ancillin, Anne, Celin, Celine
Anchise (*m.*)(nome mitologico)
Anchises (*Ing.*) (*m.*) Anchise
Ancilia (*f.*) (*Lat.* "Ancella schiava")
Anda (*f.*) (*Sp.*: "Andando"); *var.* Andeana
Andee (*f.*) (*abbr.* di Anders)
Andeolo (*m.*) (*Celt.* "Uomo degli Andi", tribù della Gallia) 1 *mag.*
Anders (*m.*) (*Scan.* "Forte e potente") *v.* Andrea
Anderson (*m.*) ("Figlio di Anders") *v.* Andrea
Andie (*f.*) *abbr.* di Anders
Andocchio (*m.*) (*Celt.* "Fuggitivo") 24 *set.*
Andra /**Andras** (*m.*) *v.* Andrea
Andrè (*m.*) (*Fr.*) *v.* Andrea

Andrea (*f.*) (*Lat.*) (*Gr.*: "Uomo" "Guerriero" "Forza" "Gagliardo" "Valoroso" "Audace" "Virile" "Forte e potente") (*Ing.*: *femm.* di Andrew) 13 *mag.*; 4 *lug.*; 6 *gen.*; 1, 4, 26 *feb.*; 15, 16, 26 *mag.*; 3 *giu.*; 16 *lug.*; 19, 22 *ag.*; 21, 23 *set.*; 20 *ott.*; 10, 28, 30 *nov.*; 30 *dic.* // *var.* e *dim.* Andra, Andria, Andriana, Andy, Andrés, Andor, Andreani, Andreina, Andrieu, Drew, Dries, Dru // André (*Fr.*); Andreea, Andreana, Andrew, Andri (*Ing.*); Andree (*Fr.*); Aindrea (*Irl.*); Anders (*Scan.*); Andrés (*Sp.*); Andreas (*Ted.*)
Andreana (*f.*) *v.* Andrea
Andreano (*m.*) *v.* Andrea
Andreas (*m.*) (*Ted.*; *yid*) *v.* Andrea
Andree (*m.*) *v.* Andrea
Andreena (*f.*) *v.* Andrea.
Andreian (*m.*) (*Rus.*) *v.* Adriano
Andreina (*f.*) *v.* Andrea
Andres (*m.*) (*Sp.*) *v.* Andrea
Andrew (*m.*) (*Ing.*) *v.* Andrea
Andreyan (*m.*) (*Rus.*) *v.* Adriano
Andri (*m.*) (*Rus.*) *v.* Adriano
Andria (*m.*) (*Ing.*) *v.* Andrea
Andrian (*m.*) (*Rus.*) *v.* Adriano
Andriana (*f.*) (*Ing.*) *v.* Andrea
Andrianna (*f.*) ("Donna virile" "Donna senza paura")
Andrina (*f.*) *v.* Andrea.
Andriyan (*m.*) (*Rus.*) *v.* Adriano
Andromaca (*f.*) (*pers.lett.*: Eroi-

na dell'Iliade: moglie di Ettore)

Andromache (*Ing.*) (*f.*) *v.* Andromaca

Andromeda (*f.*) (*Gr.* "Signoreggia sugli uomini") // *var.* e *dim.* Andromada, Meda

Andronico (*m.*) (Gr: "Uomo vittorioso") 9 *ott.*

Andulka (*f.*) (*Cec.* "Graziosa") *v.* Anna

Andy (*m.*) *v.* Andrea; *abbr.* di Andrew

Ane (*f.*) (*Haw.*) *v.* Ann.

Anela (*f.*) (*Haw.* "Angelo")

Anemone (*f.*) (*Gr.* "Fiore del vento")

Anempodisto (*m.*)(*Ant.per.*"Venditore ambulante") 2 *nov.*

Anesio (*m.*)(*Fen.*: "Silvestre" "Abitante delle selve") 31 *mar.*

Anesse (*f.*) (*Ing.*) *v.* Agnese

Anete (*f.*) *v.* Agnese

Anetta (*f.*) *v.* Anna

Anetto (*m.*) (*Lat.* "Figlio di Apollo") 10 *mar.* 27 *giu.*

Aneva (*f.*) ("Rinnovamento")

Anevay (*f.*) (*Ind. Nordam.* "Superiore")

Anezka (*f.*)(*Cec.*) *v.* Agnese, Anna

Anfilocchio (*m.*) (*Gr.* "Proveniente da Filace", città dell'Epiro) 23 *nov.*

Anfitrite (*Gr.* "Rumoreggiante")

Ang (*Viet.* "Pace" "Salvezza" o "Sicurezza")

Angel (*f.*) *v.* Angela, Angelo

Angela (*f.*) (*It.; Ing.*) (*Gr.* "Mes-saggero" "Colei che porta buone nuove") 2 *ott.*; 4, 27 *gen.*; 5, 31 *mag.*; 6 *giu.*; 15, 17 *lug.* e anche il Lunedì dell'Angelo = Lunedì in Albis) // *var.* e *dim.* Angel, Angelina, Angeline, Angelita, Angelyn, Angella, Ange, Angel, Angelique, Angelon, Anja // Angelle, Angi, Angie, Angy (*Ing.*); Andela (*Cec.*); Ange, Angéle (*Fr*) // *v.* Angelo

Angelamo (*m.*) (*Long.* "Vive nutrito dal messaggio del Vangelo") 7 *lug.*

Angele (*f.*) *v.* Angela

Angelica (*f.*) (*der.* da Angelo) (*Lat.*; *Gr.*: "Donna angelo" "Nunzia" o "Messaggera") 27 *gen.*; 6 *dic.* // *var.* e *dim.* Angelique (*Fr.*); Angeliki (*Gr.*); Aingeal (*Irl.*); Angelina, Anhelina, Gelya, Lina (*Rus.*); Angelika (*Ted.; Lit.; Gr.*)

Angelico (*m.*) (*Lat.:* "Messaggero" "Nunzio") 18 *mar.*

Angelika (*f.*) (*Ted.; Lit.; Gr.*) *v.* Angelica

Angelina (*f.*)(*Gr.* "Piccola messaggera") 15 *lug.* // *v.* Angela

Angeline (*f.*) *v.* Angelica

Angelique (*f.*) *v.* Angelica

Angelita (*f.*) *v.* Angela

Angella (*f.*) *v.* Angela

Angelo (*m.*)(*Gr.*:"Nunzio" "Messaggero" "Portatore di buone notizie") 5 *mag.*; 11, 12 *apr.*; 6, 14, 15 *feb.*; 15 *giu.*; 2, 10, 30 *ott.* e anche il Lunedì dell'Angelo = Lunedì in Albis // *var.* e *dim.* Ange (*Fr.*); Angel (*Sp.*); Angelus (*Ted.*); Angie (*USA*) // *v.* Angela

Angelyn (*f.*) *v.* Angela

Angene (*f.*) (*raro*)

Angeni (*f.*) *Ind. Nordam.*: "Spirito" "Angelo"

Angie (*f.*)(*USA*) *v.* Angela, Angelo

Angilberto (*m.*) (*Fr.* "Splendido ostaggio del palazzo")

Angiola (*f.*) (*Tosc.*) *v.* Angiolo

Angiolina (*f.*) *v.* Angela

Angiolo (*m.*) (*Tosc.*) *v.* Angelo

Angus (*m.*)(*gael.*"Limitato"×"Unica scelta") *dim.* Gus

Angy (*f.*) *v.* Angela

Aniano (*m.*) (*Celt.* "Primogenito") 10, 17 *nov.*

Anicet (*f.*) (*Fr.*) 17 *apr.* // *v.* Aniceto

Anicette (*f.*) (*Fr.*) 17 *apr.* // *v.* Aniceto

Aniceto (*m.*) (*Gr.* "Invincibile") 17, 24 *apr.*

Anila (*f.*) e (*m.*) (*hindi:* "Dio del vento")

Anisia (*m.*) (*Gr.* "Disuguale") 30 *dic.*

Anissa (*f.*) *v.* Anna

Anita (*f.*) (*Gr.* "Scontrosa" "Orgogliosa) (*Sp.: dim.* di Ana) 24, 27, 28 *ag.* // *v.* Anna

Anitia (*f.*) *v.* Anna

Aniweta (*f.*) e (*m.*) (*Ibo, Nig.* "Ani" (uno spirito) ti ha portato via")

Anka (*m.*) (*Tur.*:"La leggendaria fenice" "Chimera" "Illusione") // (*Cec.*) *v.* Agnese

Ann (*f.*) (*Ing.*) *v.* Anna

Anna (*f.*) (*Ebr.* "Grazia" "Graziosa" "Gentile" "La benefica" "Misericordiosa") 26 *lug.*; 9 *feb.*; 26 *mar.*; 9, 13 *giu.*; 15, 23 *lug.*; 1, 6 *set.* // *var.* e *dim.* Anke, Anabelle, Annchen, Annaik, Annequin, Annick, Anouchka, Anouck, Antje, Hannach // Anastasia, Anita, Anitra, Ann, Anna, Anne, Annetta, Annette, Annice, Annie, Anny, Anya, Channa, Hannah, Nan, Nance, Nancy, Nanetta, Nanette, Nanine, Nanni, Nanon, Nina, Ninette, Ninon, Nita. Nancy, Nanna (*Ing.*); Anicka, Anuska, Andula (*Cec.*); Annikki (*Fin.*); Anne, Annie, Annette, Annick, Anais, Nanette, Ninon (*Fr.*); Anitte, Annchen, Anneli, Anni, Hanne, Nettchen (*Ted.*); Nani, Noula (*Gr.*); Ana, Ane (*Haw.*); Anci, Aniko, Annus, Annuska, Nina, Nusi (*Ung.*); Annetta, Annina (*It.*); Anya, Anyuta, Asenka, Aska, Asya, Hanna (*Let.*); Anikke, Annze, Ona, Onele (*Lit.*); Ania, Anka, Hania, Hanka (*Pol.*); Ana, Anina, Anita (*Port.*); Anicuta (*Rum.*); Anninka, Annuska, Anya, Asenka, Asya, Hanna, Nyura (*Rus.*); Ana, Anica, Anita, Anina, Nana,

Nita (*Sp.*); Chana, Channa, Hana, Hannah (*yid*)

Annabel (*Ing.*) (*f.*) v. Annabella

Annabella (*f.*) (*comb.* dei nomi Anna e Bella, quindi: "Graziosa e bella") // *var.*: Anabel, Anabella, Annabel, Annabelle.

Annabelle (*f.*) (*Ing.*) (*Nome doppio*) v. Annabella

Annalaura (*f.*) (*Nome doppio*) 26 *lug.*

Annalee (*f.*) (*Nome doppio*) 26 *lug.*

Annalena (*f.*) (*Nome doppio*) 26 *lug.*

Annalisa (*f.*) (*Nome doppio*) Anna + Lisa (da Elisabetta)

Annalivia (*Nome doppio*) 26 *lug.*

Annalyn (*f.*) (*Nome doppio*)

Annamaria (*f.*) (*Ebr.* Anna + Maria "Principessa misericordiosa") 9 *giu.*

Annan (*m.*) (*Afr.* "Il quartogenito")

Annanette (*f.*) v. Anna.

Annarita (*Nome doppio*) 26 *lug.*

Annarosa (*Nome doppio*) 26 *lug.* // v. Rosa

Anne (*f.*) (*Ing.; Fr, yid*); v. Anna

Anne (*m.*) (*Frisone, Ol.*)

Anne-marie (*f.*) *var.* Annamaria

Annelise (*f.*) (*Nome doppio*)

Annetta /Annette (*f.*) v. Anna

Annibale (*m.*) (*Fen.:* "Benefico Signore" "Dio misericordioso") 15 *apr.*

Annice (*f.*)(*Ing.*) v.Agnese, Anna

Annie (*f.*) (*Ing.*) v. Anna

Annina (*f.*) v. Anna

Annis (*f.*) (*Ing.*) v. Agnese

Annita (*f.*) (*dim. Sp.* di Anna) 6 *nov.*

Anno (*m.*) (*Frisone, Ol.*)

Annona (*f.*) (*Lat.* "La Dea Romana dei raccolti") // *var.* Anona

Annone (*m.*) (*Fen.* "Figlio della dea delle messi") 4 *dic.*

Annora (*f.*) ("Grazia" "Onore")

Annunciacion (*f.*) (*Sp.*) v. Annunziata

Annunziata (*f.*) (*Lat.* "Portatrice di novella") 25 *mar.* // *var.* Annunciata, Annunziata, Maria Annunziata, Nunciata, Nunzia, Nunziata// Annunciaciòn (*Sp.*)

Anoki (*m.*) (*Ind. Nordam.* "Attore")

Anora (*f.*) (*Comb.* di Anne e Nora: "Grazia e onore") // *var.* e *dim.* Annora, Nora

Ansaldo (*m.*) (*Ant. ted.* "Domina come Dio" "Potenza divina")

Ansano (*m.*) (*Lat.* "Colui che impugna") 1 *dic.*

Ansberto (*m.*)(*Long.* "Illustre come un Dio") 9 *feb.*

Anscario (*m.*)(*Germ.* "Soldato di Dio" anche Ansgario") 3 *feb.*

Ansel (*m.*) v. Anselmo

Anselm (*m.*) (*Ing.*) v. Anselmo

Anselma (*f.*) (*Teut. femm.* di Anselmo) 21 *apr.* // *var.* e *dim.* Anselme, Selma, Zelma

Anselme v. Anselma, Anselmo

Anselmina (*f.*) *v.* Anselma

Anselmo (*m.*) (*ant. ted.*: "Elmo di Dio") (*Fr. ant.*: "Imparentato a un nobiluomo") (*Teut.*: "Protetto dagli Dei") 21 *apr.*; 12 *gen.*; 3, 18 *mar.*; 27 *giu.*; 14 *ag.*; 7 *set.* // *var.* e *dim.* Anse, Anseaume, Ansel, Ansell, Anserme, Ansil, Ansill, Ancel, Ancell, Ansel, Anselm, Anshelm, Anthelme, Anzo, Elmo, Enselin // Anselme (*Fr.*); Anselmo, Selmo (*Sp.*); Anselm (*Ted.*)

Anserico (*m.*) (*Sass.* "Potente come Dio")

Anshelm (*m.*) *v.* Anselmo

Ansis (*m.*) (*m.*) (*Let.* "Dono grazioso di Dio"); *v.* Giovanni

Anson (*m.*) (*Anglo-sass.* "Di origini divine" "Figlio di John") // *var.* Hanson.

Ansovino (*m.*)(*Dan. ant.* "Amico di Dio") 13 *mar.*

Ansperto (*m.*) (*Germ.* "Illustre in Dio") 9 *feb.*

Anstice *v.* Anastasio

Anstiss *v.* Anastasio

Antelmo (*m.*)(*Germ.* "Nobile protettore") *Contr.* di Adelelmo o Adelmo; 26 *giu.*

Antenore (*m.*)(*Gr.* "Avversario")

Anteo (*m.*) (*Gr.* "Contrario all'amore") 3, 17 *gen.*

Anthea (*f.*) (*Gr.* "Signora dei fiori.") // *var.* Antha, Anthia, Thea

Anthony (*m.*) (*Ing.*) *v.* Antonio

Antidio (*m.*)(*Lat.* "Andare avanti" "Precedere") 17giu.

Antigone (*f.*) (*Gr.* "Nato in sostituzione (di un figlio morto" "Prende il posto di un altro") 27 *feb.*

Antigono (*m.*) *v.* Antigone

Antimo (*m.*)(*Lat.* "Non ama stare in basso") 27 *apr.*; 11 *mag.*

Antino (*m.*) (*Gr.* "Avversario che ha diverso pensiero") 27 *set.*

Antinogene (*m.*) (*Lat.* "Prende il po-sto di un altro") 24 *lug.*

Antioco (*m.*) (*Lat.* "Cittadino di Antiochia")(*Gr.* "Risoluto") 13 *dic.*; 21 *mag.*; 15 *lug.*; 15 *ott.*

Antipa (*m.*) (*Gr.*:"Al posto del padre") 11 *apr.* // *Contr.* di Antipatro

Antoine (*m.*) (*Fr.*) *v.* Antonio

Antoinette (*f.*) (*Fr.*) *v.* Antonia; (*Ing.*) Antonietta

Antoliano (*m.*)(*Contr.* di Anatoliano "Abitante di Anatolia") 6 *feb.*

Anton (*Sv.*; *Ted.*; *yid*) *v.* Antonio

Antonangelo Antonio + Angelo

Antonella (*f.*) 13 *giu.*; 29 *apr.* // *v.* Antonio

Antonello (*m.*) 13 *giu.*; 29 *apr.* // *v.* Antonio

Antonetta (*f.*) (*Sv.*; *Sl.*) *v.* Antonia

Antonia (*f.*) (*orig. Etr.*, *sign. sc.*) (*Lat.* "Inestimabile") (*Gr.* "Opporsi" "Combattere") 28 *feb.*; 29 *apr.*; 13 *giu.*; 17 *gen.*; 4 *mag.*// *var.* e *dim.* Antoinetta,

Antonella, Antonietta // Netta, Netti, Nettie, Netty, Toni, Tonia, Toney, Tony, Toinetta, Toninette (*Ing.*); Antoinette, Antonie, Toinette, Toinon(*Fr.*); Antonina, Anta, Nina, Tola, Tolsia (*Pol.*); Antonette, Antonina, Tonya, Tosya, Tosky (*Rus.*); Antonieta, Antonina, Antuca, Tona (*Sp.*); Antonetta (*Sv.*).

Antonietta (*f.*) (*dim.* di Antonia) 28 *feb.*

Antonina (*f.*) *v.* Antonino // 3 *mag.*; 1 *mar.*

Antonino (*m.*) *v.* Antonio // 2, 10 *mag.*; 14 *feb.*; 20 *apr.*; 6, 29 *lug.*; 22 *ag.*; 2, 3 *set.*

Antonio (*m.*) (*Lat.*: "Inestimabile") (probabile *orig. etr.* dal *gr.*: "Nato prima") 28 *feb.*; 9, 12, 17 *gen.*; 6, 14 *feb.*; 16 *mar.*; 9 *apr.*; 7, 13 *giu.*; 5, 10 24, 28 *lug.*; 14 *ag.*; 23 *set.*; 24 *ott.*; 7 *nov.*; 15, 28 *dic.* // *var.* e *dim.* Anthony, Tony (*Ing.*); Antek, Antonin, Tonda, Tonik (*Cec.*); Antoine, Antoinet, Antoinette, Antoinon, Antonien, Antonienne (*Fr.*); Andonios, Andonis, Tonis (*Gr.*); Akoni (*Haw.*); Antonella, Antonello, Antonia, Tonio (*It.*); Antal, Anti, Toni (*Ung.*); Antoin (*Irl.*); Antons (*Let.*); Antavas (*Lit.*); Antek, Antoni, Antonin, Antos, Tolek, Tonek (*Pol.*); Antin, Antinko, Tosya, Tusya (*Rus.*); Anders

(*Scan.*)// Anton, Antonius, Antonine, Thony, Toinon, Toinette

Antony (*m.*) (*Ing.*) *v.* Antonio

Antusa (*f.*) (*Asia M.*: "Vera donna") 27 *lug.*; 22, 27 *ag.*

Antusia (*f.*)(*Asia M.*: "Vera donna") 27 *lug.*; 22, 27 *ag.*

Anuli (*f.*)(*Igbo, Nig.*: "Gioiosa")

Anya (*f.*) (*Let.; Est.; Rus.; Ucr.*) *v.* Anna

Anzia (*f.*) (*orig. etn.* "Donna di Anzio") 18 *apr.*

Anzu (*f.*) (*Giap.*: "Albicocca")

Aolani (*f.*) (*Haw.*. "Nube divina")

Apangela (*f.*) (*Ang.* "Colei che non intende finire il suo viaggio")

Apara (*f.*) (*Yor.*, *Nig.* "Colei che va e viene")

Apelle (*m.*) ("Ebreo affrancato") 14 *mag.*; 22 *apr.*

Apellio (*m.*) *v.* Apelle; 10 *Set.*

Aphra (*f.*) (*Ing.*)

Aphrodite (*f.*) (*Ing.*) *v.* Afrodite

Apodemio (*m.*) (*Celtib.*: "Libero" "Non schiavo") 16 *apr.*

Apollina (*f.*) (*Gr.* "Splendente di luce") 16, 21 *apr.*

Apollinare (*m.* e *f.*) (*Lat.* "Sacro ad Apollo") 23 *lug.*; 27 *giu.*; 5 *gen.*; 8 *gen.*; 21 *giu.*; 23 *ag.*; 2 *set.*; 5 *ott.*; 6 *dic.* var. Apollon, Apollinaris, Apolline, Apollonius, Apollos, Polly

Apolline (*f.*) (*Gr. femm.* di Apollo) // *var.* Apollina

Apollo (*m.*) (*Gr.* "Splendo di luce": "Dio della luce, della salute, delle arti, della profezia, e della bellezza virile") 18 *apr.*; 22 *ott.*; 9, 10 *feb.*; 10 *giu.*; 8 *dic.*

Apollodoro (*m.*) (*Lat.* "Dono di Apollo")

Apollonia (*f.*) (*Etr. femm.* di Apollo) 9 *feb.*

Apollonio (*m.*) (*Gr.* "Stermino") 18, 10 *apr.*; 14 *feb.*; 8, 19 *mar.*; 5, 7 *giu.*; 10, 23 *lug.*

Aponi (*f.*) (*Ind. Nordam.*: "Farfalla")

Apostolo (*m.*) (*Lat.* "Mandato" o "Inviato")

Appia (*f.*)(Da"Affia": nome *Celt.* dall'*etim. inc.*) 22 *nov.*

Appiano (*m.*)(*orig etn.* "Abitante di Appia", antica città della Frigia) 30 *dic.*; 4 *mar.*; 29 *ott.*

Appio (*m.*) *v.* Appia

April (*f.*) (*Lat.* "Nata in Aprile" "Colei che viene per quarta" "Aperta") // *var.* Aprilla, Avrila // Aprilette, Aprille, Averil, Averill, Averille, Averyl, Avril (*Ing.*); Aprili (*Sv.*)

Apro (*m.*) (*Celt.* "Cinghiale") 15 *set.*

Apronia (*Celt.* "Che possiede cinghiali") 15 *lug.*

Aproniano (*m.*)(*Celt.*"Colui che possiede cinghiali")

Apuleio (*m.*)(*Lat.*,*orig.etn.*:"Proveniente dalla Puglia") 7 *ott.*

Aquaria (*f.*) (*Lat.*: dalla costellazione dell'Acquario)

Aquene (*f.*) (*Ind. Nordam.*: "Pace")

Aquila (*m.*) (*Lat.*: "Bruno scuro") 8 *lug.*; 23 *gen.*; 23 *mar.*; 20 *mag.*; 1 *ag.*

Aquilina (*f.*) (*Lat.* "Brunetta") 13 *giu.*; 24 *lug.*

Aquilino (*m.*) (*Lat.*, cognomen di una gens latina: "Bruno scuro") 29 *gen.*

Aquilio (*m.*) (*Lat.* "Bruno scuro") 19 *ott.*

Ara (*f.*) (*Lat.* "Altare") // *var.* Aara, Arra

Arabela (*f.*) (*Sp.*) *v.* Arabella.

Arabella (*f.*) (*Ing.*) (*Lat.* "Bell'altare") 6 *set.* // *var.* Arabela, Aranelle

Arabelle (*f.*) *v.* Arabella

Arabia (*f.*) (*orig .etn.*) 13 *mar.*

Araldo (*m.*) *Sass.*"Messo ufficiale"

Aram (*m.*)(Nome *ebr.* dell'Antica Siria; "Sommo""Importante")

Arasio (*m.*) *Celt.*"Placido"15 *giu*

Aratone (*m.*) (*Lat.* "Lavoratore dei campi") 21 *apr.*

Arbogasto (*m.*)(*Celt.*: "Guerriero dei boschi") 21 *lug.*

Arcadie (*f.*) *v.* Arcadio 12 *gen.*

Arcadio (*m.*) (*Lat.*, *orig. etn.* "Abitante dell'Arcadia") 13 *nov.*; 12 *gen.*; 4 *mar.*

Arcady (*f.*) *v.* Arcadio 12 *gen.*

Arcangela (*f.*) (*Gr.* "Principessa degli angeli") 25 *gen.*

Arcangelo (*m.*) (*Gr.* "Principe degli angeli") 17 *apr.*; 12 *giu.*

// *var.* Archangel

Arcano (*m.*)(*Lat.*"Discreto" "Nascosto" "Misterioso") 17 *ag.*; 1 *set.*

Arcesilao (*m.*) (*Gr.* "Sostenitore del popolo)

Arch (*m.*) *v.* Arcibaldo

Archainbaud (*Fr.*) *v.* Arcibaldo

Archambault (*Fr.*) *v.* Arcibaldo

Archangelo (*m.*) *v.* Arcangelo

Archelao (*m.*) (*Gr.* "Capo del popolo") 23 *ag.*; 13 *feb.*

Archer (*m.*) (*Ing. ant.* "Arciere") // *dim.* Arch, Archie, Archy

Archibald (*m.*)(*Ing.*) *v.*Arcibaldo

Archibold (*m.*) *v.* Arcibaldo

Archiboldo (*m.*) *v.* Arcibaldo

Archie (*m.*) *v.* Arcibaldo

Archimbald (*m.*) *v.* Arcibaldo

Archimede (*Gr.* "Grande pensatore" "Di eccelsa intelligenza")

Archimedes (*Ing.*) *v.* Archimede

Archippo (*m.*) (*Gr.* "Guardiano di cavalli") 20 *mar.*

Archy (*m.*) *v.* Arcibaldo

Arcibaldo (*m.*) (*Ted. ant.* "Uomo libero e valoroso") 27 *mar.* // *var.* e *dim.* Archibold, Archiboldo, Archimbald, Archimbaut, Archy, Baldie, Erkenbald // Archambault (*Fr.*); Arch, Archie (*Ing.*); Archaimbaud, Archibaldo (*Sp.*)

Arcilla (*f.*) (*Nome con orig.da cognome*)

Arconzio (*m.*) (*Gr.* "Giudice supremo) 5 *set.*

Ardalione (*m.*) (*Lat.:* "Faccendiere") 14 *apr.*

Ardath (*f.*) (*Ebr.* "Terra in fiore" "Ardente") // *var.* e *dim.*: Arda, Ardatha, Ardatta, Ar.-deth

Ardella (*f.*) (*Lat.* "Fervente") // *var.* e *dim.* Ardelia, Ardelle, Ardene, Ardine, Ardies, Ardith, Ardra

Arden (*m.*) e (*f.*) (*Anglo-Sass.* "Valle dell'aquila")// (*Lat.* "Ardente" "Fervente") *v.* Ardella // *var.* Ardenia, Ardie, Ardin

Ardene (*f.*) *v.* Arden; *var.*Ardena

Ardengo (*m.*) (*Germ.* "Ardito")

Ardis (*f.*) ("Risoluta" "Appassionata") // *var.* Ardys, Ardyce // *v.* Ardella

Ardito (*m.*) (*Lat.*)

Ardon (*m.*) (*Ebr.*"Bronzo") ("Discendente")

Ardra (*f.*) ("Affetto appassionato")

Arduino (*m.*) (*Sass.:* "Amico audace" "Amante del rischio") // 15 *ag.*; 25 *ott.*

Ardyth (*f.*) *v.* Ardath

Arel (*m.*)(*Ebr.* "Leone di Dio") // *var.* Areli

Arela (*f.*) (*Ebr.* "Angelo" "Messaggero") *var.* Arela

Arella (*f.*) (*Ebr.* "Angelo" "Messaggero") *var.* Arela

Aren (*m.*)("Uccello" o "Regola")

Areta (*f.*) (*Gr.* "Virtuosa") (*Ar.*) 1, 24 *ott.*// *var.* Aretta, Arette, Aretina, Retta

Arete (*f.*) (*Gr. mod.* "Graziosa" "Amabile") *v.* Grace

Areth (*f.*) (Anagramma di Earth) // *var.* Aretha

Aretha (*f.*) (*Gr.* "La migliore") // *var.* Areta, Aretta (*Ing.*); Arette (*Fr.*); Arethi (*Gr.*)

Arezio (*m.*) (*orig. etn.* "Abitante di Arezzo") 4 *giu.*

Argelia (*f.*) (*Gr.*"Abbagliante")

Argene (*f.*) (*Gr.* "Di splendito aspetto") (*raro*)

Argenide (*m.*)(*Gr.:*"Dallo splendido aspetto")

Argenta (*f.*) (*Lat.* "Argentea")

Argeo (*m.*)(*Gr.* "Bianco abbagliante") 2 *gen.*

Argia (*Gr.* "Abbagliante")

Argimiro (*m.*) (*Gr.* "Straordinariamente bianco") 28 *giu.*

Argo (*Gr.* "Veloce")

Ari (*m.*) (*Ebr.* "Leone" "Aquila") // *dim.* di Aristotele // *var.* Arie, Arri

Aria (*f.*) ("Canzone")

Ariadne (*f.*) (*Ing.*) *v.* Arianna

Arialdo (*m.*)(*Sass.* "Servitore degli Dei") 27 *giu.*

Ariane (*f.*) (*Fr.*) *v.* Arianna

Arianna (*f.*) (*Gr.* "Pura" "Felice" o "Cantante") 17, 18 *set.* // *var.* Arianne (*Fr.*); Ariadne (*Ing.*) // Ariana, Aria, Ariadna, Ariane

Ariano (*m.*) (*Per. ant.* "Di razza nobile") 8 *mar.*

Ariberto (*m.*)(*Long.* "Illustre uomo d'armi") 16 *mar.*; 5 *dic* .

Aric (*m.*) (*Teut.* "Dominatore") (*Ing. ant.* "Santo sovrano") // *var.* e *dim.* Arek, Areck, Arick, Ric, Rick, Ricky.

Ariel (*m.*) (*Ing.*) *v.* Ariele

Ariele (*m.*)(dall'*ebr.*: Gerusalemme) // *pers. lett.*

Ariella (*f.*) (*Ebr.*: "Leonessa di Dio") // *var.* Ariela, Ariell, Ariele, Arielle

Arielle (*m.*) (*Ebr.*: "Leone di Dio") 1 *ott.*; *v.* Ariella

Arietta (*f.*) ("Canzoncina" "Motivetto")

Arif (*m.*) (*Tur.* "Saggio e intelligente") // *var.* Areef

Ario (*m.*)(*sans.*"Signore nobile")

Ariodante (*m.*) "Nobile giudice"

Ariosto (*m.*) (*Ted.* "Guerriero addestrato")

Ariovisto (*m.*) (*Sass.:* "Saggio combattente")

Aris (*m.*)(*Gr.* da Aristacus: "Ottimo")

Arista (*f.*) (*Lat.:* "Messe" "Raccolto")

Aristarco (*m.*) (*Gr.:* "Ottimo principe") 4 *ag.*

Aristeo (*m.*) (*Gr.* "Sono il migliore") 3 *set.*

Aristide (*m.*)(*Gr.* "Virtù" "Il migliore") 31 *ag.*

Aristides (*m.*) (*Ing.*) Aristide

Aristione (*m.*) (*Sass.* "Guerriero addestrato") 22 *feb.*

Aristippo (*m.*) (*Gr.:* "Eccellente cavaliere")

Aristo (*m.*) (*Gr.* "Nobile") 13

dic. 21 *apr.*

Aristobulo (*m.*) (*Gr.* "Ornato di nobiltà") 15 *mar*

Aristodemo (*m.*)(*Gr.* "Ottimo fra il popolo")

Aristofane (*m.*) (*Gr.* "Che splende fra i nobili")

Aristone (*Gr.* "Nobile") 2 *lug.*

Aristonico (*m.*)(*Gr.* "Nobile vittorioso") 19 *apr.*

Aristotele (*m.*) (*Ing*) (*Gr.* "Che giungerà ottimamente alla fine" "Che cerca gli esiti migliori") // *dim.* Ari, Arie, Arri

Aristotle (*m.*) (*Ing.*) *v.* Aristotele

Ariza (*f.*) (*Ebr.*: Tavole di cedro) *var.* e *dim.* Arza, Arzice, Arzit

Arjean (*f.*) *v.* Argene

Arkin (*m.*) (*Norv.*: "L'eterno figlio di Dio")

Arla (*f.*) (*raro*)

Arlan (*m.*) ("Dai movimenti veloci")

Arlana (*f.*) ("Ragazza della grazia")

Arlen (*m.*) (*gael.* "Voto" "Pegno") // *var.* Arlan, Arland, Arlend, Arlin, Arlind

Arlene (*f.*) (*Celt.* "Pegno") // *var.* e *dim.* Arla, Arleen, Arlena, Arleta, Arletta, Arlette, Arletty, Arleyne, Arlie,Arlina, Arline, Arliss, Arlyn, Arlyne, Arlyss, Harlette, Lena

Arlette (*Fr.*) *v.* Arlene

Arletty (*Fr.*) *v.* Arlene

Arley (*m.*) (*Ing. ant.* "Arciere" "Cacciatore di cervi" o "Campo del coniglio")

Arlie (*m.*) *v.* Arley

Arlin (*m.*) ("Confine di mare")

Arlo (*m.*) (pianta) (*Sp.* "Crespino") *v.* Harlow

Armand (*m.*) *v.*Armando

Armanda (*f.*) *v.*Armando, 23 *gen*

Armande (*m.*) e (*f.*)(*Fr.*) 23 *dic.*: *v.* Armanda, Armando

Armando (*m.*) (*Ted. ant.* "Uomo ardito" "Guerriero in festa") 23 *gen.*; 2 *set.* // *var.* e *dim.* Armandin, Armandine(*Fr.* 23 *dic.*); Arman, Armin, Armon, Armond, Ormond (*Ing.*); Armando (*Sp.*); Armands(*Let.*); Arek, Mandek (*Pol.*); Arman, Armen (*Rus.*) // Armand, Armin, Ermin, Harman, Harmon, Hermann, Hermie// *v.* anche Ermanno

Armel (*f.*) *v.* Armelle

Armella (*f.*) *v.* Armelle

Armelle (*f.*) 18 *ag.* // *Var* e *dim.* Armelin, Armeline, Armella, Armilla, Arhel, Arzel, Arzhael, Arzhaelig, Arzhela, Arzhelenn, Anzhelez, Arzhvael, Hermellin, Hermelline

Armentario (*Lat.* "Pastore d'armenti")

Armida (*Celt.* "Colei che è adatta")

Armilla (*f.*)(*Lat.* "Braccialetto") // *var.* Armillia, Mila, Milla, Milly

Armina (*f.*) (*Teut.* "Guerriera")

Arminda (*f.*)(*Port., Mozambico*)

52

Arminio (*m.*) (*ant. Dan.* "Principio della forza.) 7 *apr.*

Armogaste (*m.*)(*ant. Ted.* "Braccio potente.) 29 *mar.*

Armon (*m.*) (*Ebr.* "Castello") // *var.* Armoni

Armond (*m.*) ("Dentro il mare")

Armstrong (*m.*) (*Ing. ant.* "Uomo dal forte braccio")

Arna (*f.*) (*Ebr.* "Cedro")

Arnaldo (*m.*)(*It.*; *Sp.*; *Ted. Ant.*: "Potente come un'aquila") 18, 27 *lug.*; 10 *feb.*; 17 *giu.* // *var.* Arend, Arnall, Arnd, Arnaudy, Arnold, Arnolda, Arnoldo, Arnoud, Arnice, Arnit, Arnould, Ernout

Arnan (*m.*) ("Svelto" "Giulivo")

Arnaud (*m.*) (*Fr.*) *v.* Arnaldo

Arne /Arnie (*m.*) *v.* Arnoldo

Arnina (*f.*) (*Isr.*) ("Montagna" "Cantante" "Brillare" "Messaggera") // *var.* Arni, Arnice, Arnit

Arno (*m.*) ("L'aquila")

Arnold (*m.*) (*Ing.*; *Sv.*; *yid.*; *Teut.*) *v.* Arnoldo

Arnolda (*f.*) (*Teut.*: *femm.* di Arnold) / *var.* Arnalda, Arnoldine

Arnoldo (*m.*)(*Ing.*; *ant. ted.* "Potente come un'aquila") 18 *lug.*; 15, 28 *gen.*// *var.* Arne, Arnie, Arney

Arnolfo (*m.*)(*Ted.*"Colui che unisce in sè le doti dell'aquila e del lupo") 18 *lug.*; 15 *ag.*

Arnon (*m.*) (*Ebr.* "Ruscello tumultuoso")

Aroldo (*m.*) (*Ted.* "Potente come un aquila") 1 *nov.*// *var.* Harold

Aron (*m.*) *v.* Aaron, Aronne

Aronne (*m.*) (*Ebr.* "Illuminato" "Il sapiente) 1, 15 *lug.*

Aronzio (*m.*) (*Sann.* "Nato nella luce") 27 *ag.*

Arpiar (*m.*) (*Arm.* "Luminoso")

Arram (*m.*) (*Sv.*) *v.* Abramo

Arri (*m.*) (*Gr. mod.*) // *v.* Aristotele

Arrigo (*Ted. ant.*"Possente nella sua patria") 15 *lug.* 4 *nov.*

Arrio (*m.*) (*Sp.* "Bellicoso")

Arron (*m.*) *v.* Aaron, Aronne

Arroyo (*m.*) ("Valle")

Arsacio (*Mes.* "Ardente") 16 *ag.*

Arsene (*m.*) (*Fr.*) *v.* Arsenio

Arsenio (*Gr.* "Virile") 19 *lug.* 19 *gen.* 28 *ott.*; 16 *nov.*; 14 *dic.*

Arslan (*m.*) (*Tur.* "Leone")

Art (*m.*) *dim.* di Arthur e Artemus

Artair (*m.*) (*Scozz.*) *v.* Arturo

Artellaide (*f.*) (*Lat.* "Molto brutta") 10, 3 *mar.*

Artemas (*m.*) (*Gr.* "Dono di Artemide")

Artemia (*f.*) (*Gr.* "Ben curata") 25 *gen.*

Artemide (*f.*)(*Gr.* "Appartenente ad Artemide": Dea della caccia) 24 *gen.*; 20 *ott.* // *var.* e *dim.* Art, Artie, Artimas, Artimis, Tim, Artie, Arty

Artemio (*m.*) (*Gr.* "Appartenente ad Artemide": Dea della caccia) 20 *ott.*; 24 *gen.*; 17 *mar.*; 6 *giu.*

Artemis (*f.*) (*Ing.*) (*Gr.*) *v.* Artemide

Artemisia (*f.*) (*Lat.*: Altro nome di Diana: Dea della caccia) 18 *feb.*

Artemone (*m.*) (*Gr.* "Sano e salvo") 8 *ott.*

Artemus (*m.*) *v.* Artemide

Artha (*f.*)(*hindi*: "Silenziosa prosperità" "Salute")

Arthur (*m.*) (*Ing.; Fr.; Celt.*) *v.* Arturo

Artice (*f.*) (*raro*)

Artis (*f.*) (*Nome con orig. da cognome*)

Artricia (*f.*) (*raro*)

Artur (*m.*)(*Ted. Sv. yid*) *v.*Arturo

Arturo (*m.*) (*It.; Sp.*) (*Celt.* "Orso"; *Gr.* "Pietra") 15 *nov.*; 8 *ag.* // *var.* Artur, Artus, Atur //Art, Arte, Arthur, Artie, Arty (*Ing.*); Artis (*Cec.*); Athanasios, Thanasis, Thanos (*Gr.*); Arto (*Finn.*); Arturo (*Sp.*); Artek (*Pol.*); Artair (*Scoz.*)

Arundel (*m.*) (*Ing. ant.* "Della valle dell'aquila")

Arva (*f.*) (*Lat.* "Fertile") *var.* Arvia

Arvad (*m.*) (*Ebr.* "Vagabondo") // *var.* Arv, Arvie, Arvy

Arve (*m.*) ("Discendente")

Arvid (*m.*) ("Uomo del popolo")

Arvill (*m.*) (*raro*; *orig. sc.*)

Arvin (*m.*) (*Teut.* "Amico della gente") // *dim.* Arv, Arvie, Arvy

Arwenna (*f.*) (*raro*)

Aryn (*f.*) (*raro*)

Asa (*f.*) (*Giap.* "Nata di giorno")

Asa (*Ing.*) (*m.*) (*Ebr.*: "Guaritore" "Medico")

Asabi (*f.*) (*Yor.* "Di nascita prestigiosa")

Asad (*m.*) (*Ar.* "Leone") // *var.* Alasid, Aleser, Asid, Assid

Asadel (*m.*) (*Ar.* "Il più benestante")

Asafo (*aram.* "Aggiunto") 1 *mag.*

Ascala (*m.*) (*nome etn.* "Oriundo di Ascalon": una delle città principali filistee) 23 *gen.*

Ascanio (*m.*) (*Lat.; Gr., etim.sc.*)

Asclepiade (*m.*) (*Gr.* "Allievo di Esculapio") 18 *ott.*

Asclepiodoto (*m.*) (*Gr.* "Dono di E-sculapio") 15 *set*

Asdrubale (*m.*) (*Fen.* "Aiuto di Baal")

Ase (*m.*) *v.* Asa

Asela (*f.*) (*Sp.* "Frassino affusolato")

Asella (*f.*)(*Lat.* "Asinella") 6 *dic.*

Aser (*Ebr.* "Felice" "Beato")

Ash (*m.*) *Abbr.* di tutti i nomi che iniz. per "*Ash*"

Asha (*f.*) (*sw.* "Vita")

Ashby (*m.*) (*Ing. ant.* "Del podere del frassino")

Asher (*m.*)(*Ebr.* "Fortunato" "Benedetto" o "Felice") // *var.* Ash, Ashur

Ashford (*m.*)(*Ing. ant.* "Del guado del frassino")

54

Ashley (*m.*) e (*f.*) (*Ing. Ant.*: "Che viene dal prato del frassino") // *var.* Ash, Ashleigh, Lee, Leigh // (*f.*) Ashlee

Ashlyn (*f. raro*) (*m.*) (*Ing. ant.* "Laghetto circondato dai frassini") // *var.* Ash, Ashlen

Ashmord (*m.*) (*raro*)

Ashon (*m.*)(*Afr.* "Settimogenito")

Ashton (*m.*) (*Ing. ant.* "Del podere del frassino") // *dim.* Tony

Ashur (*m.*) (*sw.* "Nato nel mese di Ashur"; *sem.* "Bellicoso") // *var.* Ash

Asia (*f.*) (*Lat. orig. etn.* "Dal continente Asiatico") 27 *lug.*

Asiel (*m.*) (*Ebr.* "Creato da Dio")

Asim (*m.*) (*Ar.* "Protettore" "Difensore") // *var.* Aseem

Asincrito (*Lat. etim. inc.*) 8 *apr.*

Asisa (*f.*)(*Ebr.* "Succosa" o "Matura")

Asiza (*f.*) (*Afr.* "Spirito della foresta")

Asker (*m.*) (*Tur.* "Soldato")

Asmodeo (*aram.* "Distruttore")

Asoka (*f.*) (*hindi*: "Fiore del non dispiacere")

Aspasia (*f.*) (*Gr.* "Benvenuta") // *var.* e *dim.* Aspa, Aspia

Aspasie (*f.*) (*Fr.*) // *v.* Anastasio

Aspasio (*Gr.* "Amabile") 15 *giu.*

Aspreno (*m.*) (*Lat. etim. inc.*) 3 *ag.*; 13 *lug.*

Assalonne (*m.*)(*Ebr.* "Padre della pace") 21 *mar.*

Assia (*f.*) (*Rus.*) *v.* Alessandra

Assina (*f.*) (*Afr.*) *v.* Hasina

Assunta (*f.*)(*abbr.* di Maria Assunta) (*Lat.*: "Presa in aggiunta" "Presa su") 15 *ag.*

Asta (*f.*) (*Norv. ant.* "Forza divina) (*Gr.* "Come un astro) // *v.* Astrid

Astarte (*f.*) (*Ing.*)

Astasie *v.* Anastasio

Astera (*f.*) (*Isr.* "Il fiore Aster" o "Astro") // *var.* Asteria

Asteria (*f.*)(*Gr.* Stellata") 10 *ag.*

Asterio (*m.*) (*Gr.* "Stellato") 23, 10 *ag.*; 3 *mar.*; 20 *mag.*; 10 *giu.*; 21 *ott.*

Astolfo (*m.*)(*Sass.* "Guerriero coraggioso nella battaglia") 5 *gen.*

Astra (*f.*) (*Gr.* "Stella") // *var.* Asta, Aster, Astrea

Astraea (*f.*) (*Ing.*) Astrea

Astrea (*f.*) (*Gr.* "Astrale")

Astrid (*f.*) (*Lat.* "Astro") (*Sass.* "Amata dagli dei") (*Norv. ant.* "Forza divina") (*Teut.* "Potere divino") 30 *apr.*; 27 *nov.* // *var.* Asta, Astred, Astri, Astrud, Astyr, Estrid

Astrophel (*m.*) (*Ing.*)

Aswald (*m.*) (*Ar.* "Nero")

Atala (*Ted.* "Nobile stirpe") 3 *dic.*

Atalaia (*f.*) (*Sp.* "Guardiana della torre") // *var.* e *dim.*: Atalia, Ataliah, Attalie, Atalya, Atalayah, Talia, Talya

Atalanta (*f.*) (*Gr.*: Ninfa della mitologia greca) // *var.* Atalante, Atlanta

Atalarico (*m.*) (*Sass.* "Di grande nobiltà")

Ataleo (*Germ.* "Nobile") 6 *lug.*

Atanasia (*f.*) (*Gr.* "Immortale") 14 *ag.*; 9 *ott.*

Atanasio (*m.*) (*Gr.* "Immortale") 15 *lug.*; 2 *mag.*; 3 *giu.*; 5 *lug.*; 22 *ag.*

Atara (*f.*) (*Ebr.* "Corona") *var.* Ataret

Ataulfo (*m.*) (*Got.* "Nobile lupo" "Padre che soccorre") *v.* Adolfo 11, 14 *feb.*

Atelasia (*f.*)(*Germ.* "Splende per nobiltà) 5 *feb.*

Atena (*f.*) (Dea greca) *v.* anche Minerva

Atenaide (*f.*)(*Gr.* "In onore della Dea Atena")

Atenodoro (*m.*)(*Gr.* "Dono di Atena" "Regalo di Minerva") 18 *ott.*; 11 *nov.*

Atenogene (*m.*) (*Gr.* "Prole di Atena; "Figlio di Minerva") 18 *gen.*; 16 *lug.*

Athalia (*f.*) (*Ebr.* "Dio è potente") // *var.* Atalaia, Athalla, Athallia, Thalia

Athanase (*m.*) 2 *mag.*; anche Athanasie, Athenais// *v.* Atanasio

Atheistan (*m.*) (*Ing.*)

Athena (*f.*) (*Ing.*) (*gr.*: Dea della saggezza e della guerra) *v.* Atena // *var.* Athene

Athene (*f.*) (*Ing.*) *v.* Atena

Atherton (*m.*) (*Ing. ant.* "Del podere della sorgente") *dim.* Tony

Athos (*m.*) (*Sass.* "Avo") 27 *apr.*

Atida (*f.*) (*Ebr.*: "Il futuro")

Atira (*f.*)(*Ebr.*: "Una preghiera")

Atka (*f.*) (*Pol.*) *v.* Agata

Atlas (*m.*) (*Ing.*) Atlante

Atley (*m.*) (*Ing. ant.* "Abitante dei campi" "Campagnolo") // *dim.* Lee, Leigh

Atman (*m.*) (*hindi*: "L'io")

Atreus (*m.*) (*Ing.*) *v.* Atreo

Attala (*f.*) (*Etr.* "Dalle gambe storte") 10 *mar.*

Attalo (*m.*) (*Etr.* "Dalle gambe storte") 2 *giu.*; 10 *mar.*

Atteone (*m.*) (*Sab.* "Avo" "Nonno") 28 *giu.*

Attico (*m.*) (*orig. etn.* "Oriundo dell'Attica") 6 *nov.*

Attila (*m.*) (*Ing.*) (*Got.* "Ostaggio") 5 *ott.*

Attilano (*m.*) (*Lat.* "Ostaggio di Giano") 5 *ott.*

Attilio (*m.*) (*Etr.*) (*Sab.* "Avo" "Nonno")(dal *celt.* "Atilius"forse *der.* dal *Lat.* "*atta*": "Papà") (*Lat. dim.* di "Atto") 24 *mar.*; 26, 28 *giu.*

Atto (*m.*) (*Sab.* "Avo" "Nonno") 22 *mag.*

Attone (*m.*) (*Sab.* "Avo" "Nonno") 7 *ag.*; 10 *lug.*

Atuanya (*m.*) (*Ibo, Nig.* "Figlio maschio inaspettato")

Atwater (*m.*) (*Ing. ant.* "Dalla sponda dell'acqua")

Atwell (*m.*) (*Ing. ant.* "Abitante della sorgente")

Atwood (*m.*) (*Ing. ant.* "Abitante della foresta") *dim.* Woodie,

Woodye

Aubain (*m.*) (*Fr.*) *v.* Albano

Aubaine (*m.*) (*Fr.*) *v.* Albano

Auban (*m.*) (*Fr.*) *v.* Albano

Aubert (*m.*) (*Fr.*) *v.* Alberto

Auberta (*f.*) ("Dai bei capelli")

Aubertin (*m.*)*v.* Alberto

Auberto (*m.*) (*Ant. ted.* "Insigne proprietario") 13 *dic.*

Aubin (*Fr.*) *v.* Albano. 1 *mar.*

Aubrey (*m.*) (*Ing.*) *v.* Alberico

Aubriet (*m.*) *v.*Alberico

Aubriot (*m.*) *v.*Alberico

Aubry (*m.*) *v.* Alberico

Aucto (*Lat.* "Accrescere") 7 *nov.*

Aud (*f.*)(*Norv.*"Deserta" o "Vuota")

Auda (*m.*) (*Sass.* "Proprietario) 18 *nov.*

Audace (*m.*) (*Lat.*) 9 *lug.*

Audatto (*m.*) (*Lat.* "Colui che ascolta") 24 *ott.*

Aude (*f.*) (*Fr.*) *v.* Alda

Audene (*f.*) (*raro*).

Audey (*f.*) (*Am. mod.*) *v.* Audrey.

Audiface (*m.*) (*Lat.* "Che si fa ascoltare") 19 *gen.*

Auditore (*m.*) (*Lat.* "Che ascolta") 30 *apr.*

Audoeno (*m.*)(*Celt.* "Proprietario di vigneti") 24 *ag.*

Audomaro (*Sass.* "Che possiede gloria") 9 *set.*

Audree (*f.*) (*Fr.*) *v.* Audrey

Audrey (*f.*) (*Ing. ant.* "Nobile forza dominatrice") 23 *giu.*// *var.* Audey, Audi, Audie, Audra, Audrea, Audree, Audri, Audria, Audric, Audrica, Audrie, Audry, Audy, Autric, Autry // *v.* Aldrich

Audric (*m.*) (*Fr.*) *v.* Aldrich

Audun (*m.*) (*Scan.* "Deserto")

Audwin (*m.*)(*Teut.* "Amico benestante")

Aufray (*m.*) *v.* Alfredo

Aufroy (*m.*) *v.* Alfredo

Augolo (*m.*) (*Lat.* "Colui che accresce") 7 *feb.*

Augurio (*m.*) (*Lat.*) 21 *gen.*

August (*m.*) (*Ing.*) *v.* Augusto

Augusta (*f.*) (*Lat., femm.* di Augusto: "Venerata" "Consacrata") 7, 27 *mar.* // *var.* Augustina, Augustine, Austina, Austine, Gusta, Gussie

Augustale (*Lat.* "Augurale") 7 *set.*

Auguste (*Fr.*) *v.* Augusto

Augustin (*Fr.*; *Ing*) (*m.*) *v.* Agostino

Augustine (*Fr. Ing*) *v.* Agostino

Augusto (*m.*) (*Lat.* "Consacrato" "Sommo"; anche"Augurio" "Di buon auspicio") 7 *mag.*; 29 *feb.*; 28 *ag.*; 1 *set.*; 7 *ott.* // *var.* e *dim.* Agostino, Agosto, Aguistin, Agustin, Augie, Augustin, Augustine, Augustus, Austen, Gus, Gustin // Auguste (*Fr.*); Austin (*Ing.*); August (*Ted.*)

Augustus (*m.*) (*Ing.*) *v.* Augusto

Aulena /Auleta (*f.*) (*raro*)

Auletta (*f.*) (*nome con orig. da cognome*)

Aulii (*f.*) (*Haw.* "Squisita" "Raffinata")

Aulo (*m.*) (*Celt.* "Al servizio del re") 29 *mar.*

Aura (*f.*)(*Lat.* "Leggera brezza")

Aurea (*f.*) (*Lat.* "Coronata") 24 *ag.*; 19 *lug.*; 4 *ott.*

Aurek (*m.*) *v.* Aurelio

Aurelia (*f.*) (Dal cognomen di una gens latina) (forse *Etr.*: "Dorata" "Splendente")// *var.* Auri, Aurie 25 *set.*; 14, 15 *ott.*; 2 *dic.* // *v.* Aurelio

Aureliana (*m.*) (Figlia di Aurelio); *v.* Aureliano

Aureliano (*m.*) (*Lat.* "Brillante") (Figlio di Aurelio) 16 *giu.*; 8, 22 *mag.*; 4, 10 *lug.*; 15 *set.*; 16 *nov.*; 5 *dic.*// Aure, Aurele, Aurelia, Aurelie, Aurica, Auriole, Aurore, Avreliane, Orell

Aurelien (*m.*) (*Fr.*) *v.* Aurelio, Aureliano, 16 *giu.*

Aurelio (*m.*) (Dal cognomen di una gens latina) (*Lat.*: *etim. inc.* "Come l'aurora"; *Sab.* "Sole"; *Etr.* "Dorato" "Splendente") 12 *nov.*; 27 *gen.*; 24 *feb.*; 26 *apr.*; 3, 12 *giu.*; 4, 11, 20, 27 *lug.*; 20 *ott.* // *var.* Aurek, Aurel (*Cec.*); Aurele (*Fr.*); Aurelius (*Ted.*); Aureli, Aurelius, Elek (*Pol.*); Aurelian (*Rum.*); Avreliy, Avrel (*Rus.*) // Aure, Aurelia, Aurelie, Aurica, Auriole, Avreliane, Orell

Aurene (*f.*) (*Lat.* "Dorata")

Aureo (*Lat.* "Ornato d'oro") 16 *giu.*

Aurora (*f.*) (*Ing.*) (*Lat.* Alba" "Brillare" "Far luce": Dea dell'alba) 20 *ott.* // *var.* Aurore

Ausano (*m.*) (*Long.* "Compagno") 3 *set.*

Ausilia (*f.*) (*Lat.* "Aiuto") 21 *nov.*; 4 *set.*

Ausilio (*m.*) (*Lat.* "Aiuto" "Soccorso" "Assistenza") 27 *nov.*

Ausonia (*f.*) (*Lat.*: nome dell'Italia) 20 *mag.*

Ausonio (*m.*) *v.*Ausonia 22 *mag.*

Auspicio (*Lat.* "Presagio") 8 *lug.*

Aussenzio (*m.*) (*Lat.* "Che appartiene agli Ausoni") 13, 18 *dic.*

Aussibio (*orig. etn.*: "Originario di Auximum": l'attuale Osimo)

Austen (*m.*) *v.* Augusto

Austin (*m.*) ("Degno d'onore")

Austreberta (*f.*) (*Long.* "Illustre dell'Oriente") 10 *feb.*

Austregisilo (*m.*) (*Long.*: "Che viene dall'Oriente") 20 *mag.*

Austremonio (*m.*) (*Long.* "Uomo dell'Oriente")

Austricliniano (*m.*) (*Long.* "Che ha inclinazione") 30 *giu.*

Austruda (*f.*) (*Ted. ant.*: "Vergine dell'est")

Austrulfo (*m.*)(*Germ.* "Lupo dell'est") 14 *set.*

Autonomo (*m.*)(*Gr.* "Che vive delle proprie leggi") 12 *set.*

Autore (*m.*) (*Lat.*) 10 *ag.*

Autumn (*f.*) ("Autunno")

Ava (*f.*)(*Ing.*) (*Lat.* "Uccello") 29 *apr.*; 5 *feb.* // *var.* Avah, Avelaine, Avelina, Aveline, Aviva

Avalee (*f.*) (*Nome doppio*)

Avalynn (*f.*) (*raro*)

Ave (*Lat.* "Salve")

Avel (*m.*) (*Gr. mod.* "Respiro")

Avenanzio (*m.*) (*Lat.* "Colui che saluta per primo") 19 *lug.*

Aventino (*m.*) (*orig. etn.*: "Abitante dell'Aventino") 13 *giu.*

Averardo (*m.*) (*Celt.* "Forte come il cinghiale") 15 *giu.*

Averell (*m.*) (*Ing. ant.* "Nato in Aprile") // var. Averil, Averill

Averett (*m.*) (*raro*)

Averil (*f.*) e (*m.*) (*Ing. ant.* "Nata in Aprile") // var. (*f.*) Avril, Avrill, Averyl // var. (*m.*) Avèrel, Averell, Averill, Avrel, Avril // v. Aprile

Avery (*m.*) (*Ing. ant.* "Sovrano degli Elfi" "Impavido") // v. Aubrey

Avi (*f.*) (*m.*) (*Ebr.* "Mio Padre" "Il mio Signore")

Avia (*f.*) (*Lat.* "Nonna") 24 *ag.*; 6 *mag.*

Aviel (*m.*) (*Ebr.* "Dio é mio padre")

Avila (*f.*) ("Audace")

Avis (*f.*) ("Rifugio")

Avito (*m.*) (*Lat.* "Ereditato") 27 *gen.*; 5 *feb.*; 21 *gen.*; 22 *mar.*; 17 *giu.*; 16 *ag.*

Aviv (*m.*)(*Ebr.*"Freschezza" "Primavera" "Gioventù")

Aviva (*f.*) (*Ebr.*"Primavera") // var. e dim. Avivah, Viva

Avivi (*f.*) (*Ebr.* "Come la primavera") // var. Avivice, Avrit

Avlynn (*f.*) (*raro*)

Avo (*m.*) (*Lat.*)

Avoia (*Celt.*"Possidente")15 *giu.*

Avram (*m.*) (*Bulg.; Gr.; Rum.; yid*) v. Abramo

Avrohom (*m.*) (*yid*) v. Abramo

Avrom (*m.*) v. Abramo

Avron (*m.*) (*raro*)

Avrum (*m.*) (*yid*) v. Abramo

Avventore (*m.*) (*Lat.* "Compratore") 20 *nov.*

Awan (*m.*)(*Ind. Nordam.*: "Qualcuno")

Awanata (*f.*) (*Ind. Miwok*: "Tartaruga")

Awendela (*f.*)(*Ind. Nordam.* "Alba")

Awenita (*f.*) (*Ind. Nordam.* "Cerbiatta")

Axel (*m.*) (*Teut.* "Padre della pace") (*Scan.*: Ricompensa divina") (dall'*ebr.*: Absalom) // var. Aksel (*Ted.*) // Acestus, Acke, Axeline, Axella, Axellane // v. Alessandro

Axelle (*m.*) v. Axel

Axton (*m.*) (*raro*)

Aya (*f.*) (*Som.* "Luminosa")

Ayame (*f.*) (*Giap.* "Iris")

Ayasha (*f.*) (*Ar.*: "Vita") // var. Aisha, Asha, Ashia

Aye (*f.*) (*Fr.*) 13 *set.* v. Aia

Ayelet (*f.*) (*Ebr.* "Cervo" o "Gazzella")

Ayers (*m.*) (*raro*)

Ayita (*f.*) (*Ind. Nordam.* "Lavoratrice")

Ayla (*f.*) ("Quercia")

Aylmar (*m.*) *v.* Elmer

Aylmer (*m.*) *v.* Elmer

Aylsworth (*m.*) 29 *mag.* // *v.* Adhémar

Aymeric (*m.*) *v.* Emerico

Aymon (*m.*) *v.* Aimone

Aymone (*m.*) *v.* Aimone

Ayoka (*f.*) (*Yor., Nig.* "Colei che procura gioia intorno a sé")

Ayondela (*f.*)(*Umbundu, Afr.*"Un piccolo albero si curva e si curva, come noi tutti ci inchiniamo di fronte alla morte")

Aza (*m.*) (*Ebr.* "Colui che è soccorso dal Signore") 19 *nov.*

Azad (*m.*) (*Tur.* "Libero" "Nato libero")

Azadane (*m.*) (*Ebr.* "Colui che è soc-corso dal Signore") 22 *apr.*

Azade (*m.*) (*Ebr.* "Colui che è soccorso dal Signore") 22 *apr.*

Azalea (*f.*) (*Lat.*: Dal fiore di Azalea) // *var.* e *dim.* Azaleah, Zalea, Zaleah

Azami (*f.*) (*Giap.* "Fiore di cardo")

Azaria (*m.*) (*Ebr.* "Colui che è soccorso dal Signore") 16 *dic.*

Azelia (*f.*) (*Ebr.* "Aiutata da Dio") // *var.* e *dim.* Azeliah, Zelia, Zeliah

Azelio (*m.*) (*Ebr.* "Aiutato da Dio")

Azi (*m.*) (*Nig.*"Gioventù" "Energia")

Azim (*m.*) (*Ar.* "Difensore") // *Var.* Azeem

Azio (*m.*) (*Lat.* "Gufo") 1 *ag.*

Aziz (*f.*)(*Tur.*"Cara" "Preziosa")

Aziza (*f.*) (*sw.* "Splendida" "Preziosa")

Azriel (*m.*) (*Ebr.* "Dio è il mio sostegno")

Azura (*Fr. ant.*: "Azzurro del cielo")

Azzurra (*Per. ant.*, "Lazvard": "Zaffiro", il colore del cielo sereno)

B

Baako (*f.*) (*Akan, Gha.* "Primogenita")

Babara (*f.*) (*Haw*) *v.* Barbara

Babette (*f.*) *v.* Elisabeth

Babila (*f.*)(*Ass.; Gr.* "Porta degli dei", antico nome di Babilonia) 24 *gen.*

Bacco (*m.*)(*Lat.* "Gridare" "Strepitare) 7 *ott.*

Baciccia (*m.*) (*dial.*) *v.* Giambattista 24 *giu.*

Bacolo (*dim.* di Bacco.) 29 *gen.*

Bacutje (*f.*) (*Port., Mozambico*)

Badru (*m.*) (*sw.* "Nato con la luna piena")

Bahati (*f.*) (*sw.* "Fortunata")

Bailey (*m.*) (*Fr. ant.* "Amministratore" "Sovrintendente") // *var.* Bail, Bailie, Baillie, Baillye, Baily, Bayley

Bainbridge (*m.*) (*gael.*: "Ponte sull'acqua splendente") (*Ing. ant.* "Fiume dopo le rapide") //

var. Bain, Bridger

Baird (*gael.*: "Cantastorie") // *var.* Bard

Baiulo (*Lat.* "Facchino") 20 *dic.*

Baka (*f.*) (*hindi*: "Gru", longevità)

Bakula (*f.*) (*hindi*: "Fiore di Bakula")

Bal (*m.*) (*git.; Ing.*) (*sansc.* "Dai capelli ricci e lanosi")

Balala (*f.*) (*Mashona, Sud-Rod.* "Devi mangiare molto per crescere")

Balaniki (*f.*) (*Haw.*) *v.* Bianca

Balbina (*Lat.* "Balbuziente") 31 *mar.*

Baldassare (*m.*) (*Ass.* "Dio protegge la sua vita") 25 *apr.* 17 *ott.*; 6 *gen.*// *var.* Baltasar, Balthazar

Balder (*m.*) (*Norv.* "Dio di luce") // *var.* Baldur (*Norv.*); Baudier (*Fr.*)

Balderico (*m.*) (*Sass.* "Audace e potente") 27 *dic.*

Baldo (*m.*) (*Dan. ant.* "Audace") 15 *set.*

Baldomero (*m.*) (*Sass.* "Rinomato per il suo ardimento") 27 *feb.*

Baldovino (*m.*) (*Long.*: "Amico audace") 21 *ag.*; 8 *gen.* // *var.* Balduin, Balduino, Baldwin, Baldwina, Baudoin, Baudouine, Beaudoin

Baldwin (*m.*) *v.* Baldovino

Balfour (*m.*)(*gael.* "Dai pascoli")

Balin (*m.*) (*Hindi* "Soldato potente") // *var.* Bali, Valin

Ballard (*m.*)(*teut.* "Audace" "Forte" "Strumento musicale")

Balsamina (*f.*) (*Gr.* "Che conforta") 27 *ott.*; 16 *nov.*

Balsamo (*m.*) (*Gr.* "Che conforta") 30 *ott.*

Baltero (*m.*) (*Lat.* "Che porta la cintura") 27 *nov.*

Balthasar (*m.*) (*Fr.*) *v.* Baldassare

Bambi (*f.*) (*It.* "Bambina")

Bancroft (*m.*) (*Ing. ant.* "Del campo di fagioli")

Bane (*m.*) (*Haw.*) *v.* Barney

Banner (*m.*) (*raro*)

Bannon (*m.*) (*raro*)

Baptista (*f.*) *v.* Battista

Baptiste (*m.*) *v.* Battista

Barachisio (*m.*)(*aram.*: "Figlio di Achis") 29 *mar.*

Barak (*m.*) ("Lampo di luce")

Baram (*m.*) (*Isr. mod.* "Figlio della nazione") da Abraham

Baran (*m.*) (*raro*)

Barbara (*f.*) (*It.; Ing.; Ted.; Sp.; Sv.*) (*Gr.* "Balbuziente"; *Lat.* "Straniera" "Forestiera") 4 *dic.*; 17 *mag.* // *var.* e *dim.* Babs, Bobbie, Bobby, Baab, Babie, Barbary, Barbe, Barbel, Barberine, Barie // Bab, Babb, Babette, Babica, Babita, Barba, Barbette, Barbi, Barbie, Barbra, Barby (*Ing.*); Bara, Barbora, Barborka, Baruska (*Cec.*); Barbe(*Fr.*); Babette (*Ted.*); Voska (*Gr*); Babara (*Haw.*); Var-

vara, Varenka, Varka, Varya, Vava, Vavka (*Rus.*); Varyusha (*Sl.*); Barbro(*Sv.*); Barbare(*yid*)

Barbarigo (*m.*) (*Lat.* "Straniero") 25 *nov.*

Barbaro (*m.*) (*Gr.* "Straniero") 6, 14 *mag.*

Barbato (*Lat.* "Barbuto") 19 *feb.*

Barbaziano (*m.*) (*der.* da Barbato) 31 *dic.*

Barbe (*Fr.*) *v.* Barbara

Barbea (*aram.* "Figlio di Bea")

Barclay (*m.*) (*Ing.* "Dal campo delle betulle") *var.* Berkeley, Berkley

Bard (*m.*) 2 *feb.*; *v.* Baird

Barden (*m.*) ("Cantastorie") (*raro*)

Bardomiano (*m.*) (*ass.* "Figlio del padrone")

Bari (*f.*) (*Nome con orig. da cognome*)

Barica (*f.*) (*Ar.* "Fioritura" o "Avere successo")

Barlam (*m.*) (*aram.* "Figlio di Laam") 19, 27 *nov.*

Barlow (*m.*) ("Ramo che cresce lentamente" "Abitante della collina del cinghiale")

Barnaba (*m.*) (*aram.; Ebr.* "Figlio della consolazione") 11 *giu.//* *var.* Barn, Barnaby, Barney, Barnie, Barny (*Ing.*); Barnabé (*Fr.*); Bane (*Haw.*); Barna (*Ung.*); Barnebas, Bernabe(*Sp.*) // Barnabas, Barnabus, Baruch, Bernard, Varnava

Barnabas (*m.*) *v.* Barnaba

Barnabé (*Fr.*)(*m.*) *v.* Barnaba

Barnaby (*m.*)(*Ing.*) *v.* Barnaba

Barnard *v.*Bernardo

Barnes *v.*Bernardo

Barnet *v.*Bernardo

Barnett *v.* Bernardo

Barney (*m.*) *v.* Barnaba

Barny (*m.*) *v.* Barnaba

Baron (*m.*) (*Teut.* "Nobile guerriero") (*Ing. ant.* "Guerriero" "Barone")

Baronzio (*m.*) (*aram.* "Figlio di On-zio") 25 *mar.*

Barr (*m.*) *v.* Barret

Barret (*m.*) (*teut.* "Potente come un orso") *var.* Barrett

Barric (*m.*) (*raro*)

Barrie (*m.*) (*Ing.*) *v.* Barry

Barry (*m.*) ("Freccia diritta") (*Irl. gael.* "Appuntito" "Lancia") // (*Fr. ant.* "Barriera") *v.* Bernard // *var.* Barri, Barrie

Barsaba (*m.*) (da "Barsheba": "Figlio di Sheba") 11 *dic.*

Barsanufio (*m.*) (*Cald.:* "Figlio del giudice Ufio") 11 *apr.*

Barse (*m.*) (*celt.* "Che vive in alto") 31 *gen.*

Barsenore (*m.*) (*gael.* "Che sta sopra il leone") 13 *set.*

Barsete (*m.*) (*Cald.* "Al posto del figlio") 15 *giu.*

Barsimeo (*m.*) (*Fen.* "Figlio ubbidiente") 30 *gen.*

Bart (*m.*) *v.* Barton, Bartolomeo

Barth (*m.*) *v.* Bartholomew, Bartolomeo

Barthelemy (*Fr.*) *v.* Bartolomeo

Bartholomew (*m.*) *v.*Bartolomeo

Bartlett (*m.*) ("Di nascita onorata") *v.* Bartolomeo

Bartley (*m.*) ("Campo d'orzo")

Bartolo (*m.*) *v.* Bartolomeo

Bartolomea (*f.*)(*femm.* di Bartolomeo) 19 *apr.*; 26 *lug.*; 18 *mag.*

Bartolomeo (*m.*) (*Ebr.* "Contadino" o "Figlio della terra" "Figlio dei solchi") (*aram.* "Figlio di Talmay") (*Gr.* "Guerriero") 24 *ag.*; 20 *mag.*; 1 *lug.*; 6, 23 *ott.;* 1, 11 *nov.* // *var.* e *dim.* Barth, Bartholomaus, Bartholomeus, Bartlet, Bartlett, Bartley, Bartolome, Barthelemye, Bartholomèe // Bart, Bartel, Bartholomew, Bat (*Ing.*); Bartek, Barto, Bartz (*Cec.*); Bardo (*Dan.*); Barthelmy, Bartholomieu, Bartholome (*Fr.*); Bartolo (*It.*); Bartel, Barthel, Bartol, Bertel (*Ted.*); Barta, Bertalan, Berti (*Ung.*); Barnaby, Bartek, Bartos (*Pol.*); Parlan (*Scoz*); Jerney (*Slov.*); Barthelemy (*Sv.*); Balta, Barto, Bartoli, Bartolo, Bartolome, Toli (*Sp.*) // Tolomeo

Barton (*m.*) (*Ing. ant.* "Dal campo d'orzo") // *dim.* Bart, Tony

Bartram (*m.*) ("Contadino fortunato")

Barucco (*m.*) (*Ebr.* "Benedetto") 15 *nov.*

Baruch (*m.*) (*Ebr.* "Benedetto")

(*Gr. mod.* "Colui che fa del bene") // *dim.* Barney, Barnie, Barrie, Barry

Barula (*m.*) (*Etn.* "Oriundo di Barletta") 18 *nov.*

Basil (*m.*) *v.* Basilio

Basila (*f.*) (*Gr.*; *femm.* di Basil) *var.* Basilea, Basilia

Basile (*m.*) *v.* Basilio

Basileo (*m.*) (*Gr.* "Re") 26 *apr.*; 23 *mag.*

Basilia (*m.*) (*Gr.* "Regina") 17, 20 *mag.*; 16 *ag.*

Basiliano (*Gr.* "Regale") 18 *dic.*

Basilide (*Gr.* "Che possiede regalità") 30, 10, 12 *giu.*; 23 *dic.*

Basilio (*m.*) (*Gr.* "Monarca") (*Lat.* "Reale" "Magnifico") 1 *gen.*; 14, 30 *giu.*; 1, 27 *feb.*; 4, 6, 22 *mar.*; 1 *ag.*; 28 *nov.* // *var.* Bas, Vas, Vasily (*Ing.*); Vasil (*Bul.*); Bazil, Vasil (*Cec*); Basile, Bale (*Fr.*); Basle (*Ted*); Vasilis (*Gr*); Bazel, Vazul (*Ung*); Basilio (*Port.; Sp.*); Bazek (*Pol.*); Vasile (*Rum.*); Vas, Vasili, Vasilek, Vassily, Vasya, Vasyl (*Rus.*); Basilius, Basle (*Sv.*) // Basileo, Basilide, Vassil

Basilisco (*m.*) (*Gr.* "Reuccio) 3 *mar.*; 22 *mag.*

Basilissa (*f.*) (*Gr.* "Imperatrice") 9 *gen.*; 22 *mar.*; 15 *apr.*; 3 *set.*

Basilla (*f.*) (*Gr.* "Regina") 29 *ag.*

Basir (*m.*) (*Tur.* "Intelligente e giudizioso")

Basolo (*m.*)(*Celt.* "Resistente come roccia")

Bassa (*f.*)(*Lat.*"Non alta") 21 *ag.*

Bassiano (*m.*) (*Lat.* "Piccolo e sgraziato") 19; 25 *gen.*; 14 *feb.*; 20 *nov.*; 9 *dic.*

Bassilla (*Lat.:* "Appartenente alla famiglia Bassia") 20 *mag.*

Basso (*m.*) (*Lat.* "Non alto") 14 *feb.*; 11 *mag.*; 2, 5 *dic.*

Bastiano (*m.*) (*Gr.* "Venerando" "Adorabile") 20 *gen.*// *v.* Sebastiano

Bastien (*m.*) (*Fr.*) *v.* Sebastien, 30 *gen.*; *v.* Sebastiano

Bates (*m.*) (*raro*).

Bathilda (*f.*) *v.* Batilda

Bathilde (*f.*) (*Fr.*) *v.* Batilda

Bathsheba (*f.*) (*Ebr.* "Figlia del giuramento") // *dim.* Sheba.

Batilda (*f.*) (*Celt.* "La battagliera") (*Teut.* "Potente in battaglia") 30 *gen.* // *var.* e *dim.* Bathilda, Bathyile, Batilde, Thilda, Tilda, Tillie, Tilly

Batini (*f.*) (*sw:* "I pensieri più intimi")

Battista (*m.*) (*Lat.* "Che battezza", da Giovanni Battista) 24 *giu.;* 31 *mag.*; 7 *giu.*// Bapper, Baptista, Baptistin, Baptistine, Batista, Bautisse, Bop

Batya (*f.*) (*Ebr.* "Figlia di Dio") *var.* Basia, Basya, Batia

Baudelio (*m.*) (*Celt.* "Contadino") 20 *mag.*

Baudino (*m.*) (*dim.* di Baldovino) 7 *nov.*

Baudoin (*m.*) (*Fr.*) *v.* Baldovino

Baudolino (*m.*) (*Celt.* "Forte lavoratore dei campi")

Baul (*m.*)(*Ing., git.* "Chiocciola")

Bavol (*m.*) (*Ing., git.* "Vento" o "Aria")

Bavone (*m.*) (*Ted. ant.:* "Originario della Baviera") 1 *ott.*

Baxter (*m.*) (*Ing. ant.* "Fornaio" "Panettiere"); *dim.* Bax

Bay (*m.*) (*Viet.* "Settimogenito")

Bayard (*m.*) (*teut.* "Dai capelli rossi" "Colui che ha fiducia in se stesso")

Bayley (*m.*) *v.* Bailey

Bayne (*m.*) (*raro*)

Bea (*f.*) *v.* Beatrice

Beale (*m.*) *v.* Beau

Beaman (*m.*) (*Ing. ant.* "Apicoltore") *var.* Beman

Beano (*m.*) (*gael.* "Felice")

Beata (*m.*) (*Lat.:* "Benedetta" "Consacrata") 8 *mar.*; 29 *giu.* // *dim.* Ati

Beato (*m.*)(*Lat.* "Felice") 9 *mag.*

Beatrice (*f.*) (*Lat.* "Colei che porta la gioia" "Colei che rende beati o felici") 18 *gen.;* 29 *lug.* // *var.* e *dim.* Beat, Beatty, Bice, Biche // Bea, Bee, Trixi, Trixie, Trixy(*Ing.*); Blaza, Blazena (*Cec.*); Beatrix(*Fr.*; *Ted.*); Beatrise (*Let.*); Beatriz (*Port*); Beatriks, Beatrisa (*Rus.*); Beatriz, Bebe, Tichia, Trisa (*Sp*)

Beatrisa (*f.*) (*Sp.*) *v.* Beatrice

Beau (*m.*)(*Fr.* "Bello") *var.* Bo

Beaufort (*m.*) (*Fr. ant.* "Della bella fortezza") *dim.* Beau, Bo

Beaumont (*m.*) (*Fr. ant.* "Della bella montagna") *dim.* Beau, Bo, Monty

Beauregard (*m.*) (*Fr. ant.:* "Dal bello sguardo") *dim.* Beau, Bo

Becca (*f.*) *v.* Rebecca

Bechtel (*m.*) (*Ted.*) *v.* Alberto

Beck (*m.*)(*Ing. mod.*: "Ruscello")

Becki *abbr.* di Rebecca

Becky *abbr.* di Rebecca

Beco (*Tosc.*) *v.* Domenico, 8 *ag.*

Beda (*Ebr., etim.sc.*) 25, 27 *mag.*

Bedrich (*m.*) (*Cec.*) *v.* Frederick

Begga (*fiam.* "Balbuziente") 17 *dic.*

Behira (*f.*) (*Ebr.:* "Luminosa" "Chiara")

Bel (*f.*) (*hindi*: "Bosco sacro dei meli")

Bela (*f.*)(*Fr.ant.* "Bianca" "Dalla pelle chiara") *var.*Blanche;*dim.* di Alberte // (*Cec.*) *v.*Albina

Bela (*m.*) (*Ung.*) *v.* Alberto

Beldon (*m.*)(*Ing.ant.* "Figlio della valle bella e fertile") // *var.* Belden, Beldin

Belen (*m.*) (*Gr.* "Freccia")

Belicia (*f.*) (*Sp.*) *v.* Isabel

Belide (*m.*) (*Celt.* "Combattente per il bello") 27 *nov.*

Belina (*f.*) (*Celt.* "Figlia di Belin") 19 *feb.*; 9 *ag.*

Belinda (*f.*) (*Sass.* "Dolcemente luminosa") (*Sp. ant.* "Bella + Linda" = "Graziosa") *dim.* Bel, Belle, Linda

Belisario (*m.*) (*Gr.*)

Bella (*f.*) (*Ing. ant.* "Luminosa" "Bella") (*Ung. v.* Alberta)// *var.* Bel, Bela, Bell, Belle, Belva, Belvia // *v.* Isabella

Bellamy (*m.*) (*Fr. ant.* "Amico leale")

Belle (*f.*) (*Fr.*) *v.* Bella

Bellina (*Lat.* "Graziosa") 8 *set.*

Bellino (*m.*) (*Lat.*) 26 *nov.*

Bello (*m.*) (*Lat.*) 23 *gen.*

Bello (*m.*) (*Afr.* "Sostenitore della religione Islamica")

Belloma (*f.*) (*Lat.* "Bellicosa")

Beltramo (*m.*)(*Celt.*) *v.*Bertrando

Bem (*m.*) (*Nig.* "Pace")

Ben (*m.*) *v.* Benedict, Benjamin e altri nomi che cominciano per *Ben*

Ben (*m.*)(*Ar.*; *Ebr.*"Figlio di..")

Bena (*f.*) (*Ind. Nordam.* "Fagiano")

Bencivenni (*m.*) (*Tosc. v.* Benvenuto) 27 *giu.*

Bene (*f.*) (*Afr.*"Nata di Fenibene", giorno della settimana)

Benedetta (*f.*) (*Lat.: femm.* di Benedetto) 4 *gen.*; 16 *mar.*; 6 *mag.*; 29 *giu.*; 8 *ag.* // *var.* e *dim.* Benedikta, Benetta, Benny, Binny // Benedicta, Bena, Benni, Bennie, Binnie, Dixie (*Ing.*); Benedicte, Benedictine, Benoit, Benoite (*Fr.*); Benicia, Benita (*Sp.*)

Benedetto (*m.*) (*Lat.* "Consacrato") 11 *lug.*, 21 *mar.*; 12 *gen.*; 11, 12 *feb.*; 11, 23 *mar.*; 4, 16, 22 *apr.*; 8 *mag.*; 7 *lug.*; 23 *ott.*; 12 *nov.* // *var.* e *dim.* Ben, Benedick, Bendix, Bennet, Bennett, Bennie,Benny, Dick (*Ing*); Benedikt (*Bulg*.; *Cec.*; *Ted*.); Benoit, Benoist, Benedicte, Benedictine (*Fr*.); Benedik, Benedek, Benci, Benke, Bence (*Ung*.); Benito, Bettino, Betto(*It*.); Bendik (*Norv*.); Benek, Bendek (*Pol*.); Venedik, Venedikt, Venka, Venya, Benedikt, Benedo (*Rus*.); Benedicto, Beni, Benito, Benitin (*Sp*.); Bengt (*Sv*.) // Benedic, Benedix, Benft, Benz

Benedich (*m*.) *v*. Benedetto

Benedict (*m*.) *v*. Benedetto

Benedicta (*f*.) *v*. Benedetta

Benedicte (*Fr*.) *v*. Benedetta 16 *mar*.

Beneno (*Irl*. "Che produce il bene")

Beniamino (*m*.) (*Ebr*. "Figlio del dolore" "Figlio che sta alla mia destra" "Figlio prediletto") 31 *mar*.; 7, 14 *gen*.; 10, 25 *giu*.; 29 *lug*. // var. e *dim*. Benji, Benjie // Ben, Benjy, Bennie, Benn, Benny (*Ing*.); Beni, Beno (*Ung*.); Benek, Beniamin (*Pol*.); Beatham (*Scoz*); Benja, Mincho (*Sp*.); Binyamin (*Yid*)

Benigna (*f*.)(*Lat.*: "Gentile""Ben disposta" "Bene che produce bene") 20 *giu*.

Benigno (*Lat*. "Che produce il bene") 20 *nov*.; 13 *feb*.; 28 *giu*.

Benilde (*f*.) (*Celt*. "Combatte per il bene") 15 *giu*.

Benildo (*m*.) (*Celt*. "Combatte per il bene") 13 *ag*.

Benina (*f*.) (*orig. etn*. "Oriunda di Benina", località in Cirenaica) 9 *ag*.

Benita (*f*.) *v*. Benedetta

Benito (*Sp*.) *v*. Benedetto 23 *ag*.

Benjamin (*m*.) *v*. Beniamino

Benji / Benjie (*m*.) *v*. Beniamino

Benjy (*m*.) *v*. Beniamino

Benn (*m*.) *v*. Ben

Bennett (*m*.) *v*. Benedetto

Benny (*m*.) (*Ingl*.) *v*. Beniamino; (*It*.) Anche *femm*.

Beno (*m*.) (*Lat*. "Che fa il bene) 16 *giu*.

Benoit (*m*.) (*Fr*.) *v*. Benedetto

Benson (*m*.) (*Ebr*.; *Ing*. "Figlio di Benjamin")

Bentley (*m*.)(*Ing. ant*. "Del campo") *dim*. Ben, Bennie, Benny, Lee, Leigh

Benton (*m*.)(*Ing. ant*. "Delle lande") ("Città che sorge sulla vetta") *dim*. Ben, Bennie, Benny, Tony

Benvenuta (*femm*. di Benvenuto) 30 *ott*.

Benvenuto (*m*.) (*Lat*.) 22 *mar*.; 15 *mag*.; 27 *giu*. // var. Bencivenni

Benvinda (*f*.)(*Port*.) v.Benvenuta

Benzi (*m*.) (*Ebr*.: "Figlio eccellente")

Bepi (*m*.) (*Ven*.) *v*. Giuseppe

Beppe (*m*.) *v*. Giuseppe

Berardo (*m*.) (*Germ.*: "Forte come l'orso") 16 *gen*.; 19 *dic*.

Bercario (*m.*) (*Celt.*) 16 *ott.*

Berco (*m.*) (*Cec.*) *v.* Alberto

Berda (*f.*) (*raro*)

Berdina (*f.*) (*teut.* "Gloriosa") // *var.* Berdine

Berdy (*m.*) (*Rus.*; *Sl.*) *v.* Uberto

Berengario (*m.*) (*Prov.* "Valoroso combattente") 2 *ott.*; 26 *mag.* // *var.* Berengar, Beranger, Berangere

Berenger (*m.*)(*Fr.*) *v.* Berengario

Berenice (*f.*)(*Gr.* "Colei che porta la vittoria") 4 *ott.* // *var.* e *dim.* Berna, Bernice, Bernie, Berny, Bernyce, Bunny // *v.* Veronica

Berg (*m.*) (*Ted.* "Montagna")

Bergen (*m.*) ("Abitante della collina")

Berger (*m.*) (*Fr.* "Abitante in montagna" "Pastore")

Beric (*m.*) *v.* Burke

Berk (*m.*) (*Tur.* "Solido")

Berke (*m.*) *v.* Burke

Berkeley (*m.*) *v.* Barclay

Berlyn (*m.*) (*raro*)

Bernabo (*m.*) *v.* Barnaba 11 *giu.*

Bernadetta (*f.*) *v.* Bernardette

Bernadette (*f.*) *v.* Bernardette

Bernarda *v.* Bernardina, 21 set.

Bernardette (*f.*) (*Fr.*) *v.* Bernardina

Bernardina (*f.*) ("Coraggiosa come un orso") 16 *apr.*; 18 *feb.*; 21 *set.* // *var.* e *dim.* Bernardette (*Fr.*); Berna, Bernadine, Berneta, Bernetta, Bernette, Bernina, Bernita, Berni, Bernie, Berny (*Ing.*); Bernarda, Bena, Dina, Ina (*Pol.*); Bernardina (*Port.*; *Sp.*)

Bernardino (*m.*) *v.* Bernardo 20 *mag.*; 2, 3 *lug.*; 28 *set.*

Bernardo (*m.*) (*Ted. ant.* "Forte come un orso" "Comandante risoluto") 20, 21, 22, 23 *ag.*; 12 *gen.*; 12 *mar.*; 14 *apr.*; 28 *mag.*; 15 *giu.*; 15 *lug.*; 11 *set.*; 14, 26 *ott.*; 20 *nov.*; 4, 19 *dic.* // *var.* e *dim.* Barnad, Barnet, Bearnhard, Bernat, Berne, Bernhard // Barn, Barney, Barnie, Barny, Bern, Bernarr, Bernie, Berny, Burnard, Burnie, Burny (*Ing.*); Bernek, Berno (*Cec.*); Bernardin (*Fr.*); Beno, Berend (*Ted.*); Vernados (*Gr.*); Bernat (*Ung.*); Bernardino (*It.*); Bernhards, Berngards (*Let.*); Bernardas (*Lit.*); Benek, Bernardyn (*Pol.*); Berngards (*Rus.*); Bjorn (*Scan.*); Bearnard (*Scoz.*; *Irl.*); Bernal, Bernadel, Bernardo, Nardo (*Sp.*)

Bernd (*m.*) (*Ted.*) *v.* Bernardo

Bernell (*m.*) (*raro*)

Bernelle (*f.*) (*raro*).

Bernhard (*m.*)(*Ted.*) *v.* Bernardo

Bernice (*f.*) *v.* Berenice

Bernie (*m.*) *v.* Bernardo

Bernone (*m.*) (*Ted. ant.* "Grande orso bruno") 13 *gen.*

Bernulfo (*m.*) (*Dan. ant.* "Figlio del lupo") 24 *mar.*

Bernward (*m.*) (*Sass.* "Forte come l'orso") 20 *nov.*

Beronico (*m.*) (*Ass.* "Che difende la vittoria") 19 *ott.*

Berri (*f.*) (*abbr.* di Berry)

Berrie (*f.*) (*abbr.* di Berry)

Berry (*f.*) ("Frutto")

Bersh (*m.*) (*Ing., git.* "Un anno") // *var.* Besh.

Bert (*m.*) (*Ing.*; *Fr.*) *v.* Alberto; Berto, Roberto

Berta (*f.*) (*Ant. ted.*, "Berctha", dea della mitologia nordica: "Risplendente" "Brillante") 4 *lug.*; 24 *mar.*; 11 *mag.* // *var.* e *dim.* Berthe, Bertie, Berty, Bertell, Berteline, Bertilie, Bertille, Bertillon, Bertin // (*Cec.*; *Ing.*; *Pol.*; *Sp.*) // *v.* Alberta, Egberta, Roberta // *v.* Uberta

Berta (*f.*) *v.* Roberta

Bertchen (*f.*) (*Ted.*) *v.* Alberto

Bertek (*m.*) (*Pol.*) *v.* Alberto

Bertha (*f.*) (*Teut.*) *v.* Berta

Berthe (*f.*)(*Fr.*) *v.* Berta, 11 *mag.*

Berthold (*m.*) *v.* Bertoldo

Berti (*m.*) (*Cec.*) *v.* Alberto

Bertie (*m.*) (*f.*) (*Ing.*) *v.* Alberta, Alberto, Roberto

Bertilla (*f.*)(*dim.*di Berta) 20 *ott.*

Bertin (*m*) (*Sp.*"Amico distinto")

Bertina (*f.*) ("Fanciulla risplendente")

Bertino (*m.*) (*Ted. ant.* "Splendente") 5 *set.*

Berto (*m.*) (*It.*; *Port.*; *Sp.*) (*Ted. ant.*: "Chiaro" "Brillante")(*Ing. ant.* "Luminoso, vivace") 4 *lug.* // *abbr.* di nomi come Alberto, Roberto, Gilberto, Lamberto ecc. // *v.* anche Albert, Bertie, Bertram, Berthold, Berty, Burt, Burtie, Burton, Burty, Egbert, Hertbert, Hubert, Robert

Bertoldo (*m.*) (*Ted.* "Illustre nel comandare") (*Teut.* "Sovrano illuminato") 21 *ott.*; 29 *mar.*; 27 *lug.*; 24 *ag.* // *dim.* Bert, Bertie, Berty

Bertolfo (*m.*) (*Ted. ant.* "Nobile lupo") 19 *ag.*; 5 *feb.*

Berton (*m.*) ("Illustre")

Bertrada (*f.*)(*Sass.* "Illustre consigliera") 11 *feb.*

Bertram (*m.*)(*Teut.*) *v.*Bertrando

Bertrand (*m.*) (*Fr.*) *v.* Bertrando

Bertrando (*m.*)(*Germ.ant.*:"Corvo brillante") (*Teut.* "Fortunato" "Illustre") 6 *giu.* // *var.* e *dim.* Bart, Bartram, Belt, Beltig, Beltramo, Bert, Bertie, Bertran, Bertrand, Bertrane, Bertranded, Berty

Bertunga (*f.*) (*Sp.*) *v.* Alberta, Roberta

Bertus (*m.*) (*Ol.*) *v.* Berto

Berty (*m.*) (*f.*) (*Ing.*) *v.* Alberta; (*Ing.*; *Pol.*) *v.* Berto, Roberto

Berwyn (*m.*) (*Ing.* "Amico del raccolto")

Beryce (*f.*) (*raro*)

Beryl (*f.*) (Da "Berillo": pietra preziosa) // *var.* e *dim.* Berri, Berrie, Berry, Beryla, Beryle

Besa (*m.*) (*Tracia* "Cavaliere") 27 *feb.*

Bess (*f.*) *v.* Elisabetta

Bessy (*f.*) *v.* Elisabetta

Bessarione (*m.*) (*orig. etn.* "Proveniente dalla Bessarabia") 17 *giu.*

Besso (*m.*)(*Celt., orig. etn.* "Abitante di Bessa", località del Piemonte) 10 *ag.*; 1 *dic.*

Beta (*f.*) (*Cec.*) *v.* Elisabetta

Beth (*f.*) *v.* Bethel; Bethesda // *dim.* di Elisabetta

Bethanne (*f.*) (*Nome doppio*)

Bethany (*f.*) (*aram.* "Casa della povertà" "Casa del dolore")

Bethea (*f.*) ("Vita") (*raro*)

Bethel (*f.*)(*Ebr.* "Casa di Dio") *dim.* Beth, Betty

Bethena / Bethene (*f.*) (*raro*)

Bethesda (*f.*)(*Ebr.* "Casa del ringraziamento") *var.* e *dim.* Beth, Bethesde, Betta, Thesda

Bethia (*f.*) ("Vita") (*raro*)

Bethina (*f.*) (*raro*)

Beti (*f.*) (*Ing./Git.* "Piccola")

Betsey (*f.*) *v.* Elisabetta

Betsy (*f.*) *v.* Elisabetta

Betta (*m.*) (*Prov.* "Benedetto") 12 *feb. v.* Benedetta, Elisabetta

Bette / Betti (*f.*) *v.* Elisabetta

Bettina (*f.*) *v.* Elisabetta

Bettine (*f.*) *v.*Elisabetta

Bettino (*m.*) *v.* Benedetto

Betty (*f.*) *v.* Elisabetta

Betula (*f.*) (*Ebr.* "Fanciulla")

Betulla (*f.*)

Beulah (*f.*) (*Ebr.* "Colei che si sposerà"), *var.* Beula.

Beval (*m.*) (*Ing., git.* "Come il vento")

Bevan (*m.*) (*Celt.:* "Figlio di Evan" "Figlio del guerriero") // *var.* Bevin

Beverly (*f.*) (*Ing. ant.* "Abitante della campagna") // *var.* e *dim.* Bev, Beverley, Beverlie // (*m.*) (*Anglo-Sass.* "Dal campo del castoro")

Bevis (*m.*) (*Teut.* "Arciere") *var.* Bevus

Beyer (*m.*) (*Norv.*)

Biagio (*m.*) (*Lat.* "Balbuziente") 3 *feb.*; 2, 10 *feb.*; 22 *apr.*; 29 *nov.* // *var.* Blass, Blaze, Blaisiane, Blesilla // Blaise, Blaisette, Blaisot (*Fr.*); Blaise, Blase (*Ing.*); Blasi, Blasius (*Ted.*); Ballas (*Ung.*); Blazek (*Pol.*); Vlas (*Rus.*); Blas (*Sp.*)

Bian (*f.*) (*Viet.* "Riservata")

Bianca (*f.*)(*long.* "Bianca" "Dalla pelle chiara") 14 *gen.*; 26 *apr.*; 9 *lug.*; 5 *ag.*; 2 *dic.*// *var.* Bela, Blanka (*Cec.*); Blancha, Blanche, Blanchette, Gwen (*Fr.*); Balaniki (*Haw.*); Blanch, Blancha, Blanche, Blanshe (*Ing.*); Blanca (*Sp.*); Branca (*Port.*); Blanca (*Sp.*); Blanka, Blenda (*Sv.*)

Bianco (*m.*) (*Long.*) 2 *dic.*

Bianore (*Etr. etim. sc.*) 10 *lug.*

Bibi (*f.*) (*Ar.* "Signora"; *sw.* "Educata")

Bibiana (*f.*) (*Etr.* "Vivere") 2 *dic.*; 3 *dic.*

Bibiano (*m.*)(*Lat.*; *Etr.* "Vivere") 28 *ag.*

Biblide ("Ardente d'amore") 2 *giu.*

Bibo (*m.*) (*Lat.* "Bevitore") 6 *set.*

Bice (*f.*) v. Beatrice 29 *lug.*

Bienvenue (*Fr.*) v. Benvenuto

Bijorn (*m.*) v. Bernardo

Bilia (*f.*) v. Amabilia, Amabile 11 *lug.*

Bill (*m.*) *dim.* di William

Billy (*m.*) *dim.* di William

Billie (*f.*) *dim.* di William

Billye (*f.*) *dim.* di William

Billie-Jean (*f.*) (*Nome doppio*)

Bina (*f.*) (*Cec.*) v. Albina, Sabina

Bina (*f.*) (*Ebr.* "Comprensione" "Intelligenza") *var.* Buna// (*Ind., Arapaho:* "Frutta")

Bindo (*m.*) (*Sass.* "Fascia")

Bing (*m.*) (*raro*)

Bingham (*m.*) (*raro*)

Bino (*m.*) *dim.* di Albino

Binti (*f.*) (*sw.* "Figlia")

Bionda (*f.*) (*Lat.*) 2 *nov.*

Birce (*m.*) (rarissimo).

Birch (*m.*)("Dall'albero di betulla") *var.* Burch

Birdella (*f.*) ("Piccolo uccello") (*raro*).

Birdena (*f.*) ("Come un uccello") (*raro*)

Birdie (*f.*) (*Ing.* "Uccello") *var.* Bird, Birdy, Byrde

Birdine (*f.*) ("Come un uccello") (*raro*).

Birgit (*f.*) (*Norv.*) v. Brigida

Birillo (*m.*) (*Fen.* "Abitante presso i pozzi")

Birino (*m.*) (*gael.* "Tacchino")

Birk (*m.*) (*Ing. ant.* "Dall'albero di betulla") (*Ingh. sett.:* "Isola delle betulle")

Birnie (*m.*) v. Burney

Bitki (*f.*) (*Tur.*:"Pianta"

Bjorn (*m.*) (*Scan*) v. Bernardo

Blackely (*m.*) v. Blake

Blackwell (*m.*) (*raro*)

Blade (*m.*) (*raro*)

Blagden (*m.*) (*Ing. ant.* "Dalla valle oscura") // *var.* Blagdon

Blaine (*m.*) (*gael.* "Magro" "Bolla")

Blair (*m.*) e (*f.*) (*gael.* "Dalla pianura" "Campo di battaglia" "Figlio dei campi")

Blais / Blaise (*m.*) e (*f.*) v.Biagio

Blaisdell (*m.*) (*raro*)

Blake (*m.*) (*Ing. ant.:* "Scuro" "Nero" o "Leale" a seconda delle diverse radici; o anche "Biondo" "Dai bei capelli") // *var.* Blackey, Blacky

Blanche (*Fr. ant.*) (*f.*) v. Bianca

Blandina (*f.*) (*Lat.:* "Carezzevole" "Invitante") 2 *giu.*; 2 *lug.*

Blandine (*m.*) (*f.*) (*Fr.*) v. Blandin, Blandina, Blandino, Dina

Blane (*m.*) (*Irl., gael.:* "Sottile" "Asciutto") (*m.*) // *var.* Blain, Blaine, Blayne

Blasco (*m.*) (*Sp.*)

Blayne (*m.*) v. Blaine.

Blayze (*m.*) e (*f.*) (*Nome con orig. da cognome*)

Blaz (*m.*) (*Ser.; Cr.*) v.Guglielmo

Blaze (*m.*) e (*f.*) v. Biagio

Bliss (*f.*) (*Ing. ant.* "Felicità"

"Gioia") // *var*. Blisse, Blyss, Blysse

Blitmondo (*m.*) (*Long*. "Luminoso come la luna") 3 *apr*.

Blom (*f.*) (*Ted*. in *Sud Afr*. "Fiore")

Blondell (*f.*) *var*. Blondelle

Blossom (*f.*) (*Ing*. "Fiore")

Blu (*f.*) (Colore)

Blum (*f.*) (*yid*. "Fiore") *var*. Bluma

Bluma (*f.*) (*Ing*. "Come un fiore")

Bly (*f.*) e (*m.*)(*Ind. Nordam*. "Alta") (*Ted*. in *Sud Afr*. "Felice")

Blyte (*f.*) (*Ing. ant*. "Gioiosa" "Allegra") // *var*. Blithe

Bo (*f.*) (*Cin*. "Preziosa") // *v*. Bonita

Boaz (*m.*) (*Ebr*. "Forza nel Signore" "Veloce e forte")

Bob (*m.*) *v*. Robert, Roberto

Bobbet /Bobbette (*f.*) *v*. Roberta

Bobbi *v*. Robert, Roberta, Roberto

Bobbie *v*. Robert, Roberta, Roberto

Bobby *v*. Robert, Roberta, Roberto

Bobbye (*f.*) *v*. Roberta

Bobek (*m.*) *v*. Roberto

Bobetta / Bobette *v*. Roberta

Bobina (*f.*) (*Cec.*) *v*. Roberta

Bobuleno (*m.*)(*orig. etn*. "Oriundo di Bobbio") 26 *giu*.

Boden (*m.*) ("Armato")

Bodil (*m.*) (*Norv.*; *Dan*. "Colui che comanda")

Bodine (*m.*) (*raro*)

Bodua (*m.*) (*Akan, Gha*. "Coda di un animale"

Boemondo (*m.*)(*Ted. ant*. "Arciere") 11 *set*.

Boetiano (*m.*) (*Gr*. "Colui che aiuta") 22 *mag*.

Boezio (*m.*)(*Gr*. "Che aiuta") 23 *ott*.

Bogart (*m.*) (*Teut*. "Forte come un arco") *dim*. Bo, Bogey, Bogie

Bohannon (*m.*) (*raro*)

Bohdan (*m.*) (Ucr.) *v*. Donaldo

Bohdana (*f.*) (Ucr.) *v*. Donaldo *femm*. di Bohdan // *var*. Danya

Boiardo (*m.*) (*Sass*. "Forte con l'arco")

Bolton (*m.*) (*Ing. ant*. "Dal podere del feudo" "Abitante del palazzo") *dim*. Tony

Bona (*f.*) (*Ebr*. "Costruttrice")

Bona (*f.*) (*Lat*. "Buona) 29 *mag*.; 24 *apr*.

Bonaccorso (*m.*) (*orig. crist.*)(*It. med*. "Ben capitato" "Nascita gradita")

Bonagiunta (*f.*) (*orig. crist.*) (*It. med*. "Buona aggiunta (alla famiglia") 31 *ag*.

Bonaiuto (*m.*) (*orig. crist.*) (*It. med.*)

Bonaldo (*m.*) (*Lat.:* "Difensore della casa")

Bonamico (*m.*) (*orig. crist.*) (*It. med.*)

Bonaventura (*m.*)(*nome augurale med*. "Buona ventura") 14,

15 *lug.*; 31 *mar.*; 10 *giu.*; 1 *nov.*

Bonavita (*m.*) ("Vita rivolta al bene") 1 *mar.*

Boncompagno (*m.*) (*orig. crist.*) (*It. med.*)

Bonconte (*m.*) (*orig. crist.*) (*It. med.*)

Bond (*m.*) (*Ing. ant.* "Coltivatore della terra" "Agricoltore") // *var.* Bondon, Bonde, Bondon, Bonds

Bonello (*m.*) (*Dim.* di Bono) 25 *feb.*

Boneto (*m.*) (*Celt.; Germ.* "Proprietario" o "Che ha casa") 3 *mar.*

Bonfante (*orig. crist.*) (*It. med.*)

Bonfiglio (*m.*) (*orig. crist.*) (*It. med.*) (*nome augurale*) 1, 12 *gen.*

Bonfilio (*m.*) 27 *set.*; *v.* Bonfiglio

Boniface (*m.*) *v.* Bonifacio

Bonifacio (*m.*) (*Lat. med.* "Colui che opera il bene") 4 *apr.*; 8, 14 *mag.*; 5, 19 *giu.*; 29 *lug.*; 17, 30 *ag.*; 25 *ott.*; 6 *dic.* // *var.* Boniface, Bonifacius, Bonifas, Bonifazio, Faas, Fatzel, Fazio

Bonifazio (*m.*) 29 *dic.*; *v.* Bonifacio

Bonita (*f.*) (*Sp.* "Graziosa" "Carina") // *var.* e *dim.* Bo, Boni, Bonie, Nita, Bonnie, Bonny

Bonito (*m.*) (*Iber.*"Buono") 15 *gen.*

Bonnie (*f.*) (*Ing.* "Buona") // *var.* e *dim.* Bonni, Bonny, Bunni, Bunnie, Bunny

Bonniedell (*f.*) (*Nome doppio*)

Bonnilee (*f.*) (*Nome doppio*)

Bono (*Ted.* "Che ha casa") 1 *ag.*

Bononio (*m.*) (*Lat.* "Abitante di Bononia") 30 *ag.*

Bonosa (*f.*) (*Lat.* "Che è buona") 15 *lug.*

Bonoso (*m.*)(*Lat.* "Che è buono") 21 *ag.*

Boone (*m.*) (*Fr. ant.* "Allegro"

Booth (*m.*) (*Ing.*, linguaggio comune: "Della capanna") // *var.* e *dim.* Boot, Boote, Boothe, Booths

Borden (*m.*) (*Ing. ant.* "Dalla valle del cinghiale") // *dim.* Bordie, Bordy

Borg (*m.*) (*Norv.* "Dal castello" "Colui che vive in un castello")

Boris (*m.*) (*Sl.* "Guerriero) 10 *dic.* // Borislav (*Ser.*) // (*Fr.*) *var.* Borromea, Borromee 10 *dic.*; 2 *mag*; 24 *lug.*

Bortolo (*m.*) (*Ven.: tronc.* di Bartolomeo) 24 *ag.*

Borvis (*m.*) (*Sl.* "Combattente")

Bosone (*m.*) 20 *mar*, *v.*Ambrogio

Boston (*m.*) (*nome di città*)

Botan (*m.*) (*Giap.* "Peonia")

Bouddicca (*f.*) (*USA, Utah*)

Boulton (*m.*) *v.* Bolton

Bour (*m.*) (*Gha.* "Roccia") *var.* Obo, Obour

Bourke (*m.*) *v.* Burke

Bova (*f.*) (*Celt.* "Ragazza pastore") 24 *apr.*

Bovo (*Sass.* "Ragazzo") 22 *mag.*

Bowen (*m.*) (*Celt.:* "Figlio di Owen") (*Gal. ant.* "Di nobili natali" o "Figlio di colui che è giovane")(*gael.* "Piccolo" "Vittorioso") // *var.* Bohen, Boyd // *dim.* Bow, Bowie

Bowie (*m.*) (*gael.* "Dai capelli biondi)

Boyce (*m.*) (*Fr. ant.* "Boscaiolo" "Figlio della foresta")

Boyd (*m.*) (*Celt.* "Dai biondi capelli lucenti")

Boyden (*m.*) (*Anglo-sass.* "Araldo") // *var.* Boden, Bowden

Boynton (*m.*) (*gael.:* "Dal fiume delle vacche bianche") // *dim.* Tony

Braccio (*m.*) (*It. med.*)

Brad (*m.*) (*Ing. ant.* "Ampio" "Vasto") *dim.* dei nomi che cominciano per *Brad*

Bradburn (*m.*) (*Ing. ant.* "Lungo ruscello")

Bradburne (*m.*) (*Ing. ant.* "Lungo ruscello")

Braden (*m.*)(*Ing. ant.* "Dall'ampia valle") // *dim.* Brade

Bradford (*m.*) (*Ing. ant.* "Dall'ampio guado")

Bradley (*m.*) (*Ing. ant.* "Dal vasto campo") // *var.* e *dim.* Brad, Bradlee, Bradleigh, Brady, Lee, Leigh

Bradshaw (*m.*) (*Ing. ant.* "Estesa foresta")

Bradwell (*m.*) (*Ing. ant.* "Grande sorgente")

Brady (*m.*)(*gael.* "Ardente" "Bello")

Brainard (*m.*) (*Ing. ant.* "Corvo audace") *var.* Braynard

Bram (*m.*) (*Ted.*) v. Abramo

Bramwell (*m.*) (*Ing. ant.* "Dal pozzo di Abramo") *dim.* Bram, Brom

Bran (*m.*) (*Celt.* "Corvo") // *var.* Bram

Branca (*m.*) (*Tosc.* da Pracanzio 12 *mag.*

Brancaleone (*m.*) (*Med.* da Pracanzio = "Lottatore" "Potente") 12 *mag.* // *var.* Bracazio

Brand (*m.*) (*Ing. ant.* "Igneo" "Spada fiammeggiante") // *var.* e *dim.* Bran, Brandy, Brant

Brandano (*m.*) (*Celt.* "Fuoco") 16 *mag.*

Brandee (*f.*) (*Nome di orig. tradiz.*)

Brandeis (*m.*) ("Abitante della radura bruciata" o "Colui che viene da Brandeis": nome di tre località in Boemia) // *var.* e *dim.* Brand, Brandt, Brandy, Brant

Branden (*m.*) v. Brandon

Brandi (*f.*) (*Nome tradizionale*)

Brandie (*f.*) (*Nome di orig. tradiz.*)

Brandino (*dim.*) v. Brando

Brando (*m.*) (Da "Ildebrando")

Brandon (*m.*) (*Ing. ant.* "Colui che viene dalla collina del faro") // *var.* e *dim.* Bran, Brand, Brandan, Branden, Brandy, Brandun, Brannon

73

Brandt (*m.*) *v.* Brant

Brandy (*f.*) (*Ing. ant.* "Che brucia il vino") // *var.* Brandi, Brandie

Brannan (*m.*) ("In fiamme") // *var.* Brannen

Branning (*m.*) (*raro*)

Branson (*m.*) (*raro*)

Brant (*m.*) ("Raggio fiammeggiante")

Braulio (*m.*) (*Celt.* "Indomito") 26 *mar.*

Braun (*m.*) *v.* Bron, Bruno

Breanne (*f.*) *var.* Brianne

Brede (*m.*) (*Scan.*"Ghiacciaio")

Bree (*f.*) (*raro*)

Breena (*f.*) *v.* Brina

Bren (*raro*)

Brencis (*m.*) *v.* Lawrence

Brenda (*f.*) (*teut.* "Di fuoco" "Infiammata")

Brendan (*m.*) (*gael.* "Piccolo corvo" "Coraggioso e audace anche in gioventù"; *teut.* "In fiamme") // *var.* Bren, Brenden, Brendin, Brendon, Brennan, Brennen

Brenn (*f.*) (*raro*).

Brenna (*f.*) (*gael.* "Corvo" "Dai capelli neri") *var.* Brinna

Brenno (*m.*) *v.* Brian

Brent (*m.*) (*Ing. ant.* "Dalla collina scoscesa")

Brenton (*m.*) (*Ing. ant.:* "Dalla collina scoscesa") *dim.* Brent, Tony

Bretannione (*m.*) (*Celt.* "Abitante della Bretagna") 25 *gen.*

Brett (*m.*) (*Celt.* "Nativo della Bretagna") *var.* Bret

Bretta (*f.*) (*Celt.: femm.* di Brett) *var.* Brett, Brette

Brevard (*m.*) (*raro*)

Brewster (*m.*) (*Ing. ant.* "Birraio")// *var.* e *dim.* Brew, Brewer, Bruce, Brucie

Bria (*f.*) (*Nome con orig. da cognome*)

Brian (*m.*) (*gael.* "Forte" "Potente"; *Celt.* "Forte" "Virtuoso e onorato")// *var.* e *dim.* Briant, Brien, Brion, Bryan, Bryant, Bryon(*Ing.*); Brenno,Briano(*It.*)

Briana (*f.*) (*gael.: femm.* di Brian) *var.* Brianna, Brianne

Briano (*m.*) *v.* Brian

Brice (*m.*) (*Celt.* "Dal piè veloce") 13 *nov.* // *var.* Bryce, Bres, Bricius, Brix, Briz

Brick (*m.*) (*raro*)

Brickman (*m.*) (*raro*)

Bridget (*f.*) (*Irl., gael.*) *v.* Brigida

Brigham (*m.*)(*Ing. ant.* "Abitante del fiume")

Brigida (*f.*)(*Celt.* "Forza" "Vigore) (*Irl. gael.* "Forza" "Protezione") 1, 4 *feb.*; 7, 8, 21 *ott.*; 23, 25 *lug.* // *var.* e *dim.* Bergitte (*Dan.*); Berget, Bergit, Bridgid, Brietta, Brighid, Brigid, Brigit, Brita, Brydie (*Ing.*); Bridgett (*Irl.*); Bergette, Brigide, Brigitta, Brigitte (*Fr.*); Brigette, Brigitta (*Ted.*); Berek (*Gr.*); Brigita (*Let.*); Birgitta,

Birget (*Nor.*); Bryga, Brygida, Brygitka (*Pol.*); Brigida, Gidita (*Sp.*); Birgitta Biddi (*Sv.*) // Berhed, Biddie, Birgitte, Bride, Bridie, Bridy, Brie, Briette, Brigetta, Brighid, Brigide, Britt, Britta

Brigitta (*f.*) (*Celt.*) *v.* Brigida

Brigitte (*f.*) (*Fr.*) 23 *lug.*

Brina (*f.*) (*femm.* di Brian) // *var.* Brynna, Brynne // *abbr.* di Sabrina

Briony (*f.*) (*raro*) *var.* Brioney

Brisa (*f.*) (*nome con orig. da cognome*)

Brishen (*m.*) (*Ing., Git.* "Nato con la pioggia")

Brit/Britt (*m.*) e (*f.*) ("Dalla Britannia") *v.* Brittany// *v.* Brigitta

Brita (*f.*) *v.* Brittany

Brittania / Brittanie (*f.*) ("Inghilterra") *v.* Brittany

Brittany (*f.*) (*Lat.* "Dalla Britannia") ("Inghilterra") // *var.* e *dim.* Brett, Britt, Britta, Brittin

Brittin (*m.*)("Dalla Britannia")

Brizio (*m.*)(*Celt.:* "Variopinto") 13 *nov.*; 7 *lug.*

Broccardo (*m.*)(*Lat.* "Che porta le brache") 2 *set.*

Broccola (*f.*) (*pop.* da Procolo) 14 *apr.*

Brock (*m.*) (*Ing. ant.* "Tasso") // *dim.* Broc, Brockie, Brocky, Brox

Brockley (*m.*) (*Ing. ant.* "Dal campo del tasso")// *dim.* Brock, Lee, Leigh

Brockman (*m.*) (*raro*)

Brockwell (*m.*) ("Torrente del tasso")

Broderick (*m.*) (*Gall.* "Figlio di Roderick" "Ampio promontorio") *dim.* Brod, Broddie, Broddy, Rick, Rickie, Ricky // *v.* Roderick

Brodie (*m.*) (*gael.* "Fosso") *var.* Brody

Brodny (*m.*) (*Sl.* "Colui che vive vicino al guado poco profondo")

Brody (*m.*) (*gael.* "Uomo con una insolita barba"; "Uomo della baronia di Brodie"; "Fossato"; "Uomo che viene da un luogo melmoso"; "Uomo che viene da Brody in Russia") // *var.* Brodi, Brodie

Bromley (*m.*) (*Ing. ant.* "Dal campo delle ginestre") // *var.* e *dim.* Brom, Bromleigh, Lee, Leigh

Bron (*m.*) (*Ted.*, *Afr.* "Sorgente")

Bron (*m.*) ("Bruno" "Marrone")

Brona (*f.*) (*Cec.*) *v.* Berenice

Bronagh (*m.*) (*gael.*)

Bronson (*m.*) (*Ing. ant.* "Figlio dello scuro") *dim.* Bron, Bronnie, Bronny, Sonnie, Sonny

Bronwyn (*f.*) ("Dal petto candido")

Brook (*m.*) (*Ing. ant.* "Dal ruscello" "Torrente impetuoso") *var.* Brooke, Brookes, Brooks

Brooke (*f.*) e (*m.*) (*Ing. ant.* "Colei che abita presso il ruscello")

Brosie (*m.*) *v.* Ambrogio

Brougher (*m.*) (*Ing. ant.* "Dalla fortezza") // *var.* Brower

Bruce (*m.*) (*Fr. ant.* "Dal sottobosco" "Dalla macchia del bosco")

Bruna (*f.*) 6 *ott. v.* Bruno, Brune, Brunella, Maureen, Morena

Brunechilde (*f.*) (*Sass.* "Corazzata" o "Colei che ha l'armatura") // *v.* Brunilde

Brunehilde (*f.*) (*Fr.*) *v.* Brunilde

Brunella (*f.*) (*Fr. ant.* "Dai capelli castani") // *var.* Brunelle, Brunetta

Brunello (*m.*) *v.* Bruno

Bruner (*m.*) (*raro*)

Brunetto (*m.*) *dim.* di Bruno, 11 *mar.*

Brunhilda (*f.*)(*Teut.*) *v.* Brunilde

Brunilde (*f.*) (*Germ.* "Colei che lotta con la corazza" "Eroina" o "Fanciulla guerriera") 6 *ott.* // *var.* Brunehaut, Brunehilde, Brunhild, Brunhilda, Brunilda, Brunilla, Brunnhild, Brynhild, Brunhilde

Bruno (*m.*) (*Germ.*"Bruno""Carnagione scura""Corazza")(*Dan.* "Ardere") 6, 11, 15 *ott.*; 2, 14 *feb.*; 25 *mag.*; 19 *giu.*; 18 *lug. var.*e *dim.* Braun, Broen, Bron, Bronne, Bruna (*v.*), Brune, Brunella, Brunette, Brunetto

Brunone (*m.*)(*Dan.* "Ardere") 27 *mag.*

Bruns (*m.*) (*Ted.* "Scuro, dai capelli castani")

Bruto (*m.*) (*Gr.:* "Grave") (*Lat. brutus* di *orig. osca:* "Pesante" "Inerte")

Bryan (*m.*) (*Celt.*) *v.* Brian

Bryant (*m.*) *v.* Brian

Bryce (*m.*) ("Veloce")

Bryden (*m.*) (*raro*)

Brydon (*m.*) (*raro*)

Bryn / Brynn (*f.*) (*raro*)

Bryna (*f.*) (*gael.*) *v.* Brina

Bryony (*f.*) (*raro*)

Bryson (*m.*) (*raro*)

Bua (*f.*) (*Viet.* "Martello" "Ciondolo scolpito" o "Amuleto")

Buchanan (*m.*) (*raro*)

Buchard (*m.*) (*Ing. ant.* "Saldo come un castello") // *var.* e *dim.* Burch, Burckhardt, Burgard, Burkhart

Buck (*m.*) (*Ing. ant.* "Cervo") // *dim.* Buckie, Bucky

Buckley (*m.*)(*Ing. ant.* "Dal campo del cervo") // *dim.* Buck, Buckie, Bucky, Lee, Leigh

Budd (*m.*) (*Ing. ant.* "Araldo" "Messaggero") // *var.* e *dim.* Bud, Budde, Buddie, Buddy

Buell (*m.*) (*raro*)

Buena (*f.*) (*Sp.* "Buona")

Buffie (*f.*) (*Soprannome*)

Buffy (*f.*) (*Soprannome*)

Buford (*m.*) (*raro*)

Buonadonna (*f.*) (*Lat.*) 28 *apr.*

Buonagiunta (*f.*)(*med.*, nome augurale, "Benvenuta") 12 *feb.*

Burcardo (*m.*) (*Celt.* "Colui che porta le brache") 14 *ott.*

Burchard (*m.*) *v.* Burcardo

Burdett (*m.*) (*Fr. ant.* "Piccolo scudo") // *var.* Burdette

Burford (*m.*)(*Ing. ant.* "Dal guado o fosso del castello")

Burgess (*m.*) (*Ing. ant.:* "Uomo della città") // *dim.* Burr, Burris

Burgondofara (*long.*"Della gente Burgunda") 3 *apr.*; 7 *dic.*

Burke (*m.*) (*Fr. ant.* "Dalla roccaforte" "Colui che vive nella fortezza")// *var.* e *dim.* Berk, Berke, Birk, Birke, Bourke, Burk

Burl / Burle (*m.*) ("Coppiere")

Burleigh (*m.*) (*Ing. ant.* "Dal campo del castello") *var.* e *dim.* Burley, Burlie, Lee, Leigh

Burnan (*m.*) (*raro*)

Burne (*m.*) (*Ing. ant.* "Ruscello" "Vicino al ruscello") // *var.* e *dim.* Bernie, Berrny, Bourn, Bourne, Byrne

Burnell (*m.*) (*raro*)

Burnett (*m.*) ("Scuro, marrone")

Burney (*m.*) ("Vicino al ruscello")

Burr (*m.*)(*Scan. ant.* "Giovane")

Burt (*m.*) (*Ing. ant.* "Splendente e glorioso") *Abbr.* di Burton // *var.* e *dim.* Bert, Berty, Burty

Burton (*m.*) (*Ing. ant.* "Dalla fortezza") // *dim.* Burt, Burtie, Tony

Byford (*m.*) (*Ing. ant.* "Attraverso il fiume")

Byram (*m.*) (*Ing. ant.* "Dal recinto del bestiame")

Byrd (*m.*) e (*f.*) (*Ing. ant.* "Uccello")

Byrdean (*f.*) *v.* Berdina

Byrdie (*f.*) (*raro*)

Byrna-Deane (*f.*) *v.* Bernadina

Byrne (*m.*) *v.* Berne

Byron (*m.*) (*Fr. ant.* "Dal villino")

Byzanta (*f.*) (*orig. etn.* "Dalla città di Bisanzio") // *var.* Byzantia

C

C'ceal (*f.*) (*raro*)

Caan (*m.*) (*raro*)

Cable (*m.*) (*raro*)

Cabot (*m.*) (*raro*)

Cace (*m.*) *v.* Casey.

Cacia (*f.*)(*raro*) *var.* Cacie, Cacy

Cadao (*m.*) (*Viet. merid.* "Canzone popolare" o "Ballata")

Cade (*m.*) (*raro*)

Cadell (*m.*)(*Celt.*"Di spirito *marziale*" o "Lo spirito della battaglia") // *var.* Cadal, Cadel, Codel

Cadena (*f.*) ("Catena")

Cadman (*m.*)(*Celt.* "Guerriero") // *var.* Cadmann, Cadmon

Cadmus (*m.*) (*Gr.* "Uomo dell'Est")

Cado (*Celt.* "Araldo") 15 *giu.*

Cady (*m.*) (*raro*)

Caesar (*m.*) *v.* Cesare

Caffaro (*m.*) (*Ar.* "Espiazione")

Cahil (*m.*) (*Tur.* "Giovane inesperto" o "Ingenuo")

Cai (*f.*) (*Viet.* "Femminile")

Caifa (*m.*) (*aram.* "Indovino")

Caimile (*f.*) (*Afr.*, *Umbundu*)

Cain (*m.*) ("Qualcosa di acquisito") // *var.* Caine

Caino (*aram.; Ar.* "Fabbro")

Caio (*m.*) (*Indo-eur.* "Generare"; *Lat.* "Terra") (*It.* Sinonimo di uomo qualunque) // 10, 4 *mar.*; 4 *gen.*; 28 *feb.*; 16, 19, 26 *apr.*; 30 *giu.*; 28 *ag.*; 27 *set.*; 3, 4, 21 *ott.*; 5, 20 *nov.*

Cait (*f.*) v. Caterina

Caitlin (*f.*) v. Caterina

Caitrin (*f.*) (*raro*)

Cakusola (*f.*) (*Afr.*, *Umbundu*)

Calandra (*f.*)("Allodola") (*raro*)

Calanico (*m.*) (*Fen.* "Legnoso") 17 *dic.*

Calbert (*m.*) (*raro*)

Calcedonio (*m.*)(Pietra semipreziosa)

Calder (*m.*) (*Ing. ant.* "Ruscello") // *dim.* Cal

Caldwell (*m.*) (*Ing. ant.* "Ruscello freddo" "Calma e chiara fonte") // *var.* Cal, Calder

Cale (*m.*) (*raro*)

Caleb (*m.*) (*Ebr.*"Audace""Impetuoso" "Audace messaggero" o "Un cane") // *var.* Cal, Cale, Kale, Kaleb (*Ing.*); Kalb (*Ar.*)

Caledonia (*f.*) (*Lat.*: antico nome della Scozia)

Calepodio (*m.*) (*Lat.* "Che ha i

piedi caldi") 10 *mag.*

Calhoun (*m.*) (*gael.* "Dai sentieri dei boschi")

Calibano (*m.*) (*Pers. lett.*)

Calida (*f.*) (*Sp.* "Ardente" "Amante") // *var.* Callida

Calimerio (*m.*) (*Lat.* "Che ha i piedi puliti") 31 *lug.*

Calin (*m.*) (*raro*)

Calina v. Marcello

Calista (*f.*) (*Gr.* "La più bella") // *var.* Callista

Calla (*f.*) (pianta africana) (*Gr.* "Bella") //*var.* Callie

Callahan (*m.*) ("Guerriero")

Callan / Callen (*m.*) (*raro*)

Callimaco (*m.*)(*Lat.*"Bello""Glorioso combattente") 7 *nov.*

Callinico (*m.*) (*Gr.* "Colui che viene per bellezza") 28 *gen.*; 29 *lug.*

Calliopa (*f.*) v. Calliope

Calliope (*f.*) (*Gr.* "Bella voce") 8 *giu.*

Calliopo (*m.*)(Da *Calliope*) 7 *apr.*

Callista (*f.*) (*Gr.* "Bellissima") 25 *apr.*; 2 *set.*; 19 *gen.* // *var.* Calista

Callisto (*m.*) (*Gr.* "Bellissimo") 14 *ott.*; 16 *apr.*; 14 *ag.*; 29 *dic.* // *var.* Calista

Callistrato (*m.*)("Egli ha davanti un bel cammino") 26 *set.*

Callum (*m.*) (*raro*)

Calmino (*m.*) (*Gr.* "Tranquillo") 15 *giu.*

Calogero (*m.*) (*Gr.* "Buon vecchio") 18 *giu.*; 11 *feb.*; 18 *apr.*;

19 *mag.*

Calpurnia (*f.*)(*Lat.*"Tazza""Coppa")

Caltha (*f.*) (*Lat.* "Fiore giallo") // *var.* e *dim.* Cal, Calli, Callie, Kal, Kalli, Kallie, Kaltha

Calvert (*m.*) (*Ing. ant.* "Mandriano") // *dim.* Cal

Calvin (*m.*)(*Lat.*"Calvo" "Schietto") // *dim.* Vinnie, Vinny

Calvina (*f.*) (*Lat., femm.* di Calvin) // *var.* e *dim.* Calva, Calvinna, Vina, Vinna, Vinnie, Vinny

Cam (*f.*) (*Viet.* "Arancia" o "Essere dolce")

Cam (*m.*) (*Ing., git.* "Amato")

Camanto (*m.*) (*Celt.* "Chiassoso")

Cambria (*f.*) (*nome latino del Galles*)

Camdace (*f.*) ("Regina virtuosa") // *var.* Camdice, Camdyce

Camden (*m.*) (*gael.* "Dalla valle ventosa") // *dim.* Cam, Denny.

Camelia (*f.*) (*Gr.* "Nata da giuste nozze") (Dal fiore di Camelia) 3 *mar.* // *var.* e *dim.* Camelia, Melia, Mellia

Cameo (*f.*) (*It.* "Gioiello scolpito")

Camerino (*m.*) (*orig. etn.* "Abitante della Cameria") 21 *ag.*

Cameron (*m.*) e (*f.*) (*gael.* "Naso adunco") // *var.* e *dim.* Camron, Cam, Cammie, Cammy, Ron, Ronnie, Ronny

Cami (*f.*) (*abbr.* di Camilla)

Camila (*f.*) *v.* Camilla

Camilla (*f.*) (*Etr.* "Messaggera di Dio"; *Lat.* "Giovane che assiste ai riti sacri") (*Am. mod.* "Nata libera") 26 *lug.*; 18 *feb.* 14 *lug.* (*Fr.*) // *var.* e *dim.* Cam, Cami, Cammi, Cammie, Cammy, Kamil, Milli, Millie, Milly (*Ing.*); Kamila (*Cec.*); Camille (*Fr.*); Kamila, Kamilla (*Ung.; Let.*); Kamilka, Milla (*Pol.*); Camila, Camile

Camille (*f.*) *v.* Camilla.

Camillo (*m.*) (*Etr.* "Messaggera di Dio"; *Lat.* "Giovane che assiste ai riti sacri") (*Sam.* "Giovane partecipante a cerimonie religiose") 14, 18 *lug.*; 10 *gen.*; 15 *feb.* // *var.*Camilo

Camlo (*m.*) (*Ing. git.* "Amabile" "Adorabile") (*Viet.* "Dolce rugiada")// (*git.* "Di colore" "Neri belli")

Campbell (*m.*)(*Scoz., gael.*"Bocca storta") (*m.*) // *dim.* Cam, Campy

Canada (nome geografico) *var.* Canadia

Candace (*f.*)(*Gr.* "Pura" "Ardente") // *var.* e *dim.* Candee, Candice, Candie, Candy // V, Candida

Candi (*f.*) *v.* Candida

Candice (*f.*) (*Gr.*) *v.* Candida

Candida (*f.*) (*Gr.* "Bianca ardente"; *Lat.* "Bianca splendente" "Bianchissima" "Pura" "Luminosa") 10, 4, 20 *set.*; 1 *gen.*; 29

ag. // var. Candide, Candace, Candee, Candi, Candie, Candy // Candida (*Sp.*); Candice (*Am.*)

Candido (*Lat.:* "Bianco smagliante") 29 *ag.*; 3 *ott.*; 2 *feb.*; 9, 11, 18 *mar.*; 22 *set.*; 15 *dic.*

Candra (*f.*) ("Luna")

Candy (*f.*) *v.* Candida

Cane (*m.*) (*raro*)

Canico (*m.*) (*gael.* "Guardiano") 11 *ott.*

Canione (*m.*) (*gael.* "Splendido sorvegliante") 1 *set.*

Cantidiano (*m.*) (*Lat.* "Che ama cantare") 5 *ag.*

Cantrell (*raro*)

Canute (*m.*)(*Norv. ant.* "Nodo" "Groviglio") (*m.*) // *var.* Cnut, Knut, Knute

Canuto (*m.*) (*Dan.* "Nodo" "Legame") 7, 19, *gen.*; 10 *lug.*

Canzianilla *v.* Canzio

Canziano *v.* Canzio

Canzio (*m.*) (*orig. etn.* "Proveniente da Cantium", l'odierna Kent) 31 *mag.*

Capitolina (Cognomen della gens latina che abitava sul monte Capitolino) 2 *nov.*

Capitone (*m.*) (*Lat.* "Che ha grossa testa") 4 *mar.*; 24 *lug.*

Cappi (*m.*) (*Ing.*, *git.* "Buona fortuna" o "Profitto")

Caprasio (Dal cognomen di una gens abitante nella attuale Valle di Susa) 1 *giu.*; 20 *ott.*

Capri (*f.*) (Nome di luogo)

Caprice (*f.*) (*It.* "Fantasiosa")

Cara (*f.*) (*It.* "Amata") (*gael.* "Amica") / (*Viet.* "Diamante" "Gioiello prezioso") // *var.* e *dim.* Carina, Carine, Carinna, Carissa, Kara, Karina, Karine

Caralee (*f.*) (*Nome doppio*)

Caralippo (*m.*) (*Ion.* "Che porta i capelli all'indietro") 28 *apr.*

Caralyn (*f.*) *v.* Carolina

Carauno (*Celt.* "Calvo") 28 *mag.*

Cardell (*m.*) (*raro*)

Cardew (*m.*) (*Celt.* "Dalla nera fortezza")

Cardiss (*f.*) (*Nome con orig. da cognome*)

Carella (*f.*) (*Nome doppio*)

Caren (*f.*) *v.* Caterina, Karen

Carena (*f.*) *v.* Cara

Caresse (*f.*) ("Affetto") // *var.* Caressa

Carew (*m.*) (*Celt.* "Dalla fortezza")

Carey (*f.*) *v.* Carol, Carola

Carey (*m.*) (*Gall.* "Dal castello" "Colui che vive al castello") (*Lat.* "Caro o costoso") // *var.* Cari, Cary

Cari (*f.*) (*Tur.* "Fluente come l'acqua") // *var.* e *dim.* Caroline, Carrie (*Am.*)

Cariberto (*m.*)(*Sass.* "Leale guerriero")

Carina (*f.*) (*orig. etn.* "Abitante le Carinae", antico quartiere di *Roma*) 7 *nov.* // Karen, Karin, Karina, Krine

Carine (*f.*) (*Fr.*) *v.* Cara, Carina

Carisa (*f.*) (*raro*)

Carisio (*m.*) (*Gr.*"Che dispensa grazia") 16 *apr.*; 22 *ag.*

Carita (*f.*) (*Lat.* "Diletta" "Amata" "Caritatevole") 1 *ag.* // *var.* Caritta, Karita

Caritina (*f.*) 5 *ott.* // *v.* Carita

Caritone (*m.*) (*Lat.* "Che ha molto amore") 3 *set.*

Carl (*m.*) *v.*Carlo, Carleton, Carlin, Carlisle

Carla (*f.*) (anche Carolina) (*Got.* "Forte" "Robusta") (*Ted. ant.* "Donna libera" "Donna matura") (*Fr.* "Piccola") 1 *lug.*; 17 *ag.*; 4 *nov.*// *var.* e *dim.* Cari, Carleen, Carlene, Carli, Carlie, Carlina, Carline, Carlita, Carly, Carol, Carola, Carole, Carolin, Caroline, Carolyn, Carri, Carrie, Carroll, Cary, Caryl, Charla, Charleen, Charlena, Charlene, Charline, Charlyne, Kari, Karie, Karla, Karleen, Karli, Karlie, Karly, Karolina, Karoline, Karolyn, Lina, Line, Sharla, Sharleen, Sharlene, Sharline, Sharlyne (*Ing.*); Karolina, Karola, Karla, Karlinka (*Cec.*); Lina (*Fin.*); Charlotte (*Fr.*); Charlotte, Karla, Karoline, Lina, Linnchen, Line, Lottchen (*Ted.*); Karolina, Lina, Linka (*Ung.*); Carlotta (*It.*); Karlene (*Let.*); Karolina, Karolinka, Ina, Inka (*Pol.*); Carlota, Lola, Tota (*Sp.*); Lotta (*Sv.*)

Carleson (*m.*) ("Figlio di Charles")

Carleton (*m.*) (*Ing. ant.* "Città dei contadini") // *var.* e *dim.* Carl, Carlton, Charlie, Charlton, Charly, Tony

Carlin (*m.*) (*gael.* "Piccolo campione") // *var.* e *dim.* Carlen, Carl, Carlie, Carling, Carly, Carlyle, Lisle, Lyle

Carlisle (*m.*) (*Ing. ant.* "Torre fortificata" "Dalla torre del castello") // *var.* Carl, Carlyle

Carlo (*m.*) (*Ant. ted.* "Uomo libero" "Uomo maturo") (*Lat.* "Forte" "Virile") 4 *nov.*; 6, 28, 29 *gen.*; 2, 16, 18 *mar.*; 3 *giu.*; 21 *mag.*; 1, 15, 28 *dic.* // *var.* e *dim.* Carey, Carl, Cary, Chad, Charley, Charlie, Charlton, Chas, Chick, Chip, Chuck (*Ing.*); Karl (*Bul.*); Karel, Karlik, Karol (*Cec.*); Kalle (*Fin.*); Charlot (*Fr.*); Kale (*Haw..*); Carlino, Carolo (*It.*); Karlen, Karlens, Karlis (*Let.*); Karol, Karolek (*Pol.*); Karl, Karlen, Karlin (*Rus.*); Karal, Karl (*Ted.*); Kalman, Kari, Karoly (*Ung.*); Carlo, Carlos (*Sp.*); Kalle(*Sv.*)// Carito, Carla, Carle, Carlotta, Carlyle, Carol, Carolin, Caroline, Carrol, Carroll, Caryl, Charel, Charlemagne, Charlene, Charlette, Charletta, Charlotta, Charlotte, Chaz, Halle, Jarl, Karlota, Karlouchka, Karyl, Lilita, Linchen, Lini, Lola, Loletta, Lotta, Lotte, Lottie, Sarel, Sherry, She-

81

ryl, Siarl, Tearlach

Carlos (*m.*) (*Sp.*) *v.* Carlo

Carlota (*f.*)(*Sp.*; *Port.*) *v.* Carla

Carlotta (*f.*)(*Fr.* "Piccola" "Femminile") // *var.* e *dim.* Carla, Carli, Carlie, Carly, Carlene, Charla, Charleen, Charlena, Charlene, Charline, Charlotta, Charyl, Charlyn, Cheryl, Karla, Karli, Karlie, Karline, Karly, Lola, Loleta, Loletta, Lolita, Lotta, Lotte, Lottie, Lotty, Sharla, Sharleen, Sharlene, Sharline, Sheree, Sheri, Sherrill, Sherri, Sherrie, Sherry, Sheryl (*Ing.*); Karla, Karlicka (*Cec.*); Lolotte (*Fr.*); Karla, Lottchen, Lotte, Lotti (*Ted.*); Karlotta (*Gr.*); Sarolta (*Ung.*); Sarlote (*Let.*); Lottie (*Pol.*); Carlota (*Sp.*; *Port.*) // *v.* anche Caroline, 17 *lug.*

Carly (*f.*)(*Am.*"Piccola" "Femminile") // *var.* e *dim.* Carli, Carlie, Karli, Karlie, Karly // *v.* Carla

Carlyn (*f.*) (*raro*)

Carmac (*m.*) (*raro*)

Carmel (*f.*) *v.* Carmela

Carmela (*f.*) (*Ebr.* "Giardino di Dio" o "Orto di Dio") (*Lat.* "Canzone" o "Di colore rosa") 16, 17 *lug.* // *var.* Carma, Carmel, Carmeli, Carmen, Carmi, Carmia,Carmiel, Carmina, Carmita, Charmaine, Karma, Karmel, Karmeli,Karmi, Karmia, Karmiel, Karmina, Karmine,

Karmita(*Ing.*); Carmelina, Carmine (*It.*); Carmelita, Carmencita (*Sp.*) // Carmella, Carmelle, Melita, Melitta

Carmelo (*masch.* di Carmela)

Carmen (*f.*) (*Sp.*) *v.* Carmela

Carmichel (*m.*)(*Celt.* "Della fortezza di Michael") // *dim.* Mickie, Micky, Mike

Carmine (*m.*) e (*f.*) (*Ebr.* "Orto di Dio") 16 *lug.*

Carmona (*m*)(*Port.,Mozambico*)

Carna (*f.*) (*Ebr.* "Corno") // *var.* Carniela, Carniella, Carnis, Carnit, Karniela, Karniella, Karnis, Karnit

Carne (*m.*) (*raro*)

Carney (*m.*) (*Celt.* "Guerriero"; *gael.* "Vittorioso")// *var.* e *dim.* Car, Carny, Karney, Karny, Kearney

Caro (*Lat.* "Diletto")

Carol (*f.*) (*Fr.* "Allegra canzone") // *v.* Carola, Carla

Carola (*f.*) (*Abbr.* di Carolina) *v.* Carla, 17 *ag.* // *var.* Carole, Carolle, Carie, Carrol, Caryl, Karel, Karol, Karole, Karyl

Carolanne (*f.*) (*Nome doppio*)

Carolina (*f.*) (*dim.* di Carola) *v.* Carla

Caroline (*f.*) *v.* Carla, Carolina

Carolo (*m.*) *v.* Carlo

Carolyn (*f.*) *v.* Carla, Carolina

Caron (*f.*)(*Fr.*) *v.*Caterina, Karen

Carpo (*Gr.*"Frutto") 13 *apr.*;13 *ott.*

Carpoforo (*m.*) (*Gr.* "Che porta

frutti") 27 *ag.*; 8 *nov.*; 10 *dic.*

Carponio (*m.*)(*Gr.* "Frutto illustre") 14 *ott.*

Carr (*m.*) ("Dalla palude") *var.* Karr, Kerr

Carran (*m.*) (*raro*)

Carrick (*m.*) (*gael.* "Del promontorio roccioso")

Carrie (*f.*) (*Am.*) *v.* Carolina; *var.* Cari, Carri

Carroll (*m.*) *Celt.* "Campione") *var.* Carrol, Carly

Carson (*m.*) (*Ing. ant.* "Figlio di Charles" "Figlio dell'abitante della palude") // *dim.* Sonnie, Sonny

Carswell (*m.*) (*Ing. ant.* "Abitante del guado sul torrente" "Figlio che viene dalla pianta acquatica della sorgente")

Carter (*m.*) (*Ing. ant.* "Colui che guida il carro" "Che costruisce il carro"

Carterio (*m.*) (*orig. etn.* "Abitante di Karta o Qarta", città citata nella Bibbia) 2 *nov.*

Carvell (*m.*) (*Isola di Man*: "Una canzone"; *Fr. ant.* "Podere nella palude"; *Ing. ant.* "Dalla terra degli acquitrini") // *var.* Carvel, Carvell.

Carver (*m.*) (*Ing. ant.* "Intagliatore, scultore del legno")

Cary (*m.*) ("Caro" "Amato") *v.* anche Carey

Casdoa (*f.*) (*Asia M.; etim. sc.*) 29 *set.*

Case (*m.*) (*forma abbr.*)

Casey (*m.*) (*f.*) (*gael.* "Valoroso" "Audace") // *var.* (*f.*) Casie, Kacie, Kasey

Casilda (*f.*) (*Lat. femm.* di Cassio) 9 *apr.*

Casimir (*m.*) *v.* Casimiro

Casimiro (*m.*) (*Pol.*; *Sl. ant.*: "Messaggero di pace") 3, 4 *mar.*; 28 *nov.* // *var.* e *dim.* Castimer (*Ing.*); Kazimir (*Bul.*; *Cec.*; *Ted.*; *Rus.*); Kazmer (*Ung.*); Kazek, Kazik, Kazio (*Pol.*); Casimiro, Cachi, Cashi (*Sp.*) // Casper, Cass, Cassie, Cassy, Kashmir, Kasmira

Casper (*m.*) *v.* Gaspare

Cass (*m.*) (*forma abbr.*) // *v.* Casimir, Casper, Cassidy, Castor

Cassandra (*f.*)(*Gr.*: "Trionfare") // *var.* e *dim.* Casandra, Cassandre, Cass, Cassi, Cassie, Sandie, Sandra, Sandy

Cassia (Cognomen di una gens romana) 20 *lug.*; *v.* Cassio

Cassian (*m.*) (*raro*)

Cassiano (*m.*) (*Lat.*; *sans.* "Armato d'elmo") 26 *mar.*; 5, 12, 13 *ag.*; 3 *ott.*; 1, 3 *dic.*

Cassidy (*m.*) (*gael.* "Ingegnoso") // *dim.* Cass, Cassie, Cassy

Cassina (*f.*) (*Lat.* "Appartenente alla famiglia Cassia") 7 *nov.*

Cassio (*f.*)(*Lat.* Elmo metallico")

Cassius (*m.*) (*Ing.*) *dim.* Cass, Cassie, Cassy

Casta (*f.*) (*Lat.* "Pia")

Castel (*m.*) (*Lat.* "Che appartiene al castello")

Castillo (*m.*) *v.* Castel

Casto (*m.*) (*Lat.* "Puro" "Innocente") 22 *mag.*; 1 *lug.*; 4 *set.*; 6 *ott.*

Castolo (*m.*) *v.* Casto, 12 *gen.*; 15 *feb.*; 26 *mar.*; 30 *nov.*

Castor (*m.*) (*Gr.* "Castoro") *dim.* Cass

Castore (*m.*) (*Lat.* "Atterro" "Stendo") 13 *feb.*; 28 *mar.*; 27 *apr.*; 21 *set.*; 28 *dic.*

Castorio (*m.*) (*Lat.*) *v.* Castore, 8 *nov.*

Castrense (*m.*) (*Lat.* orig. etn. "Avvezzo alla vita") 11 *feb.*

Castriziano (*m.*) (*Lat.* "Figlio di ufficiale") 1 *dic.*

Cataldo (*m.*) (*Germ.* "Fortissimo in guerra") 10 *mag.*; 8 *mar.*

Catalina (*f.*) (*Sp.*) *v.* Caterina

Catarina (*f.*) *v.* Caterina

Catava (*f.*, *Afr.*, *Umbundu*)

Caterina (*f.*)(*Gr.* "Pura" "Casta") 5, 6, 29 *apr.*; 2 *feb.*; 9, 13,, 22 24 *mar.*; 12 *mag.*; 4, 14, 15, 25 *set.*; 25 *nov.*; 31 *dic.*// *var.* e *dim.* Catlin, Catrina, Karen, Karyn, Kassia, Katerine, Katharine, Kathlen, Kathlene, Kathlin, Kathline, Kathryne, Katrine // Kata, Katarina, Katerina, Katica, Katka, Katusha (*Cec.*); Katharina, Kati, Rina (*Est.*); Kaarina (*Finl.*); Catant, Catherine, Trinette (*Fr.*); Caitlin, Caitlon, Caitrin, Caren, Cari, Carin, Caron, Caryn, Cass, Cassi, Cassie, Cassy, Caterina, Catharina, Cathe, Cathee, Cathelina, Catherine, Cathi, Cathie, Cathleen, Cathlen, Cathlene, Cathline, Cathrine, Cathy, Kari, Karyn, Kate, Kathi, Kathie, Kathryn, Kathy, Kati, Katia, Katie, Kay, Kaye, Kit, Kitti, Kittie, Kitty (*Ing.*); Katrin (*Isl.*); Caitlin, Caitria (*Irl.*); Catia (*It*); Karina (*Let.*); Kofryna (*Lit.*); Karena, Karin, Katla (*Norv.*); Kasia, Kasienka, Kasin, Kaska, Kassia (*Pol.*); Catarina (*Port.*); Karina, Karine, Karyna, Katenka, Katerinka, Katinka, Katka, Katya, Katryna, Kisa, Kiska, Kitti, Kotinka, Yekaterina (*Rus.*); Catalina (*Sp.*); Kajsa, Karin, Kolina (*Sv.*); Katchen, Katharina, Kathe, Katrina, Trina, Trine, Trinchen (*Ted.*); Kata, Katalin, Kati, Katica, Katinka, Kato, Katoka, Katus (*Ung.*)

Catervo (*m.*) (*Celt.* "Moltitudine") 17 *ott.*

Catherine (*f.*) *v.* Caterina

Cathmor (*m.*) (*gael.*: "Grande combattente") *var.* Cathmore

Catia (*f.*) (*dim.*) *v.* Caterina

Catina (*f.*) *v.* Caterina

Catiuscia (*f.*) *v.* Caterina

Cato (*m.*) (*Ing.*) (*Lat.* "Che si abbassa" "Saggio" "Sapiente") // *var.* Caton, Catto, Catton // 19 *gen.*

Caton (*m.*) *v.* Cato

Catriona (*f.*) (*Scoz.*) *v.* Caterina

Catteo (*m.*) *v.* Zaccheo, 23 *ag.*

Catulino (*m.*) (*Lat.* "Cagnolino") 15 *lug.*

Caty (*f.*) ("Saggia") (*raro*)

Cavell (*m.*) (*Teut.* "Coraggioso") *var.* Cavill

Ceadda (*Celt.* "Obbediente") 2 *mar.*

Ceccardo *v.* Francesco // 16 *giu.*

Cecco *dim.* di Francesco, 19 *lug.*

Cecé (*m.*) *v.* Cesare

Cecil (*m.*) (*Lat.* "Cieco")

Cécile (*f.*) (*Fr.*) *v.* Cecilia

Cecilia (*f.*) (*Etr.; Lat.* "Dalla vista debole" "Non vedente") (da "Caeculus", mitico fondatore di Preneste: "L'invisibile") 22, 23 *nov.*; 11 *feb.*; 1, 2, 11 *giu.*; 12 *ag.*; 16 *set.*; 22 *dic.* // *v.* anche *Celia* // *var.* e *dim.* Cecely, Cecile, Cecyl, Cecyle, Cele, Celia, Celie, Cicely, Cicily, Cissi, Cissie, Cissy, Sheila, Sissi, Sissie (*Ing.*); Ceciliia, Sesiliia (*Bul.*); Cecilie, Cilka, Cilc (*Cec.*); Cécile, Cécily, Célie (*Fr.*); Cacilia, Cecilie, Cilli, Cilly (*Ted.*); Kikilia (*Haw.*); Cecilija (*Let.*); Cecylia, Cesia (*Pol.*); Cecilla, Chela, Chila (*Sp.*); Celia (*Sv.*) // Cacilie, Cecil, Cecilius, Ceese, Ceil, Cis, Sile, Sileas, Sis, Sisely, Sisile, Sisley, Sissy, Tsilia, Zielge // *v.* anche Sheila, Sheelah, Sheelagh, Sheilah, Shelagh, Shiela

Ceciliano (*m.*) (da Cecilia) 16 *apr.*

Cecilio (*masc.* di Cecilia) 3 *giu.*; 15 *mag.*; 1 *feb.*

Cedric (*m.*)(*Fr.*)(*Ing. ant.:* "Condottiero della battaglia") // *dim.* Rick, Rickie, Ricky

Cefa (*m.*)(*aram.*"Roccia") 15 *giu*

Celene (*f.*) *v.* Celine

Celerina (*f.*) (*Lat.* "Pronta" "Veloce") 3 *feb.*

Celerino (*m.*) (*Lat.*"Pronto" "Veloce") 3 *feb.*

Celeste (*f.*) e (*m.*) (*Lat.* "Divina" "Venuto dal cielo") 6 *apr.*; 2 *mag.* // *var.e dim.* Celesta, Celestia, Celestina, Celestine, Celia (*Ing.*); Celestin, Celestyna, Tyna, Tynka (*Cec.*); Celestine, Celeste, Celie, Celine (*Fr.*); Celestina, Celina (*It.; Port.; Sp.*); Cela, Celek, Celestyna, Celina, Celinka, Celka, Cesia, Inka, Inok (*Pol.*); Cela, Celestyn, Celestyna, Celina, Celinka, Cesia, Inka, Selinka (*Rus.*) // Celtina

Celestin (*Fr.*) *v.* Celeste 27 *lug.*

Celestina (*f.*) (*Lat.* "Venuta dal cielo") 6 *giu*; 6 *apr.*; 14 *ott.*: *v.* Celeste

Celestine (*Fr*) *v.* Celeste

Celestino (*m.*) (*Lat.* "Venuto dal cielo") 6 *apr.*; 27 *lug.*; 21 *gen.*; 17 *feb.*; 4, 8, 19 *mag.*

Celia (*f.*) (*dim. anglo-sass.* di Cecilia) *var.* Celine, Celinia, Celinie, Celinda, Cylinia // (*femm.* di Celio) 5 *set.*

85

Celiano (*Gr.* "Scavato") 15 *dic*.

Celidonia (*f.*) (*Gr.:* erba perenne dai fiori gialli) 13 *ott*.

Celidonio (*m.*) *v.* Celidonia // 3 *mar*.

Cèline (*f.*) (*Fr.*) ("Del cielo") *dim.* di Marceline, *v.* Celia, Cecilia, Céline; Marcella: 21, 22 *ott*. // *v.* Marcello

Celinia (*f.*) (*Celt.* "Bella" "Attraente") 21 *ott*.

Cèlinie *v.* Marcello

Celio (*m.*)(*Gr.*"Caverna") 27 *lug*.

Cella (*f.*) (*It.*) *v.* Francesca

Celso (*m.*) (*Lat.* "Eccelso") 5, 21 *nov.*; 9 *gen.*; 23 *feb.*; 1 *apr.*; 10 *mag.*; 28 *lug*.

Cemal (*m.*) (*Ar.* "Bellezza")

Cenere (*m.*) (*Celt.* "Colui che venera i martiri") 15 *giu*.

Cenerico (*m.*) (*Celt.*) 15 *giu*.

Censurio (*m.*) (*Lat.* "Censore") 10 *giu*.

Centolla (*f.*) (*Celt.* "Vestita di stracci") 13 *ag*.

Ceolfrido (*m.*) (*Celt.* "Che ha trovato la pace") 25 *set*.

Cerbagio (*m.*) *contr.* di Gervasio

Cerbonio (*m.*) (*Lat.* "Bel viso") 10 *ott*.

Cereale (*m.*) (*Lat.* "Di Cerere", Dea dell'agricoltura) 28 *feb.*; 10 *giu.*; 14 *set*.

Cerelia (*f.*) *v.* Cerella

Cerella (*f.*)("Primaverile" "Della primavera")

Ceres (*f.*) (*Lat.* Dea romana del raccolto) *var.* Cerelia, Cerellia

Cerino (*f.*) (*orig. etn.* "Oriundo di Cerinia", l'antica Keryneia sulla costa *set.* di Cipro) 3 *gen*.

Cerise (*f.*) (*Fr.* "Ciliegia") *var.* Chelise

Ceronne (*m.*) (*Celt.* "Carrubo") 2 *apr*.

Cesaire (*m.*)(*Fr.*) *v.*Cesare 27 *ag*

Cesar (*m.*) *v.* Cesare

Cesara (*f.*) *femm.* di Cesare

Cesare (*m.*) (*Etr.* "Aisar", *sign. inc.*, latinizzato in "Caesar" "Grande", poi cognomen di una gens latina; "Imperatore") (Non deriva dal *Lat.* "Caesus" = "Taglio") (*Indo-eur.* "Ksz" = "La più alta autorità"; *Rus.* "Kzar" "Zar"; *Ted.* "Kaiser") // 25 *feb.* 27 *ag.*; 9, 10 *dic.*; 15 *apr.*; 21 *gen.* // *var.* e *dim.* Caesar, Cesar, Cesare (*Ing.*); Cezar, Casar, Kaiser (*Bul.*); Cesaire, Cesarie, Cesar, Cesarine (*Fr.*); Arek, Cezar, Cezary, Cezek (*Pol.*); Kesar (*Rus.*); Cesar, Cesareo, Cesario, Checha, Sarito (*Sp.*) // César, Cesarius, Kesari, Serres, Tzexr

Cesaria (*f.*) 12 *gen.*; *v.* Cesario

Cesario (*m.*) (*Lat.* "Devoto a Cesare") 27 *feb.*; 20 *apr.*; 27 *ag.*; 28 *dic*.

Cesidio (*m.*) (*Etr.* "Pallido") 31 *ag.*; 17 *lug*.

Cesira (*f.*) (*Etr.* "Grande divina") 21 *lug.*; 12 *gen*.

Chacatur (*m.*) (*Arm.*)

Chad (*m.*) (*Ing. ant.* "Colui che

ama la guerra" "Guerriero") // *var.* Chadd // *v.* anche Chadburn; Chadwick

Chadburn (*m.*) (*Ing. ant.* "Del ruscello pericoloso") *dim.* Chad

Chadwick (*m.*) (*Ing. ant.* "Dalla città dei guerrieri") // *dim.* Chad

Chaim (*m.*) (*Ebr.* "Vita") // *var.* e *dim.* Hy, Hyman, Hymie // Hyam (*Ebr.*); Chaimek, Haim (*Pol.*); Khaim (*Rus.*)

Chal (*m.*) (*Ing.,git.* "Giovinetto")

Chalis (*f.*) (*Nome con orig. da cognome*)

Chalmers (*m.*) (*Scoz.* "Figlio del sovrintendente" "Ciambellano") // *var.* Chalmer

Cham (*m.*) (*Viet.* "Colui che fa i lavori pesanti")

Chan / Channe (*m.*) *v.* Chaucey.

Chana (*f.*) (*raro*)

Chance (*m.*) (*Ing.* "Buona fortuna") // *v.* Chancey

Chanda (*f.*) (*Sans.* "La grande Dea" o "La nemica del Diavolo") // *var.* Chandi, Chandie, Shanda, Shandi, Shandie

Chandi (*f.*)(*hindi* "Furiosa" "Feroce") // *var.* Chanda

Chandler (*m.*) (*Fr. ant.* "Fabbricante di candele") *dim.* Chan, Chane.

Chandra (*f.*) (*hindi*: "Luna o Dea della Luna") (*sans.* "Come la luna") // *var.* e *dim.* Shandra

Chandrika (*f.*)(*Sri-Lanka* "Sole")

Chane (*m.*) (*sw.* "Foglia intrecciata")

Chanel (*f.*) *var.* Chanell

Chaney (*m.*) (*Fr. ant.* "Legno di quercia") // *var.* Cheney.

Channa (*f.*) (*hindi*: "Cece") // *var.* Chana, Shana, Shanna

Channing (*m.*) (*Ing. ant.* "Sapiente") // *dim.* Chan

Chanoch (*m.*) (*Ebr.* "Ecclesiastico o uomo colto") // *v.* Clark

Chantal (*f.*) (*Fr.* "Canzone") 21 *ag.* // *var.* Chantalle 12 *dic.*

Chantel (*f.*) ("Cantante") // *var.* Chantelle

Chantrelle (*f.*) (*raro*)

Chapin (*m.*) (*Fr. ant.* "Cappellano") // *var.* Chaplin

Chaplin (*m.*) *v.* Chapin

Chapman (*m.*) (*Ing. ant.* "Mercante") // *dim.* Chap, Chaps, Mannie, Manny

Chaputa (*f.*)(*Port., Mozambico*)

Chara (*f.*) (*raro*)

Charette (*f.*) (*raro*)

Charity (*f.*) ("Stima" "Deferenza" "Carità") // *var.* e *dim.* Chari, Charis, Charissa, Charita, Charly, Cherry

Charles (*m.*) *v.* Carlo

Charlie (*m.*) *v.* Carlo

Charlotte (*f.*) (*teut.*) *v.* Carlotta

Charlton (*m.*) (*Ing. ant.* "Dalla casa di Charles" o "Città della fattoria") // *var.* Carleton, Carlton, Charleton

Charly (*m.*) *v.* Carlo

Charmaine (*f.*) (*Lat.*: "Piccola canzone") // *var.* Charmain,

Charmayne, Charmian, Charmion, Charmione, Sharmaine

Charo (*f.*) (*raro*)

Charro (*m.*) (*Sp.* "Mandriano")

Charron (*f.*) (*Nome con orig. da cognome*)

Charyn (*f.*) (*Nome con orig. da cognome*)

Chase (*m.*)(*Fr.ant.* "Cacciatore")

Chasen (*m.*) *v.* Chase

Chasta (*f.*) ("Casta" "Virtuosa")

Chatam (*m.*) (*Ing. ant.* "Fante")

Chatwin (*m.*) (*Ing. ant.* "Soldato amico") // *dim.* Winnie, Winny

Chauncey (*m.*) (*Ing.* "Cancelliere" "Officiante" "Prete") // *var. e dim.* Chan, Chance, Chancelor,Chancellor,Chancey,Chaunce, Chauncy

Chausiko (*f.*) (*sw. Afr.* "Nata di notte")

Chava (*f.*) (*Ebr.* "Che dà la vita") // *var.* Chavva, Chaya

Chavez (*m.*) (*raro*)

Chavi (*f.*) (*Ing. git.* "Figlio" o "Figlia") // *var.* Chavali

Chaya (*f.*) (*Ebr.* "Vita") // *var.* Kaija

Chayne (*m.*) (*raro*)

Che (*m.*) (soprannome di Ernesto "Che" Guevara, derivato dal *Guaraní,* dialetto di alcune zone del *Paraguay* e del *Bacino del Rio della Plata, Argentina:* "Io" "Me" "Mi") // (*Buenos Aires; Bolivia; Cile:* interiezione usata per richiamare l'attenzione o per rivolgersi a qualcuno)

Chelidonia (*f.*) (*Gr.*) 13 *ott.* // *v.* Celidonia

Chelsea (*f.*) (*Ing. ant. nome geografico:* "Porto della nave") // *var.* Chelsey, Chelsie, Chelsy

Chen (*m.*) (*Cin.* "Grande" "Vasto")

Cheney (*m.*) (*Fr. ant.* "Dalla foresta di querce") // *var.* Chaney, Chenay

Chenoa (*f.*) (*Ind.Nordam.* "Bianca colomba")

Cher (*f.*) (*Fr.* "Cara" o "Amata"); *var.* Cherie

Cheremone (*m.*)(*Eg.*"Amico degli angeli") 4 *ott.*; 22 *dic.*

Cherie (*f.*) (*Fr.* "Cara") // *var.* Cher, Chere, Cheri, Cherice, Cherise

Cherry (*f.*) (*Ing.* "Ciliegia")

Cherubino (*m.*)(*Ebr.* "Spirito celeste") 4 *ag.*; 17 *set.*

Cheryl (*f.*) *v.* Charlotte, Cherry // *var.* Cheryll

Cheslav (*m.*) (*Rus.*) *v.* Chester

Chesmu (*m.*)(*Ind.Nordam.* "Sabbioso" "Ghiaioso")

Chessy (*f.*) (*raro*)

Chessye (*f.*) (*raro*)

Chester (*m.*) (*Ing. ant.* "Dalla fortezza" "Colui che vive nel campo fortificato") // *var. e dim.* Ches, Cheston, Chet

Chet (*m.*) *dim.* di Chester

Chetira (*f.*) (*Ar.* "Feconda")

Chevalier (*m.*) (*Fr.* "Cavaliere")

// var. Chev, Chevi, Chevy

Cheyenne (*m.*) (*Ind. Nordam.*)

Chi (*m.*) (*Ibo, Nig.* "Chiara")

Chiaffredo (*m.*) (*Ted.* "Protetto da Dio") 8 *nov.*

Chiara (*f.*) (*Lat.* "Luminosa" "Splendente" "Brillante" "Illustre") 11, 12, 17 *ag.*; 17 *apr.*; 10 *feb.* // var. e *dim.* Chara, Claatjie, Clarence, Clarent, Clarinda, Claro, Clarrie, Klaar, Clarey, Clary, Klare // Clair, Clairine, Clarita, Clare, Clari, Clarie, Clarina, Clarine, Clarice, Clarissa, Clarisse (*Ing.*); Klara (*Bulg.*; *Cec.*; *Pol.*; *Rus.*; *Sv.*); Claire, Clarice, Clairette, Clarette (*Fr.*); Clarissa, Klarisse (*Ted.*); Klarika (*Ung.*); Claretta, Clarissa (*It.*); Clareta, Clarisa, Clarita (*Sp.*) // v. anche Clara

Chiaro (*m.*) (*Lat.* "Chiaro") 4, 8 *nov.*; 10 *ott.*

Chibaningue (*f.*) (*Port., Mozambico*)

Chico (*m.*) (*Sp.* "Ragazzo" "Piccolo")

Chiduku (*m.*) (*Afr., Zimbabwe* "Piccolo")

Chifenia (*m.*)(*Port., Mozambico*)

Chik (*m.*) (*Ing., Git.* "Terra")

Chika (*f.*) (*Giap.* "Vicina"); var. Chikako

Chilali (*f.*) (*Ind. Nordam.* "Fringuello alpino" "Passero cantore"

Childeberto (*m.*) (*Dan.:* "Che splende in guerra")

Childerico (*m.*) (*Germ.* "Potente in battaglia")

Chiliano (*m.*) (*Gr.* "Millenario") 8 *lug.*

Chilton (*m.*)(*Ing. ant.* "Dalla fattoria del ruscello") // *dim.* Chil, Chilt, Tony

Chim (*m.*) (*Viet.* "Uccello")

Chimalis (*f.*) (*Ind. Nordam.* "Uccello azzurro")

China (*f.*) ("Cina")

Chionia (*Gr.* "Come la neve") 3 *apr.*

Chiquita (*f.*) (*Sp.* "Piccola")

Chiriga (*f.*)(*Wahungwe, Afr.*"Colei che ha i genitori poveri")

Chirombe (*m*)(*Port,Mozambico*)

Chitsa (*f.*) (*Ind. Nordam.* "Giusta" "Leale")

Chizu (*f.*) (*Giap.* "Un migliaio di cicogne") // var. Chizuko.

Chloe (*f.*)(*Gr.* "Fiorente" "In fiore") // var. Cloe

Chloris (*f.*)(*Gr.* "La dea dei fiori") // var. e *dim.* Chloras, Chlorie, Chlorisse, Lori, Loris

Cho (*f.*) (*Giap.* "Farfalla")

Cholena (*f.*) (*Ind. Nordam.* "Uccello")

Choomia (*f.*) (*Ing. git.* "Un bacio")

Choya (*m.*) (*raro*)

Chris (*f.*) v. Cristiano

Chrisanna (*f.*) (*Nome doppio*)

Chrisoula (*f.*) (*orig. esotico-etn.*)

Christabelle (*f.*) (Christine + Belle); var. Christabel, Christabella

Christel / Christela (*f.*) (*Ted.*) *v.* Cristina

Christelle (*f.*) *v.* Cristina

Christian (*m.*) *v.* Cristiano

Christiane (*f.*) *v.* Cristiana

Christina / Christine (*f.*) *v.* Cristina

Christof (*m.*)(*Ted.*) *v.* Cristoforo

Christophe / Christopher (*m.*) *v.* Cristoforo

Chu hua (*f.*) (*Cin.*: "Crisantemo")

Chuck (*m.*) *v.* Charles

Chuma (*f.*)(*Mashona, Sud Rod.* "Goccia")

Cia (*f.*) *v.* Lucia

Ciano (*m.*) *v.* Luciano

Cibardo (*m.*) (*Celt.* "Difensore del nutrimento") 15 *giu*

Cicero (*m.*) (*Lat.* "Cece"); *var.* Ciceron

Ciceron (*m.*) (*Sp.*) *v.* Cicero

Cilehe (*f.*) (*Afr., Umbundu*: "Lascia che sia")

Cilinia (*f.*) (*Celt.* "Attraente") 21 *ott.*

Cilka (*f.*) (*Cec.*) *v.* Cecilia

Cillia (*f.*) *v.* Priscilla

Cilombo (*m.*) e (*f.*) (*Umbundu, Ang.* "Campo sul bordo della strada" o "Una bella vista per occhi infiammati, stanchi" "Il benvenuto per i viaggiatori stanchi, in Africa")

Cimone (*m.*) (*Gr.* "Fluttuante")

Cincinnato (*m.*) (*Gr.* "Ricciuto")

Cinda (*f.*) *v.* Cindy; *var.* Cindi,

Cindee

Cindeo (*m.*) (*Lat.* "Guardiano divino") 11 *lug.*

Cinderella (*f.*) (*Fr.*; *Ing.* "Cenerentola")// *dim.* Cindie, Cindy

Cindi (*f.*) *v.* Cynthia; Lucinda

Cino (*m.*) *v.* Guido

Cinofila (*f.*) (*Umbundu, Afr.*: "Se uccidi una cosa è solo per mangiarla")

Cintia (*f.*) *v.* Cinzia

Cinzia (*f.*) (*Gr., orig. etn.*: dal monte Kuntos, nell'isola di Delo) (*Gr.* "Luna" "Dea della luna") 23 *mag.*; 18 *feb.* // *var.* e *dim.*Cindi, Cindie, Cindy, Cyndi, Cyndie, Cynth, Cynthia, Cynthie (*Ing.*); Kynthia (*Gr.*); Cintia (*Port.*); Cinta (*Sp.*)

Cipriana (*f.*) (*Gr.* "Dall'isola di Cipro") // *var.* Cipria, Cypria, Cypra, Sipiana

Cipriano (*m.*) (*orig. etn.* "Di Cipro") 14, 16, 26 *set.*; 11, 14, 17 *lug.*; 10 *mar.*; 12 *ott.*; 9 *dic.* // *var.* Cyprian, Cyprien, Cyprienne, Cyprille, Cypris

Cirano (*m.*) (*orig. etn.*: "Della Corsica") 5 *mar.*; 4 *dic.*

Cirenia (*f.*) (*orig. etn.* "Da Cirene")

Ciria (*f.*) (Dal nome dell'uccello "Ciris", in cui fu mutata Scilla la ninfa figlia del mitico Niso, re di Megara) 5 *giu.*

Ciriaca (*f.*) (*Gr.* "Signora" "Regina") 21 *ag.*; 20 *mar.*; 19 *mag.*

Ciriaco (*m.*) (*Gr.* "Signore" "Padrone") 8 *ag.*; 31 *gen.*; 8 *feb.*; 16 *mar.*; 7 *apr.*; 2, 4 *mag.*; 5, 18, 20, 21 24 *giu.*; 15 *lug.*; 19 *dic.*

Ciriceri (*f.*) (*raro*)

Cirilla (*f.*) (*Per.* "Signora" "Padrona" "Piccola signora") 28 *ott.*; 5 *lug. // var.* Cirila

Cirillo (*m.*) (*Per.* "Giovane re"; *Gr.* "Signorile") 14, 9 *feb.*; 28 *gen.*; 4, 8, 18, 20, 29 *mar.*; 27 *giu.*; 7, 9, 22 *lug.*; 1 *ag.*; 2, 28 *ott. // var.* e *dim.* Cyrillus, Cy, Cyrill (*Ing.*); Kiril (*Bul.*); Cyrille (*Fr.*); Kirill, Kiryl (*Rus.*); Cirilo, Ciro (*Sp.*)// Cirila, Cyril, Cyriac, Cirioel, Kyrill // *v.* anche Ciro

Cirino (*m.*) (*dim.* di Ciro)(*Lat.* "Signore" "Padrone") 12 *giu.*; 3 *gen.*; 25 *mar.*; 10 *mag.*

Cirione (*m.*) (*orig. etn.* "Proveniente da Cirene") 14 *feb.*; 9 *mar.*

Ciro (*m.*) (*Per. ant.* "Re" "Padrone" "Sole" "Trono") 29 *gen.*; 14 *lug.*; 16 *giu.// var.* e *dim.* Cyrus, Cyruss (*Ing.*); Kir (*Bul.*); Ciro (*Sp.*)

Cisello (*m.*) (*Lat.* "Non del luogo") 21 *ag.*

Citino (*m.*)(*Fen.*"Araldo") 17 *lug*

Ciyeva (*f.*) (*Umbundu, Afr.:* "Lo senti dire, ma non lo fai")

Claes (*m.*) *v.* Nicola

Claiborne (*m.*) *v.* Clayborne

Claire (*f.*) (*Fr.*) 11 *ag.*, *v.* Clara, Chiara // *femm.* di Clarence

Clara (*f.*) (*Lat.:* "Chiara" "Luminosa" "Splendente" "Illustre" "Brillante") 11, 12 *ag. // var.* e *dim.* Chara, Claatjie, Clarence, Clarent, Clarinda, Claro, Clarrie, Klaar Claire, Clarey, Clary, Klara, Klare // Clair, Clairinc, Clarita, Clarc, Clari, Clarie, Clarina, Clarine, Clarice, Clarissa, Clarisse (*Ing.*); Klara (*Bulg.*; *Cec.*; *Pol.*; *Rus.*; *Sv.*); Clairette, Clarette (*Fr.*); Clarissa, Klarisse (*Ted.*); Klarika (*Ung.*); Claretta, Clarissa (*It.*); Clareta, Clarisa, Clarita (*Sp.*) // *v.* anche Chiara

Clarabella (*f.*) (*comb.* di Clara + Bella: "Luminosa e bella")// *var.* Clarabel, Claribel, Claribelle

Clarabelle (*f.*) *v.* Clarabella

Claranne (*f.*) (*nome doppio*)

Clarence (*m.*) (*Lat.* "Famoso" "Chiaro") // *dim.* Clair, Clare

Clarenzio (*m.*) (*Lat.* "Illustre") 26 *apr.*

Claretta (*f.*) *dim.* di Clara

Clarissa (*f.*) (*Lat.* "Nata per essere famosa") // *var.* Chiara, Clarice, Claris, Clarisa, Clarise, Clarisse

Clark (*m.*) (*Lat.* "Istruito"; *Fr. ant.* "Uno scolaro"); *var.* Clarke

Clarke (*m.*) *v.* Clark

Clateo (*Lat.* "Colui che chiude") 4 *giu.*

Claude (*m.*) *v.* Claudio, Claudia

Claudelle (*f.*) *femm.* di Claude

Claudia (*f.*) (*Sab.*; *Lat.* "Claudi-cante") 20 *mar.*; 18 *mag.* // *var.* e *dim.* Claude, Claudette, Claudian, Claudina, Claudine, Claudien, Claudienne, Cledia, Klaudia, Klavdei, Klavdia

Claudiano (*m.*) (*der.* da Claudio) 25, 26 *feb.*

Claudina (*f.*) *v.* Claudia

Claudino (*m.*) *v.* Claudio

Claudio (*m.*) (Dal *sab.* "*Clau-dus*", latinizzato in Claudius: "Zoppo" "Storpio" "Claudi-cante") 15, 18 *feb*; 3, 6 *giu.*; 7, 21 *lug.*; 23 *ag.*; 8 *set.*; 30 *ott.*;7, 8 *nov.*; 3 *dic.* // *var.* Claude, Claudian, Claudius

Claus (*m.*) *v.*Nicholas, Nicola

Clavell (*m.*) (*raro*)

Clay (*m.*) (*Ing. ant.*) *v.* Clayton

Clayborne (*m.*) (*Ing. ant.* "Nato dalla terra" "Mortale") // *var.* e *dim.* Claiborn, Clay, Clayborn, Claybourne, Kliborn, Kliburn

Clayton (*m.*) (*Ing. ant.* "Di terra" "Città costruita sull'argilla" "Abitante nella fattoria costrui-ta di argilla" o "Mortale") // *var.* e *dim.* Clay, Clayten, Claytin

Clea (*f.*) *v.* Clelia; Cleopatra

Cleandro (*m.*) (*Gr.* "Uomo glo-rioso") 1 *nov.*

Cleavon (*m.*) (*raro*)

Cleland (*m.*) (*raro*)

Clelia (*f.*) (*Lat.*: Eroina romana) (*Gr.* "Gloria") 3 *set.*; 9, 13 *lug.*

Clematia (*f.*) (*Lat.* "Pianta della vita")

Clemence *v.* Clemente

Clement *v.* Clemente

Clemente (*m.*) (*Lat.:* "Gentile" "Affabile" "Pietoso" "Indul-gente") 14, 21, 23 *nov.*; 23 *gen.*; 15 *mar.*; 30 *apr.*; 5 *giu.*; 4, 12 *dic.*// *var.* e *dim.* Clem, Clemens, Clement, Clemen-tius, Clementia, Clementin, Clementine, Clemmie, Clem-my, Clemmons, Klemens, Kle-ment (*Ing.*); Kliment (*Bulg.*); Klema, Klement, Klemo(*Cec.*); Clemens (*Dan.*); Klemens, Menz (*Ted.*); Kelemen (*Ung.*); Clemenza, Tina, Tino (*It.*); Klemens, Klimek (*Pol.*); Kle-met, Klim, Kliment, Klimka, Klyment (*Rus.*); Cleme, Cle-men, Clemente, Clemento (*Sp.*)

Clementina (*Lat. femm.* di Cle-mente: "Mite" "Benigna" "In-dulgente") // *var.* e *dim.* Clem, Clemence, Clementia, Kle-mentine // 21 *ott.*

Clementine (*f.*) (*Fr.*) *v.* Clemen-tina

Clementino (*m.*) *v.* Clemente; 14 *nov.*

Clemenzia (*f.*) (*Lat.* "Mitezza") 21 *mar.*

Cleo (*f.*) (*Gr.* "Gloriosa") 9 *apr.* // *v.* Cleopatra

Cleofa (*m.*) (*aram.* "Il glorioso") 25 *set.*

Cleofe (*m.*) (dal *gr.* "Dal volto

glorioso") 9 *apr.*

Cleon (*m.*) (dal *gr.* "Famoso" "Glorioso")

Cleone (*f.*) *femm.* di Cleon

Cleonico (*m.*) (*Lat., orig. etn.* "Proveniente da Cleone", città dell'Argolide) 3 *mar.*

Cleopatra (*f.*) (*Gr.* "Di padre famoso" "Gloria per i suoi padri") 19 *ott.* // *dim.* Cleo // *v.* Cleofe, 9 *apr.*

Clero (*m.*) (*Gr.* "Eredità") 7 *gen.*

Cleta (*f.*) (*raro*)

Cleto (*m.*) (*Gr.* "Illustre") 26 *apr.*; 24 *set.*; 25 *ott.*

Cletus (*m.*) (*Gr.* "Chiamato"); *var.* e *dim.* Clete, Cletis

Cleve (*m.*) *v.* Cliff, Clifford

Cleveland (*m.*) (*Ing. ant.* "Terra scoscesa")// *dim.* Cleve, Clevie

Cliff (*m.*) (*Ing. ant.* "Dirupo" "Promontorio" "Scogliera")

Clifford (*m.*) (*Ing. ant.* "Guado vicino al dirupo"); *var.* Cleve; *v.* anche Telem

Clifton (*m.*) (*Ing. ant.* "Città vicino al dirupo o del promontorio") // *dim.* Cliff, Tony

Climaco (*m.*) (*Lat.* "Che ha la scala") 30 *mar.*

Clinio (*m.*) (*Gr.* "Letto") 30 *mar.*

Clint (*m.*) *v.* Clinton

Clinton (*m.*) (*Ing. ant.* "Della fattoria della collina"); *dim.* Clint, Tony

Clio (*f.*) *v.* Cleo

Clive (*m.*) (*Ing. ant.* "Dal precipizio")// *var.* Cleve, Clyve

Clodoaldo (*m.*) (*Franco-germ.*: "Sovrano famoso") 7 *set.* // (*Fr.*) Cloud

Clodolfo (*m.*) (*Sass.* "Lupo valoroso") 8 *giu.*

Clodomiro (*m.*) (*Germ.* "Celebrato per la sua gloria")

Clodoveo (*m.*) (*Fr. ant.*: corrispondente a Lodovico, Luigi) 25 *ag.*

Cloe (*f.*) 29 *mag.* (*Gr.* "Verdeggiante" "Fiorente" "Giovane") *v.* Chloe

Clora / Cloris (*f.*) (*raro*)

Cloride (*f.*) (*Gr.* fresca, giovane")

Clorinda (*f.*) (*Gr.*"Chioma verdeggiante") (*Lat.* "Pietra di colore verde")// *var.* (*Fr.*) Clorinde

Clos (*m.*) *v.* Nicola

Clotario (*m.*)(*Franco-germ. ant.* "Guerriero celebre") 1 *nov.*; 15 *giu.*; *v.* Lotario

Clothilde (*f.*) *v.* Clotilde

Clotilde (*f.*) (*Fr.* "Valorosa in battaglia") (*teut.* "Battagliera") 3 *giu.*; *var.* Clothilda, Clothilde, Clotilda, Klothilde, Tilda, Tilde

Cloto (*Gr.* "Io filo l'arcolaio")

Cloud *v.* Clodoaldo

Clover (*f.*) ("Fiore del trifoglio")

Clu (*m.*) (*raro*)

Clyde (*m.*) (*Celt.* "Udito da lontano")

Clydrow (*m.*) (*raro*)

Clyff (*m.*) *v.* Cliff

Clytie (*f.*) (*Gr.* "Splendida") *var.*
Clyte

Coburn (*m.*) (*raro*)

Coby (*m.*) (*raro*)

Cocheta (*f.*) (*Ind. Nordam.* "La
sconosciuta")

Coclite (*m.*) (*Lat.* "Cieco di un
occhio")

Codi (*m.*) e (*f.*) (*raro*) *var.* Codie

Codrato (*Mac.* "Colui che ha se-
guaci") 10 *mar.*; 21 *apr.*

Cody (*m.*) (*Ing. ant.* "Un cusci-
no") *var.* Codi, Codie

Cohila (*f.*) (*Afr.*, *Umbundu* "La
giovane è silenziosa quando è
il cuore a far male")

Cointa (*f.*) (*Celtib.* "L'unta") 8
feb.

Cola (*m.*) *v.* Nicola

Colan (*m.*) *v.* Colin, Nicola

Colar (*m.*) *v.* Nicola

Colas (*m.*) (*Fr.*) *v.* Nicolas

Colbert (*m.*) (*Ing. ant.* "Brillante navigatore") // *var.* e *dim.*
Bert, Bertie, Berty, Cole, Col-
vert, Culbert

Colby (*m.*) (*Ing. ant.*: "Dalla fattoria scura") *dim.* Cole

Cole (*m.*) *v.* Coleman, Colin, Nicholas, Nicola

Coleman (*m.*) (*Celt.* "Guardiano
di colombe") // *var.* e *dim.*
Cole, Colman, Manny

Colet (*m.*) *v.* Nicola

Coletta (*f.*) (*dim.* di Nicoletta) 6
mar.

Colette (*f.*) (*Fr*) *var.*Coletta, Collette // (*m.*) *v.* Nicola

Colin (*m.*)(*gael.*"Fanciullo""Giovane virile") // *dim.* e *var.* Colan, Cole, Collin (*Ing.*); Cai-
lean (*Scoz*); *v.* Nicola

Coline (*f.*) *v.* Colomba

Colleen (*f.*) (*gael.* "Fanciulla")
femm. di Colin; *var.* Coleen,
Colene, Collene

Collette (*f.*) *v.* Nicola

Collier (*m.*) (*Ing. ant.* "Mina-
tore di carbone") // *var.* e *dim.*
Colier, Colis, Collie, Collis,
Colly, Collyer, Colyer

Collum (*m.*) ("Colomba")

Colman (*m.*) (*Is.* "Capo tribù" o
"Produttore di carbone") (*Irl.*
"Piccola colomba") // *var.* e
dim. Cole, Coleman

Colmanno (*m.*) (*Irl.* "Colombo")
14 *ott.*

Colmano (*m.*) (*angl-sass.* "Colombo") 18 *feb.* 7 *giu.*; 13 *ott.*

Colmazio (*m.*) (*Lat.* "Colui che
cresce") 19 *giu.*

Colomanno (*m.*) (*Ma.*; *Lat.* "Colombo") 8 *lug.*

Colomba (*f.*) (*Lat.*) 17, 1 *set.*; 19
feb.; 10, 16 *mar.*; 20 *mag.*; 20
lug.; 31 *dic.* // *var.* e *dim.* Coline, Collie, Colly, Colombat,
Colombe, Colombi, Colombi-
ne, Colombia, Columba, Cou-
lombe, Columbia, Columbina,
Columbine

Colomban (*m.*) (*Fr.*) *v.* Colombo

Colombano (*m.*) (*Celt.* "Colombo") 23 *nov.*

Colombina (*f.*) *v.* Colomba

Colombo (*m.*) (*Lat.*) 12 *ag.*

Colson (*m.*) ("Figlio di Nicholas")

Colton (*m.*) (*Ing. ant.* "Dalla città scura" "Città del carbone") // *var.* e *dim.* Cole, Coleton, Colston, Colt, Colter, Tony

Columba (*f.*) (*Ing.*) 9 *giu.*, *v.* Colomba

Colvin (*m.*) ("Amico bruno" o "Scuro")

Coman (*m.*) (*Ar.* "Nobile")

Comano (*m.*) (*gael.* "Sonnolento") 18 *mar.*; 26 *gen.*

Comatane(*m*)(*Port.,Mozambico*)

Comfort (*f.*)(*Fr.* "Aiuto" "Conforto")

Comunardo (*m.*)(*It.*)

Con / Conn (*m.*) ("Saggio")

Conal / Connal (*m.*) ("Audace" "Temerario")

Conan (*m.*) (*Celt.* "Intelligente" "Saggio") // *var.* e *dim.* Conant, Connie, Conny

Conception (*f.*) (*Lat.* "Origine" "Inizio") // *var.* e *dim.* Concepcion, Conchia, Conchita

Concessa (*f.*) (*Lat.* "Che concede") 8 *apr.*

Concesso (*m.*) (*Lat.:* "Autorizzato" "Accordato") 9 *apr.*

Concetta (*f.*) (*Lat.* "Concepita") 8 *dic.*// *var.*Maria Concetta, Consolata, Consuelo (*Sp.*)

Concita (*f.*) *v.* Concetta

Concordia (*f.*) (*Lat.* "Armonia" "Unità") 13 *ag.* // *var.* Concorde

Concordio (*m.*)(*Lat.*"Unità" "Armonia") 1 *gen.*; 22 *apr.*; 2 *set.*; 16 *dic.*

Condon (*m.*) (*Celt.* "Saggio incomprensibile")

Conlan (*m.*) (*gael.* "Eroe" "Eroico") // *var.* e *dim.* Conlin, Conlon, Conney, Connie, Conny

Connell (*m.*) ("Capo saggio")

Connie (*f.*) (*dim.* di Constance) *var.* Conni, Conny

Connilee (*f.*) (*nome doppio*)

Connor (*m.*) ("Saggio aiuto")

Cononc (*f.*) (*Gr.* "Cono") 21 *set.*; 17 *dic.*; 29 *mag.*

Conor (*m.*) *v.* Connor

Conover (*m.*) ("Meditabondo" "Pensieroso")

Conrad (*m.*) *v.* Corrado

Conroy (*m.*)(*gael.* "Saggio" "Governatore" "Sovrano saggio") *dim.* Conn, Conney, Connie, Conny, Conry, Roy

Consolata (*f.*) (*Lat.* "Consolazione") 20 *giu.*; 7 *set.*

Consorzia (*f.*) (*Lat.* "Compartecipe") 22 *giu.*

Constance (*f.*) *v.* Costanza

Constantine (*m.*) *v.* Constantino

Consuela (*f.*) *v.* Consuelo

Consuelo (*f.*) (*Sp.* "Consolazione")

Contardo (*m.*) (*Germ.:* "Battagliero" "Audace") 16 *apr.*; 17 *ott.*

Conte (*m.*) (*Lat.:* "Compagno del principe") 12 *ag.*

Conway (*m.*) (*gael.* "Cane (da caccia) del pianoro"); *dim.* Conn, Conney, Connie, Conny

Cooper (*m.*)(*Ing. ant.* "Bottaio"); *dim.* Coop

Coprete (*Lat.* "Egregio") 9 *lug.*

Cora (*f.*)(*Gr.* "Fanciulla" "Vergine") 8 *feb.*; 14 *mag.* // *var.* e *dim.* Corella, Corene, Coretta, Corette, Cori, Corie, Corina, Corinna, Corinne, Corissa, Corita, Coritta, Correne, Correen, Corri, Corrie, Corrina, Corry, Cory, Kora, Kori, Korie, Korri, Korrie, Korry, Kory

Corabelle (*f.*) (Cora + Belle "Bella fanciulla"); *var.* Corabel

Coral (*f.*) (*Lat.* "Corallo") // *var.* e *dim.* Coralee, Coralie, Coralina, Coraline, Corella, Coretta, Corina, Corinne, Corissa

Corazon (*f.*) (*Sp.* "Cuore")

Corbett (*m.*) (*Lat.* "Corvo") // *var.* e *dim.*Corbet, Corbie, Corbin, Corby, Corwin, Cory

Corbiniano (*m.*)(*Celt.* "Simile al corvo") 8 *set.*

Corcoran (*m.*) (*gael.* "Di carnagione rossa") *dim.* Corky

Cord (*m.*) ("Fune" "Corda")

Cordelia (*f.*) (*Celt.* "Gioiello del mare")(forse *dal lat.*"Nata tardivamente" "Che ha cuore") 14 *feb.*; 29 *ott.* // *var.* e *dim.* Cordelie, Cordella, Delia, Della

Cordell (*m.*) (*Fr. ant.* "Cordaio" "Costruttore di corde") // *dim.* Cord, Cory, Dell

Cordula (*f.*) (*Celt.* "Libellula") 22 *ott.*

Corebo (*Celt.* "Che ha cuore puro") 22 *ott.*

Coreno (*m.*) (*gael.* "Danzatore") 20 *dic.*

Corentino (*m.*) (*gael.* "Che ama danzare") 12 *dic.*

Corey (*m.*) (*f.*) (*gael., Scoz.* "Colui che abita nel burrone" "Che vive presso un lago, in una conca" o "Nebbioso") // *var.* e *dim.* Cori, Correy, Cory, Korey, Kory

Cori (*f.*) (*forma abbr.*)

Corinna (*f.*) (*Gr.* "Fanciullina" "Giovinetta") 14 *mag.*

Corinthia (*f.*)(*Gr., or. etn.* "Dalla città di Corinto")

Coriolano (*m.*) Soprannome di Caio Gneo Marcio, conquistatore di Corioli, capitale dei Volsci

Corky (*m.*) *v.* Corcoran

Corley (*m.*) (*nome con orig. da cognome*)

Corliss (*f.*) (*Celt.* "Dalla natura allegra")

Corly (*f.*) (*nome con orig. da cognome*)

Cormac (*m.*) (*gael.* "Auriga") // *var.* e *dim.* Cormack, Cormick, Cory, Mac, Mickey

Cornel (*m.*) *v.* Cornelio

Cornelia (*f.*) (*Lat.*"Giallastra" "Albero del corniolo" "Virtù femminile") (*Lat., orig. etn.* "Oriunda di Corné" colle nel-

l'Agro Tuscolano) 31 *mar.* //
var. e *dim.* Cornela, Cornella,
Cornelle, Nela, Nelia, Nella//
Cornie, Neely, Nell, Nelli, Nel-
lie, Nelly (*Ing.*); Kornelia
(*Cec.*); Cornelie (*Fr.*); Korne-
lia, Nele (*Ted.*); Nelia (*Sp.*);
Kornelis (*Sv.*)

Cornelio (*m.*)(*Lat.* "Corno" "Del
colore del corno" "Oriundo di
Cornè") (*Gr.* "Albero del corniolo") *v.* Cornelio // 2 *feb.*; 31
dic. // *var.* e *dim.* Conney,
Connie, Conny, Cornel, Cor-
nall, Cornell, Cornie, Neal,
Neel, Neely, Neil

Cornelius (*m.*) *v.* Cornelio

Cornell (*m.*) (*Ing.* "Albero del
sanguinello") *v.* Cornelio

Cornuto (*m.*) (*Lat.* "Che ha le
corna") 12 *set.*

Corona (*Lat.*) 14 *mag.*

Coronato (*m.*) (*Lat.* "Che porta
la corona") 8 *nov.*

Corradino (*m.*) *dim.* di Corrado

Corrado (*m.*) (*Ted. ant.* "Coraggioso consigliere" "Consigliere saggio") 26 *nov.*; 19 *feb.*;
19 *apr.*; 2 *mag.*; 1 *giu.*; 12 *dic.*
// *var.* e *dim.* Con, Conn, Conni, Connie, Cort, Curt, Kurt
(*Ing.*); Conrade (*Fr.*); Conny,
Konni, Konrad, Kurt (*Ted.*);
Conrado (*Port.; Sp.*) // Con-
radin, Conradine, Conrard,
Conrart, Corradina, Corradino,
Curd, Kort, Keno, Kunz, Ku-
no, Koertsjie, Koert, Koeraad,

Radel, Rasch

Corrianne (*f.*) (*Nome doppio*)

Corrigan (*m.*) (*raro*)

Corry (*m.*) ("Forra di montagna") *var.* Correy, Cory

Corson (*m.*) (*raro*)

Cort (*m.*) *v.* Conrad.

Corte / Cortez (*m.*) (*raro*)

Corwin (*m.*) ("Amico della terra") // *v.* anche Corbett

Cory (*m.*) *v.* Corry.

Corydon (*m.*) (*Gr.* "Allodola") //
var. Coridon

Cosby (*m.*) (*raro*)

Cosetta (*f.*) *v.* Cosette, Cosima

Cosette (*f.*)(*Fr.* "Preferita") *Pers.*
de: "I miserabili" di Victor Hu-
go (*f.*) // *v.* Nicola

Cosima (*f.*) (*Gr.*: *femm.* di Cosimo)

Cosimo (*m.*) (*Gr.* "Colui che di-
spone in ordine") 26 e 27 *set.* //
var. Cosma

Cosma (*m.*) *v.* Cosimo // 26 *set.*;
20 *mar.*; 5 *feb.*; 18 *apr.*; 2, 10
set.; 14 *ott.*

Cosmo (*m.*)(*gr.* "Armonia" "Uni-
verso") // *var.* Cosimo, Cosmé

Costante (*m.*)(*Lat.* "Tenace""Costante") 12, 25 *feb.*; 11 *mar.*; 3
gen.

Costantina (*f.*) (*femm.* di Costantino) 18 *feb.*

Costantino (*m.*) (*Lat.* "Fermo"
"Costante") 11 *mar.*; 8, 12
apr.; 27 *lug.* // *var.* e *dim.*
Conn, Conney, Connie, Conny,
Constant, Constantin, Con-

stantino, Konstantin // Costa, Gus, Konstandinos, Konstantinos, Kostas, Kostis, Kotsos (*Gr.*) // *v.* Costante

Costanza (*f.*)(*Lat.* "Salda" "Costante") 25 *feb.*; 19 *set.*; 17 *lug.* // *var.* e *dim.* Con, Conni, Connie, Conny, Constancia, Constanta (*Ing.*); Constanz, Konstanze (*Ted.*); Dina, Kosta, Kostatina, Tina (*Gr.*); Konstantin, Kostenka, Kostya, Kostyusha, Kotik (*Rus.*); Constancia, Constanza (*Sp.*) // Constancy, Constanta, Constantia, Constantina, Constanza, Konstanza

Costanzo (*m.*) (*Lat.* "Costante" "Tenace") 29 *gen.*; 12 *feb.*; 26 *mar.*; 14 *mag.*; 26 *ag.*; 1, 23 *set.*; 30 *nov.*; 12 *dic.*

Cotter (*m.*) (*raro*)

Cottido (*m.*) (*Lat.* "Quotidiano" "Ogni giorno") 6 *set.*

Courtland (*m.*) (*Ing.* "Il cortile" "La corte") // *dim.* Court

Courtney (*m.*) (*f.*) (*Fr. ant.* "Colei che vive nel cortile" o "Nella fattoria") (*Am.* "Forte" "Elegante" "Attraente" "Volitiva" "D'alta classe") // *var.* e *dim.* Cort, Court, Courtnay

Cowan (*m.*) (*gael.* "Della piccola valle sul pendio" "Gemello" "Fosso sul pendio")

Cozette *v.* Nicola

Cozio (*m.*) (*Celt.*)

Craig (*m.*) (*Scoz.* "Dal dirupo")

Crain (*m.*) (*raro*)

Cramer (*m.*) ("Commerciante")

Crandall (*m.*) (*Ing. ant.* "Dalla valle delle gru") // *var.* Crandal, Crandell.

Cranley (*m.*) (*Ing. ant.* "Dal prato della gru") // *var.* e *dim.* Cranleigh, Cranly, Lee, Leigh

Cranston (*m.*) (*Ing. ant.* "Della città della gru") // *dim.* Tony

Cratone (*m.*) (*Gr.* "Forzuto") 15 *feb.*

Crawford (*m.*) (*Ing. ant.* "Dal guado del corvo") // *dim.* Ford

Crayton (*m.*) (*raro*)

Crazio (*m.*) (*Got.* "Che fa il segno della croce") 12 *mag.*

Creed (*m.*) ("Credo" "Dottrina")

Creedon (*m.*) (*raro*)

Creighton (*m.*) (*Ing. ant.* "Dalla città nella piccola valle") // *var.* e *dim.* Crichton, Tony

Cremenzio (*m.*)(*Lat.* "Che accresce") 14 *apr.*

Crepin (*Fr.*) 25 *ott.*; *var.* Crepinien

Crescente (*m.*) (*Lat.* "Che accresce" "Che aumenta") 10 *mar.*; 15 *apr.*; 28 *mag.*; 27 *giu.*; 18 *lug.*; 1 *ott.*; 28 *nov.*; 29 *dic.*

Crescentino (*m.*) ("Che accresce la famiglia") 1 *giu.* // *dim.* di Crescente

Crescenzia (*f.*) (*Lat.:* "Che accresce") 15 *giu.*

Crescenziana (*f.*) (*Lat.*) 5 *mag.*

Crescenziano (*m.*) (*Lat.* "Che accresce" "Che aumenta") 31

mag.; 2 *lug.*; 12 *ag.*; 14 *set.*; 24, 28 *nov.*

Crescenzio (*m.*) (*Lat.* "Che accresce") 14 *set.*; 19 *apr.*; 15 *giu.*; 28 *nov.*; 29 *dic.*

Crescenzione (*m.*) (*Lat.*"Che accresce") 16 *set.*

Cresconio (*m.*) (*Ted. ant.* "Che vive accanto ai fossi") 28 *nov.*

Crespignano (*m.*) (*Lat.* "Crespo") 25 *ott.*

Crespino (*m.*) (*Lat.* "Ricciuto") 25 *ott.*

Cressida (*f.*) (*Gr.:* "Dorata") // *var.* Cresida, Cressa

Crisante (*f*)(*Gr.*) 25 *ott.*; 15 *mag*

Criseide (*f.*) (*Gr.* "D'oro")

Crisoforo (*m.*) (*Gr.:* "Lontano dalle ricchezze") 20 *apr.*

Crisogono (*Gr.:* "Nato dall'oro") 24 *nov.*

Crisostomo (*m.*)(*Gr.:*"Dalla bocca d'oro") 27 *gen.*

Crisotelo (*m.*) (*Lat.* "Veloce") 22 *apr.*

Crispin (*m.*) *v.* Crispino

Crispina (*f.*) (*Lat.* "Che ha i ricci") 5 *dic.* // *femm.* di Crispin // *var.* e *dim.* Crispa, Krispa, Krispin, Krispina

Crispiniano (*Lat.* "Che ha i capelli ricci") 25 *ott.*

Crispino (*Lat.* "Ricciuto" "Dai capelli ricci") 7 *gen.*; 21 *mag.*; 25 *ott.*; 19 *nov.*; 3, 5 *dic.* // *var.* Crispen, Crispus, Krispin, Cris, Crispin (*Ing.*); Krispin (*Cec.*; *Ted.*; *Ung.*); Crepin

(*Fr.*); Crispo (*Sp.*)

Crispo (*Lat.* "Ricciuto") 18 *ag.*

Crispolo (*Lat.*) 30 *mag.*; 10 *giu.*

Crispus (*m.*) *v.* Crispino

Cristal *v.* Crystal

Cristaldo (*Gr.* "Forte in Cristo")

Cristanziano (*Lat.* "Cristiano di Anzio") 13 *mag.*

Cristiana (*femm.* di Cristiano) (*Lat.* "Che vive secondo la legge di Cristo") 15 *dic.*; 15 *nov.*; 4 *gen.*// *var* e *dim.*Carsta, Carsten,Chretienne, Christel, Christelle, Christina, Christiana, Chrètien, Chris, Chrissie, Chrissy, Christiano, Christie, Christy, Cristine, Kit, Kris, Kristen, Kirsten, Kristian, Kristiane, Kristin, Stijn, Stina, Stinke

Cristiano (*m.*) (*Lat.* "Che vive secondo la legge di Cristo"; *Gr.* "Seguace di Cristo" "L'Unto del Signore") 7 *apr.*; 12 *nov.* // *var.* e *dim.* Chrissie, Chrissy, Christiano, Christie, Kit, Kristen, Kristin // Chris, Christy, Christen, Kris, Kristian (*Ing.*); Jaan, Kristian, Kristjan, Krists (*Est.*); Chrètien, Christophe (*Fr.*); Krischan (*Ted.*); Christianos, Kristos (*Gr.*); Kerestel (*Ung.*); Krists (*Let.*); Krist (*Norv.*); Chrystian, Crystek, Krystek, Krys, Krystian (*Pol.*); Cristao, Cristiano (*Port.*); Cristian (*Rum.*); Kristian (*Rus. Sl.*); Cristian, Cristiano, Cristi-

99

no (*Sp.*); Chresta, Krister, Krista (*Sv.*)

Cristina (*f.*) (*Lat.;* dal *Gr.* Christós: "Messia") 24, 26, 28 *lug.*; 16 *apr.*; 18 *gen.*; 3 *ott.*; 14 *feb.*; 13 *mar.*; 30 *mag.*; 6 *nov.* // *v.* Cristiana // *var.* e *dim.* Chris, Chrissie, Chrissy, Christi, Christie, Christy, Chrystal, Crystal, Cristina, Kris, Krissi, Krissie, Krissy, Tina, Tinah (*Ing.*); Krista, Kristina, Kristinka, Crystina, Tyna (*Cec.*); Kristia(*Fin.*); Christine, Crestienne (*Fr.*); Christa, Christiane, Christel, Chrystel, Stina, Stine, Tine (*Ted.*); Christina, Tina(*Gr.*); Kriska (*Ung.*); Cristin, Cristiona (*Irl.*); Krista, Kristine (*Let.*); Krysia, Krysta, Krystyna, Krystka, Krystynka (*Pol.*); Cristina (*Port.*); Khristina, Khristya, Tina (*Rus.*); Kirsten, Kirstin, Kristin (*Scand.*); Christiana,Cristy(*Sp.*) // Chriss, Christa, Christiana, Christin, Christina, Christy, Christie, Crista, Cristin, Cristine, Kristiana, Kristiane, Kristin, Kristine, Teena

Cristo (*m.*) (*Ebr.* "L'unto" "Il Messia") 25 *dic.*

Cristobal (*m.*) (*Sp.*) *v.* Cristoforo

Cristoforo (*m.*) (*Gr.; Lat.* "Colui che porta Cristo") 25 *lug.*; 20 *ag.* // *var.* e *dim.* Chrissie, Chrissy, Christoph, Kristo, Kristofor // Chris, Cris, Kit, Kris, Kriss (*Ing.*);Christofer, Kristof (*Cec.*); Christoffer (*Dan.*); Risto(*Fin.*); Christophe (*Fr.*); Christof, Kriss, Christoforus, Stoffel (*Ted.*); Kristof (*Ung.*); Kriss, Krisus (*Let.*); Cristovao (*Port.*); Christof, Christofer (*Rus.*); Cris, Cristobal, Tobal, Tobalto (*Sp.*); Kristofor, Kristoffer (*Sv.*)

Cristophe (*m.*)(*Fr.*) *v.* Cristoforo

Critone (*m.*) (*Gr.* "Scelgo")

Crocifissa (*f.*) (*It.*)

Crofton (*m.*) (*Ing. ant.:* "Dalla fattoria fortificata") *dim.* Croft, Tony

Cromazio (*m.*) (*Gr.:* "Colorato, che ha colori") 2 *dic.*

Crompton (*m.*)(*Ing.ant.* "Dalla fattoria curva"); *dim.* Tony

Cromwell (*m.*) (*Ing. ant.* "Dalla sorgente ventosa"

Cronida (*Gr.* "Tempo") 27 mar.

Crosby (*m.*) (*teut.* "Colui che sta vicino al passaggio" "Incrocio") // *var.* Crosbey, Crosbie

Croy (*m.*) (*raro*)

Crucifissa (*f.*) (*It.*)

Cruz (*m.*) ("Croce")

Crysanta (*f.*) (*raro*)

Crystal (*f.*) (*Gr.* "Ghiaccio"; *Lat.* "Chiara come cristallo" "Cristallina" "Brillante" "Pura" "Quarzo trasparente") // *var.* e *dim.* Chrys, Chrystal, Cristel, Cristal, Cristol, Crystle, Kristal, Kristel, Kristol, Krys, Krystal, Krystol

Crystle (*f.*) *v.* Crystal

Cucufate (*m.*) (*Fen.* "Che ammette lo scherzo" "Che scherza") 25 *lug.*

Culbert (*m.*) *v.* Colbert.

Cullen (*m.*) (*gael.* "Bello" "Ben fatto"); *var.* Cullan, Cullin

Culver (*m.*) (*Ing. ant.* "Colomba")// *var.* e *dim.* Colly, Colver, Cul

Cunegonda (*f.*) (*Ted. ant.* "Che combatte per la stirpe") 3 *mar.*; 16 *giu.*

Cunegonde (*Fr.*) *v.* Cunegonda

Cunialdo (*m.*) (*Ted. ant.* "Sapiente" "Audace") 4 *set.*

Cuniberto (*m.*) (*Ted.* "Chiaro" "Ardimento") 12 *nov.*

Cunizza (*f.*) (*Ted. ant.* "Stirpe di combattenti") 6 *mar.*

Cupido (*m.*) (*Lat.* "Desiderio" "Passione amorosa")

Curcodomo (*m.*) (*Ar.* "Abitante nella casa tra le piante") 4 *mag.*

Curonoto (*m.*) (*Mac.* "Attento annotatore") 12 *set.*

Curran (*m.*)(*gael.* "Campione" "Eroe") *dim.* Currey, Currie, Curry

Curt (*m.*) (*dim.* di Curtis e di Conrad); *var.* Kurt.

Curtis (*m.*) (*Fr. ant.* "Cortese") // *var.* e *dim.* Curtis, Curtiss; Curt, Kurt, Kurtis (*Ing.*); Curcio (*Sp.*)

Curzio (*m.*)(*Germ.* "Corto" "Breve") (*Lat.* "Monco" "Storpio")

Cutberto (*m.*)(*Dan. ant.* "Illustre per ardimento") 20 *mar.*

Cuthbert (*m.*) (*Ing. ant.* "Famoso" "Brillante") // *dim.* Bert, Bertie, Berty // *v.* Cutberto

Cutler (*m.*) (*Ing. ant.* "Colui che fabbrica coltelli") // *dim.* Cuttie, Cutty

Cuzia (*Lat.* "Che protegge") 18 *feb.*

Cy (*m.*) *dim.* di Cyril e Cyrus

Cybil (*f.*) (*Ing.*) *v.* Sibilla // *var.* Cybill, Cybell

Cyd (*m.*) (*f.*) (*raro*)

Cynara (*f.*) (*Gr.*: forse dall'isola del Mare Egeo oppure "Dagli occhi blu") // *var.* Zinara

Cynthea (*f.*) *v.* Cinzia

Cypria (*f.*) *v.* Cipriana

Cyprien (*m.*) (*Fr.*) *v.* Cipriano

Cyra (*f.*)(*Gr.* "Signora") *femm.* di Cyrus // *var.* Kira

Cyrena (*f.*) (*Gr.* "Ninfa d'acqua"); *var.* Cyra, Cyrene

Cyril (*m.*) *v.* Cirillo

Cyrille (*m.*) *v.* Cirillo

Cyrilla / (*f.*) *v.* Cirilla

Cyrus (*m.*) *v.* Ciro

Cytherea (*f.*) (*Gr.*: dall'isola di Cytera) // *var.* Cytheria

Czarne (*m.*) (*raro*)

D

Dabir (*m.*) (*Ar.* "Segretario" o "Insegnante")

Dabney (*m.*) (*raro*)

Dacey (*m.*) e (*f.*) (*Irl. gael.* "Uomo del Sud") *var.* Dace // *var. femm.* Daci, Dacie, Dacy, Dasey, Dasi, Dasie, Dasy

Dacia (*f.*) (*Lat.* "Dalla provincia romana della Dacia") // *var.* Dachia

Daciano (*m.*) (*Gr.* "Abitante della Dacia") 4 *giu.*

Dacio (*m.*)(*Gr.* "Nativo della Dacia")

Dack (*raro*)

Dada (*m.*) (*Gr.* "Ingegnoso")

Dado (*m.*) (*dim.*) *v.* Edoardo

Daeg (*m.*) *v.* Dag

Dael (*f.*) *v.* Dale

Daffodil (*f.*) (*Gr.*: "Dal fiore di Asfodelo": Giunchiglia grande); *var.* Dafodil

Dafne (*f.*) (*Gr.* "Pianta d'alloro); *var.* Daffy, Dafné, Daph, Daffney, Daphna, Daphne, Daphney

Dafrosa (*f.*) (*raro*)

Dag (*m.*) (*Norv. ant.* "Giorno" "Luminosità" "Lucentezza") // *femm.* Dagny

Dagan (*m.*)(*Ebr.* "Grano" "Chicco") (*sem.* "Terra") (*Bab.* "Piccolo pesce"); *var.* Dagon

Dagania (*f.*) (*Ebr.* "Grano cerimoniale" "Chicco") // *var.* e *dim.* Dag, Dagi, Dagana, Daganya

Daggi (*f.*) (*Est.*) *v.* Dagmar

Dagmar (*f.*)(*Fr.*) (*Ted.ant.* "Giorno glorioso" "Famoso pensatore" "Gloria ai Danesi"); *var.*

e *dim.* Dagmara, Dasa (*Ceco*); Dagi, Daggi, Dagmara (*Est*); Dagomaro (*It.*); Daga (*Pol*) // Dag, Dagomar, Dajol, Mara

Dagna (*f.*) (*teut.* "Giorno giusto"); *var.* Dagnah

Dagny (*f.*) (*Norv. ant.* "Giorno") *v.* Dag

Dagobert (*m.*) (*Fr.*) *v.* Dagoberto

Dagoberto (*m.*)(*Sass.* "Splendente come la luce") 23 *dic.*

Dagomaro (*m.*) *v.* Dagmar

Dahl (*f.*) (*Nome con orig. da cognome*)

Dahlia (*f.*) *v.* Dalia

Dahn / Dahna (*f.*) *v.* Donna

Dahoma (*f.*) (Dalla Repubblica del Dahomey); *var.* Dahomey, Dahomie

Daila (*f.*) (*raro*)

Dain (*m.*) (*raro*)

Daire (*f.*) ("Sfida")

Daisy (*f.*) (*Ing. ant.*: "Day's eye" = "Occhio del giorno" = "Il sole") // *var.* Daisie // 16 *nov* // *v.* Margherita

Dake (*m.*) (*raro*)

Dakota (*f.*) (*Nome di località e di città*)

Dal (*m.*) (*Forma abbr.*)

Dalal (*m.*) (*sans.* "Mediatore")

Dalbert (*m.*) ("Valle luminosa")

Dale (*m.*) e (*f.*) (*Ing. ant.* "Abitante della valle") // *var.* e *dim.* Dal, Dail, Daile, Dayle, Daley, Daly (*Ing*); Dalibor (*Cec*)

Daleen (*f.*) *v.* Dale

Dalene (*f.*) *v.* Dale

Dalenna (*f.*) (*raro*)

Dalia (*f.*) ("Fiore di Dalia) // *var.* Dahlia, Dallia

Dalila (*f.*) (*Ebr.:* "Aleggiante" "Languida") (*sw.:* "Gentile") ("Furbizia femminile"), 3 *nov.* // *var.* e *dim.* Dalia, Delila, Lila

Dalilah (*f.*) *v.* Dalila

Dalit (*f.*) (*Ebr.* "Ramo di albero" o "Estrarre l' acqua") // *var.* Dalice

Dallas (*f.*) (*Nome geografico*)

Dallas (*m.*)(*Celt.*"Esperto" "Abile") (*gael.* "Dalla cascata") // *dim.* Dall

Dallon (*m.*) (*raro*)

Dalmazio (*m.*) (*Lat.* "Originario della Dalmazia) 3 *ag.*; 24 *set.*; 13 *nov.*; 5 *dic.*

Dalmazzo (*m.*) (*Lat., orig. etn.* "Proveniente dalla Dalmazia") 5 *dic.*

Dalton (*m.*) (*Ing. ant.* "Dalla città della valle"); *dim.*Tony

Daly (*m.*) (*gael.* "Consigliere"); *var.* Daley

Damalis (*f.*) (*Gr.* "Conquistatrice") // *var.* Damala, Damalas, Damali, Damalla

Damara (*f.*) (*Gr.* "Gentile") // *var.* e *dim.* Damaris, Damarra, Mara

Damaso (*m.*) (*Sp.*; *Gr.* "Che sa domare") 11 *dic.*

Damek (*m.*) (*Cec*) *v.* Adamo

Damian (*m.*) (*Fr*) *v.* Damiano

Damiana (*m.*)(*Gr.* "La domatrice") 27 *set.*

Damiano (*m.*) (*Gr.* "Domatore di uomini" "Vincitore" "Gentile" "Uomo fertile"); 27 *set.* // *var.* e *dim.* Damian, Damon (*Ing*); Damek, Damjan (*Ung*); Damian, Damyan, Dema, Demyan (*Rus*) // Damen, Dami, Damia, Damiana, Damiane, Damianus, Damien, Damienne, Damiette, Damioen, Damion, Damy

Damien (*m.*) (*Fr.*) *v.* Damiano

Damita (*f.*) (*Sp.* "Giovane signora")

Damon (*m.*) (*U.S.A.; Ing.; Port*) *v.* Damiano

Dan (*m.*) *dim.* di Daniel

Dana (*f.*) (*Celt.; Scan.:* "Dalla Danimarca") (*Ing. ant.:* "Danese"); *var.* Dain, Daina, Dayna, Dane

Dana (*m.*) e (*f.*) (*Ebr.*) *v.*Daniele, Daniela

Danae (*f.*) (*raro*)

Danby (*m.*) (*raro*)

Dane (*m.*) (*Ing. ant.; Ted. Lit.*) *v.* Dana

Daneen (*f.*) (*raro*)

Danek (*m.*) (*raro*)

Danelle (*f.*) ("Padrona saggia")

Danett (*f.*) (*Am. mod.*) *v.* Daniela // *var.* e *dim.* Danetta, Danette, Dani, Danie

Danette (*f.*) (*raro*)

Danford (*m.*) (*raro*)

Dani (*m.*) (*Isr. Sl.*) *v.* Dan

Dania (*f.*) (*raro*)

Danica (*f.*) (*Sl.* "Stella del mattino")

Danice (*f.*) (*raro*)

Daniel (*m.*) v. Daniele

Daniela (*f.*) (*Ebr.* "Il mio giudice
è Dio") *femm.* di Daniel, 10
ott. // *var.* e *dim.* Dana, Daniel-
la, Danita, Daniva // Danela,
Danella, Danelle, Danila, Da-
nilla, Danille, Danyelle (*Ing*);
Danielle (*Fr*); Dania, Danit,
Danya (*Ebr*); Danielka, Danka
(*Pol*); Danila, Danikla, Danya
(*Rus*)

Daniele (*m.*) (*Ebr.* "Il mio giu-
dice è Dio") 10 *ott.*; 3 *gen.*; 16
feb.; 31 *mar.*; 22 *apr.*; 10, 21
lug.; 19 *ott.*; 2 *nov.*; 11 *dic.*//
var. e *dim.* Dannel, Danielo,
Danielou, Danitza, Danjel,
Dannel, Dany, Daniel // Dan,
Dannie, Danny (*Ing*); Danil
(*Bul*); Dano, Danko (*Cec*); Da-
ne (*Ted*); Taneli (*Fin*); Donois
(*Fr*); Dacso, Daneil, Dani
(*Ung*); Daniels (*Let*); Dane,
Danukas (*Lit*); Danek (*Pol*);
Daniela, Danila, Danilka, Da-
nya, Danylets, Danylo (*Rus*);
Dusan (*Ser.; Cr.*); Dani (*Slov*);
Danilo, Nelo (*Sp*)

Danielle (*f.*) v. Daniela

Danika (*f.*) v. Danica

Danila (*f.*) v. Danilo

Danilo (*Sl.*) v. Daniele // 3 *gen.*;
21 *lug.*

Danio (*Ebr.* "Giudice" "Arbi-
tro") 12 *mag.*

104

Danior (*m.*) (*Ing. git.* "Nato con
i denti)

Danise (*f.*) (*raro*)

Danka (*m.*) (*Pol.*) v. Daniela

Danko (*f.*) (*Cec*) v. Daniele

Danladi (*m.*) (*Nig.* "Nato di domenica")

Dann (*m.*) v. Dan

Danna (*f.*) (*raro*)

Dannah (*f.*) (*raro*)

Dannalee (*f.*) (*Nome doppio*)

Danner (*m.*) (*raro*)

Danny (*m.*) v. Daniel

Dante (*m.*) (*Lat.* "Duraturo") 11
feb. // v. anche Durante

Dantina (*f.*) (*Nome doppio*)

Danton (*m.*) (*Fr.* "Di Anthony")
// *dim.* Dan, Danny, Tony

Danya (*f.*) (*Am.; Ucr.; Isr.*) v.
Danielle

Danya (*m.*) (*Rus*) v. Daniel

Daphné (*f.*) (*Fr.*) v. Dafne

Dar (*m.*) (*Ebr.* "Perla")

Dara (*f.*) (*Ebr.* "Casa della saggezza"); *var.* Dahra, Darra

Darby (*m.*) (*Norv. ant.* "Colui
che viene dalla tenuta dei dai-
ni") (*Irl. gael.* "Uomo libero")
// *var.* e *dim.* Dar, Darb, Derby

Darcie (*f.*) (*Fr. ant.* "Dalla fortezza") // *var.* Darcey, Darci,
Darcia, Darcy

Darcy (*m.*)(*Irl., gael.*"Uomo scuro" o "Scuro") (*Fr. ant.* "Abitante della fortezza) // *var.* e
dim. Dar, Darce, Darcey, Darci, Darcie, D'Arcy, Darse, Darsey, Darsi, Darsie, Darsy

Darda (*f.*) (*Ebr.* "Perla di saggezza"; *Ung.* "Strale" "Freccia"); *var.* Dardia

Dardanella (*f.*) (dallo Stretto dei Dardanelli)

Darden (*m.*) (*raro*)

Dare (*m.*) (*raro*)

Darelle (*f.*) (*raro*)

Daren (*m.*)(*Nig.* "Nato nella notte) // Anche *forma mod. Am.* di Darren

Daria (*f.*) 25 *ott.*; *v.* Dario // *var. e dim.* Dai, Darise, Darrice

Darice (*f.*) *v.* Daria

Dariel (*m.*) e (*f.*) (*Nome con orig. da cognome*)

Darien (*m.*) ("Audace")

Darin (*m.*) *v.* Darren

Dario (*m.*)(*Per.* "Colui che possiede il bene") (*Gr.* "Repressore") 19 *dic.* 12 *apr.*; 24 *ag.* // *var.* Daren, Darian, Darius, Daron, Darren, Darrin, Daryn, Dare, Darin, Daron, Darron (*Ing*); Dario (*Port.; Sp*)

Darius (*m.*) *v.* Dario

Darla (*f.*) *v.* Darlene

Darlanne (*f.*) (*raro*)

Darlene (*f.*) (*Fr. ant.* "Cara" "Diletta") // *var. e dim.* Darla, Darleen, Darline, Daryl, Daryle

Darnell (*m.*) (*Ing. ant.* "Dall'angolo segreto" "Dal posto del nascondiglio") // *var.* Dar, Darnal, Darnall, Darnel

Darrah (*f.*) (*Nome con orig. da cognome*)

Darrell (*m.*) (*Fr. ant.* "Amato") // *var.* Darrel, Darryl, Daryl

Darrelle (*f.*) *femm.* di Darrell

Darren (*m.*)(*Gael.*:"Piccolo grande uomo"; *Gr.*: "Ricco") // *var.* Daren, Daron, Darrin, Daryn, Dare, Darin, Darron (*Ing*); Dario (*It.; Port.; Sp*); *v.* Dario

Darrick (*m.*) *v.* Derek

Darroch (*m.*) (*raro*)

Darrow (*m.*) (*raro*)

Darryl (*m.*) (*Fr. ant.* "Piccolo, caro, o amato") // *var.* Darel, Darrel, Darrell, Daryl

Darrylyn (*f.*) *femm.* di Darrel

Darsey (*f.*) (*Irl., gael.* "Donna di colore") (*Fr. ant.* "Dalla fortezza") // *v.* Darcy

Darton (*m.*) *Ing. ant.* "Dal parco del cervo"); *dim.* Tony

Daru (*f.*) (*hindu* "Cedro divino")

Darwin (*m.*) (*Ing. ant.* "Amico amato" "Amico coraggioso") // *var. e dim.* Dar, Derwin, Winnie, Winny

Darya (*f.*) ("Allieva" "Colei che impara")

Daryl (*m.*) ("Caro" "Diletto")

Daryn (*m.*) (*f.*) *v.* Darren (*raro*)

Dasan (*m.*) (*Ind. Pomo* "Capo")

Dasha (*f.*) (*Rus.*) *v.* Dorotea

Dasio (*Gr.* "Vellutato") 21 *ott.*; 20 *nov.*

Dassio (*Gr.* "Vellutato") 30 *ag.*

Dativo (*Lat.* "Donazione" "Regalo") 27 *gen.*; 11 *feb.*; 10 *set.*

Dato (*Lat.*) 3 *lug.*

Daudi (*m.*) (*sw.* "Amato")

Daura (*f.*) (*raro*)

Dauree (*f.*) (*raro*)

Daurice (*f.*) (*raro*)

Davanzato (*m.*)(*med.* "Che viene per seconda" "Che viene dopo") 27 *giu.*

Dave (*m.*) *abbr.* di David

Daveen (*f.*) *v.* Davida

Davia (*f.*) *v.* Davida

David (*m.*) (*Fr.*; *Ing.*) *v.* Davide

Davida (*f.*) (*Ebr.*) *femm.* di David // *var.* Daveta, Davina, Daveta, Davita, Vida

Davide (*Ebr.* "Amato" "Diletto") // 29 *dic.*; 1 *mar.*; 12 *apr.*; 17, 26 *giu.* // *var.* e *dim.* Dave, Davie, Davy (*Ing*); Davidek (*Cec*); Dovidas (*Lit*); Dawid (*Pol*); Davi (*Port*); Danya, Daveed, Dodya (*Rus*); Dawid, Dowid (*yid.*) // Dafydd, Daibidh, Davida, Davidde, Davidou, Davidka, Davina, Daviot, Davis, Davit, Daw, Dawie, Dewey, Dov, Taffy, Vida, Vidli

Davidson (*m.*) ("Figlio di David") // *var.* Davison

Davila (*f.*) (*Nome con orig.da cognome*)

Davin (*m.*) (*Scan. ant.* "Luminosità dei Finlandesi")

Davina (*f.*) *v.* Davida

Davino (*m.*) (*contr.* di Davide) 3 *giu.*

Davis (*m.*) (*Ing. ant.* "Figlio di David") // *dim.* Dave, Davie, Davies, Davin, Davon, Davy

Dawid (*Ebr.*) *v.* Davide

Dawn (*f.*) (*Ing.* "Alba" "Spuntare del giorno") // *var.* Dawna, Dawne.

Dawn-Marie (*f.*) (*Nome doppio*)

Dawson (*m.*) (*raro*)

Dayle (*f.*) *v.* Dale

Dayna (*f.*) *v.* Dana

Dayton (*m.*) (*raro*)

Dazio (*Lat.* "Pagamento") 14, 27 *gen.*

De Witt (*m.*) (*Fiam.* "Giusto" "Onesto") // *var.* Dewitt

Deale (*m.*) (*raro*)

Dean (*m.*) (*Ing. ant.* "Dalla valle") // *var.* e *dim.* Deane, Dino

Deana (*f.*) (*Ing. ant.*) *femm.* di Dean // *var.* Deanna // *v.* Diana

Deanda (*f.*) (*raro*)

Deane / Deanie (*f.*) *v.* Diana

Deanne (*f.*) *v.* Diane

Dearborn (*m.*) (*Ing. ant.* "Bambino amato")

Deaton (*m.*) (*raro*)

Deaver (*m.*) (*raro*)

Debbie / Debby (*f.*) (*Ing.*)(*abbr.* di Deborah)

Debora (*f.*) (*Ebr.* "Ape" o "Loquace" "Servitrice di Dio") // 21 *set.*; 1 *nov.* // *var.* e *dim.* Deborah, Devorah // Deb, Debi, Debbi, Debbie, Debby, Debir, Debora, Debra (*Ing*); Devora (*Bul.; Gr.; Rus*); Deboran (*Ted*); Dwora (*yid.*)

Deborah (*f.*) (*Ing.*) *v.* Debora

Debra (*f.*) (*Ing.*) *v.* Debora

Decembra (*f.*) (Dal mese di Dicembre)

Decima (*f.*) (*Lat.* "La decima figlia")

Decio (*m.*)(*Lat.* "Decimo") 30 *mar.*

Decoroso (*m.*) (*Lat.* "Dignitoso") 15 *feb.*

Dede (*f.*) (*Gha.* "Figlia primogenita")

Dedrick (*m.*) (*teut.* "Governatore del popolo"); *var.* Deadrick, Dedric

Dee (*f.*) (*Ing.*)(*abbr.*) *v.* Diana

Deeanne (*f.*)(*Ing.*) *v.* Diane

Deedee (*f.*) (*m.*) (*Ebr.* "Amata"); *v.* Didi

Deedria (*f.*) (*raro*)

Deegan (*m.*) (*raro*)

Defendente (*Lat.* "Il difensore") 2 *gen.*; 25 *set.*

Degenia (*f.*) (*Lat. orig. sc.*)

Degna (*Lat.* "Eccellente" "Stimata") 11, 12 *ag.*; 14 *giu.*; 22 *set.*

Degula (*f.*) (*Ebr.* "Eccellente" "Famosa")

Deianira (*Gr.* "Colei che infiamma gli uomini")

Deicola (*Lat.* "Che adora il vero Dio") 18 *gen.*

Deidra / Deidre (*f.*) *v.* Deirdre

Deirdre (*f.*) (*gael.* "Dolore" "Dispiacere") // *dim.* Dee, Deedee

Deke (*m.*) (*raro*)

Dekel (*m.*) (*Ar.* "Palma" "Palma da datteri")

Del (*m.*) (*Ing. git.* "Egli dà") (*abbr.* di nomi che iniz. per "Del")

Dela (*Cec.*; *Sp.*; *Ing*) *v.* Adele, Adelaide, Alida

Delaine / Delana (*f.*) (*raro*)

Delancie (*f.*) (*Nome con orig. da cognome*)

Delancy (*f.*) (*Nome con orig. da cognome*)

Delane (*m.*) (*raro*)

Delaney (*m.*) (*Irl.*, *gael.* "Il discendente dello sfidante") // *var.* e *dim.* Del, Delan, Delainey

Delanna (*f.*) (*raro*)

Delano (*m.*) (*Irl.*, *gael.* "Uomo di colore pieno di salute") (*Fr. ant.* "Dal posto dell'albero di nocciole" "Dal frutteto del nocciolo"); *dim.* Dell, Del

Delayne (*f.*) (*raro*)

Delbert (*m.*) ("Nobile" "Chiaro") (*Ing. ant.* "Giorno assolato"); *v.* anche Albert // *var.* e *dim.* Bert, Bertie, Berty, Del

Delcine (*f.*) *v.* Dulcie

Delena / Delene (*f.*) (*raro*)

Deleon (*m.*) (*raro*)

Delfina (*f.*) (*Lat.*: da "*Delphinium*" specie botanica; *Gr.*: da *Apollo Delfinio*, protettore dei naviganti) (*Lat.* "Sorella amorosa") 6 *giu.*; 27 *dic.*; 27 *set.* // *var.* Dauphin, Dauphine, Delfine, Delfinia, Delphia, Delphina, Delphine, Delphinia, Delphy

Delfino (*m.*) (*Lat*) 26 *nov.*; 24 *dic.* // *v.* Delfina

Delia (*f.*) (*Gr.*: dall'isola di Delos); *dim.* di Adelaide, Adelia,

Cordelia

Delicia (*f.*) (*Lat.* "Deliziosa")

Delilah (*f.*) *v.* Dalila

Delina (*f.*) (*raro*)

Delinda (*f.*) (*Lat.* "Consacrata") 28 *mar.*

Delio (*m.*) (*Gr.:* Nativo di Delo)

Delisa (*f.*) *v.* Delise.

Delise (*f.*) ("Delizia")

Deliza (*f.*) (*raro*)

Dell (*f.*) ("Piccola valle")

Della (*Ing*) (*f.*) (*abbr.*) // *v.* Adelaide, Cordelia

Delle (*f.*) (*Ebr.* "Dissonanza" "Alterco"); *v.* Dell.

Delman (*m.*) (*raro*)

Delmar (*m.*) (*Fr. ant.*; *Lat.* "Del mare" "Dal mare") // *var.* e *dim.* Del, Dell, Delmer, Delmore

Delmara (*f.*) (*Sp.* "Dal mare"); *var.* Delma

Delmon (*m.*) (*raro*)

Deloise (*f.*) (*raro*)

Delora (*f.*) ("Dalla costa del mare")

Delores (*f.*) *v.* Dolores

Delphi (*f.*) ("L'oracolo")

Delphine (*f.*) *v.* Delfina

Delross (*m.*) (*raro*)

Delsin (*m.*) (*Ind. Nordam.* "Egli è così") // *var.* e *dim.* Del, Delsie, Delsy

Delta (*f.*) ("Quarta")

Delton (*m.*) (*raro*)

Delu (*f.*) (*Afr.* "Prima femmina nata dopo tre maschi)

Delwyn (*m.*) (*Ing. ant.* "Amico

fiero") // *var.* e *dim.* Dell, Delin, Winnie, Winny, Wynn

Delynden (*f.*) (*raro*)

Delyse (*f.*) ("Delizia")

Demar (*m.*) ("Del mare")

Demarcos (*m.*) (*raro*)

Demarest (*m.*) (*raro*)

Demetra (Dea del grano) (*Gr.* "Madre Terra") // *var.* Demitria, Demetria, Dimitra, Dimitria) 21 *giu.*

Demetria (*f.*) 21 *giu.*; *v.*Demetra

Demetriade (*m.*) 24 *feb.*

Demetrio (*m.*)(*Gr.* "Madre Terra", Dea della fertilità); 22 *dic.*; 8, 26 *ott.*; 25 *gen.*; 9 *apr.*; 14 *ag.*; 1, 10, 29 *nov.* // *var.* e *dim.* Demeter, Demetrius, Dimitry (*Ing*); Dimitr (*Bul*); Demetre (*Fr*); Demetrois, Dimitrios, Dimos, Mimis, Mitzos, Takis (*Gr.*); Demeter, Domotor (*Ung*); Demetrio (*Sp*); Dymek, Dymitry, Dyzek (*Pol*); Dima, Dimitre, Dimitr, Dmitri, Dmitrik (*Rus*)

Demetrius (*m.*) *v.* Demetrio

Demiro (*m.*) (*Lat.:* "Meraviglioso") 30 *set.*

Democrito (*m.*) (*Gr.:* "Giudice del popolo") 31 *lug.*

Demostene (*m.*) (*Gr.* "Forza del popolo)

Demothi (*m.*)(*Ind. Nordam.* "Colui che parla camminando")

Dena (*f.*) (*Ind. Nordam.* "Vallata")

Denae (*f.*) (*raro*)

Denalee (*f.*) (*Nome doppio*)

Denby (*m.*) (*Scan.* "Dall'accordo Danese") // *var.* e *dim.* Danby, Dennie, Denny

Dene (*f.*) *v.* Diane.

Deneen (*f.*) (*Nome con orig.da cognome*)

Deni (*f.*) (*Abbr.* di Dennis)

Denis (*m.*) (*Fr.*) *v.* Dionigi

Denise (*f.*)(*Gr*) *v.*Dionisia; *femm.* di Denis

Denisia *v.* Dionisia

Deniz (*Tur.* "Mare in tempesta")

Denley (*m.*) (*Ing. ant.* "Dal posto della valle"); *dim.* Dennie, Denny, Lee, Leigh

Denman (*m.*) ("Uomo della valle")

Denni (*f.*) (*abbr.* di Dennis)

Dennis (*m.*) *v.* Dionisio, Dionigi

Dennison (*m.*) (*Ing. ant.* "Figlio di Dennis") // *var.* e *dim.* Denison, Dennie, Denny, Sonny

Denton (*m.*)(*Ing. ant.* "Dalla fattoria della valle"); *dim.* Dennie, Denney, Denny, Dent, Tony

Denver (*m.*) (*nome geografico*)

Deodata (*f.*) *v.* Deodato; 1, 8 *nov.*

Deodato (*m.*) (da Adeodato; *Lat.* "Dato, donato a Dio") 10, 19, 27 *giu.*; 24 *apr.*; 2, 8 *lug.*; 10 *ag.*; 27 *set.*; 9 *ott.*; 8 *nov.* // *var.* Adéodat, Déodat, Déodate, Dié, Dieudonné (*Fr.*)

Deograzia (*m.*) (*Lat.* "Grazie a Dio" "Grazia di Dio") 22 *mar.*

Deon (*m.*) ("Pio" "Devoto")

Deonna (*f.*) *v.* Dionne

Der (*m.*) *Abbr.* di Derek

Derald (*m.*) (*raro*)

Derbilla (*f.*) (Oriunda di Derbe) 26 *ott.*

Derby (*m.*) ("Posto del cervo")

Derek (*m.*) *v.* Teodorico

Dermot (*m.*) (*Gael.* "Uomo libero"); *var.* Dermott

Deron (*m.*) *v.* Darren

Deror (*m.*) (*Ebr.* "Libertà" "Libero fluire" "Rondine") // *var.* Derori (*Isr*)

Derora (*f.*) (*Ebr.* "Ruscello che scorre" "Libertà" "Rondine") // *var.* Derorice, Deroit

Deroyce (*m.*) (*raro*)

Derrek (*m.*) *v.* Derek

Derrell (*m.*) *v.* Darrell

Derrick (*m.*) *v.* anche Theodoric

Derrill (*m.*) *v.* Darrell

Derron (*m.*) *v.* Darren

Derry (*m.*) (*Irl. gael.* "Dai capelli rossi") // *var.* Dare, Darrie

Derwin (*m.*) (*teut.* "Amico degli animali" "Amico della gente") // *dim.* Winnie, Winny

Deshay (*m.*) (*raro*)

Desi (*m.*) (*raro*)

Desiderata (*f.*) *v.* Desiderata

Desiderato (*m.*) (*Lat.*) *v.* Desiderio

Desideria (*f.*) 8, 23 *mag.*; *v.* Desiderata, Desiderio; *var.* Didia, Didiane

Desiderio (*m.*) (*Lat.*) 23 *mag.*;

10, 11 *feb.*; 25 *mar.*; 7, 19, 30 *set.*; 19 *ott.* // *var.* Dees, Desideratus, Desiderius, Désirat, Désirée, Didier, Dizier

Desiré (*f.*) (*Fr*) *v.* Desideria, Desiderata

Desirée (*f.*) (*Fr.*) *v.* Desideria, Desiderata

Desma (*f.*) (*Gr.* "Voto" "Pegno")

Desmond (*m.*) (*gael.* "Uomo del sud di Munster" "Uomo del mondo")

Deston (*m.*) (*raro*)

Deusdedito (*m.*) (*med.* "Dedito a Dio") 8 *nov.*; 9 *ott.*; 2 *lug.*

Dev (*m.*) (*abbr*) *v.* Devlin

Deva (*f.*) (*hindu* "Divina")

Devaki (*f.*) (*hindu* "Nero")

Devane (*m.*) (*raro*)

Devaughn (*m.*) (*raro*)

Deveral (*m.*) (*raro*)

Devereau (*m.*) ("Rispettoso")

Deverick (*m.*) (*raro*)

Devi (*f.*) (*hindu; sans.*: Uno dei nomi della Dea Hindu della distruzione "Sakti")

Devin (*m.*) (*gael.* "Poeta")

Devitt (*m.*) (*raro*)

Devland (*m.*) *v.* Devlin

Devlin (*m.*) (*Irl. gael.* "Coraggioso" "Fiero) // *var.* e *dim.* Dev, Devland, Devlen, Devlyn

Devon (*m.*) (*Nome geografico*)

Devona (*f.*) (*Ing.*: da "Devon" o "Devonshire") // *var.* Devon, Devone, Devonna, Devonne

Devora (*f.*) (*Rus.*) *v.* Deborah

Devota (*m.*) (*Lat*) 27 *gen.*

110

Dewain / Dewayne (*m.*) (*raro*)

Dewey (*m.*) (*Gall.*"Amato" "Costoso"); *v.* David, Davide; *var.* Dewie

Dexter (*m.*) (*Lat.* "Che usa la mano destra" "Destro" "Abile") // *dim.* Dex

Dextra (*f.*) ("Destra") (*raro*)

Deyton (*m.*) (*raro*)

Dezba (*f.*) (*Ind. Navaho* "Colei che va in guerra")

Diacono (*m.*) (*Gr.* "Servo di Dio") 17 *gen.*; 3 *lug.*

Diahann (*f.*) *v.* Diane

Diamante (*Gr.* "Indomabile")

Diana (*f.*) (*sans.*; *Lat.*; *Gr.* "Celeste" "Luminosa" "Divina") (*Lat.*: Dea della caccia) 9, 10 *giu.*; 13 *nov.* // *var.* e *dim.* Dee, Di, Diahann, Dian, Dianna, Deana, Deanna, Dyan, Dyana, Dyane (*Ing*); Diani (*Port*) // Deane, Deanie, Dia, Diann, Diane, Divia, Diviana, Dyanna, Dyanne

Dianda / Diandra (*f.*) (*raro*)

Diane (*f.*) (*Fr.*) *v.* Diana

Diann (*f.*) *v.* Diana

Diantha (*f.*) (Dal fiore Dianto, garofano: "Fiore divino"); *var.* Dianthe, Diantha

Dibia (*m.*) (*Nig.* "Colui che ferisce")

Dichali (*m.*) (*Ind. Nordam.* "Egli parla spesso")

Dick (*m.*) *abbr.* di Richard

Dickla (*f.*) (*Ebr.* "Palma") // *var.* Dikla, Diklice, Diklit

Dickson (*m.*) (*Ing. ant.* "Figlio di Richard") // *var.* e *dim.* Dix, Dixon, Sonny

Didaco (*m.*) (*Gr.* "Istruito") 24 *mar.*

Didi (*m.*) (*Isr.*: *dim.* di Jedidiah "Amato dal Signore"); *var.* Deedee

Didier (*m.*) (*Fr.*) 23 *mag.*; *v.* Desiderio

Didimo (*Gr.* "Due volte gemello") 8, 11 *set.*; 28 *apr.*; 10 *dic.*

Didio (*m.*) (*Lat.* "Che appartiene a Dio") 26 *nov.*

Dido (*f.*) (*Ing.*) *v.* Didone

Didone (*f.*) (*Gr.*: Regina di Cartagine)

Diego (*m.*) (*Sp.*) (*Gr.* "Istruito") (*v.* Didaco) 12, 13 *nov.*; 26 *mar.*; 25 *feb.* // *var.* Diacus // Dieghito (*Sp.*); Diago, Diogo, Diaz, Diez (*Port.*)// *v.* Giacomo, Giacobbe

Dietra (*f.*) (*raro*)

Dietrich (*m.*) *v.* Theodoric, Teodorico

Dieudonné (*m.*) (*Fr.*) *v.* Deodato

Dilan (*m.*) *v.* Dylan.

Dillon (*m.*)(*gael.*: "Fedele" "Leale"); *dim.* Dill, Dillie, Dilly

Dilys (*f.*) (*Gall.*) *femm.* di Dylan; *var.* Dylana

Dima (*m*) (*Rus.*) *dim.*di Vladimir

Dimitri (*m.*) *v.* Demetrio

Dimpna (*Celt.* "Che porta amore") 15 *mag.*

Dina (*dim.*) *v.* Dino

Dinah (*f.*) (*Ebr.* "Giudicata" o "Vendicata"); *var.* Deena, Dina

Dineen (*f.*) (*Nome con orig. da cognome*)

Dini (*f.*) (*abbr.*) *v.* Diane

Dinka (*f.*) (*Afr.* "Popolo")

Dino (*m.*) (*dim.* di nomi come Aldobrandino,Bernardino, Corradino, Orlandino, Gherardino, Rinaldino)

Dinos (*m.*)(*Gr*) *dim.*di Costantino

Diocle (*m.*) (Oriundo di Dioclea, località del Montenegro) 24 *mag.*

Dioclezio (*m.*) (Da Dioclea, in Dalmazia, forse patria di Diocleziano) 11 *mag.*

Diodata (*f.*) 31 *set.*

Diodato (*m.*) (*Lat.* "Donato da Dio") 8 *nov.*

Diodoro (*m.*)(*Gr.* "Dono di Dio") 17 *gen.*; 26 *feb.*; 3, 18 *mag.*; 6 *lug.*; 11 *set.*; 25 *ott.*; 1 *dic.*

Diogene (*m.*) (*Gr.* "Prole di Giove" "Figlio di Dio") 5 *apr.*

Diomede (*m.*) (*Gr.* "Affidato a Giove" "Affidato alle cure di Dio") 16 *ag.*; 2, 11 *set.*

Diomma (*m.*) (*Celt.* "Profeta della divinità") 12 *mag.*

Dion (*m.*) (*Am.*) *v.* Dennis // *var.* Deon (*Ing*); Dione (*Fr*)

Dione (*m.*) (*Gr.* "Originato da Dio") 6 *lug.* // *var.* Diona, Dionis, Dionna, Deonne, Dionne

Dionigi (*m.*) *v.* Dionisio

Dionigia (*f.*) *v.* Dionisia

Dionisa (*f.*) 15 *mag.*; 12 *dic.*

Dionisia (*f.*) (*Gr*) *var.* Denice, Denyce, Denyse

Dionisio (*m.*) (*Lat.*; *Gr.* "Consacrato a Dionisio", Dio del vino, dell'ebbrezza e della vegetazione) 8 *mag.*; 8 *feb.*; 10, 16, 23 *mar.*; 8, 16, 24 *apr.*; 25 *mag.*; 3 *giu.*; 3, 9 *ott.*; 20, 29 *nov.* // *var.* e *dim.* Den, Denis, Denney, Denny, Deon, Dion, Dwight (*Ing*); Denis, Denys, Dione (*Fr*); Dionysus (*Ted*); Denes, Dennes (*Ung*); Denis (*Irl*); Denis, Denys, Denka, Denya (*Rus*); Dionis, Dionisio, Nicho (*Sp*) // Denice, Denise, Dennet, Dennie, Dennis, Denyse, Dion, Dionigia, Dionise, Dioniza, Denijse, Denissia, Dyonise, Dyonisos, Dyonisius, Nise, Nisi // *v.* Dionigi

Dioscoride (*m.*) (*Gr.* "Giovine dato da Dio) 10, 28 *mag.*

Dioscoro (*m.*) (*Gr.* "Giovine dato da Dio) 25 *feb.*; 18 *mag.*; 14 *dic.*

Dirk (*m.*) (*abbr.* di Derik); *v.* Theodoric, Teodorico

Disa (*f.*) (*Norv. ant.* "Dispetto" "Ripicca"; *Gr.* "Doppia")

Disma (*m.*) (Il ladrone, crocifisso alla destra di Gesù) 25 *mar.*

Dita (*f.*) (*Cec.*); *v.* Edith

Divo (*Lat.* "Divino") 19 *lug.*

Dixie (*f.*)(*Ing.*; *Am.* "Ragazza del Sud")

Dixon (*m.*) ("Figlio di Dick"); *v.* Dickson

Diza (*f.*) (*Ebr.* "Gioia"); *var.* Ditza, Ditzah

Djamela (*f.*)(*Port., Mozambico*)

Djamila (*f.*) *v.* Jamila

Dmitri (*m.*) *v.* Demetrio

Do (*f.*) (*Afr.* "Prima figlia dopo i gemelli")

Doan / Doane (*m.*) ("Scuro")

Doba (*f.*) (*Ind. Navaho*: "Quando non c'è la guerra")

Dobry (*m.*) (*Pol.* "Buono")

Docilla (*f.*) (*Lat.* "Gentile" "Che apprende facilmente"); *var.* Docila

Doda (*Celt.* "Dodici") 24 *apr.* // *dim.* di Dodie

Dodi / Dody (*f.*) *v.* Dodie

Dodie (*f.*) (*Ebr.* "Amata"); *dim.* Doda, Dodi, Dody

Doe (*f.*) (*Anglo-Sass.* "Cervo")

Dofi (*f.*) (*Afr.* "Seconda figlia dopo i gemelli")

Dohosan (*m.*)(*Ind.Nordam.* "Piccolo bluff" "Inganno")

Dolan (*m.*) (*Gael.* "Dai capelli scuri")

Dolcelino (*m.*) (*Prov.* "Che suona soavemente") 8 *giu.*

Dolina (*m.*) (*Celt.* "Cerchiata") 14 *ott.*

Dolley / Dolly (*f.*) *v.* Dorothy

Dolores (*f.*) (*Iber.* "Addolorata"); 15 *set.* // *var.* e *dim.* Dolly, Doloria, Dolorita, Lolly // Delora, Delores, Deloris, Delorita, Lola, Lolita (*Ing*); Dolore (*Haw.*); Doloritas, Dolorcitas, Lola, Lolita (*Sp*) // *v.* Addolorata

Dolph / Dolphe (*m.*) *v.* Adolph; Randolph; Rudolph

Domenica (*f.*) (*Lat.* "Consacrata al Signore, o a Dio") 6 *lug.*; 13 *mag.* // *var.* e *dim.* Domien, Dominick, Mini, Minkes, Nick, Nickie, Nicky, Nikki, Nikoucha // Dom, Domini, Dominic, Dominica (*Ing*); Doma, Domek, Dominik, Dumin (*Cec.*); Dominique (*Fr.*); Dominik (*Ted*); Dominik, Niki (*Pol*); Dominika, Domka, Mika, Nika (*Rus*); Dominga, Chumina (*Sp*)

Domenico (*Lat.* "Consacrato al Signore") 22 *gen.*; 9 *mar.*; 4, 6, 7, 8, 12, 24 *mag.*; 4, 7, 8, 14 *ag.*; 14, 27 *ott.*; 20, 29 *dic.* // *var.* e *dim.* Dom, Dominic, Nick, Nickie, Nicky (*Ing*); Dominik, Domek, Dumin (*Cec.*); Dominique (*Fr*); Meneghino; Menico, Mimma, Mimmo(*It.*); Chuma, Chumin, Chuminga, Domicio, Domingo, Mingo(*Sp*); Deco, Dome, Domo, Domokos, Domonkos (*Ung*); Dominik, Donek, Niki (*Pol*); Domingos (*Port*) // Nikki

Domezio (*m.*) (*Lat.* "Appartenente alla casa") 5 *lug.*; 7 *ag.*

Dominatore (*m.*) (*Lat.* "Che domina" "Che comanda") 5 *nov.*

Domingo (*m.*) (*Sp.*) *v.* Domenico

Domini (*f.*) *dim.* di Dominique o *var.* di "Domina": Domenica

Dominick (*m.*) (*f.*) *v.* Domenica,

Domenica

Dominique (*m.*) (*f.*) *v.* Domenica, Domenico

Domitilla (*f.*) (*Lat.:* "Casa" "Residenza") 12 *mag.*

Domiziano (*m.*) (Dal cognomen della gens Domitia e ha lo stesso significato di Domitilla) 10 *gen.*; 9 *ag.*; 1 *ag.*; 28 *dic.*; 7 *mag.*

Domizio (*m.*) (*Lat.* "Che appartiene alla casa") 23 *mar.*; 5 *lug.*; 22 *ott.*; 28 *mar.*

Domneone (*m.*) (*Lat.* "Signore") 16 *lug.*

Domnione (*m.*) (*Lat.* "Signore") 28 *dic.*

Don (dim. di nomi inizianti per "*Don*")

Donahue (*m.*) (*Irl. gael.* "Guerriero del buio"); *dim.* Don, Donn, Donnie, Donny, Donohue

Donald (*m.*) (*Fr.*; *Ing.*; *Irl.*) *v.* Donaldo

Donalda (*f.*) (*Scoz.*) *v.* Donald, Donaldo // *var.* Donella

Donaldo (*m.*) (*It*) (gael. "Sovrano" "Signore" "Padrone del mondo") // *var.* e *dim.* Don, Donal, Donn, Donnie, Donny (*Ing*); Tauno (*Fin*); Donalt (*Nor*); Pascual (*Sp*); Bogdan, Bohdan, Bogdashka, Danya (*Ucr.*) // *v.* Donald

Donat (*m.*) *var.* di Donato

Donata (*f.*) (*Lat.* "Dono") 31 *dic.* // *var.* Donia.

113

Donatella (*f.*) ("Dono di Dio") 22 *ott.*; *v.* anche Donato

Donatello 22 *ott.* // *v.* anche Donato

Donatien (*m.*) (*Fr.*) // Donatienne (*f.*) // *v.* Donato

Donatilla (*f.*) (*Lat.* "Dono di Dio") 30 *lug.*

Donato (*m.*)(*Lat.* "Dono di Dio") 7, 19, 23 *ag*; 25 *gen.*; 4, 9, 17, 25 *feb.*; 1 *mar.*; 30 *apr.*; 21 *mag.*; 1, 5 *set.*; 22, 29 *ott.*; 30 *dic.* // *var.* e *dim.* Don, Donat, Donnie, Donny, Donatus (*Ing*); Donatella, Donatello (*It*); Dodek, Donat (*Pol*)

Donaziano (*m.*) (*Lat.* "Donato da Dio") 24 *mag.*; 7, 9 *ag.*; 6 *set.*; 13 *ott.*

Donegan (*m.*) (*raro*)

Doni (*f.*) (*Am.* da Donna: "Signora" o da "Donalda" "Sovrana del mondo") // *var.* e *dim.* Donie, Donni, Donnie

Donielle (*f.*) (*raro*)

Donna (*f.*) (*Ing.* *Am.*) (*Lat.* "Signora") 28 *dic.*

Donnalee (*f.*) (*Nome doppio*)

Donnelle (*f.*) *v.* Donna

Donnelly (*m.*) (*Gael.* "Tenebroso e prode") (*Celt.* "Coraggioso uomo scuro o di colore"); *var.* e *dim.* Donnell, Don, Donn, Donnie, Donny

Donnina (*f.*) (*dim.* di "Donna": "Signorina") 14 *apr.*; 12 *ott.*

Donnino (*m.*) (*Lat.* "Signorino") 1, 9 *ott.*; 21, 30 *mar.*; 5 *nov.*

Donnione (*m.*) (*Lat.* "Grande signore") 11 *apr.*; 16 *lug.*

Donno (*m.*) (*Lat.*) 10 *feb.*

Donnolo (*m.*) (*dim.* di Donno) 16 *mag.*

Donovan (*m.*) (*gael.* "Guerriero del buio"); *dim.* Don, Donn, Donnie, Donny // *var.* Donavon, Dunavan

Donvina (*f.*) (*Celt.* "Signora coronata") 23 *ag.*

Doorya (*f.*) (*Irl.* "La profondità"); *var.* Dooya

Dor (*m.*) (*Ebr.* "Una generazione" o " Una casa")

Dora (*m.*)(*Gr.* "Dono" "Regalo") 1 *apr.*// *var.* e *dim.* Doralin, Doralynne, Doreen, Dorelia, Dorena, Doretta, Dorette, Dori, Doris, Dorita, Dorrie; *v.* Dorotea, Isidora, Pandora, Teodora

Doralee (*f.*) (*Nome doppio*)

Doralice (*f.*) (*Lat.* "Dono dell' alba")

Doralyn (*f.*) (*Nome doppio*)

Doran (*m.*)(*Gr.* "Dono" "Regalo"); *var.* Dorn, Dorran, Dorren

Doranne (*f.*) (*Nome doppio*)

Dorcas (*f.*) (*Gr.* "Gazzella"); *var.* Dorca, Dorcea, Dorcia

Dorè (*f.*) (*Fr.* "Dorata" "D'oro"); *var.* Dorèe, Doreen, Dorene

Doreen (*f.*) *v.* Dorè

Dorek (*m.*) (*Pol.* di Theodore: "Dono di Dio")

Dorena (*f.*) (*raro*)

Dori (*f.*) (*abbr*) *v.* Dora, Fedora, Teodora ecc,

Dorian (*m.*)(*Fr. Ing.*) *v.* Doriano
Doriana (*f.*) *v.* Teodora
Dorianna (*f.*) (*Nome doppio*)
Dorianne (*f.*) (*Fr.*) *v.* Doriano
Doriano (*m.*) (*Gr.*"Figlio del mare" "Dal mare"); *var.* Dore, Dorey, Dorie, Dory // *v.* anche Teodoro
Dorina (*f.*) *v.* Teodora
Dorinda (*f.*) (*Gr.* "Bel dono"
Doris (*f.*) (*Gr.* "Colei che è del mare" "Generosa" "Dono""Colei che viene dall'oceano"); *var.* Dorea, Dorisse, Dorrise // Dori, Doria, Dorice, Dorise, Dorri, Dorrie, Dorris, Dory (*Ing*); Dorisa (*Haw*) // *v.* Dorotea
Dorit (*f.*) (*Ebr.* "Una generazione"); *var.* Dorice
Dorla (*f.*) (*raro*)
Doro (*m.*) (*Gr.* "Regalo" "Dono") 20 *nov.*
Doron (*m.*) (*Ebr.* "Un dono")
Dorotea (*f.*) (*Gr.* "Dono di Dio") 6 *feb.*; 3 *set.*; 30 *ott.* // *var.* e *dim.* Dode, Dodi, Dodie, Dody, Doll, Dolley, Dolli, Dollie, Dolly, Dora, Dori, Dorolice, Dorotha, Dorothea, Dorothia, Dorothie, Dorothy, Dortha, Dorthea, Dorthy, Dory, Dosi, Dot, Dotti, Dottie, Dotty, Dottye (*Ing*); Dora, Dorka, Dorota (*Cec*); Dorothée, Dorette, Doralice, Dorolice (*Fr*); Dore, Dorchen, Dorle, Dorlisa, Thea (*Ted*); Theadora (*Gr*); Dorte (*Norv.*); Dorka, Dorosia, Doro-

ta (*Pol*); Dol, Dorotthea(*Rum.*); Doroteya, Dorka, Dasha, Dosya, Fedora (*Rus*); Dorotea, Teodora (*Sp*); Lolotea (*Ind. Zuni*) // Doortje, Doralicia, Dorinda, Doris, Dorit, Dorke, Dorocha, Dorofei, Doroteo, Drothea, Duredle, Durl // *v.* anche Dora, Doris
Doroteo (*m.*) (*Gr.* "Dono di Dio") 28 *mar.*; 5 *giu.*; 9 *set.*; *v.* anche Adeodato, Deodato, Diodato, Donaziano, Teodoro, Teodata, Teodato
Dorothy (*f.*) *v.* Dorotea
Dorran (*m.*) (*raro*)
Dorre (*f.*) (*raro*)
Dorren (*m.*) (*raro*)
Dorris (*f.*) (*Nome con orig. da cognome*)
Dorry (*f.*) (*abbr*)
Dory (*m.*) e (*f.*) (*Fr.* "Dai capelli d'oro") *var.* e *dim.* Dori, Dorri, Dorrie, Dorry, Teodora
Dosya (*f.*) (*Rus.*) *dim.* di Dorotea
Dotan (*m.*) (*Ebr.* "Legge") *var.* Dothan
Doto (*f.*) (*Afr.* "Seconda dei gemelli")
Dough (*m.*) *abbr.* di Douglas
Douglas (*m.*) (*Scoz., gael.* "Dall'acqua tenebrosa") // *var.* e *dim.* Doug, Dough, Douglass, Dugald
Douwe (*m.*) (*Frisone, Ol.* "Colui che vuole riuscire" "Aver successo")
Dov (*m.*) *v.* Davide

115

Dove (*f.*) (*Ing. ant.* "Colomba") // *var.* Dovie

Dovev (*m.*) (*Ebr.* "Sussurrare" "Parlare a bassa voce")

Doyle (*m.*) (*Celt.* "Straniero di colore")

Dracon (*m.*) ("Dragone") // *var.* Drake

Drake (*m.*) (*Ing.* "Colui che ha il Segno del Dragone nella sua locanda")

Drayce (*m.*) (*raro*)

Dreena (*f.*) (*abbr.*)

Dreng (*m.*) (*Norv.*: "Bracciante agricolo" o "Uomo coraggioso")

Drew (*m.*) *abbr.* di Andrew // (*Teut.* "Fidato") // *var.* Dru

Drina (*f.*) (*Sp*) *v.* Alessandra

Drisa (*f.*) (*raro*)

Drisana (*f.*) (*sans.* "Figlia del sole") *dim.* Drisa

Driscoll (*m.*) (*Celt.* "Interprete")

Drogone (*m.*) (*Celt*)

Drottoveo (*Celt.* "Abitante delle zone boscose") 10 *mar.*

Druce (*m.*) (*Celt.* "Uomo saggio) *dim.* Dru

Drucilia (*f.*) *v.* Drusilla

Drummond (*m.*) ("Sopra la collina")

Drusiana (*f.*) *var.* di Drusiana

Drusilla (*f.*) (*Gr.*: "Quercia") (*femm.* di Druso) 14 *dic.*; *var.* e *dim.* Dru, Drucie, Drucilla, Drusa, Drusiana, Drusie, Drusille

Druso (*m.*) (*Gr.* "Quercia") (*orig. etn.* "Appartenente ai Drusi")

24 *dic.*

Dryden (*m.*) (*Ing. ant.* "Della valle arida")

Duane (*m.*) (*gael.* "Piccolo e scuro") *var.* Dwain, Dwane, Dwayne

Duarte (*m.*) ("Guardiano")

Dubrizio (*m.*) (*Celt.* "Di alta statura") 14 *nov.*

Duccio (*m.*) *dim.* di Rolando; di Andreuccio, Barduccio, Corraduccio, Guiduccio, Tebalduccio ecc.

Duci (*f.*) (*Ung.*) *v.* Edith

Dudee (*f.*) (*Ing.*, *Git.* "Una luce o una stella")

Dudley (*m.*) (*Ing. ant.* "Colui che viene dal campo del popolo") // *var.* e *dim.* Dudd, Dudly, Lee, Leigh

Duff (*m.*) (*gael.* "Dai capelli scuri" "Dal volto scuro") *dim.* Duffy

Dugan (*m.*) (*raro*)

Duilia (*f.*) *v.* Duilio

Duilio (*m.*) (*Lat.* "Duello" "Battaglia") 18 *dic.*

Duina (*f.*) (*tronc.* di Madruyna) 5 *set.*

Duke (*m.*)(*Lat.; Fr. ant.:* "Capo" "Duca") *abbr.* di Dukker

Dukker (*m.*) (*Ing.*, *git.* "Incantare" "Ammaliare" "Dire il destino") *var.* Duke

Dula (*f.*) (*Gael.* "Gemella") 25 *mar.*; 15 *giu.*

Dulaine / Dulane (*m.*) (*raro*)

Dulcie (*f.*) (*Lat.* "Dolce") // *var.*

e *dim.* Dulcea, Dulcia, Dulcina, Dulcine, Dulcy

Dulia (*f.*) (*tronc.* di Obdulia) 5 *set.*

Dumaka (*m.*) (*Nig.* "Aiutami con le mani")

Duman (*m.*) (*Tur.*: "Foschia" "Nebbia")

Dumichel (*m.*) *v.* Michele

Dumont (*m.*) ("Dalla montagna"

Duncan (*m.*) (*Scoz.*, *gael.* "Un capo dalla carnagione scura" "Guerriero del buio") // *var.* e *dim.* Dun, Dune, Dunn, Dunne

Dunham (*m.*) (*Celt.* "Uomo di pelle scura o di colore") // *var.* e *dim.* Dun, Dunam

Dunstan (*m.*) (*Ing.* "Dalla fortezza della pietra marrone") *dim.* Stan

Dunstano (*m.*) (*orig. etn.* "Oriundo di Dunston")19 *mag.*; 8 *nov.*

Dunton (*m.*) (*Ing. ant.* "Dalla terra delle colline") *dim.* Tony.

Dur (*m.*) (*Ebr.* "Accatastare")

Durango (*m.*) (*nome di città*)

Durant (*m.*) (*Lat.*) *v.* Durante

Durante (*f.*) (*Lat.* "Tollerante"; *Celt.* "Forte" "Sicuro") 23 *gen.*; 11 *feb.*; 18 *nov.*: *var.* Dante, Durrand

Durbin (*m.*) (*raro*)

Durriken (*m.*) (*Ing.*, *git.* "Colui che predice il destino")

Durril (*m.*) (*Ing. git.* "Uva spina") *var.* Dur

Durva (*f.*) (*hindu:* "Erba santa" "Erba cerimoniale")

Durward (*m.*) (*Ing. ant.* "Portiere" "Guardiano")

Durwin (*m.*) (*Ing. ant.* "Amico caro") *dim.* Winnie, Winny

Dusan (*m.*) (*Ser.; Cr.*) *v.* Daniele

Dusha (*f.*) (*Rus.* "Anima")

Dustin (*m.*)(*Teut.* "Combattente audace") // *var.* e *dim.* Dust, Dustie, Duston, Dusty, Dustyn

Dusya (*f.*) *v.* Nadia

Duval / Duvall (*m.*) (*raro*)

Dwain (*m.*) (*raro*)

Dwight (*m.*) (*Teut.* "Giusto" "Onesto") *v.* De Witt, Denis // (*Ted. ant.* "Biondo" o "Bianco")

Dyami (*m.*) (*Ind. Nordam.* "Aquila")

Dyan (*f.*) (*Am. mod.*) *v.* Diana

Dyani (*f.*) (*Ind. Nordam.* "Cervo")

Dylan (*m.*) (*Gall. ant.* "Del mare" "Figlio dell'onda" "Figlio del mare") *dim.* Dill, Dillie, Dilly

Dyna / Dynah (*f.*) *v.* Dinah.

Dyre (*m.*) (*Norv.* "Caro" o "Prezioso")

Dyson (*m.*) (*raro*)

E

Eadberto (*m.*) (*Celt.* "Discendente di Berto") 6 *mag.*

Eagan (*m.*) *v.* Egan

Eames (*m.*) (*raro*)

Eamon (*m.*) *v.* Edmund

Earl (*m.*) (*Ing. ant.* "Nobiluomo") // *var.* e *dim.* Earle, Earlie, Early, Erl, Erle, Errol, Erroll

Earlene (*f.*) (*Ing. ant.* "Nobildonna") *var.* Earline, Erlene, Erline.

Eartha (*f.*) (*Ing. ant.* "La terra" "Ragazza della terra") *var.* Erda, Erta, Ertha, Herta, Hertha // *v.* anche Areth

Easter (*f.*) (*Am.:* nome *der.* dalla festività pasquale)

Easton (*m.*) ("Città dell'Est")

Eaton (*m.*) (*Ing. ant.* "Dalla città del fiume") // *dim.* Tony.

Ebba (*f.*) (*Gr.* "Giovane donna") 1 *nov.*

Ebbone (*m.*) (Pieno di gioventù) 27 *ag.*

Ebe (*f.*) (*Gr.* "Gioventù": coppiera degli Dei) 25 *ag.* // *var.* Hebe

Eben (*m.*) (*Ebr.* "Pietra") *dim.* Eb, Ebby

Ebenezer (*m.*) (*Ebr.* "Pietra dell'aiuto") *dim.* Eb, Eben, Ebby.

Eberardo (*m.*) (*Celt.* "Ardimentoso come un cinghiale") 22 *giu.*

Eberhard (*m.*) *v.* Everett // *var.* Eberhart

Ebone (*m.*) (*Celt.* "Corrucciato") 15 *feb.*

Ebony (*f.*) (*ebano*) (*Am.:* "Oscurità" "Nero" "Albero")

Ebrulfo (*m.*) (*Sass.* "Lupo abbagliante") 29 *dic.*

Eccelino (*m.*) (*Ted. ant.* "Guerriero") 15 *giu.* // *v.* anche Ezzelino

Ecdicio (*m.*) (*Gr.* "Spogliato")

Echo (*f.*) (*Gr.:* la ninfa che amò Narciso)

Ed (*m.*) *dim.* di Edan, Edgard, Edison, Edmond, Edric, Edsel, Edward, Edwin

Eda (*f.*) *v.* Edith

Edan (*m.*) (*Celt.* "Di fuoco" "Igneo") *dim.* Ed, Eddie, Eddy

Edana (*f.*) *v.* Edan

Edda (*f.*) (*Got.:* "Madre" "Sorella maggiore") 7 *lug.* // (*Dan.*) *v.* Edvige

Eddie (*m.*) e (*f.*) *v.* Eddy

Eddo (*m.*) (*Celt.* "Bisavolo")

Eddy (*m.*) (*Scan.* "Instancabile")

Eddy (*m.*) e (*f.*) *dim.* di Edan, Edgard, Edison, Edmond, Edmunda, Edna, Edric, Edsel, Edward, Edwarda, Edwin, Edwina

Edelberga (*f.*) (*Sass.* "Nobile aiutante") 10 *set.*

Edele (*f.*) (*Nome con orig. da cognome*)

Eden (*m.*) e (*f.*) (*Ebr.* "Delizia, diletto" o "Posto del diletto e del piacere")

Edena (*f.*) (*Haw.*) *v.* Edna

Edesio (*m.*) (*Lat.* "Senza desideri") 8 *apr.*

Edette (*It*) *v.* Edith

Edgar / Edgard (*m.*) (*Fr.*) *v.*

Edgardo
Edgardo (*m.*) (*Anglo-sass.* "Dardo della prosperità") 13 *ott.*; 8 *set.* // *var.* e *dim.* Ed, Eddie, Eddy, Ned, Neddy, Ted, Teddy (*Ing*); Edko, Edus (*Cec*); Edgard (*Fr.; Ung.*; *Rus*); Edgardo (*Sp*); Edgars (*Let*); Edek, Garek (*Pol*) // Edger, Ogier, Otgar, Otger, Otker

Edik (*m.*) (*Rus*) *v.* Edoardo

Edilburga (*f.*) (*Sass.* "Colei che ha cura del castello") 7 *lug.*

Edilio (*m.*) (*Got.* "Nobiltà") *v.* Edilberto 24 *feb.*

Ediltruda (*f.*) (*Sass.* "Che sa trascinare") 23 *giu.*

Edino (*m.*) *v.* Edwin

Edison (*m.*) (*Ing. ant.* "Figlio di Edward" o "Discendente della ricchezza") // *var.* e *dim.* Ed, Eddie, Eddy, Edisen, Edson

Edistio (*m.*) (*Lat.* "Che sta in alto") 12 *ott.*

Edita (*f.*) (*It.*) *v.* Edith

Edith (*f.*) (*Ing. ant.* "Colei che combatte per le ricchezze"; *Teut.* "Ricco dono") 16 *set.* // *var.* e *dim.* Ada, Ditte, Eadie, Eda, Edika, Edyth, Edythe, Eydie // Dita, Eda, Ede, Edie, Editha, Edithe, Ediva, Edith, Edithe, Eyde (*Ing*); Dita, Dikta, Edita (*Cec.*); Editha (*Ted*); Edi (*Haw.*); Duci, Edit (*Ung*); Edetta, Edita (*It*); Edite (*Let*); Eda, Edka, Edda, Edyta, Ita (*Pol*)

Editta (*f.*) (Forma italiana di Edith)

Edlyn (*f.*) (*Ing. ant.* "Nobile") // *var.* Edla, Edlynne

Edmond (*m.*) (*Fr.*) *v.* Edmondo

Edmonda (*f.*) 20 *nov.*; *v.* Edmondo // *var.* e *dim.* Eddie, Eddy, Edemonda, Edma, Edme, Edmea, Edmonde, Edmée

Edmondo (*m*)(*Anglo-sass* "Protezione della ricchezza") 12 *mar.*; 3, 13 *ott.*; 16, 17, 20 *nov.* // *var.* e *dim.* Admeo, Edmund, Otmund // Ed, Eddie, Eddy, Edmon, Ned, Neddy, Ted, Teddy (*Ing*); Esmond (*Fr*); Odi, Odon (*Ung*); Eamon (*Irl*); Edmunds (*Let*); Mundek (*Pol*); Edmon, Edmond (*Rus*); Edmundo, Mundo (*Sp*)

Edmund (*m.*) *v.* Edmondo

Edmunda (*f.*) (*Ing. ant.*) *v.* Edmonda

Edna (*f.*) (*Ebr.* "Ringiovanimento" o "Delizia") // *var.* e *dim.* Eddie, Eddy, Ednah // Edena (*Haw.*) // (*Ing*) *v.* Ada

Edoardo (*m.*)(*Anglo-sass.*"Guardiano della prosperità") 13 *ott.*; 5 *gen.*; 18 *mar.* // *var.* e *dim.* Ed, Eddie, Eddy, Edward, Ned, Neddy Ted, Teddy (*Ing*); Edko, Edus, Edo, Edvard (*Cec.*); Edouard (*Fr*); Edvard (*Ung*); Ed, Edek, Edzio (*Pol*); Eduardo, Duarte (*Port*); Edgard (*Rom.*); Edvard (*Sv.; Dan*) // Eduard, Edouardik, Eduards,

Ottward, Teddie

Edra (*f.*) (*Ebr.* "Potente") // *var.* e *dim.* Eddie, Eddra, Eddy, Edrea, Edris

Edric (*m.*) (*Ing. ant.* "Sovrano prosperoso) // *var.* e *dim.* Ed, Edrick, Rick, Ricky

Edsel (*m.*) (*Ing. ant.* "Della proprietà dell'uomo ricco") *dim.* Ed, Eddie, Eddy

Edson (*m.*) *v.* Edison.

Eduardo (*m.*) (*Sp.*) *v.* Edoardo

Edvige (*f.*) (*ant. Germ.* "Sacra battaglia") 16 *ott.*; 14 *apr.* // Heda, Hedda, Hedel, Hedgen, Hedi, Hedva, Hedvika, Hedwig, Hedwiga, Hedy, Hetti, Jadwiga, Wiegel, Wig, Wigge

Edvino (*m.*) (*Anglo-sass.* "Amico del dominio") 4 *ott.*

Edward (*m.*) *v.* Edoardo

Edwarda (*f.*) (*Ing. ant.*) *femm.* di Edward // *var.* e *dim.* Eddie, Eddy, Edwardina, Edwardine

Edwige (*f.*) *v.* Edvige

Edwin (*m.*) (*Ing.ant.* "Amico ricco") // *var.* e *dim.* Ed, Eddie, Eddy, Edlin, Eduin, Eduino, Ned, Winnie, Winny

Edwina (*f.*) (*Ing. ant.*: *femm.* di Edwin // *var.* e *dim.* Eadwina, Eadwine, Edana, Eddie, Eddy, Edina, Edine, Edna, Eduine, Edweena, Edwine, Edwina, Edwinna, Winnie, Winny

Eeta (*m.*) ("Egialeo": *Re della Colchide*)

Efebo (*m.*) (*Gr.* "Sopra alla gio-

vinezza") 14 *feb.*; 23 *mag.*

Effie (*f.*) (*Ing.*) (*Soprannome*)

Efisio (*m.*) (*Gr.* "Cittadino di Efeso) 15 *gen.*

Efrem (*m.*) (*Ebr.* "Che porta frutto") 9, 18 *giu.*; 4 *mar.*

Efron (*m.*) (*raro*)

Ega (*f.*) (*Yor., Nig.* "Uccello della palma)

Egan (*m.*) (*gael.* "Forte" "Ardente") *var.* Egon

Egbert (*m.*) *v.* Egberto

Egberta (*f.*) (*Ing. ant.*) *femm.* di Egbert // *var.* e *dim.* Berta, Bertie, Egbertina, Egbertine

Egberto (*m.*) (*Ing. ant.* "Abile con la spada" o "Spada splendente") 24 *apr.* // *dim.* Bert, Bertie, Berty

Egduno (*m.*) (*Celt.* "Rocca di ferro") 12 *mar.*

Egeria (*f.*) (*Gr., etim. inc.*) (*Lat.,* ninfa delle fonti: "Ispiratrice")

Egerton (*m.*) (*Ing. ant.* "Dalla città sulla sommità della collina)

Egesippo (*m.*) (*Gr.* "Povero") 7 *apr.*

Egialeo (*m.*) *v.* Eeta

Egidio (*m.*) (*Gr.* "Figlio dell'Egeo" "Del mare ondoso") 1 *set.*; 23, 27 *apr.* // *var.* Gilles (*Fr.*); Gil, Giles (*Ing.*); Egidius (*Ted.*); Gil (*Sp.*) // *var.* e *dim.* Aegidia, Aegidius, Egide, Gide, Gil, Gildrina, Gileske, Gilet, Gilia, Gill, Gilles, Gillette, Gillis, Gillo, Egid, Egide, Idzi,

Ilian, Jilez // v. anche Gigliola, Giliola

Eginardo (m.)

Egisto (m.) (Gr. "Allevato dalle capre")

Egizia (f.) (orig. etn.)

Eglantina (f.) ("Rosa selvaggia") var. Eglantyne

Eglantine (f.) (Fr. ant.) v. Eglantina

Egle (f.) (Gr. "Splendore" "Luce") 8 mag.

Egmont (m.) (Fiam.: Principe di Gavre "Difensore di libertà") (Pers. di una tragedia di Goethe"; Pers. di una tragedia di Shiller"; "Titolo di una Ouverture di Beethoven")

Egon (m.) (Got. "Spirito) 1 apr. v. Ugo

Eileen (f.) (Ing.) v. Aileen, Elena

Einar (m.) (Norv.; Isl.) (Norv. ant. "Individualista" o "Non conformista")(teut. "Capo guerriero")// var. e dim. Inar (Ing.); Ejnar (Dan.)

Eirardo (m.)

Eirene (f.) (Norv. ant. "Pace")

Ela (f.) (Pol.) // var. e dim. di Adelaide, Elvira, Melania

Elaide (f.)

Elaina (f.) (Ing.) v. Eleonora

Elaine (f.) (Ing.) v. Elena

Elam (m.) (Nome geografico)

Elan (m.) (Ind. Nordam. "Amichevole")

Elano (m.)

Elayne (f.) (Ing.) v. Elena

Elberich (m.) v. Alberico

Elbert (m.) v. Alberto

Elberta (f.) (Ing.) v. Alberta

Elbertina (f.) (Ing.) v. Alberta

Elbertine (f.) (Ing.) v. Alberta

Elbi (f.) (Ing.) v. Alberta

Elbie (f.) (Ing.) v. Alberta

Elby (f.) (Ing.) v. Alberta

Elcena (f.) (raro)

Elda (f.) (Ted. ant. "Battaglia") 5 mar. // v. Alida, Hilda, Ida, Ilda

Elden (m.) (Ing. ant. "Valle dell'elfo") var. Eldon

Eldrado (m.)

Eldrida (f.) (Anglo-Sass. "Saggia consigliera") var. Eldreda

Eldridge (m.)(Ted. "Maturo consigliere") v. Aldrich

Eleanor (f.) v. Elena, Eleonora

Eleazar (m.) v. Lazzaro

Electra (f.) (Gr. "Lucente")

Eleen (f.) (Ing.) v. Elena

Elek (m.) (Ung.) v. Alessandro, Alessandra // (Pol.) v. Aurek

Elena (f.) (Gr. "Luce" "Splendore" "Fonte luminosa") (Corrisponde a Luca, Lucio, Lucia, Lucillo, Lucilla, che hanno il medesimo significato) 13, 18 ag.; 11, 23 apr.; 22 mag.; 23 set.; 7 nov.; 8 dic. // var. e dim. Aleen, Alene, Aline, Aliona, Alionka, Eileen, Eilidh, Elane, Elaine, Elayne, Eleen, Elene, Eline, Elioussa, Ella, Ellen, Ellene, Ellie, Ellye, Ellyn, Ellyne, Elna, Elyn, Helenius,

121

Helenia, Hilchen, Ilonka, Ilene, Iline, Illene, Helaine, Helena, Hellene, Illona, Lana, Leentie, Lena, Lenaic, Lenchen, Leni, Liengen, Lina, Nell, Nella, Nellchen, Nellette, Nelliana, Nellie, Nelly, Oliana, Oliona // Elli, Hele, Lenni (*Est.*); Hélène (*Fr.*); Helen, Helena (*Ing.*); Ileana (*Rum.*); Ilona (*Ung.*); Ileana (*Sl.*)

Elene (*f.*) (*Ing.*) *v.* Elena

Eleni (*f.*) *v.* Elena

Eleonora (*f.*) (*Gr.* "Compassionevole" "Che ha pietà") (*Ar.* "Dio è la mia luce") (*Germ.* "Crescere") 21 *feb.*; 27 *mag.* // *var. e dim.* Alianore, Aliénor, Eleanora, Eleanore, Elenora, Elenore, Elinor, Elinore, Ella, Ellinor, Elly, Elnora, Nora, Lea, Lenora, Leonore, Leora, Leore, Liénor, Lora, Lore, Noor, Noortjie, Nora, Norah, Norina // *var.* Eleonore (*Fr.*); Eleanor (*Ing.*); Aleanora, Leonora (*Sp.*); Leonor (*Ted*)

Elesa (*f.*) *v.* Elise

Elese (*f.*) (*Haw.*) *v.* Elsa // (*Ted. ant.* "Nobile") // *var.* Elsie

Elettra (*f.*) (*Gr.* "Bionda" "Risplendente come l'ambra") 18 *feb.*

Eleucadio (*m.*)("Venuto da Elide" loc. del Peloponneso) 14 *feb.*

Eleuterio (*m.*) (*Gr.* "Libero" "Indipendente")

Elfeo (*m.*) (*Ant. germ.* "Elfo" "Spirito aereo") 19 *apr.*

Elfie (*f.*) (*Soprannome*)

Elford (*m.*) (*raro*)

Elfrida (*f.*) ("Saggia")

Eli (*f.*) (*Ung.*) *v.* Alessandra; (*Norv.*) *v.* Elena

Eli (*m.*) (*Ebr.* "Il più in alto") *var.* Ely, Eloy

Elia (*m.*) (*aram.* "Yahvè è il mio Signore") 20 *lug.*; 18 *feb.*; 13, 17 *apr.*; 17 *giu.*; 19 *set.*; 20 *nov.*// *var. e dim.* El, Elis, Elias, Elie, Eliet, Eliette, Elijah, Elliot, Elliott, Ellis, Elina, Eline, Ely, Elyette, Ilya, Lelia (*Ing.*); Elias, Elya, Ilja (*Cec.*); Elie, Elihu (*Fr.*); Elias (*Ted.*; *Ung. Port.; Sp.*); Elek, Eliasz (*Pol.*); Elihu (*Sv.*); Eli, Elias, Elija, Elihu (*yid.*)

Eliana (*f.*) (da Elia) 18 *ag.*

Eliano (*m.*) (da Elia) 23 *lug.*; 13 *gen.*; 10 *mar.*; 8 *ag.*

Elias (*m.*) (*Ing.; Ted.*) *v.* Elia

Elica (*f.*) (*Rum.*) *v.* Alice // (*nome Futurista*)

Elicia (*f.*) (*raro*)

Eliconide (*m.*) (*orig. etn.* "Proveniente da Elicona") 28 *mag.*

Elida (*m.*) (*Ing.*) *v.* Alida

Elide (*f.*) (*nome geografico di orig. greca*) // *var.* Elida, Elidia

Elidi (*f.*) ("Dono del sole")

Elifio (*m.*) (*Ar.* "Il primo") 16 *ott.*

Eligio (*m.*) (*Lat.* "Scelto" "Eletto") 15 *gen.*; 25 *mag.*; 15, 20 *giu.*; 23 *lug.*; 1 *dic.*

Elihu (*m.*) *v.* Elia

Elijah (*m.*) *v.* Elia

Elilegio (*m.*) (*Celt.* "Fuori dal gregge" "Egregio") 1 *nov.*

Elimena (*m.*) (*orig. etn.* "Proveniente da Elim") 22 *apr.*

Elin / Elina (*f.*) *v.* Elena

Elinor (*f.*) *v.* Eleonora

Elio ((*m.*) *Gr.* "Sole") 23 *lug.*; 19 *set.*

Eliodoro (*m.*) (*Gr.* "Dono del sole") 6 *mag.*; 3 *lug.*; 28 *set.*; 21 *nov.*

Eliora (*f.*) (*Ebr.* "Il Signore è la mia luce") *var.* Eleora

Elisa (*f.*) (*Ebr.* "Dio è salute") 26 *giu.* // *v.* Elisabetta

Elisabeth (*f.*) *v.* Elisabetta

Elisabetta (*f.*) (*Ebr.* "Dio è il mio giuramento" "Dio è perfezione" "Consacrata a Dio") 4, 8 *lug.*; 6, 13 *mag.*; 18 *giu.*; 26 *ag.*; 14, 17 *set.*; 5, 25 *nov.* // *var.* e *dim.* Ealasaid, Lysje // Babs, Belita, Bella, Belle, Bess, Bessi, Bessie, Bessy, Beth, Betsey, Betsi, Betsy, Bett, Betta, Bette, Bettie, Bettina, Betty, Buffa, Eilis, Elisa, Elisabeth, Elise, Elisée, Elissa, Elisha, Elita, Eliza, Elizabeth, Ellita, Elsa, Elsabet, Elsbeth, Elsa, Else, Elsebein, Elseline, Elsi, Elsie, Elsje, Elslin, Elspeth, Elyse, Elyssa, Isa, Ilse, Ilsabe, Isabeau, Libbi, Libbie, Libby, Lillah, Lillibet, Lisa, Lisabetta, Lise, Lisetta, Lisette, Lisbet, Lisbeth, Lison, Lissounia, Liz, Liza, Lisettina, Lizabeth, Lizabetta, Lizetta, Lizette, Lizbeth, Lizzi, Lizzie, Lizzy (*Ing.*); Elisveta (*Bul.*); Alzbeta, Beta, Betka, Betuska, Eliska (*Cec.*); Betti, Elisabet, Elsbet, Elts, Etti, Etty, Liisa, Liisi (*Est.*); Babette, Elisa, Elisabeth, Elise (*Fr.*); Elisavet (*Gr.*); Eilis (*Irl.*); Elizabete, Lisbete(*Let.*) Elzbieta (*Lit.*); Elzbieta, Elsbietka, Elzunia, Eliza, Ela, Elka, Liza (*Pol.*); Isabel, Izabel (*Port.*); Elisabeta (*Rum*) Betti, Elisavetta, Lisenka, Lizanka, Lizka, Yelizaveta, Yelizabeta (*Rus.*); Elspeth (*Scoz.*); Belicia, Belita, Elisa, Isabel, Isabelita, Liseta, Ysabel (*Sp.*); Elisabet, Elsbeth, Elschen, Else, Elis, Ilse, Lisa, Lise, Liese, Lisette, Betti, Bettina, Lieschen, Liesel (*Ted.*); Boski, Bozsi, Liszka, Liza, Zizi (*Ung.*) // *v.* anche Isabella

Elise (*f.*) (*Fr.*) *v.* Elisabetta

Eliseo (*m.*) (*Ebr.* "Dio è salvezza") 14 *giu.*

Elisha (*m.*) (*Ebr.* "Dio è salvezza") // *var.* e *dim.* Eli, Elisée, Eliseo, Ely.

Eliska (*f.*) (*Cec.*) *v.* Alice

Elita (*f.*) (*Ing.*) *v.* Alida

Eliza (*f.*) (*Rum.*) *v.* Alice

Elizabeth (*f.*) *v.* Elisabetta

123

Elizabetta (*f.*) *v.* Elisabetta

Elke (*f.*) *v.* Alice

Elki (*m.*) (*Ind. Nordam.* "Incombere")

Ella (*f.*) (*Ebr.* "Dio è il Signore") *var.* Aelia, Ellie, Elly

Elladio (*m.*) (*orig. etn.* "Abitante dell'Ellade") 18 *feb.*; 8 *gen.*; 8 *mag.*; 25 *mag.*

Ellaine (*f.*) *v.* Elena

Ellama (*f.*) (*hindu* "Dea madre") *var.* Elamma

Ellard (*m.*) (*Ing. ant.:* "Nobile" "Audace")

Ellen / Ellene (*f.*) *v.* Elena

Ellenmae (*f.*) (*Nome doppio*)

Ellery (*m.*) (*Anglo-Sass.* "Dall'isola dell'ontano") *var.* Ellary, Ellerey

Elli (*f.*) (*Est.*) *v.* Elena

Ellice (*f.*)(*Gr.*) *femm.* di Elias, Ellis // *var.* Ellise

Ellie (*f.*) (*Ing.*) *v.* Alice

Elliott (*m.*) *v.* Elia // *var.* Eliot, Elliot

Ellis (*m.*) *v.* Elia

Ellison (*m.*) (*Ing. ant.* "Figlio di Ellis") // *var.* e *dim.* Elison, Elson, Sonnie, Sonny

Elliston (*m.*) (*raro*)

Ellna (*f.*) (*orig. da cognome*)

Ellwood (*m.*) (*Ing. ant.* "Dall'antica foresta" o "Abitante della foresta") // *var.* e *dim.* Elwood, Woodie, Woody

Elly (*f.*) (*abbr.*)

Elma (*f.*) (*Gr.*) *femm.* di Elmo // (*Tur.* "Mela")

Elman (*m.*) (*Ted.* "Come un albero di olmo") *var.* Elmen

Elmer (*m.*) (*Ing. ant.* "Nobile e famoso") *var.* Aylmer

Elmira (*f.*) ("Nobile, famosa")

Elmo (*m.*) (*ant. Ted.*) 2 *giu.* // *v.* Anselm; Elmer

Ellna (*f.*) (*orig. da cognome*)

Elna (*f.*) (*orig. da cognome*)

Elnora (*f.*) *v.* Eleonora

Elodia (*f.*) (*Ted. ant.* "Proprietaria di fondi") 22 *ott.*

Elodie (*f.*) (*Fr.*) *v.* Elodia // *var.* Dee, Ellie, Elodea, Lodi, Lodie, Odie

Elogio (*m.*) (*Gr.* "Lode")

Eloi (*m.*) (*Fr.*) 1 *dic.*; *v.* Eligio

Eloine (*f.*) ("Modesta")

Eloisa (*f.*) (*Iber.*) *v.* Luisa 17 *ott.*; 11 *feb.*

Eloise (*f.*) *v.* Louise

Elowyn (*f.*) (*raro*)

Elpidiforo (*m.*) (*Gr.* "Che porta la speranza") 2 *nov.*

Elpidio (*m.*) (*Lat.* "Speranza") 1, 2 *set.*; 4 *mar.*; 16 *nov.*

Elrad (*m.*) (*Ebr.* "Dio governa") *dim.* Rad, Radd.

Elrick (*m.*) (*raro*)

Elrod (*m.*) ("Celebrato")

Elroy (*m.*) ("Regale") *v.* anche Leroy

Elsa (*f.*) (*ant. Ted.*) 4 *gen.* // *v.* Elsbeth

Elsbeth (*f.*) (*Ted.*) *v.* Elisabetta

Elschen (*f.*) (*Ted.*) *v.* Alice

Else (*f.*) (*Ted.*; *Dan.*) *v.* Elisabetta; Alice

Elsie (*f.*) (*Ing.*) *v.* Elizabetta; Alice

Elston (*m.*) (*Ing. ant.* "Città del nobiluomo") // *var.* e *dim.* Elsdon, Tony

Elsu (*m.*) (*Ind. Miwok* "Falco che vola")

Elsworth (*m.*) (*Ing. ant.* "Proprietà del nobiluomo") *var.* Ellsworth

Elton (*m.*)("Città antica" o "Dalla antica tenuta")

Elva (*f.*) ("Simile a un elfo")

Elvajean (*f.*) (*Nome doppio*)

Elvezio (*m.*) (*orig. etn.* "Appartenente agli Elvezii")

Elvia (*f.*) *v.* Elvira

Elvin (*m.*) *v.* Elwin

Elvina (*f.*) *v.* Elvino; Elvira

Elvino (*m.*) (*Ted.* "Amico degli Elfi") 27 *ott.*

Elvio (*m.*) *v.* Elvira

Elvira (*f.*) (*Vis.* "Allegra e amichevole" "Amica della lancia") 27 *gen.*; 9 *mar.* // *var.* e *dim.* Elvire (*Ted*); Ela, Wirke, Wira (*Pol*) // Alvira, Elva, Elvera, Elvia, Elvie, Elvina

Elvis (*m.*) (*Norv. ant.* "Di tutti i saggi")

Elwin (*m.*) (*Ing. ant.* "Amico saggio") // *var.* e *dim.* El, Elvin, Elvyn, Elwyn, Winn, Winnie, Winny

Ely (*m.*) *v.* Eli

Elyn (*f.*) *v.* Elena

Elyse (*f.*) *v.* Elisa

Elza (*f.*) (*Ebr.* "Dio è la mia gioia") // (*Rum.*) *v.* Alice

Elzeario (*m.*) (*orig. etn.:* dall'*ant. ted.* "Abitante di Elz") 27 *set.*

Ema (*f.*) (*Haw.*) *v.* Amy, Emilia, Emma

Emalee (*f.*) *v.* Emilia

Eman (*m.*) (*Cec.*) *v.* Emanuele

Emanuel (*m.*) *v.* Emanuele

Emanuela (*f.*) (*Ebr.* "Dio è con noi") 26 *mar.* // *var.* Emmanuelle, Emma, Emmanuella, Mania, Manolita, Manouchka, Manuela, Manuelita, Mannuella

Emanuele (*m.*) (*Ebr.* "Dio è con noi") 26 *mar.*; 20 *feb.*; 18 *apr.*; 21, 26, 29 *mag.*; 17 *giu.*; 10 *lug.*; 4, 8, 16 *ag.*; 6 *set.*; 2, 9 *ott.*; 1 *nov.* // *var.* e *dim.* Eman, Emanuel (*Cec.*); Emmanuel, Emmanuelle (*Fr.*); Emmanuel, Immanuel, Mannie, Manny (*Ing.*); Emmanuele, Manuele, Manuela (*It.*); Emek (*Let.*); Mango, Manny, Manola, Manolete, Manolito, Manolo, Manolon, Manuel, Mel, Minel (*Sp.*); Emmanuil, Manuil, Manuyil (*Rus.*); Emmanuel, Immanuel (*Ted.*); Maco, Mano (*Ung.*); Immanuel (*yid.*) // Immanuil, Maan, Mandel, Manoel, Manu, Mendel

Ember (*f.*) ("Carbone in fiamme")

Emdimione (*m.*) (*Gr.*) 1 *nov.*

Emelia (*f.*) *v.* Emily; *var.* Emeline

Emerald (*f.*) (Da "Smeraldo") //

var. e *dim.* Emeraude, Esme, Esmeralda

Emerenziana (*f.*) (*Lat.* "Benemerita") 23 *gen.*

Emerico (*m.*) (*Lat.* "Che ha meritato") 4, 1 *nov.* // *var.* Aimeri, Aimeric, Aymeric

Emerio (*m.*) (*Lat.* "Che merita") 27 *gen.*

Emerita (*f.*) (*Femm.* di Emerito) 22 *set.*

Emerito (*m.*) (*Lat.* "Che ha meritato") 1 *nov.*

Emerson (*m.*) (*Ing.; Teut.* "Figlio di Emery") // *dim.* Sonnie, Sonny // *v.* Emery

Emery (*m.*) *v.* Amerigo

Emidio (*m.*)(*Lat.*"Semidio") 5 *ag*

Emil (*m.*) (*Dan.; Ted.*) *v.* Emilio // *var.* Emile, Emlen

Emila (*f.*) (*Lat.* "Cortese.) 14 *set.*

Emilee (*f.*) *v.* Amelia

Emilia (*f.*) (*Got.* "Industriosa") (*Lat.* "Emulatrice") 2 *giu.*; 17 *feb.*; 3, 28 *mag.*; 17, 24 *ag.*; 21 *ott.* // *var.* e *dim.* Aemilia, Amalea, Amalie, Amelia, Amella, Em, Ema, Emeline, Emi, Emie, Emilie, Emilda, Emily, Emilyn, Emlyn, Emlynne, Emma, Emmi, Emmie, Emmy, Emy, Melia, Milly (*Ing.*); Emiliia (*Bul.*); Ema, Emilie, Emilka, Milka (*Cec.*); Emilie, Emiliane, Emilienne (*Fr.*); Emiliana (*It.*); Amalie, Amma, Amilia, Amilie, Emmi (*Ted.*); Emalia, Emele (*Haw.*);

Emmali (*Iran.*); Eimile (*Irl.*); Aimil (*Scoz.*); Ema, Mema, Neneca, Nuela (*Sp.*) // Ameldy, Emera, Meliocha, Migeli, Mil, Mikia, Milou

Emiliana (*f.*) 5 *gen.*; *v.* Emilia

Emiliano (*m.*) (*Lat.* "Competitore") 6 *dic.*; 8 *feb.*; 18 *lug.*; 11 *set.*; 11 *ott.*; 12 *nov.*

Emilie (*f.*) *v.* Emilia

Emilio (*m.*) (*Dan.; Ted.* "Industrioso") (*Etr.; Lat.* "Emulatore") (*Lat.* "Bosco" "Amuleto") 22, 26, 28 *ag.*; 1 *feb.*; 18 *giu.*; 16 *ag.*; 11, 16 *ott.* // *var.* e *dim.* Emilek, Milko, Milo (*Cec.*); Emile, Emilie, Emilien (*Fr.*); Emil, Mel (*Ing.*); Amal, Emil (*Ted.*); Emilio, Milio (*Port.; Sp.*); Emils (*Let.*); Emilian (*Pol.*) // Emiliaan, Emils, Emilius, Millian

Emily (*f.*) *v.* Amelia

Emina (*f.*) (*Lat.* "Distinta")

Emiterio (*m.*) (*Celt.* "Messagero" "Emissario") 3 *mar.*

Emlyn (*m.*) (*f.*) (*Gall.*) *v.* Emilia

Emma (*f.*) (*Ted. ant.* "Nutrice" "Protettrice" "Pace di Irmin", cioè "Odino", divinità sassone) 19 *apr.*; 13, 27 *mag.*

Emmalee / Emmaline (*f.*) *v.* Emilia

Emmanuel (*m.*) *v.* Emanuele

Emmanuela (*f.*) *v.* Emanuela

Emmanuele (*f.*) *v.* Emanuela

Emmelia (*f.*) (*Germ.* "Energica nell'operare") 30 *mag.*; 18 *ag.*

Emmelina (*f.*) *v.* Amalia; Amelia

Emmerano (*m.*) (*Celt.* "Energico consigliere")

Emmerico (*m.*) (*Ted. ant.*: "Molto preparato alla guerra") 4 *nov.*

Emmett (*m.*) (*Ebr.* "Verità"; *Anglo-Sass.* "Formica" o "Industrioso") *var.* Emmet, Emmit, Emmott

Emmy (*f.*) (*abbr.*) *v.* Emilia

Emuna (*f.*) (*Ebr.* "Fedele") *var.* Emunah

Enam (*f.*) (*Gha.* "Dono di Dio"

Encratide (*f.*) (*Fr.* "Casta")

Endora (*f.*) (*Ebr.* "Fontana")

Enea (*m.*) (*Gr.* "Terribile" "Figlio di Afrodite" "Colui che è lodato" "Gloria" "Fama") 20 *gen.*; 15 *nov.* // *var.* Enéè (*Fr.*); Eneas (*Ted.*; *Sp.*)

Eneas (*m.*) (*Ted.*; *Sp.*) *v.* Enea

Enecone (*m.*) (*Celt.* "Sfinito") 1 *giu.*

Enedina (*f.*) (*Fin.* "La taciturna") 14 *mag.*

Engelbert (*m.*) (*Ted. ant.* "Luminoso come un angelo" "Messaggero luminoso") // *var.* e *dim.* Bert, Bertie, Berty, Englebert, Ingelbert, Inglebert

Englebert (*m.*) *v.* Engelbert

Engleberto (*m.*) (*Sass.* "Angelo insigne")

Enid (*f.*) (*Celt.* "Pura")

Enimia (*f.*)(*Celt.*"Realtà") 5 *ott.*

Enli (*m.*) (*Ind.* "Qui sotto il cane")

Ennata (*f.*) (*Celt.* "Figlia di ignoti") 13 *nov.*

Ennemondo (*m.*) (*Celt.*: "Nono figlio") 1 *nov.*

Ennio (*m.*) (*Celt.* "Destinato") (*Lat., sign. inc.*)

Ennodio (*m.*) (*Celt.* "Destinato a Dio") 17 *lug.*

Enoch (*m.*) (*Ebr.*: "Dedicato" "Consacrato")

Enola (*f.*) (*Sign. inc: Ind. Nordam.* "Sola")

Enos (*m.*) (*Ebr.* "Uomo" "Uomo mortale")

Enotria (*f.*) *v.* Italia

Enotrio (*m.*) (*orig. etn.* "Figlio di Enotria")

Enric (*m.*) (*Rum.*) *v.* Enrico

Enrica (*f.*) (*Ted. ant.* "Colei che domina in patria" "Signora della casa") 13 *lug.; 15 giu.* // *var.* e *dim.* Enrika, Enriqua, Etta, Ettie, Etty, Harietta, Hariette,Hatti, Hattie, Hatty, Hendrika, Hennie, Henno, Henrik, Henschel, Henny, Hen-rietta, Ericka, Erika, Hettie, Hetty, Hinderick, Hinnerk, Hinrich, Hinz, Netta, Nettie, Netty, Rickie, Ricky, Reiz, Riekie, Rietta, Ritz, Yetta // Harriet (*Am.*); Henriette (*Fr.*); Henrietta (*Ing.*); Enrichetta (*It.*); Enriqueta (*Sp.*); Henrika (*Ted.*)

Enrichetta (*f.*) (*teut.*) *dim.* di Enrica 15 *giu.*

Enrico (*m.*) (*Ted. ant.* "Possente in patria""Signore in casa"

127

"Governatore di una proprietà") 13, 15 *lug.*; 11, 16, 19, 23 *gen.*; 2, 13 *mar.*; 15, 22 *mag.*; 2, 8, 10, 25 *giu.*; 29 *set.*; 23, 29 *ott.* // *var.* e *dim.* Hank, Harry (*Am.*); Erich (*Cec.*); Eriks (*Let.*); Henri (*Fr.*); Erek, Eric, Ric, Ricki, Ricky (*Ing.*); Amerigo, Arrigo, Emerico (*It.*); Eriks (*Rus.*); Enrique (*Sp.*); Erich, Heinrich, Heinz (*Ted.*) // Drickes, Eanruig, Enric, Erick, Erik, Guenia, Guenrikh, Haain, Hanraoi, Hattie, Heincke, Hinmann, Heino, Heinrigh, Henderkien, Hendrick, Hendricus, Hendrijke, Heindrick, Heindrik, Heinrik, Hendrina, Henke, Hennie, Hennih, Henny, Henrik, Rick, Rickie, Rikki, Ritz

Enza (*f.*) *dim.* di Lorenza, Vincenza // *v.* Enzo

Enzo (*m.*)(dal *ted.* Heinz) 13 *lug.* // *dim.* di Lorenzo, Vincenzo

Epafra (*m.*) (*abbr.* di Epafrodita da Epaphus, figlio di Giove e Io) 19 *lug.*

Epafrodita (*f.*) (*Lat.* "Amato da Epaphus") 22 *mar.*

Epagato (*m.*) (*Celt.* "Condottiero") 2 *giu.*

Eparchio (*m.*) (*Gr.:* "Governatore") 23 *mar.*; 1 *giu.*

Epeldrita (*f.*) (*Gael.* "Consigliera") 2 *ag.*

Ephraim (*m.*) (*Ebr.* "Fruttifero" "Fertile") // *var.* Efraim, Efrem

Ephron (*m.*) (*raro*)

Epicaride (*m.*)(*Gr.* "Che tiene in alto il cuore") 27 *set.*

Epifana (*f.*) (*Gr.* "Apparizione") 12 *lug.*

Epifanio (*m.*) (*Gr.:* "Apparizione") 21 *gen.*

Epigmenio (*m.*) (*Gr.*"Che assiste nelle avversità") 12, 10 *mag.*

Epipodio (*m.*) (*Gr.* "Sopra i piedi") 22 *apr.*

Episteme (*m.*) (*Gr.* "Scienza" "Sapere") 5 *nov.*

Epitteto (*m.*) (*Gr.* "Che si pone sugli altri") 9 *gen.*; 22 *ag.*

Equizio (*m.*) (*orig. etn.* "Abitante di Aequi") 11 *ag.*

Eracide (*m.*) (*Gr.:* nome imposto in onore della dea Hera o Giunone) 1 *nov.*

Eracla (*m.*) (*Gr.:* nome imposto in onore di Ercole) 14 *lug.*

Eraclanio (*m.*) (*Gr.:* nome imposto in onore di Ercole) 9 *dic.*

Eraclide (*m.*) (*Gr.* "Discendente di Ercole") 28 *giu.*

Eraclio (*m.*) (*Gr.* "Attinente a Ercole") 2, 11 *mar.*; 26 *mag.*; 8 *giu.*; 1 *set.*; 22 *ott.*

Eradio (*m.*) (*Dor.* "Il primo")

Eraide (*m.*)(*Celt.* "Onorato" "Famoso")

Eraina (*f.*) *v.* Irene

Eraldo (*m.*) (*Ted. ant.:* "Signore animoso") 25 *giu.*; 12 *lug.*

Erasma (*f.*) (*Lat.* "Gradevole" "Amabile") 3 *set.*

Erasmo (*m.*) (*Gr.* "Piacevole"

"Gradevole" "Amabile") 2, 3, 18 *giu.*; 3 *set.*; 25 *nov.* // *var.* e *dim.* Erasme, Rasmus

Erasmus (*m.*) *v.* Erasmo

Erasto (*m.*) (*Gr.* "Amorevole" "Amabile") 26 *lug.* // *var.* e *dim.* Eraste, Rastus.

Erastus (*m.*) *v.* Erasto

Erberto (*m.*)(*Ted. ant.* "Che rifulge nell'esercito") *v.* Herbert

Ercolano(*m.*) (da Ercole) 7 *nov.*; 5, 25 * ant.*

Ercole (*m.*)(*Lat.; Gr.* "Eroe famoso") 12 *ag.* // *var.* Hercule (*Fr.*; *Ing.*) // Hercules

Ercolina (*m.*) (*Fen.* "Mercante"; *Ebr.* "Pellegrino")

Erconvaldo (*m.*) (*Celt.* "Re delle alture") 30 *apr.*

Ereda (*m.*) (*Lat.* "Successore") 1 *nov.*

Erena (*Lat.*, *etim. sc.*) 25 *feb.*

Erenia (*f.*) ("Sannitica") 8 *mar.*

Erennio (*m.*)("Sannitico") 1 *nov.*

Erhard (*m.*) (*teut.* "Ferma decisione") *var.* Erhart

Eriberto (*m.*)(*Lat.;Germ.*"Splende nell'esercito") 16 *mar.*

Eric (*m.*) (*Fr.*) (*Norv. ant.* "Regale") 18 *mag.* // *var.* e *dim.* Air, Eirich, Eri, Erich, Erick, Erik, Erker, Eriks, Eryck, Genseric, Jerk, Ric, Rick, Rickie, Ricky, Rikki // *v.* Erico, Enrico

Erica (*f.*) (*Norv. ant.*) *femm.* di Eric, 18 *mag.* // *var.* Ericka, Erika, Erke, Erkina, Rickie, Ricky, Rika // *v.* Erika, Enrico

Erico (*m.*)(*Scan.* "Ricco d'onore") 18 *mag.* // *v.* Eric; Erik

Ericson (*m.*) ("Figlio di Eric")

Eridano (*m*)(*It.*) *pers.* mitologico

Erik (*m.*) (*Norv. ant.*: "Sempre potente" o "Eterno sovrano") 18 *mag.* // *var.* e *dim.* Erek, Eric, Erick, Ric, Ricki, Ricky (*Ing.*); Erich (*Cec.*; *Ted.*); Enrico (*It.*); Eriks (*Let.*; *Rus.*) // *v.* Erico, Enrico

Erika (*f.*) (*Norv. ant.* "Sovrana eterna" "Sempre potente") 18 *mag.* // *v.* Erica

Erin (*f.*) (*Irl.*, *Gael.* "Dall'Irlanda") (*Norv. ant.* "Pace") // *var.* e *dim.* Eri, Erina, Erinn, Erinna, Eryn

Erina (*f.*)(*gael.*"Irlandese" "Dall'Irlanda") // *var.* Erin, Erinn, Erinna, Erinne

Eris (*f.*) ("Dea della discordia")

Erlina (*f.*) *v.* Earlene

Erlinda (*f.*) (*Fiam.* "Benevole signora") 22 *mar.*

Erline (*f.*) *v.* Earlene

Erma (*f.*) (*Gr.* "Annunzio") 9 *mag.*; 18 *ag.* 4 *nov.* // *var.* Ermina, Ermine, Erminia, Erminie, Hermina, Hermine, Herminia, Herminie, Hermione, Irma, Irme, Irmina, Irmine

Ermagora (*m.*) (*Lat.* "Fortunato") 12, 27 *lug.*; 11 *giu.*

Ermanna (*f.*) *v.* Ermanno

Ermanno (*Ted.* "Uomo d'arme" "Guerriero") 7 *apr.*; 6 *ag.*; 21 *gen.*; 8 *feb.*; 6 *lug.*; 3, 25, 29

set.; 23 *dic.* // Harm, Harmina, Haro, Hemmo, Herm, Hermake, Herman, Hermance, Hermanis, Hermanna, Hermanne, Her-mel, Hermen, Hermenius, Hermjke, Herrmann, Hetze, Hetzel, Manes,Mannus, Meins, Menzel // *v.* anche Erminio

Ermelando (*m.*) (*Sass.* "Difensore di Odino") 25 *mar.*

Ermelinda (*f.*) (*Ant. ted.* "Sorgente di Odino") 25, 29 *ott.* // *v.* Linda

Ermello (*Celt.*"Interprete") 3 *ag.*

Ermenegarda (*f.*) (*Prov.*; *Ted. ant.* "Protetta da Irmin", il Dio Odino) 1 *giu.*

Ermenegilda (*f.*) (*Vis.* "Dono di Irmin", Odino) (*Germ.* "Valorosa e potente") 13 *apr.*; 1 *giu.* // *dim.* Gilda

Ermenegildo (*m.*) (*Vis.* "Donato da Irmin") (*Germ.* "Valoroso e potente") 14, 13 *apr.*; 1, 5 *nov.* // *dim.* Gildo

Ermengarda (*f.*) (*Ted.* "Protetta da Dio" "Difesa da Irmin", cioè da Odino)

Ermes (*m.*)(*Gr.* "Nunzio") 4 *gen.*

Ermete (*m.*) 1 *mar.*; 22 *ott.*; 2 *nov.*; 31 *dic.*

Ermia (*f.*) (*Sass.* "Potenza dell'esercito") 31 *mag.*

Ermilo (*m.*) (*orig. etn.* "Abitante nei pressi dell' Ermus") 13 *gen.*

Erminia (*f.*) (*Lat.:* "Armena") (*Cec.* "Figlia della terra") (*Germ.*"Immensa" "Maestosa")

9 *lug.*; 25 *ag.*// Hermina, Herminia, Herma, Hermien, Hermienne, Hermine,Herminie// *v.* anche Irma

Erminio (*m.*) (*Lat.* "Armeno") (*Germ.* "Uomo armato) (*Gr.:* dal Dio Hermes, Mercurio) 25 *apr.* // *v.* anche Ermanno

Ermippo (*m.*) (*Celt.* "Ricco di armenti") 27 *lug.*

Ermocrate (*m.*) (*Gr.* "Potente come Mercurio") 27 *lug.*

Ermogene (*m.*) (*Gr.* "Progenie di Ermete") 25, 19 *apr*, 10, 12 *dic*

Ermolao (*m.*) (*Gr.* "Messaggero") 27 *lug.*

Erna (*f.*) (*raro*)

Ernest (*m.*) (*Ing.*; *Fr.*) *v.* Ernesto

Ernesta (*f.*) 22 *nov.* // *v.* Ernesto

Ernestina (*f.*) (*Ted. ant.*) 14 *apr.* // *var.* e *dim.* Erna, Ernesta, Teena// Ernestine (*Fr.*); Tina (*Ing.*) // *v.* Ernesto

Ernestine (*Ing.;Fr.*) *v.* Ernestina

Ernesto (*m.*) (*Ted. ant.* "Fortissimo" "Valoroso combattente come l'aquila") // 7 *nov.*; 30 *giu.*; 13 *lug.* // *var.* e *dim.* Aerna, Arnost, Arnst, Ernestus, Ernie, Erny// Ernest (*Fr.*); Earnest, Ernest (*Ing.*); Tino (*It.*); Ernst (*Ted.*; *Norv.*; *Sv.*); Ernesto, Ernestino (*Sp.*)

Erodione (*m.*) (*Gr.* "Della stirpe di Eros") 8 *apr.*

Eroe (*m.*) (*Gr.*) 24 *giu.*

Erone (*m.*) (*Gr.* "Che venera gli eroi") 14 *dic.*

Eros (*m.*) (*Gr.:* Dio dell'Amore) (*Lat.:* Cupido) 20 *feb.*

Errol (*m.*) *v.* Earl

Ersilia (*f.*) (*Gr.* "Rugiada") (*Lat.* "Tenera" "Morbida") 17 *dic.*

Erskine (*m.*) (*gael.* "Dalla cima del precipizio")

Erta (*f.*) *v.* Roberta

Ervin (*m.*) ("Amico dal mare")

Erwin (*m.*) (*f.*) (*Ing. ant.* "Amico del mare" o "Fiume bianco") 29 *mag.* // *var.* Ervin (*Cec*); Ervins (*Let*); Erwinek, Inek (*Pol*) // Erwina, Irvin, Irvina, Irving, Irwin

Esanto (*m.*) (*Gr.* "Nato da un fiore") 7 *ag.*

Esau (*m.*) (dall'*ebr.* "Peloso") 1 *nov.*

Eschine (*m.*)(*Gr.*"Modestia""Pudore")

Esdra (*m.*) (*Ebr.* "Soccorso") 13 *lug.*

Esichio (*m.*) (*Gr.* "Che è quieto") 15 *mag.*; 7 *lug.*; 2 *set.*; 7, 18, 26 *nov.*

Esma / Esme (*f.*) ("Stimata")

Esmeralda (*f.*) (*Sp.* da "Smeraldo") 1 *ag.*// Emerald, Emeralda, Emeraud, Esma, Esmeralde, Smerald, Smeralda

Esmond (*m.*) (*Ing. ant.* "Protettore gentile" o "Protetto da Dio")

Espedito (*m.*) (*Gr.* "Che è ingegnoso") 19 *apr.*

Essex (*m.*) (*nome di località*)

Essie (*f.*) (*abbr.*)

Essien (*m.*) (*Afr.* "Sestogenito")

Esta (*f.*) ("Stella") // *var.* Estee // *v.* Stella

Esteban (*m.*) (*Sp.*) *v.* Stefano

Estela (*f.*) (*Port.*) *v.* Stella

Estella (*f.*)(*Iber.* "Stella")1 *nov.*

Estelle (*f.*) (*Fr.*) *v.* Stella

Ester (*f.*) (*Ebr.* dall'*ass.* "Ishtar": "Astro" "Dea") 1 *lug.*; *v.* Stella

Esteranne (*f.*) (*Nome doppio*)

Esterina (*f.*) (*dim.* di Ester) 1 *lug.*; 21 *giu.* 24 *mag.*; *v.* Stella

Estes (*m.*) ("Dall'Est") *var.* Este

Esther (*f.*) *v.* Stella

Eston (*m.*) (*raro*)

Estrella (*f.*) (*Sp.*) *v.* Stella

Estrellita (*f.*) *v.* Stella

Esuperanzia (*f.*) (*Lat.:* "Ridondante") 26 *apr.*

Esuperanzio (*m.*) (*Lat.:* "Eccessivo") 30, 2 *mag.*

Esuperia (*f.*) (*Lat.* "Esagerata") 26 *lug.*; 25 *ag.*; 7 *nov.*

Esuperio (*m.*) (*Lat.* "Esagerato") 2 *mag.*; 22, 25, 28 *set.*; 19 *nov.*

Etbino (*m.*) (*Gael.* "Ardente d'amore") 19 *ott.*

Etel (*f.*) *v.* Ada; Ethel, Heather

Etelberto (*m.*) (*Dan. ant.* "Padre insigne") 24 *feb.*

Eteltreto (*m.*) (*Got.* "Nobile consigliere") 4 *mag.*

Eteltrita (*f.*) (*Gael.* "Consigliera degli elfi") 2 *ag.*

Etelvolto (*m.*) (*Sass.* "Avo possente") 1 *ag.*

Etenia (*f.*)(*Ind.Nordam.* "Ricca")

Eterio (*m.*) (*Gr.* "Compagno") 4

mar.; 14, 18 *giu.*; 27 *lug.*

Ethan (*m.*) (*Ebr.*"Duro""Fermo" "Vissuto a lungo") // *var.* Etan

Ethel (*f.*) (*Teut.* "Nobile") 4 *dic.* // *var.* Etel, Ethelda, Etheline, Ethelyn, Ethelynne, Ethyl, Heather // *v.* anche Ada

Ethelbert (*m.*) *v.* Alberto

Etienne (*m.*) (*Fr.*) *v.* Stefano

Etta (*f.*) *v.* Stella

Ettore (*m.*) (*Gr.* "Forte" "Colui che sostiene" "Il reggitore") 20 *giu.*; 23 *dic.*

Etty (*f.*) (*Est.*) *v.* Elisabetta

Etu (*m.*) (*Ind.Nordam.* "Il sole")

Eubolo (*m.*) (*orig. etn.* "Originario da Euboia") 7 *mar.*

Eucario (*m.*) (*Gr.* "Che possiede grazia") 8 *dic.*

Eucarpo (*m.*) (*Gr.* "Che dà frutto") 25 *set.*

Eucherio (*m.*) (*Prov.*"Grazioso") 20, 27 *feb.* 16 *nov.*

Euclide (*m.*) (*Gr.* "Glorioso, celebre")

Eudocia (*f.*) (*Gr.:* "Rispettata") *var.* Doxie, Doxy, Eudossia, Eudoxia

Eudora (*f.*) (*Gr.* "Dono generoso") *dim.* Dora, Euda

Eudossia (*f.*) 1 *mar.*

Eudossio (*m.*) (*Celt.* "Donato" "Concesso") 2 *nov.*

Eufebio (*m.*) (*Dor.* "Che parla bene") 23 *mag.*

Eufemia (*f.*) (*Gr.* "Che dice parole di buon augurio" "Che gode di buona fama" "Di buona reputazione") 3, 16 *set.*; 20 *mar.*; 12, 13 *apr.*; 2 *mag.*; 6, 17 *giu.*; 3 *lug.*; // *var.* e *dim.* Effie, Euphemie

Eufemio (*m.*) (*Gr.* "Benedetto acclamato") 1 *mag.*

Euflamia (*m.*) (*Celt.* "Che ha buon animo") 22 *apr.*

Eufrasia (*f.*) (*Gr.* "Donna piena di gioia" "Donna piena di letizia") 13, 20 *mar.*; 7, 18 *mag.*

Eufrasio (*m.*) (*Gr.:* "Rallegro" "Rendo lieto") 15 *mag.*; 14*gen.*

Eufredo (*m.*) (*Germ.* "Protetto da Dio") 11 *ott.*

Eufronio (*m.*)(*Dor.* "Nato bene") 4 *ag.*

Eufrosia (*f.*) (*Gr.* "Gaia" "Lieta") 25 *giu.*

Eufrosina (*f.*) (*Gr.* "Gaiezza") 11 *feb.*; 1 *gen.*

Eugendo (*m.*) (*Gr.* "Che è nel bene") 1 *gen.*

Eugene (*m.*) *v.* Eugenio

Eugenia (*f.*)(*Gr.* "Nobiltà") 25 *dic.*; 11 *set.*; 7 *feb.*// *var.* e *dim.* Gena,Genia, Genie, Gina, Ginny,Jennie, Jenny// Eugénie(*Fr.*)

Eugeniano (da Eugenio) 8 *gen.*

Eugenie (*f.*) (*Fr.*) *v.* Eugenia

Eugenio (*m.*)(*Gr.* "Di stirpe nobile" "Signorile") 4, 24 *gen.*; 4, 20 *mar.*; 2 *mag.*; 2 *giu.*; 6, 8, 13, 18, 23, 29 *lug.*; 6, 25 *set.*; 13, 15, 17 *nov.*; 13, 20, 30 *dic.* // *var.* e *dim.* Gene (*Ing.*); Eugen, Zenda (*Cec.*); Eugéne, Eugénie (*Fr.*); Eugen, Euge-

nius, Eugenios, Evgenios *Ted.*);
Jano, Jenci, Jensi, Jenoe(*Ung.*);
Genek, Genio (Pol.); Eugeni,
Genka, Genya, Yevgeniy, Zhe-
ka, Zhenka (*Rus.*); Eugenio,
Gencho(*Sp.*); Egen (*Sv.; Norv.*)
// Eujen, Evedni, Evguecha, E-
vgueni, Guecha, Ugenie

Eugrafo (*m.*) (*Ion.* "Buono") 10
dic.

Eulalia (*f.*) (*Gr.* "Che parla bene") 12, 28 *feb.*; 10 3 *dic.*; 27
ag. // *var.* e *dim.* Eula, Eulah,
Eulala, Lallie, Lia // Eulalie
(*Fr.*)

Eulalio (*m.*) (*Gr.* "Faceto" "Ben
parlante" "Arguto") 27 *feb.*

Eulampio (*m.*) (*Gr.* "Che possiede grande bontà") 10 *ott.*

Eulogio (*m.*) (*Gr.* "Donatore di
bene") 13 *mar.*; 27 *feb.*; 5
mag.; 3 *lug.*; 13 *set.*

Eumenio (*m.*) (*Gr.* "Benevolo
d'animo") 18 *set.*

Eunice (*f.*)(*Gr.* "Gioiosa" "Vittoriosa")

Euno (*m.*) (*Gr.* "Che pensa bene") 30 *ott.*

Euphemia (*f.*) *v.* Eufemia

Euphrata (*f.*) ("Dal fiume Eufra-
te")

Eupilio (*m.*) (*Celt.* "Oriundo di
Eupili") 11 *ott.*

Euplio (*m.*) (*Celt.* "Oriundo da
Eupili") 12 *ag.*

Euporo (*m.*) (*Ion.* "Portatore di
bene") 23 *dic.*

Euprepia (*f.*) *v.* Euprepio, 12 *ag.*

Euprepio (*m.*) (*Lat.* "Rapido nel
fare del bene") 21 *ag.*; 27 *set.*

Euprepite (*m.*) (*Sann.* "Molto
luminoso") 30 *nov.*

Eupsichio (*m.*) (*Lat.* "Che ha a-
nimo") 7 *set.*

Euridice (*f.*) (*Gr.* "Dispensatrice
di giustizia")

Europa (*f.*) (*Gr.* "Dal continente
Europa)

Eurosia (*f.*) (*Dor.* "Che ha molta
grazia") 25 *gen.*

Eurydice (*f.*) (*Gr.* "Dalla larga
giustizia" "Molto giusta")

Eusanio (*m.*) (*Ion.* "Molto ospitale") 9 *lug.*

Eusebe (*m.*) *v.* Eusebio

Eusebia (*f.*) (*Gr.* "Pia" "Religiosa") 29 *ott.*; 21 *mag.*; 20 *set.* //
Eusèbic (*Fr.*)

Eusèbie (*f.*) (*Fr.*) *v.* Eusebia

Eusebio (*m.*) (*Gr.* "Pio" "Religioso") 8, 21, 26 *set.*; 5, 15
mar.; 24, 28 *apr.*; 21 *giu.*; 1, 2,
9, 12, 14, 17, 18, 25 *ag.*; 4, 22
ott.; 5 *nov.*; 2, 15, 16 *dic.* //
Eusèbe (*Fr.*)

Euseo (*m.*)

Eusicio (*m.*) (*Celt.* "Ospitale")
27 *nov.*

Eusignio (*m.*) (*orig. etn.* "Originario di Pontus Euxinus") 5 *ag.*

Eustace (*m.*) *v.* Eustachio

Eustache (*m.*) (*Fr.*) *v.* Eustachio

Eustachia (*f.*) (*Gr.* "Costante"
"Ferma") 29 *mar.*

Eustachio (*m.*) (*Gr.* "Producente
molte e buone spighe") (*Gr.*

133

"Ricco in grano" "Fruttuoso" "Fermo""Risoluto") 20 *set*; 20, 28 *nov.*// *var.* e *dim.*Eustace, Eustache, Eustacia, Eustasius, Eustatius,Eustazio, Eustis, Stacey, Stacie, Stacy, Stazio

Eustacia (*f.*) (*Lat.*) *femm.* di Eustachio // *var.* e *dim.* Eustasia, Stacey, Stasia // Staci, Stacia, Stacie (*Ing.*); Stasa, Staska (*Cec.*); Stasya, Tasenka, Taska, Tasya (*Let.*; *Lit.*; *Rus.*); Tasia (*Sp.*)

Eustagio (*m.*) (da Eustachio") 12 *ott.*

Eustasia (*f.*) (*Gr.*: "Ferma" "Costante") 29 *mar.*

Eustasio (*m.*)(*Gr.*: "Fermo" "Costante") 29 *mar.*

Eustazio (*m.*) (*Lat.*: "Che sta bene") 16, 28 *lug.*; 25 *feb.* // *v.* Eustachio

Eustella (*f.*) (*Prov.*: "Ospite delle stelle") 11 *mag.*

Eusterio (*m.*) (*Dor.* "Molto libero") 19 *ott.*

Eustochia (*f.*) (*Lat.*) 28, 2 *nov.*; 13 *feb.*

Eustochio (*m.*) (*Lat.*) 19, 28 *set.*; 16 *nov.*

Eustolia (*f.*).) (*Lat.* "Che veste bene") 9 *nov.*

Eustorgio (*m.*) (*Lat. gr.*: "Ben amato") 18 *set.*; 2 *apr.*; 6 *giu.*; 13 *nov.*

Eustosio (*m.*) (*Ion.* "Costante nel bene") 10 *nov.*

Eustrazio (*m.*) (*Dor.* "Placido")

13 *dic.*

Eutalia (*m.*) (*Gr.* "Che convive bene") 27 *ag.*

Euterpe (*f.*) (*Gr.* "Rallegrare")

Eutiche (*m.*)(*Gr.*"Felice")15 *apr.*

Eutichia (*m.*) 3 *apr.*

Eutichiano (*m.*) (*Gr.* "Felice e fortunato") 8 *dic.*; 1 *lug.*; 18 *ag.*; 2 *set.*; 13 *nov.*

Eutichio (*m.*) (*Gr.* "Felice e fortunato") 6 *apr.*; 4 *feb.*; 14, 26 *mar.*; 21 *mag.*; 24 *ag.*; 19, 28 *set.*; 5 *ott.*; 21 *nov.*; 11, 28 *dic.*

Eutimio (*m.*) (*Gr.* "Di buon animo" "Allegro") 29 *ag.*; 20 *gen.*; 5 *mag.*; 16, 24 *dic.*

Eutimo (*m.*) (*Gr.*: "Tranquillo" "Allegro") 11 *mar.*

Eutizio (*m.*) (23 *mag.*; 15 *giu.*)

Eutropia (*f.*) (*Gr.* "Ben nutrita") 15 *set.*; 30 *ott.*; 14 *dic.*

Eutropio (*m.*) (*Gr.* "Ben nutrito") 3 *mar.*; 30 *apr.*; 27 *mag.*; 27 *giu.*; 15 *lug.*

Euxina (*f.*) ("Dall'Eusino", Mar Nero)

Eva (*f.*)(*Ebr.* "Progenitrice" "Colei che da la vita") 6, 8 *set.*; 2 *feb.*; 5 *apr.*; 19 *dic.* // *var.* e *dim.* Eba, Ebba, Eve, Evelina, Eveline, Evelyn, Evlyn (*Ing.*); Evicka, Evka, Evuska (*Cec.*); Eve, Evaine, Evelyn (*Fr.*); Eva, Evchen, Eve, Evelyn, Evy (*Ted.*); Evathia (*Gr.*); Evi, Evike, Vica (*Ung.*); Ewa, Ina, Lina (*Pol.*); Yeva, Yevka (*Rus.*); Eva, Evita (*Sp.*); Chava (*yid.*) // Evaline, Evelyne, Evelynne, Evlyne, Evlynne

Evadne (*f.*) (*Gr.* "Fortunata") *var.* Evadna

Evagrio (*m.*) (*Lat.* "Venuto dai campi") 6 *mar.*

Evaldo (*m.*) (*Ted. ant* "Che difende la giustizia") 3 *ott.*

Evan (*m.*) (*Celt.* "Giovane guerriero") (*gall.*=John) *v.Giovanni* // *var.* e *dim.* Ev, Evanne, Evanya, Ewan, Ewen, Owen

Evandro (*m.*) ("Uomo forte e generoso")

Evangelia (*f.*) (*Gr.* "Colei che Porta buone nuove") // *var.* e *dim.* Angela, Angelo, Lia, Litsa

Evangelina (*f.*) (*Gr.* "Colei che porta la buona novella") 27 *gen.* // *var.* e *dim.* Eva, Eve

Evangeline (*f.*) *v.* Evangelina

Evangelista (*Gr.* "Che porta la buona novella") 26 *lug.*

Evanne / Evanya (*f.*) *v.* Evan

Evaristo (*m.*) (*Gr.* "Molto nobile") 26, 14 *ott.*; 23 *dic.* // Evariste (*Fr.*)

Evasio (*m.*) (*Lat.* "Colui che canta bene") 1, 2 *dic.*; 1 *nov.*

Evaune (*f.*) *v.* Yvonne

Eve (*f.*) *v.* Eva

Evelina (*f.*) (Eva + Lina) ("Ragione" "Diritto" "Legge") 6 *set.*; 2 *dic.* // Aileen, Eibhin, Evaleen, Evalyn, Evelien, Eveline, Evelino, Evelyn, Evlyn // *v.* anche Eva

Evellio (*m.*) (*Lat.*: orig. etn. "A-bitante di Havel") 11 *mag.*

Evelpisto (*m.*) (*Celt.* "Che indica la giustizia" "Che toglie l'ingiustizia") 1 *nov.*

Evelyn / Evelyne (*f.*) *v.* Evelina

Evenzio (*m.*) (*Lat.* "Che viene nel bisogno") 16 *apr.*; 3 *mag.*

Everardo (*m.*) (*Celt.* "Forte come il cinghiale") 15 *giu.* // *var.* e *dim.* Eberhard, Ev, Evart, Everard, Eward, Ewart

Everett (*m.*) *v.* Everardo

Evergete (*m.*)(*Gr.* "Benefattore")

Evergislo (*Sass.* "Compagno del cinghiale") 24 *ott.*

Everly (*f.*) (*orig.da cognome*)

Everyl (*f.*) (*raro*)

Evetta / Evette (*f.*) *v.* Eve

Evidio (*m.*) (*Iber.:* "Apparizione") 13 *giu.*

Evilasio (*m.*) (*Ionico*) 20 *set.*

Evita (*f.*) (*Sp.*) *v.* Eva

Evlyn (*f.*) *v.* Evelina

Evodio (*m.*)(*Gr.* "Cammina bene" "Buon cammino") 25 *apr.*; 2 *set.*; 2 *ag.*; 8 *ott.*; 11 *nov.*

Evonne (*f.*) *v.* Yvonne, Ivana

Evorzio (*m.*)(*orig.etn.* "Originario di Ebora" in Portogallo") 7 *set.*

Evrard (*m.*) (*Fr.*) 24 *ott.*

Evremondo (*m.*) (*Celt.* "Cinghiale allegro") 10 *giu.*

Evyn (*m.*) *v.* Evan, Giovanni

Eyota (*f.*) (*Ind. Nordam.* "La più grande)

Ezara (*f.*) (*Ebr.*) *femm.* di Ezra; *var.* Ezraela, Ezrela, Ezrella

Ezechiele (*m.*) (*Ebr.* "Dio è la

135

mia forza") 10 *apr.// var.* e *dim.* Ezechiel, Ezequiel, Haskel, Zeke

Ezekhiel *(m.) v.* Ezechiele

Ezio *(m.) (Gr.* "Aquila") 6 *mar.*

Ezra *(m.) (Ebr.* "Aiutante") *var.* Esdras *(Fr.; Sp.);* Esra *(Ted);* Ezera *(Haw.)*

Ezrela *(f.) (Ebr.* "Dio è il mio aiuto" o "Dio è la mia forza") *var.* Ezraela, Ezraella

F

Faber *(m.) (Ted.) v.* Fabiano

Fabia *(f.)* 11 *mag.; v.* Fabiana, Fabiola

Fabian *(f.) v.* Fabiano

Fabiana *(f.) (Lat.) femm.* di Fabiano, 20 *gen.; var.* Faba, Fabia, Fabiane, Fabie, Fabiola, Fabienne, Fava

Fabiano *(m.) (Etr. etim. inc.)* *(Lat.* "Pianta di fave" "Coltivatore di fave") 20 *gen.;* 27 *dic. // var.* e *dim.* Faber, Fabianus, Fabis // Fabian, Fabyan *(Ing.);* Fabien, Fabert, Fabius *(Fr.);* Fabio *(It.);* Fabius *(Let.; Lit.);* Fabek *(Pol.);* Fabi, Fabiyan *(Rus.)*

Fabien *(m.) v.* Fabiano

Fabio *(m.)(Etr., etim. inc.) (Lat:.* "Fava") *v.* Fabiano; 31 *lug.;* 11 *mag.*

Fabiola *(f.) v.* Fabiana; 27 *dic.*

Fabra *(f.) (raro)*

Fabrizia *(m.) v.* Fabrizio; 22 *ag. var.* Fabricia

Fabriziano *(m.) (Lat.* "Colui che fabbrica") 22 *ag.*

Fabrizio *(m.) (Etr.; Lat.:* "Fabbro") 11 *lug.;* 22 *ag.;* 19 *dic. //* Fabrice, Fabricien, Favre *(Fr.)* // Fabri, Fabricius

Facino *(m.) (Lat.* "Fare del bene")

Facondo *(m.) (Lat.:* "Eloquente") 27 *nov.*

Fadey *(m.)(Ucr.) v.* Thad, Tad

Fadil *(m.) (Ar.* "Generoso")

Fadila *(f.) (Ar.* "Generosa")

Fae *(f.) v.* Fay, Fede

Faina *(m.) (Gr.)* 18 *mag.*

Fairfax *(m.) (Ing. ant.* "Dai bei capelli")

Fairleigh *(m.) (Ing. ant.:* "Dal campo del toro" "Dal campo del montone") // *var* e *dim.* Fairlay, Fairlee, Fairlie, Farlay, Farlee, Farley, Farly, Lee, Leigh

Faith *(f.) (Ing.* "Fede" "Lealtà") *var.* Fae, Fay, Faye

Falco *(m.) (Ted. ant:* "Bravura" "Nobiltà" "Intelligenza") 9 *ag.*

Falcon *(m.)* ("Falco")

Falda *(f.) (Isl.* "Ali piegate")

Falk / Falke *(m.) v.* Falcon

Falkner *(m.)* ("Addestratore di falchi")

Famiano *(m.) (Lat.* "Che ha acquistato fama") 8 *ag.*

Fan *(f.) (abbr.)*

Fanchon (*f.*) (*Fr.*) *v.* François // *var.* e *dim.* Fanchette, Fannie, Fanny

Fandila (*m.*) (*Gr.* "Sacerdote") 13 *giu.*

Fane (*m.*) (*raro*)

Fanny (*f.*) (*Fr.*) *dim.* di Françoise // (*Ing.*) *v.* Stefania; 26 *dic.*

Fantino (*Gr.*) 30 *ag.*; 24 *lug.*

Fanya (*f.*) (*Rus.*) *v.* Francesca

Fara (*Ebr.* "Fruttifera") 7 *dic.*

Farah (*f.*) (*nome con orig. da cognome*)

Faraji (*m*) (*sw.* "Consolazione")

Fargo (*m.*) (*raro*)

Farhad (*f.*) (*Ar.*)

Fariq (*m.*) (*Ar.* "Generale di corpo d'armata")

Farlei (*m.*)(*Ing. ant.* "Dal campo delle pecore") *var.* e *dim.* Fairleigh, Farleigh, Farly, Lee, Leigh

Farnacio (*m.*) (*Orig. etn.* "Proveniente da Farnacia") 24 *giu.*

Farnham (*m.*) (*Ing. ant.* "Dal campo della felce")

Faron (*m.*) (*raro*)

Farone (*m.*) (*Ebr.* "Generoso") 28 *ott.*

Farrah (*f.*) (*nome con orig. da cognome*)

Farrar (*m.*) (*raro*)

Farrel (*m.*) (*Gael.* "Valoroso") // *var.* Farrel, Ferrel, Ferrell

Farris (*m.*) *v.* Pietro

Fath (*m.*) (*Ar.* "Vittoria")

Fatima (*Ar.* "Colei che divezza i bambini" "Allevatrice") // *var.*

e *dim.* Fatimah, Fatma, Fatmah // 13 *mag.*; 22 *ag.*

Faulkner (*m.*) (*Ing. ant.* "Falconiere") *var.* Falconer, Falkner

Fausta (*f.*) (*Lat.* "Favorevole" "Benevola") 8, *20 set.; 19 dic.*

Faustina (*It.*) *v.* Fausta

Faustine (*Fr.*) *v.* Fausta

Faustiniano (*m.*)(*Lat.*) 26 *feb.*

Faustino (*m.*) *v.* Fausto, 15, 16, 17 *feb.*; 22 *mag.*; 5 *giu.*; 29 *lug.*; 15 *dic.*

Fausto (*m.*)(*Lat.*:"Propizio" "Favorevole" "Prospero") *19 nov.*; 16 *feb.*; 24 *giu.*; 16 *lug.*; 7 *ag.*; 6, 28 *set.*; 3, 4, 5, 13 *ott.* 26 *nov.* // Fauste (*Fr.*); Faust (*Ted.*)

Favian (*m.*) *v.* Fabiano

Favorino (*m.*) (*Lat.* "Benvoluto" "Gradito") 23 *lug.*

Favre (*m.*) (*Fr.*) *v.* Fabrizio

Fawn (*f.*) (*Fr. ant.* "Giovane cervo") // *var.* e *dim.* Faun, Fauna, Faunia, Fawna, Fawne, Fawnia

Faxon (*m.*) (*Teut.* "Dai capelli lunghi")

Fay (*f.*) (*Fr. ant.* "Di fata" "Fatata") // *var.* Fae, Faye, Fayetee, Fayette, Fayna // *v.* anche Fede

Fayanne (*f.*) (Unione di Fay e Anne) *var.* Fayanna

Fayina (*f.*) (*Rus.*; *Ucr.*) *v.* Francesca

Fayola (*f.*) (*Yor.*, *Nig.* "Fortunata")

Fazio (*m.*) (*tronc.* di Bonifacio) 18 *gen.*

Faziolo (*m.*) (*dim.* di Fazio, "Piccolo benefattore")15 *giu.*

Febe (*f.*) (*Gr.*) 3 *set.*

Febo (*m.*) (*Gr.* "Lucente splendente")

Febronia (*f.*) (*Lat.* "Colei che ha la febbre") 25 *giu.*

Fede (*f.*) (nome imposto alle figlie dei primi cristiani) 1 *ag.*; 6 *ott.*

Fedele (*m.*) (*Lat.* "Che crede in Dio") 13, 23 *mar.*; 24 *apr.; var.* Fida, Fidelia, Fidelio // Fidèle, Fidel(*Fr.*); Fidel (*Sp.*)

Federica (*f.*) (*Ted. ant.* "Ricca di pace" "Equilibrata" "Che domina con la pace" "Sovrana pacifica") *v.* Federico; 18 *lug.* // *var.* e *dim.* Frédéric (*Fr.*); Frieda (*Ted.*) // Freda, Fredda, Freddi, Freddy, Frederica, Frederika, Frederike, Frederique, Fredrika, Frerika, Frida, Frica, Frigga, Rica, Ricca, Ricki, Rickie, Ricky, Rikki

Federico (*m.*) (*Ant. ted.* "Ricco di pace" "Che domina con la pace" "Potente in pace" "Sovrano pacifico" "Uomo equilibrato") 3 *set.*; 18 *lug.*; 27 *mag.*; 3 *mar.*; 13 *set.*; 2, 16 *ott.*; 30 *nov.* // *var.* e *dim.* Fred, Freddie, Freddy, Frederic, Fredrick, Rick, Ric, Rickie, Ricky (*Ing.*); Bedrich, Fridrich(*Cec.*); Frédéric(*Fr.*); Federigo (*Sp.*);

Friedel, Friedrich, Fredi, Fritz, Fritzchen (*Ted.*) // Fedder, Frederich, Frederick, Frederico, Fredericus, Frederk, Fredric, Fredrick, Freek, Frederik, Fredric,Frerich, Frerk, Fridichs, Friedel, Friedl, Friedrich, Rickel

Fedor (*m.*) (*Rus.*) *v.* Teodoro

Fedora (*f.*)(*Rus.:* "Dono di Dio") *v.* Teodora, Dorotea; 1 *apr.*; 6 *feb.*

Fedro (*m.*)(*Gr.*"Lieto") 29 *nov.*

Felcia (*f.*) (*Pol.*) *v.* Felicia // *var.* e *dim.* Fela, Felka

Felda (*f.*) (*Teut.* "Dalla campagna")

Fele (*Luc.*) *v.* Fedele 13 *mar.*

Felice (*m.*) (*Lat.* "Fecondo" "Favorito dagli Dei") 1, 9, 14 *gen.*; 3, 11, 21, 23, 26 *feb.*; 1 *mar.*; 16, 21, 23 *apr.*; 10, 12, 16, 24, 28, 30 *mag.*; 1, 2, 11, 14, 17, 23 *giu.*; 10, 12, 14, 15, 17, 19, 25, 27 *lug.*; 1, 22, 26, 28, 30 *ag.*; 1, 10 19, 22, 24 *set.*; 12, 24 *ott.*; 4, 5, 6, 15, 20, 28 *nov.*; 4, 5, 29 *dic.* // *var.* Félis // Feliks (*Bulg. Pol. Rus.*); Fela (*Cec.*); Félice, Félicien, Félise (*Fr.*); Feliciano (*It.*); Felix (*Ing.*); Bodog (*Ung*); Felizon, Felo, Pitin, Pito (*Sp.*)

Felicia (*f.*) (*femm.* di Felice) 5 *ott.; var.* Felice, Felicidad, Felicie, Felicina, Felicita, Felicity, Felise, Lucky

Feliciana (*femm.* di Feliciano)

Feliciano (*m.*) *v.* Felice // 24, 30 *gen.*; 2 *feb.*; 9 *giu.*; 29 *ott.*; 11, 19 *nov.*

Felicien (*f.*) (*Fr.*) *v.* Felice

Felicissima (*f.*) (12 *ag.*)

Felicissimo (*m.*) 12, 26 *mag.*; 2 *lug.*; 6 *ag.*

Felicita (*f.*) 23 *nov.*; 9 *gen.*; 2, 3, 10, 13 *feb.*; 7, 8, 26 *mar.*; 3, 5 *giu.*; 10 *lug.*; 2 *set.*

Felicola (*f.*) (*Lat.*: nome della pianta Polypodium dolce) 14 *feb.*; 13 *giu.*

Feliks (*m.*) (*Rus.*) *v.* Felice

Felim (*m.*)

Felino (*m.*)(*Lat.*"Peloso") 1*giu.*

Felipe (*m.*) (*Sp.*) *v.* Filippo

Felix (*m.*) (*Ing.*) *v.* Felice

Felmasio (*m.*) (*Celt.* "Che rende felice la casa") 23 *dic.*

Felton (*m.*)(*Ing.ant.*"Dalla proprietà nei campi") *dim.* Tony

Femi (*f.*)(*Yor.*, *Nig.* "Amami")

Fenella (*f.*) (*Celt.* "Dalle spalle bianche") *var.* Finella

Fenton (*m.*)(*Ing.ant.* "Zona paludosa") *dim.* Fennie, Fenny, Tony

Feodor (*m.*) *v.* Teodoro

Feodora (*f.*) *v.*Teodora

Ferdinand (*m.*) *v.* Ferdinando

Ferdinanda (*f.*) (*It.*) *v.* Ferdinando

Ferdinande (*Fr.*) *v.* Ferdinando

Ferdinando (*m.*) (*Got.* "Ardito nella pace" "Avventuroso" "Forte") 30 *mag.*; 27 *giu.* // *var.* e *dim.* Ferdi, Fernanda, Fernando, Fertel, Friedenand, Nanda, Nando // Ferd, Ferdie, Ferdy, Fergus (*Ing.*); Ferdinande, Fernande *Fr.*); Fernand, Hernando (*Sp.*) // Ferrante

Ferenc (*m.*)(*Ung.*) *v.*Francesco

Fereolo (*m.*) (*Celt.* "Cavaliere veloce") 18 *set.*

Fergal (*Celt.* "Verdeggiante") 27 *nov.*

Fergus (*m.*) (*gael.* "Uomo forte") *v.* Ferdinando; *dim.* Gus

Ferguson (*m.*) ("Figlio di Fergus")

Fermiano (*m.*) (*Lat.*: "Proveniente da Fermo" o "Di Fermo") 11 *mar.*

Fermo (*m.*) (*Lat.* "Perseverante" "Solido" "Duraturo") 1, 24 *giu.*; 2 *feb.*; 31 *lug.*; 9 *ag.*; *v.* Firmino

Fern (*f.*) (*Gr.* "Piuma") *var.* Ferna, Ferne

Fernanda (*f.*) *v.* Ferdinanda

Fernando (*m.*) *v.* Ferdinando; 5 *giu.*

Ferran (*m.*) *v.* Ferdinando

Ferran (*m.*) (*Ar.*: "Panettiere")

Ferreolo (*m.*) (*Celt.*. "Veloce cavaliere") 16 *giu.*; 28 *ag.*

Ferris (*m.*) (*gael.*. "La roccia") *var.* Farris ; *v.* Pierce, Pietro

Ferruccio (*m.*) (*Lat.*: "Ferro") 16 *giu.*

Ferruzio (*Lat.* "Ferro") 28 *ott.*

Ferruzione (*m.*) 5 *set.*

Festo (*Lat.* "Festivo") 21 *dic.*; 19 *set.*

139

Fiacro (*m.*) (*Celt.* "Orante" "Che prega") 30 *ag.*; 30 *apr.*

Fiala (*f.*) (*nome con orig. da cognome*)

Fiamma (*f.*) (*Lat.*) *dim.* Fiammetta

Fiammetta (*f.*) (*Lat.:* "Piccola fiamma")

Fibizio (*m.*) (*Lat.* "Colui che cuce" "Sarto") 5 *nov.*

Fida (*f.*) *v.* Fedele

Fidalma (*f.*) (*Lat.* "Anima fedele") 11 *gen.*; 26 *feb.*

Fidel (*m.*) (*Sp.*) *v.* Fedele; *var.* Fidèle, Fidelio // (*Cuba*) da Fidel Castro

Fidelio (*m.*) *v.* Fedele 28 *ott.*

Fidelia (*f.*) (*Sp.*) *v.* Fedele// (*Cuba*) da Fidel Castro

Fidelity (*f.*)(*Lat.:*"Fedeltà""Lealtà") *var.* Fidela, Fidelia, Fidella, Fidelle, Fidellia

Fidenziano (*m.*) *var.* di Fidenzio 15 *nov.*

Fidenzio (*m.*) (*Lat.* "Animoso") 27 *set.*; 16 *nov.*

Fidolo (*m.*) (*Gr.*) 16 *mag.*

Fielding (*m.*) (*Ing. ant.* "Dal campo")

Fifi (*f.*) *v.* Sofia

Fifine (*f.*) *v.* Sofia

Filadelfo (*m.*) (*Gr.* "Che ama i fratelli") 10 *mag.*

Filagrio (*m.*) (*Lat.* "Amico della campagna") 29 *feb.*

Filappiano (*m.*) (*Gr.* "Seguace degli Appi", la *gens Claudia*) 30 *gen.*

Filarete (*m.*) (*Lat.* "Pescatore") 6 *apr.*

Filastrio (*m.*) (*Gr., etim. inc.*) 18 *lug.*

Filbert (*m.*) (*Ing. ant.*) *v.* Filiberto

Filea (*m.*)(*Gr.* "Amico") 4 *feb.*

Filemone (*m.*) (*Gr.:* "Bacio") 21 *mar.*; 22 *nov.*

Fileto (*m.*) (*Gr.* "Amabile") 27 *mar.*

Filiberta (*f*) *v.* Filiberto

Filiberto (*m.*) (*Ted.* "Molto illustre") (*Ing. ant.* "Intelligente") 20, 22 *ag.* // *var.* e *dim.* Bert, Bertie, Berty, Filberte, Filiberta, Philibert, Philiberte, Phil, Philbert, Philiberta, Philiberted

Filigonio (*m.*) (*Gr.* "Amante degli angoli") 20 *dic.*

Filip (*m.*) *v.* Filippo

Filippa (*f.*) (*Gr.* "Amante dei cavalli") 20 *set.*; 16 *feb.* // *var.* e *dim.* Felipa, Filippa, Philippa, Phillipe, Phillipina, Phillipine, Philly // Philipa, Philli, Phillie, Pippa, Pippy (*Ing.*); Filipote (*Fr.*); Filippa, Filippina, Pippa (*It.*); Filpina, Filipa, Ina, Inka (*Pol.*); Felipa (*Sp.*) // Filia, Filiouchka, Filipa, Filipka, Filippa, Filippina, Flieppie, Lipa, Philippine, Phillie

Filippina (*f.*) (*dim.* di Filippa) 31 *mag.*; 18 *nov.*

Filippo (*m.*) (*Gr.* "Amante dei cavalli") 1, 3, 26 *mag.*; 6 *feb.*;

11 *apr.*; 6 *giu.*; 10 *lug.*; 17, 22, 23 *ag.*; 2, 13 *set.*; 22 *ott.// var. e dim.* Filip, Filipp, Phillipe // Phil, Philipp, Phillie (*Ing.*); Filipote (*Fr.*); Pippo (*It.*); Felipe (*Sp.*) // Fippe, Fliep, Flippie, Fulop, Fulp, Lipp, Lipperle, Lippo, Lippus, Lips, Philipe, Philippine, Philippus, Phillie, Philp, Pilib

Filmore (*m.*) (*Ing. ant.* "Famoso") // *var. e dim.* Filmer, Fillmore, Morey, Phil

Filo (*m.*) (*Gr.* "Amico") 4 *feb.*

Filologo (*m.*) (*Gr.* "Amante delle lettere") 4 *nov.*

Filomena (*f.*) (*Gr.* "Amante del canto") 5 *lug.* 2 *ag.*

Filomeno (*m.*) (*Gr.* "Amante del canto") 14, 29 *nov.*

Filone (*m.*)(*Gr.* "Amante" "Amico") 25 *apr.*

Filoromo (*m.*) (*Gr.* "Amico dei Romani") 1 *nov.*

Filosofo (*m.*) (*Gr.*) 19 *nov.*

Filoteo (*m.*) (*Gr.* "Amico di Dio") 15 *set.*; 5, 15 *nov.*

Filotero (*m.*) (*Gr.* "Trebbiatore") 19 *mag.*

Fina (*f.*) (*abbr.* di Serafina)12 *mar.*

Finlay (*m.*) (*gael.* "Soldato dai bei capelli") // *var. e dim.* Fin, Findlay, Findley, Finley, Finn, Lee

Finley (*m.*) *v.* Finlay

Finn (*m.*) (*Ted. ant.* "Dalla Finlandia" o "Dai capelli chiari" "Dalla pelle chiara") ("Dal fiume Finn") *v.* Finley

Finnegan (*m.*) da Finn (*v.*)

Finniano (*m.*) (*Irl.* "Abitante vicino al fiume Finn") 12 *dic.*

Fintano (*m.*) (*Gael.* "Venuto da un luogo vicino al fiume Finn") 17 *feb.*

Fiona (*f.*) (*Celt.* "Dalla pelle chiara" o "Giusta" "Onesta") *var.* Fionna, Fionne, Phion-na, Viona, Vionna

Fiordaligi (da "fiordaliso)

Fiordiligi (*f.*) (eroina dell'Orlando Furioso)

Fiore (*m.*) (*Lat.*) 27 *ott.; dim.* Fiorella, Fiorello, Fiorina

Fiorella (*f.*) 24 *nov.*; *v.* Flora, Fiore

Fiorello (*m.*) *v.* Fiore

Fiorentina (*f.*) ("Fiorente "Che fiorisce") 20 *giu.*

Fiorentino (*m.*) (*Lat.* "Che fiorisce") 1 *apr.*; 27 *set.*; 16 *ott.*

Fiorenza (*f.*) (*Lat.* "Che fiorisce") 10 *nov.*; 1 *dic.; var.* Florent (*Fr.*); Florence, Florent (*Ing. Fr.*)

Fiorenziano (*m.*) 28 *nov.*

Fiorenzio (*m.*) (*Lat.*) 5 *giu.*

Fiorenzo (*m.*) (*Lat.* "Fiorente" "Che fiorisce") 14, 23 *feb.*; 2, 11, 23 *mag.*; 5, 9, 14 *giu.*; 15, 25 *lug.*; 22 *set.*; 13, 17, 27 *ott.*; 7 *nov.// var.* Florenzo

Fiorina (*f.*) *v.* Fiore; 1 *mag.*

Firman (*m.*)(*Anglo sass.*: "Viaggiatore") *dim.* Manny

141

Firmato (*m.*) (*Lat.* "Rassodato") 5 *ott.*

Firmin (*m.*) (*Fr.*) *v.* Firmino

Firmina (*f.*) (*Lat.*"Ferma" "Costante") 24 *nov.*

Firmino (*m.*) (*Lat.* "Costante" "Fermo") 25 *set.*; 24 *giu.*; 18 *ag.*; 2 *ott.;* Fermin, Fermine, Firmin (*Fr.*) *var.* Firminan, Fermo

Fisk (*m.*) (*Ing.* "Pesce") *var.* Fiske

Fitz (*m.*) (*Ing. ant.* "Figlio di..") *abbr.* di nomi inizianti per *Fitz*

Fitzgerald (*m.*) (*Ing. ant.* "Figlio di Gerald" "Figlio del potente lanciere" o "Figlio del sovrano con la lancia") *dim.* Fitz, Gerald, Gerrie, Gerry, Jerry

Fitzhugh (*m.*) (*Ing. ant.* "Figlio di Hugh") *dim.* Fitz, Hugh

Fitzpatrick (*m.*) (*Ing. ant.* "Figlio di Patrick") *dim.* Fitz, Pat, Patrick, Patty

Flair (*f.*) ("Stile" "Modello")

Flaminia (*f.*) (dal *Lat. flagmen* "Fiamma"; o da *flàmen, flaminem* da *filum* "Filo") // anche femm. di Flaminio, 2 *mag.*

Flaminio (*m.*) (dal *lat. flàmen*: sacerdote di una singola divinità della Roma antica, "Colui che compie sacrifici") *v.* Flaminia

Flavia (*f.*) (*Lat.* "Dai capelli biondi") 7 *mag.*

Flaviana (*f.*) 5 *ott.*; *v.* Flaviano

Flaviano (*m.*) (*Lat.*) *v.* Flavio; 22, 24, 25, 28 *gen.*; 18 *feb.*; 20 *lug.*; 23 *ag.*; 15 *nov.*

Flavio (*m.*) (*Lat.*: cognomen di una gens romana "Che ha i capelli biondi") 22 *giu.*; 24 *mar.*; 23 *ag.; var.*Flavie, Flavien, Flavienne (*Fr.*) // Flavius, Flavianus

Fleming (*m.*) (*Ing. ant.* "Fiammingo")

Fleta (*f.*) (*Ing. ant.* "Lesta, rapida") *var.* Fleda

Fletcher (*m.*) (*Ing*: "Costruttore di frecce" "Colui che pone piume alla propria freccia"; Arciere che dimostra destrezza) *dim.* Fletch

Fleur (*f.*) (*Fr.*) *dim.* Fleurette; *v.* Flora, Fiorenza, Fiore

Flin (*m.*) (*Nome comune*)

Flint (*m.*) (*Ing. ant.* "Torrente" "Selce" "Duro come selce")

Flo (*f.*) e (*m.*) (*Ind. Nordam.* "Come una freccia")

Flora (*f.*) (*Lat.*: Dea della primavera "In fiore" "Fiorita") 24 *nov.; 29 lug.; 2 giu.; 5 ott.* // *var.* e *dim.* Flo, Flore, Florenty, Flori, Florian, Floriane, Floriann, Florie, Flory, Florri, Florrie, Florry, Flossie, Flossy (*Ing.*); Kveta, Kvetka (*Cec.*); Fleurance, Florance, Flore, Florenceau, Florentine, Florentin, Florinde, Florine, Floris, Florisse (*Fr.*); Fiore, Fiorenza, Flora, Floretta, Florinda, Lora

(*It.*); Florida (*Prov.*); Lorka (*Rus.*); Florencia, Florencio (*Sp.*) // Fiora, Floria, Florentius, Florenz

Florence (*f.*) (*Fr.*) v. Flora

Floria (*f.*) (*Lat.*: "Fiorente") 18 *ag.*; v. Florio; *pers. lett.* nome di Tosca, nell'opera omonima

Florian (*m.*) (*Ing.*) var. Florio

Floriana (*f.*) 2 *giu.*; 9 *dic.*; var. di Flora

Floriano (*m.*) (*Lat.*: nome imposto onore della Dea dei fiori) 4 *mag.*; 17 *dic.*

Floriberto (*m.*) (*Fr.* "Fiore nobile") 27 *apr.*

Florida (*f.*) (*Prov.*) 10 *gen.*

Florina (*f.*) 1 *mag.*; *dim.* di Flora

Florinda (*m.*) (*Teut. tronc.* di Florasinda: *Dea sabina*) 27, 29 *lug.*; 22 *dic.*

Florindo (var. di Florio) (*Lat.*: imposto ai nati in primavera) 23 *gen.*; 29 *lug.*; 22 *dic.* // v. Flora

Florio (*m.*) (*Lat.* "Fiorente") v. Flora // 3 *nov.*; 6, 11, 20, 23 *gen.*; 3 *giu.*; 18 *ag.*; 22 *dic.*

Floro (*m.*) v. Florio

Florri / Florrie (*f.*) v. Flora

Flower (*f.*) (*Ing.* "Fiore") // v. anche Flora, Floria, Fleur, Florence

Floyd (*m.*) v. Lloyd

Flynn (*m.*) (*gael.* "Figlio dell'uomo dai capelli rossi") // var. Flin, Flinn, Flyn

Foca (*f.*)(*Gr., etim.inc.*) 22 *set.*

Fofo (*m.*) *dim.*di Alfonso, 1 *ag.*

Fola (*f.*) (*Yor., Nig.* "Onorata")

Folco (*m.*)(*Ted. ant.* "Combattente per il popolo") 22 *lug.*; 11, 26 *ott.*; 22 *mag.*; var. Fulco

Foley (*m.*) (*raro*)

Fonda (*f.*) (*Lat.* "Fondazione")

Fons (*m.*) *dim.* di Alphonse 1 *ag.*

Fontaine (*m.*) ("Fontana")

Forbes (*m*) (*Irl. gael.*"Prospero" o "Proprietario di terre")

Ford / Forde (*m.*) (*Ing. ant.*: "Che attraversa il fiume")

Fordel(*m*) (*Ing. git.* "Clemente")

Foreseo (*m.*) (*Lat.*) 29 *set.*

Forester (*m.*) v. Forrest

Formoso (*Lat.* "Bello") 4 *apr.*

Forrest (*m.*) (*Fr. ant.* "Che abita la foresta") (*Ing.* "Protettore della foresta") // var. Forest, Forester, Forrester, Forster, Foster

Forte (*m.*) (*Lat.*) 16 *mag.*

Fortuna(*m.*)(*Fr.*) v. Fortunato

Fortunata (*Lat.* "Favorita dalla fortuna") 14,15 *ott.*; 1 *nov.*

Fortunato (*m.*) (*Lat.* "Che ha buona sorte") 6, 14 *dic.*; 9 *gen.*; 2, 3, 21, 26, 27 *feb.*; 3 *mar.*; 17, 21, 23 *apr.*; 14 *mag.*; 1, 8, 11, 13, 18 *giu.*; 26, 27, 28 *ag.*; 9 *set.*; *14*, 15, 24 *ott.* // var. Fortunio

Fortune (*f.*) (*Lat.* "Sorte" "Destino") var. Fortuna

Fortunione (*m.*) (15 *dic.*)

Fosca (*f.*) (*Lat.* "Scura" "Bruna") 13 *feb.*

Fosco (*m.*) (*Lat.* "Bruno" "Scuro") 2 *giu.*

Foster (*m.*) *v.* Forrest

Fotide (*m.*) (*Gr.* "Originario di Potidea") 20 *mar.*

Fotina (*f.*) (*Gr.* "Luminosa") 20 *mar.*

Fotino (*m.*) 2 *giu.*; 12 *ag.*

Fowler (*m.*) (*Ing. ant.* "Guardacaccia")

Fozio (*m.*) (*Gr.* "Preferito") 4 *mar.*; 20 *mar.*

Fraimbaudo (*m.*)(*Ted.ant.* "Libero e ardito") 15 *giu.*

Franca (*f.*) (*Ted. ant.*) 25 *apr.; v.* Francesca

France (*f.*) (*Ing.; Fr.*) *v.* Francesca

Frances (*f.*) *v.* Francesca

Francesca (*f.*) *v.* Francesco, *9 mar.*; 22 *dic.*; 12 *dic.*; 4 *ott.*// *var.* e *dim.* Franca, Francka (*Cec.*); France, Francine, Françoise, Fanchon (*Fr.*); Fotina (*Gr.*); Fan, Fani, Fanni, Fannie, Fanny, Fran, Francette, Franci, Francina, Francelin, Franni, Frannie, Franny (*Ing.*); Franca, Cecca, Cesca, Ceschina (*It.*); Franciszka, Fraka, Frania (*Pol.*); Francise (*Rom.*); Fedora (*Rus.*); Chica, Francisca, Paca, Pancha, Panchita,Paquita (*Sp.*); Franziska, Franze (*Ted.*); Ferike, Franci (*Ung.*) // Ciska, Fancy, Fania, Fanya, Francina, Francine, Francyne, Franka, Franky, Frankiska, Franzine, Soizic, Ziska

Franceschino (*m.*) (16 *giu.*)

Francesco (*m.*) (*Ted. ant* dall'aggettivo "*franco*" "Uomo libero" "Del popolo dei Franchi") (*Lat. tardo:* Franciscus) 4 *ott.*; 24, 29, 31 *gen.*; 6 *feb.*; 2 *apr.*; 2 *mag.*; 4, 16, 19 *giu.*; 14 *lug.*; 5 *ag.*; 12, 30 *set.*; 10 *ott.*; 2, 3, 28 *dic.*; 29 *nov.*// *var.* e *dim.* Franc (*Bul.*); Frants (*Dan.*); Frans (*Fin.*); Franc, François, Franchot (*Fr.*); Palani (*Haw.*); Fran, Fraki, Francis, Frank, Frankie, Franky (*Ing.*); Franco, Cecco, Checco, Cesco (*It.*); Franek, Franio, Franus(*Pol.*); Cisco, Franco, Chico, Chicho, Chilo, Chito, Currito, Curro, Farruco, Francisco, Frasco, Frascuelo, Paco, Pacorro, Pancho, Panchito, Paquito, Quico (*Sp.*); Frans, Franzen (*Sv.; Norv.*); Franz, Franzl (*Ted.*); Ferenc (*Ung.*) // Fercsi, Francisek, Franciskus, Francisque, Frangag, Frannie, Franny, Frans, Franze, Frisco, Ziskus

Franci (*f.*) (*Am.; Ung.*) *v.* Francesco

Francille (*f.*) (*raro*)

Francine (*f.*) (*Fr.*) *v.* Francesca

Francis (*m.*) *v.* Francesco

Francisca (*f.*) (*Sp.*) *v.*Francesca

Francisco (*m*) (*Sp.*) *v.*Francesco

Franco (*m.*) (*Ted. ant.* "Libero") 20 *ag.*

François (*m*) (*Fr.*) *v.* Francesco

Françoise (*f*) (*Fr.*) *v.* Francesca

Frank (*m.*) (*Fr. ant.*) *v.* Francesco, Franco

Franklin (*m.*) (*Ing.* "Titolare di un diritto di proprietà fondiaria assoluta") // *var.* e *dim.* Francklin, Francklyn, Frank, Frankie, Franklyn, Franky

Fraser (*m.*) *v.* Frazer

Frazer (*m.*) (*Ing. ant.* "Dai capelli ricci") (*Fr. ant.* "Fragola") *var.* Fraser, Frasier, Fraze, Frazier

Fred (*m.*) *dim.* di Alfred, Frederick

Fredegondo (*m.*) (*Ted.* "Combattente per la pace")

Frederic (*m.*) *v.* Federico

Frederica (*Teut.*) *v.* Federica

Frederick (*m.*) (*Ing.*; *Ted*) *v.* Federico

Frediana (*f*) *v.* Frediano 19 *lug.*

Frediano (*m.*) (*Celt.* "Bianchissimo") 18 *mar.*; 18 *nov.*

Fredsvinda (*f.*) (*Ted. ant.* "Valida in pace") 19 *ott.*

Freeland (*m.*) (*Ing. ant.* "Dalla terra libera")

Freeman (*m.*) (*Ing. ant.* "Uomo libero") *dim.* Manny

Freemont (*m.*)(*Teut.* "Protettore della libertà") *dim.* Monty

Freya (*f.*) (*Norv.*: Dea della fertilità)

Frida (*f.*) (*Am.*; *Ung.*; *Ted.*) *v.* Frieda

Frido (*m.*) (*Celt.* "Che ha trovato la pace") 25 *set.*

Fridolino (*m.*) (*dim.* di Frido) 6 *mar.*

Frieda (*f.*) (*Germ.* "Pace") 5 *feb.* // *v.* Federica, Frediano (*dim.* di Sigfrida)

Friedegunde (*f.*) *v.* Frieda

Friederun (*f.*) *v.* Frieda

Friedeswind (*f.*) *v.* Frieda

Friedrich (*m.*) (*Ted.*) *v.* Federico

Friedrichs (*m*)(*Ted.*) *v.* Federico

Frine (*f.*)(*Gr.* "Fosco" "Cupo")

Frisco (*m.*) *v.* Francesco

Friso (*m.*) (*Fr. arc.*: "Ornamento") 15 *giu.*

Fritz (*m.*) *abbr.* di Frederick

Fritzie (*f.*) (*Ted.*) *v.* Fritz; *var.* Fritzi, Fritzy

Frodoino (*m.*) (*Celt.*: "Celato" "Nascosto") 10 *mag.*

Froilano (*m.*) (*Gr., etim.inc.*) 3 *ott.*

Fronde (*f.*) (*Lat.* "Ramo frondoso di foglie") *var.* Fronda

Frontone (*m.*)(*Lat.*"Grande mente") 25 *ott.*

Frumenzio (*m.*) (*Lat.* "Che si diletta") 27 *ott.*; 23 *mar.*

Frutto (*m.*) (*Lat.*) 1 *nov.*

Fruttolo (*m.*) (*Lat.* "Piccolo frutto") 18 *feb.*

Fruttuosa (*femm.* di Fruttuoso: "Che dà buoni frutti" "Fertile") 23 *ag.*

Fruttuoso (*m.*) (*Lat.*: "Che da buoni frutti" "Fertile") 16 *apr.*; 21 *gen.*

Fulbert (*m.*) *v.* Fulberto

145

Fulberte *v.* Fulberto

Fulberto (*m.*) (*Germ.* "Splendido") 10 *apr.; var.* Volbert, Volberte

Fulco (*m.*) (*Lat.*) *v.* Folco

Fulgenzia (*f.*) *v.* Fulgenzio

Fulgenzio (*m.*) (*Lat.* "Splendente" "Luminoso") 1 *gen.*; 22 *mag.*

Fulrado (*m.*) (*Ted. ant.* "Luminoso consigliere") 17 *feb.*

Fulton (*m.*) (*Ing. ant.* "Dalla fattoria") *dim.* Tony

Fulvenne (*f.*) *v.* Fulvia

Fulvia (*f.*)(*Lat.* "Fulvo" "Biondo rossiccio" "Dai capelli d'oro") 30 *apr.*; 7 *mag.* // *var.* e *dim.* Fulvi, Fulviah, Fulviane, Fulvie, Via

Fulviano (*m.*) (*Lat.* "Biondeggiante") 6 *nov.*

Fulvien (*m.*) *v.* Fulvio

Fulvio (*m.*) (*It.*) (*Lat.:* "Biondo rossiccio") 30 *apr.*; 7 *mag.; var.*Fulvian, Fulvien, Fulvius

Fureseo (*m.*) (*gael.*, *etim. sc.*) 29 *set.*

Furio (*m.*) (*Lat.*; *Etr.*) (da *Furie*: divinità della vendetta) 18 *feb.*

Furlon (*m.*) (*raro*)

Furman (*m.*) (*raro*)

Furseo (*Lat. etim. sc.*) 16 *gen.*

Fusciano (*m.*) (*Lat. celt.* "Che fa rumore") 11 *dic.*; 27 *lug.*

Fuscolo (*m.*) (*Lat.* "Scuro") 6 *set.*

Fynn (*m.*) (*Gha.* "Il fiume Offin")

146

Fyodor (*m.*) *v.* Teodoro

G

Gabdela (*Asia M., etim. sc.*) 29 *set.*

Gab *v.* Gabriele

Gabe (*m.*) (*Ing.*) *abbr.* di Gabriele

Gabel (*m.*) (*Nome comune*)

Gabi (*m.*) (*Ebr.* "Dio è la mia forza") // (*Isr.*) forma *mod.* di Gabriele

Gabie *v.* Gabriele

Gabin (*m.*) *v.* Gabriele

Gabino (*m.*) (*Lat.* "Oriundo di Gabium" *città del Lazio*) 19 *feb.*; 30 *mag.*

Gable (*m.*) (*Anglo-sass. nome comune*)

Gabor *v.* Gabriele

Gabriel (*m.*) (*Fr.*) *v.* Gabriele

Gabriele (*m.*) (*aram.* "Eroe di Dio" "Dio è la mia forza" "Uomo di Dio") *29 set.*; 16, 24 *mar.*; 26 *gen.*; 27 *feb.*// *var.* e *dim.* Gab, Gabe, Gabie, Gabby (*Ing.*); Gavril (*Bul.; Rus.*); Gabko, Gabo, Gabris, Gabys (*Cec.*); Gabi, Gabor (*Ung.*); Gabriello (*It.*); Riel (*Sp.*) // Gaaf, Gabay, Gabbie, Gabby, Gabel, Gabin, Gabrel, Gabrio, Gabriello, Gaby, Gavriil

Gabriella (*f.*) (*Ebr.* "Dio è la mia forza") 29 *set.*; 24 *mar.*;

femm. di Gabriele // *var.* e *dim.* Gabriela, Gaby, Gabry, Gavra, Gavrilla, Gavrielle, Gavriouna

Gabrielle (*f.*) (*Fr.*) *v.* Gabriella

Gabriello *v.* Gabriele

Gabrio (*m.*) *abbr.* di Gabriele

Gaby (*f.*) *abbr. v.* Gabriella

Gada (*f.*) (*Ebr.* "Felice" "Fortunata"; *aram.*"Fortuna")

Gadi (*m.*) (*Isr.*) (*Ar.* "La mia fortuna") *var.* Gadiel

Gael (*f.*) *v.* Abigail

Gael/ Gaelle (*f.*) 17 *dic.; var.* Gaella, Gaela

Gaetan / Gaetane (*m.*) (*Fr.*) *v.* Gaetano

Gaetano (*m.*) (*Lat.* "Originario di Gaeta") 7, 8 *ag.* // Caetano, Cajitan, Kajietan // Caetan (*Fr.*); Gaetano (*Port.*)

Gafna (*f.*)(*Ebr.* "La pianta della vite")

Gage (*m.*) (*Fr. ant.* "Pegno")

Gaggio (*m.*) (*Lat.*: da Gaio o Caio) 10 *mar.*

Gaia (*femm.* di Caio) 22 *apr.*

Gaiano (*m.*) (*Ted.ant.*"Vivace" "Allegro") 10 *apr.*

Gail / Gaille (*f.*) *v.* Abigail

Gaines (*m.*) ("Profitti")

Gainor (*m.*) *v.* Gaynor

Gaio (*m.*)(*Lat.*; *Sass.* "D'umore allegro") 10 *mar.*

Gala (*f.*) (*Norv. ant.* "Cantante")

Galata (*m.*) (*Gr.* "Oriundo del-la delizia") 19 *apr.*

Galatea (*f.*) (*Gr.* "Candore" "Tranquillità""Di colore avorio" "Bianca come il latte")

Galazione (*m.*) (*orig. etn.* "Oriundo della Galazia") 5 *nov.*

Galdino (*Fr.: ant. Germ.* "Dominare" "Regnare") 18 *apr.*

Galdo (*m.*) (*Teut.*: "Regnare") 23 *apr.*

Gale (*m.*) (*Ing. ant.* "Vivace e allegro") (*Irl. gael.* "Straniero") *var.* Gael, Gail, Gayle; *v.* Abigail

Galeazzo (*m.*) (*Sass.*: "Giocondo" "Lieto" "Armato di elmo") 5 *nov.*

Galen (*m.*) (*Irl. gael.* "Piccolo e luminoso") *var.* Galan; Gal, Gayle (*Ing.*); Galeno (*Sp.*)

Gali (*f.*) (*Ebr.* "Collina" "Sorgente") *var.*Gal, Galice, Galit

Galilea (*f.*) (dalla regione di Galilea) *var.* Galileah

Galileo (*m.*) (*Ebr.:* "Circondario" "Regione")

Galina (*f.*) (*Rus.*) *v.* Elena

Galla (*f.*) (*orig. etn.* "Donna delle Gallie") 5 *ott.*

Gallagher (*m.*) (*gael.* "Impaziente di porgere aiuto")

Gallicano (*m.*) (*Lat.* "Originario della Gallia") 25 *giu.*

Gallo (*m.*)(*Ted. ant.* "Colui che parla in maniera confusa" "Barbaro della Gallia") 16 *ott.*

Galt (*m.*) (*Norv. ant.* "Montagna" "Altotopiano")

Galvin (*m.*) (*Irl. gael.* "Passero" "Bianco luminoso") // *var* e *dim.* Gal, Galvan, Galven, Vinnie, Vinny

Galya (*f.*) (*Ebr. Rus.: abbr.* di Galina)

Gamaliel (*m.*) (*Ebr.* "Dio è la mia ricompensa")

Gamaliele (*m.*) (*Ebr.:* "Cammello di Dio") 3 *ag.*

Gamble (*m.*) ("Scommessa")

Gana (*m.*) (*Mozambico*)

Gan (*m.*)(*Viet.* "Essere vicino")

Gandolfo (*m.*) (*Ted.* "Lupo guerriero") 11 *mag.*; 3 *apr.*

Ganesa (*f.*) (*hindu* "Dio della buona fortuna e della saggezza")

Ganit (*f.*) (*Ebr.* "Giardino") *var.* Gana, Ganice

Gannett (*m.*) (*raro*)

Gannon (*m.*) (*Irl. gael.* "Dalla bella carnagione")

Gano (*m.*) (*abbr.* di Galgano)

Ganya (*f.*) (*Rus.*) *v.* Agnese

Gar (*m.*) (*Zool.* "Aguglia")

Garai (*m.*) (*Rod.* "Essere deciso")

Garcia (*m.*) (*Sp.*) (*nome con origine da cognome*)

Garda (*f.*) (*teut.* "Protetta) *var.* Gerda

Gardenia (*f.*)(Dal fiore "gardenia") *var.* Gardina, Gardine

Gardner (*m.*) (*Ing.* "Giardiniere") // *var.* e *dim.* Gard, Gardener, Gardie, Gardiner, Gardy

Gardo (*m.*) (*Ted.:* "Animoso" "Guerriero") 24 *set.*

Gareth (*m.*) ("Gentile") *v.* Garrett

Garfield (*m.*) (*Ing. ant.* "Campo di battaglia") *dim.* Gar, Garf

Gari (*f.*) (*teut.* "Lancia" "Fanciulla della lancia") *femm.* di Gary

Garibaldo (*m.*) (*Ted. ant.* "Guerriero audace") 8 *gen.*

Gariel (*m.*) (*raro*")

Garimberto (*m.*) (*Ted.* "Guerriero illustre")

Garland (*m.*) (*Ing. ant.* "Dal campo di battaglia") (*Fr.ant.* "Ghirlanda, corona") // *var.* e *dim.* Gar, Garlan, Garlen, Garlin

Garlanda (*f.*) (*Fr. ant.* "Ghirlanda") *var.* Garlande, Garlinda

Garner (*m.*) (*Teut.* "Protettore del guerriero")

Garnet (*f.*) e (*m.*) (*Ing.* "Granato", *pietra semipreziosa*) // *var.* Garnett, Garnetta

Garnett (*m.*) ("Pronto per la battaglia")

Garred (*m.*) ("Potente guerriero")

Garren (*m.*) (*raro*)

Garrett (*m.*) *v.* Garrick

Garrick (*m.*) (*Ing. ant.* "Potente con la lancia") *dim.* Gay, Rick, Rickie, Ricky

Garridan (*m.*) (*Ing., git.* "Nascosto")

Garrison (*m.*) ("Fortificato")

Garson (*m.*) (*Ebr.* "Straniero") // *var.* e *dim.* Gerson, Gershom, Gershon, Sonny

Garth (*m.*) (*Am.*; *Scan*) (*Norv. ant.* "Recinto" "Giardiniere")

Garver (*m.*) ("Guerriero")

Garvey (*m.*) (*gael.* "Combattente per la pace")

Garvin (*m.*) (*Ing. ant.* "Amico in battaglia") // *var.* e *dim.* Gary, Garwin, Vinnie, Vinny, Win, Winnie, Winny

Garwood (*m.*) ("Dalla foresta di abeti") *dim.* Woodie, Woody

Gary (*m.*) (*Ing. ant.* "Portatore di lancia" "Lanciere" "Combattente per la pace") *var.* Garey, Gari, Garri, Garry; *v.* anche Garrett, Garrick

Gasha / Gashka (*f.*) (*Rus.*) *v.* Agnese

Gaspar (*m.*) *v.* Gaspare

Gaspara (*f.*) 6 *gen.; v.* Gaspare

Gaspard (*m*) 3 *gen.; v.*Gaspare

Gaspare (*m.*) (*aram.* "Stimabile maestro" "Tesoriere" "Padrone del tesoro") (*Ira.* "Che ha in se lo splendore") 1, 2, 6 *gen.*; 12 *giu.*; 28 *dic.* // *var.* e *dim.* Cash, Caspar, Casper, Cass, Cassie, Cassy, Gaspar, Gaspard, Gasper, Jasper, Kaspar, Kasper, Jasper (*Ing.*); Kaspar (*Cec.*; *Ted.*); Jasper, Gaspard, Gasparin, Gasparine (*Fr.*); Gasparo (*It.*); Gaspar (*Ung.*; *Port.*; *Rus.*; *Sp.*); Caspara, Gasper, Jasper, Kapp

Gasparo (*m.*) *v.* Gaspare

Gaston (*m.*)(*Fr.*) *v.* Gastone

Gastone (*m.*) (*Fr. ant.* da "Gascon" "Abitante della Guascogna") (*Got.* "Ospite" "Forestiero) 6 *feb.*; 24 *apr.*// *var.* e *dim.* Tony, Gastao // Gaston (*Fr.*)

Gatiano (*m.*) (*Fr.* "Emigrato") 18 *dic.*

Gaubert (*m.*) (*Fr.*) *v.* Gualberto

Gauchero (*m.*) (*Fr.* "Mancino") 9 *apr.*

Gaudenzia (*f.*) (*Lat.* "Allegra") 30 *ag.*

Gaudenzio (*m.*) (*Lat.* "Allegro") 22 *gen.*; 12 *feb.*; 19 *giu.*; 14, 25 *ott.; var.*Godenzo

Gaudino (*m.*) (*dim.* di Gaudo) 11 *feb.*

Gaudioso (*m.*) (*Lat.* "Gioioso") 7 *mar.*; 26 *ott.*; 27 *ott.*

Gaudo (*Fr.* "Gozzo") 27 *mar.*

Gaugerico (*m.*) (*Ted.ant.* "Giovane guerriero") 11 *ag.*

Gauri (*f.*) (*hindu* "Giallo" o "Giusta")

Gauthier / Gautier (*f.*) (*Fr.*) *v.* Gualtiero

Gautiero (*m.*) (*orig. etn.* "Uomo venuto dal Gotio", antica località della Svezia) 15 *giu.*

Gauvain (*m.*) (*Fr.*) *v.* Gavin

Gavin (*m.*) (*Gall.* "Falco bianco" o "Dalla terra del falco") *var.* Galvane, Gauvin, Gauwe, Gavan, Gaven, Gawain, Gawen

Gavino (*m.*) (*Etr.* "Spiaggia") (*Lat.*, *orig. etn.* "Abitante di Gabium", antica località del Lazio) 25 *ott.*; 6, 30 *mag.*

Gavril (*m.*) (*Rus.*) *v.* Gabriele

Gavrila (*f.*) (*Sl.*) *v.* Gabriella

Gavrilla (*f.*) *v.* Gabriella

Gawain (*m.*) *v.* Gavin

Gay (*f.*) (*Fr. ant.:* "Felice") *var.* Gaye

Gayl (*f.*) *v.* Abigail

Gayla (*f.*) (*raro*)

Gayle (*f.*) *v.* Abigail, Gale

Gayleen (*f.*) (*raro*)

Gaylon (*m.*) (*raro*)

Gaylord (*m.*) (*Fr. ant.:* "Ardente") (*Ing. ant.:* "Gioioso Signore") // *var.* e *dim.* Galer, Gallard, Galliard, Gay, Gayelord, Gayler, Gaylor

Gaynell (*f.*) (*nome doppio*)

Gaynes (*m.*) ("Profitto")

Gaynor (*m.*) (*gael.* "Figlio dell'uomo dai bei capelli") // *var.* e *dim.* Gainer, Gainor, Gay, Gayner

Gazit (*f.*) (*Ebr.* "Pietra tagliata")

Geanne (*f.*) (*raro*)

Geary (*m.*) (*raro*)

Gedeone (*m.*) (*Ebr.* "Che abbatte" "Distruttore" o "Tagliaboschi") 11 *set.; var.* Gedeon (*Bul.; Fr.*); Hedeon (*Rus.*)

Geela (*f.*) (*Ebr.* "Gioia")

Gegia (*f.*) *v.* Teresa

Gelasio (*Gr.* "Colui che irride") 21, 19 *nov.;* 29 *gen.;* 23 *dic.*

Gelsey (*f.*) (*nome con orig.da cognome*)

Gelsomina (*f.*) (*Per.* "Fiore di gelsomino") 1 *nov.*// *var.* e *dim.* Jasmin, Jasmine (*Fr.*); Jasmina, Jazmin, Jessamine, Jessamyn, Jessamyne, Jessi, Jessie, Yasmin, Yasmine (*Ing.*); Yasiman, Yasmine (*hindu*) // Jasmine

Geltrude (*f.*) *v.* Gertrude

Gelya (*f.*) (*Rus.*) *v.* Angela

Gemello (*m.*) (*Gr.:* "Doppio") 10 *dic.*

Gemina (*f.*) (Dalla costellazione dei gemelli) *var.* Gemine, Gemini, Geminia, Geminie, Geminine, Gemma, Mini

Gemini (*f.*) *v.* Gemina

Geminiano (*m.*)(*Lat.* "Gemello") 31 *gen.;* 16 *set.;* 14 *ott.*

Gemino (*m.*) (*Lat.* "Gemello") 4 *gen.;* 4 *feb.*

Gemma (*f.*) (*Lat.* "Bottone di una pianta" "Pietra preziosa lavorata" "Occhio della vite" "Estremità non ancora sviluppata del germoglio") 14 *mag.;* 11 *apr.;* 20 *giu.; var.* Jemma

Genae (*f.*) *raro; v.* Jenae

Gene (*m.*) *v.* Eugene

Generale (*m.*) (*Lat.* "Universale") 14 *set.*

Generosa (*f.*) 17 *lug., v.* Generoso

Generoso (*Lat.* "Di origine nobile" "Prodigo d'animo e di cose materiali") 17, 10 *lug.*

Genesia (*f.*) *v.* Genesio; 8 *giu.;* 17 *lug.*

Genesio (*m.*) (*Gr.* "Colui che genera") 25 *ag.;* 27 *apr.;* 3 *giu.;* 1 *nov.*

Geneva (*f.*) (*Fr. ant.* "Albero di ginepro")

Genevieve (*f.*) (*Celt.*: "Onda bianca") 3 *gen.* // *var.* e *dim.* Genna, Genevra, Jenny, Genviévre, Genoveffa, Genovera, Geva, Ginette, Ging, Ginou, Guenia, Guenievre, Guenovefa, Guenovera // *v.* Eugenia e Ginevra

Geni / **Genie** (*f.*) (*raro*)

Genista (*f.*) (*raro*)

Gennadio (*m.*) (*Celt.* "Nato da Dio") 25, 16 *mag.*

Gennara (*f.*) *v.* Gennaro // 2 *mar.*; 17 *lug.*

Gennarina (*f.*) *dim.*di Gennara

Gennaro (*m.*) (*Lat.* "Nato nel mese di gennaio" "Mese sacro a Giano") 19 *set.*; 7, 19 *gen.*; 2 *lug.*; 8 *apr.*; 10, 15 *lug.*; 13, 24, 25 *ott.*; 2, 15 *dic.*

Genny (*f.*) *v.* Ginevra, Jennifer

Genoveffa (*f.*) (*Celt.* "Donna nobile" "Dalle guance bianche") 3 *gen.*; 2 *apr.*; 24 *dic.*; *v.* Genevieve

Gentile (*Lat.* "Cortese nel comportamento") 5 *set.*; 28 *gen.*

Genuflessa (*f.*) (nome di devozione)

Genuino (*m.*) (*Gr.* "Naturale") 5 *feb.*

Genziano (*m.*) (*Lat.* "Cittadino") 11 *dic.*

Genzio (*m*) *v.* Genziano;16 *mag*

Geoff (*m.*) *abbr.* di Geoffrey

Geoffrey (*m.*) (*Teut.* "La pace di Dio") *v.* Goffredo // *var.* e *dim.* Geof, Geoff, Geoffroi, Godfrey, Goffert, Gottfried, Jeff, Jeffe, Jefferey, Jeffers, Jeffie, Jeffrey, Jeffry, Jeffy

Geoffroy (*m.*) (*Fr*) *v.*Goffredo

Georg / **George** (*m.*) *v.*Giorgio

Georgeann / **Georgeanna** (*f.*) (*nome doppio*)

Georges (*Fr.*) *v.* Giorgio

Georgette / **Georgia** (*f.*) *v.* Giorgia

Gerald (*m.*) (*Fr.*) *v.* Geraldo

Geraldina (*f.*) (*Teut.* "Colei che regna con la lancia) *femm.* di Gerald; 5 *apr.* // *var.* e *dim.* Geerte, Gera, Geralda, Geraldina, Geraldine, Geralit, Gerarda, Gerarde, Gérardine, Gerharda, Gerhardina, Gerrie, Gerry, Giralda, Jeraldine, Jerri, Jerrie, Jerta

Geraldine (*Fr.*) (*f.*) *v.* Geraldina

Geraldo (*m.*) 10 *mar.*; 5 *dic.; v.* Gerardo

Geranium (*f.*) (Dal fiore di *geranio*)

Gerard (*m.*) (*Fr.*) *v.* Gerardo

Gerardo (*m.*) (*Germ.*"Valoroso nello scagliare la lancia"); *v.* Gherardo, Giraldo; 23 *apr.*; 6, 13 *giu.*; 7 *set.*; 3, 16, 30 *ott.*; 7 *dic.*// *var.* e *dim.* Gard, Garret, Garrit, Gearalt, Gearrard, Geeraard, Geerhard, Geert, Gerardo, Gerardus, Geraud, Gerd, Gerhard,Gerhart, Gerrald, Gerrold Gersten, Gert, Gherardo,

151

Graald, Grard, Greelt, Jerald, Jerold // Geralde, Gérard, Gérardin, Geraud, Giraud, Girauld (*Fr.*); Garrett, Gary, Gerrard, Gerrie, Gerry, Jerrie, Jerry (*Ing.*); Gerrit (*Ol.*); Gerwald (*Ted.*); Gerek (*Pol.*); Garald, Garold, Garolds, Kharald (*Rus.*); Geraldo (*Sp.*); Gellart,Gellert,Gerwald (*Ung.*)

Gerasimo (*m.*) (*Ted. ant.* "Fabbro") 5 *mar.*

Gerberto (*m.*) (*Ted. ant.* "Lancia splendente") 13 *ott.*

Gerda (*f.*) (*Norv. ant.* "Protetta" "Custodita") *var.* Garda, Gardi, Gerdie, Gerta, Gard, Gardina, Gerdi

Geremaro (*m.*) (*Ted. ant.* "Compagno di guerra")

Geremia (*m.*) (*Ebr.* "Geova mi ha scelto" "Esaltazione del Signore" "Dio solleverà") 7, 17 *giu.*; 16 *feb.*; 1 *mag.*; 15 *set.*// *var.* e *dim.* Jere // Jérémie (*Fr.*); Jeremias, Jeremy, Jerry (*Ing.*); Jermyeie (*Ung.*)

Geren (*m.*) (*raro*)

Gereone (*m.*) (*Gr.* "Che ha tre corpi") 10 *ott.*

Gerhard (*m.*)(*Scan.*) *v.* Gerald

Geri (*m.*) *v.* Gerri

Gerianne (*f.*) (*nome doppio*) *var.* Gerianna

Gerik (*m.*)(*Pol.*) *v.* Edgar

Gerilee (*f.*) (*nome doppio*)

Gerilyn (*f.*) (*nome doppio*)

Gerino (*m.*) (*Gr.* "Piccolo sacerdote") 2 *ott.*

Gerlando (*m.*) (*Gal.* "Oriundo della Germania") 25 *feb.*

Germain (*m.*) e (*f.*) (*Fr.*) *v.* Germana

Germaine (*f.*)(*Fr.*) *v.* Germana

Germana (*f.*) (*Lat.* "Dalla Germania" "Tedesca") (*Celt.* "Urlatrice") (*Ing.:* "Germoglio" "Gemma") 15 *giu.*; 19 *gen.*// *var.* Germaine, Jermaine,Germina, Guermana, Guermane, Germayne, Guermoussia, Jermayne

Germanico (*m.*)("Fratello")(*Ted. ant.* "Appartenente alla Germania") 19 *gen.*

Germano (*m.*) ("Fratello") (*Lat.* "Fratello germano" "Nato dai medesimi genitori") 7, 31 *lug.*; 2, 12, 28 *mag.*; 19 *giu.*; 6 *set.*; 11, 23, 30 *ott.*; 3, 13 *nov.* // *var.* e *dim.* Germain, Jermain, Garmon, Germanus, Germantajie, Jermen

Gerolamo (*m.*) *v.* Girolamo

Geroldo (*m.*)(*Ted.ant.*"Che domina con la lancia") 19 *apr.*; 7 *ott.*

Geronide (*m.*) (*Gr.* "Figlio del sacerdote") 12 *set.*

Geronimo (*m.*) *v.* Gerolamo; 20 *lug.*

Geronzio (*m.*) (*Gr.* "Vecchio") 9, 5 *mag.*; 19 *gen.*; 25 *ag.*

Geroteo (*m.*) (*Gr.* "Sacro a Dio") 4 *ott.*

Gerrald (*m.*) *v.* Geraldo

Gerri (*f.*) *abbr.* di Geraldo

Gershom (*m.*) *v.* Garson

Gersole (*m.*) (*contr.* di Giovanni in Gerusalemme)

Gersone (*m*) (*Ebr.* "Pellegrino")

Gertrude (*f.*) (*Teut.* "Vergine con la lancia" "Amica della lancia) 16, 17 *nov.*; 6 *gen.*; 17 *mar.*; 13 *ag.*.// *var.* e *dim.* Geltrude (*Fr.*; *It.*); Gertrud (*Ted.*) // Geltruda, Gert, Gertie, Gertruda, Gerty, Truda, Trude, Trudie, Trudy

Gervais (*m.*) (*Fr.*) *v.* Gervasio

Gervaise (*m.*) (*Fr.*) *v.* Gervasio

Gervasio (*m.*) (*orig. esotico etn.*) 19, 17 *giu.*; 1 *mar.*; 6 *lug.*; 7 *ag.*.// Gerva, Gervaius

Gesio (*m.*) (*Gr.* "Risanato dal Signore") 7 *apr.*

Gessica (*f.*) *v.* Jessica

Gesù (*m.*) (*Ebr.* "Il Salvatore" "Dio è salute") 21 *giu.*

Gesualdo (*m.*) (*Ted. ant.* "Che protegge con la lancia")

Getulio (*m.*) (*orig. etn.* "Appartenente ai Getuli") 10 *giu.*

Geva (*f.*) (*Ebr.* "Collina")

Gherardo (*m.*) 7 *dic.*; 7 *set.*; 13 *mag.*; 3, 9 *ott.*; *v.* Gerardo

Ghisalberto (*med.*) *v.* Gilberto

Ghislain (*m.*) (*Celt.*: "Fonditore") 10 *ott.* // *var.* e *dim.* Gelijn, Gislain, Gislaine, Gisleno, Gislenus, Gleitjie, Guillain, Guillaine, Guislain, Guislaine, Guylaine

Ghislaine (*m.*) (*Fr.*) *v.* Ghislain

Ghislando (*m*) 9 *ott;* *v.* Ghislain

Ghita (*f.*) (*dim.* di Margherita) // (*anglo-sass.*) Greta 10 *giu.*

Giacinta (*f.*) (*Gr.* "Bella") (nome floreale, *v.* *Giacinto*) 30 *gen.* // *var.* Hiacinth, Jacinda, Jacinna, Jacinth, Jacinthe, Jacynth, Jacyntha, Jiacinte, Jiacintke, Jiacynth

Giacinto (*m.*) (*Gr.* "Simile al giacinto") 17, 15, 16 *ag.*; 3, 17, 26 *lug.*; 10 *feb.*; 9, 11 *set.*; 29 *ott.*

Giacobbe (*m.*) (*Ebr.* "Seguace di Dio") 25 *lug.* 15 *lug.*; 3 *mag.*; 5 *feb.;* *v.* Giacomo

Giacoma (*f.*) *v.* Giacomina

Giacomina (*f.*) (*Ebr.* "Colei che sostituisce") 8 *feb.;* *v.* Giacomo, 25 *lug.* // *var.* e *dim.* Jacki, Jacquetta, Jacqui // Jacqueline, Jacquette (*Fr.*); Jacklyn, Jackie, Jacquelyn (*Ing.*); Giacoma, Giacometta, Mina (*It.*) // Jacobah, Jacobina, Jacobine, Jaimi, Jaimio, Jaimy, Jakoba, Jamee, Jami, Jamie, Jayme, Jaymee, Jaymi, Jaimie

Giacomo (*m.*) (*Ebr.* "Colui che segue Dio" "Colui che Dio ha protetto"); *Giacobbe* (versione israelitica) 15 *lug.;* *Giacomo* (versione cattolica) 25 *lug.* // 5, 13 *feb.*; 28 *gen.*; 13, 17 18, 27 *apr.*; 30 *apr.*; 1, 3 *mag.*; 13 *lug.*; 6 *ag.*; 2, 26, 27, 28 *nov.*.// Jacques, Jacquine, Jacquot, Jacquotte, Jean-Jaques

(*Fr.*);Cob, Cobb, Cobbie, Cobie, Cobby, Hamish, Jack, Jackie, Jacob, Jaime, Jake, Jakie, James, Jamesy, Jamey, Jamie, Jay, Jayme, Jemmie, Jemmy, Jim, Jimmie, Jimmy, Jock, Jocko, Seamus, Seumas, Shamus (*Ing.*); Diego, Giacobbe, Giacomino, Giangiacomo, Mino (*It.*); Diego, Iago, Jacopo, Jago, Santiago, Tiago (*Sp.*); Jacob (*Ted.*) // Giacobo, Gia-copo, Iacovo, Iakov, Iakovkha, Joakje, Jaap, Jachimo, Jack, Jackaleen, Jakalene, Jackalyn, Jackel, Jackie, Jacky, Jacob, Jacobin, Jacobo, Jabonine, Jacobus, Jacolyn, Jacomus, Jacot, Jacotte, Jaggi, Joggi, Jakez, Jakkie, Jakob, Jakobys, Jakoos, Jakou, Jamesa, Jem, Jeppe, Keube, Kob, Kobes, Koeeb, Kouig, Sachack,Tjakob, Yacha, Zjak

Giada (*f.*) (*Lat.* "Fianco") (*pietra preziosa*); var. Jadda, Jade

Giadero (*m.*) (*Numidia*: da "Jader", *etim. sc*) 10 *set.*

Giambattista (*m.*) v. Giovanni Battista; 24 *giu.*

Giambono (*m.*) (*raro*) 10 *gen.*

Giammaria (*m.*) (*nome doppio*)

Giamo (*m.*) v. Giacomo

Giampaolo (*m.*) (*nome doppio*)

Giampiero (*m.*) (*nome doppio*)

Gianadelio (*m.*) (*nome doppio*)

Gianandrea (*m.*) (*nome doppio*)

Giancamillo (*m.*) (*nome doppio*)

Giancarlo (*m.*) (*nome doppio*)

Gianclaudio (*m.*) (*nome doppio*)

Giandomenico (*m.*) (*nome doppio*)

Gianfilippo (*m.*) (*nome doppio*)

Gianfrancesco (*m.*) (*nome doppio*)

Gianfranco (*m.*) (*nome doppio*)

Giangaleazzo (*m.*) (*nome doppio*)

Giangiacomo (*m.*) (*nome doppio*)

Gianina (*f.*) (*Sp.*) v. Giovanna

Gianluca (*m.*) (*nome doppio*)

Gianluigi (*m.*) (*nome doppio*)

Gianmarco (*m.*)(*nome doppio*)

Gianmaria (*m.*) (*nome doppio*)

Gianmatteo (*m.*) (*nome doppio*)

Gianna (*f.*) v. Giovanna

Giannantonio (*m.*) (*nome doppio*)

Gianni (*m.*) v. Giovanni

Gianpaolo (*m.*) (*nome doppio*)

Gianpiero (*m.*) (*nome doppio*)

Gianroberto (*m.*) (*nome doppio*)

Gianuario (*m.*) (*Lat.* "Di gennaio") 25 *ott.*

Giasone (*m.*) v. Jason

Giasoni (*m.*) (*Gr.* "Forte" "Potente") 12 *lug.;* 11 *mag.;* 25 *giu.;* 3 *dic.*

Gibor (*m.*) (*Ebr.* "Forte")

Gibralta (*f.*) (da Gibilterra)

Gibson (*m.*) (*raro*)

Gideon (*m.*) (*Ebr.:* "Taglialegna"); v. Gedeone

Giff (*m.*) (*abbr.*)

Gifford (*m.*) (*Ing. ant.* "Dona-

tore coraggioso") // *var.* e *dim.*
Giff, Giffard, Gifferd, Giffie,
Giffy

Gigi (*f.*) (*Soprannome*)

Gigliola (*f.*) *v.* Egidio, 1 *set.*//
(*Fr.*) Gilles

Gil (*m.*) *dim.* di Giles, Gilles

Gilad (*m.*) (*Ar.* "Gobba del cammello") *var.* Giladi, Gilead

Gilada (*f.*) (*Ebr.* "La mia gioia è
eterna")

Gilbert (*m.*) *v.* Gilberto

Gilberta (*f.*) (*teut.*) *femm.* di
Gilberto, 4 *feb.* // *var.* e *dim.*
Gibbie, Gibby, Gilba, Gilberte,
Gilbertina, Gilbertine, Gille-
berte,Gillie, Gilly, Gisberte

Gilberte (*f.*) *v.* Gilberta

Gilberto (*m.*) (*Teut.* "Illustre per
il dardo" "Voto ardente"
"Nobile pegno") *4 feb.*; 1 *apr.*;
6 *giu.*; 2, 11, 21 *ag.*; 17 *ott.* //
var. e *dim.* Gilburt, Gielbert,
Gielbertus, Gilbertus, Gil-
brecht, Gisbert, Giselbert, Gisi-
lo // Ghisalbertus (*med.*) // Gilbert (*Fr.; Ted.*); Bert, Bertie,
Berty, Burt, Gibb, Gil, Gilbert
(*Ing.*); Edelberto, Egilberto
(*It.*)

Gilby (*m.*) (*gael.* "Giovinetto dai
biondi capelli") // *var.* e *dim.*
Gil, Gilbey

Gilchrist (*m.*) (*gael.* "Votato a
Cristo") *dim.* Gil, Gill, Gillie,
Gilly

Gilda (*f.*) (*Ing.* "Ricoperta d'o-
ro") *dim.* di Ermenegilda; *dim.*
ing. Gillie, Gilly

Gildo (*m.*) (*Ted. ant.* "Valido"
"Valente") 29 *gen.*; 13 *feb.*

Giles (*m.*) (*Ing.*) *v.* Egidio

Giliola (*f.*) *v.* Gigliola

Gilles (*m.*) (*Fr.*) *v.* Egidio

Gillian (*f.*) (*Gr.:* "Giovanile";
Lat. "Innocente") // *var.* e *dim.*
Giliana, Giliane, Gilleta, Gilli,
Gillie, Gilliette, Jill, Jilliana,
Jillie

Gillie (*m.*) (*Ing., git.* "Canzone") // *var.* e *dim.* Gilly, Giselbert, Guilbert, Wilbert, Wilbur,
Wilburt, Will, Willy

Gillo (*Germ.* "Amico") 12 *lug.*

Gilmore (*m.*) (*gael.* "Servitore
della Vergine Maria") // *var.* e
dim. Gil, Gill, Gillie, Gill-
more, Gilly, Gilmore, Morey

Gilroy (*m.*) (*Lat.:* "Fedele al re")
*dim.*Gil, Gill, Gillie, Gilly, Roy

Gimra (*f.*) (*Ebr.* "Esecutrice")

Gina (*f.*) *abbr.* di Regina, Eugenia, Virginia; *v.* anche Gino
// (*Giap.* "D'argento" "Argentea")

Ginepro (*m.*) (*med.*) 21 *giu.*

Gineto (*Cal.*) *v.*Genesio 25 *ag.*

Ginette (*f.*) (*Fr.*) (*raro*) *dim.* di
Regine, Louis, Geneviève

Ginevra (*f.*) (*Celt.* "Gwinever":
"Tessitrice" "La bianca tra gli
Elfi" "Gentile signora" "Elfo
luminoso") (*Got.* "Donna dei
vichinghi") 2 *apr.*; 16 *ott.* //
var. e *dim.* Gen, Geneviévre,
Genn, Gennie, Gennifer, Gen-

ny, Genoverà, Geva, Ginette, Ging, Ginnifer, Ginou, Guinevere, Guenia, Guinievre, Guenna, Guenovera, Gwenor, Jenn, Jenni, Jennie, Jeny // Genève (*Fr.*); Gaynor, Jen, Jenifer, Jennifer, Jenny (*Ing.*); Genovefa, Guenovefa (*Sp.*)

Ginger (*f.*) v. Virginia

Ginny (*f.*) (*abbr.*) v. Virginia

Gino (*m.*) dim. di Luigi, Giorgio, Remigio, ecc.; di Angelino, Giovannino, ecc.

Ginton (*m.*) (*Ebr.* "Giardino") var. Ginson

Gioacchina (*f.*) 28 *ag.*

Gioacchino (*m.*) (*Ebr.* "Dio rende forti" "Dio fa raddrizzare) 16 *apr.*; 5 *feb.*; 20, 30 *mar.*; 26 *lug.*; 16, 28 *ag.* // Achim, Akim, Chim, Giacchina, Joaquina, Jochem, Joakima, Jochen, Jochim, Juchem // Joaquin (*Fr.*); Giovacchino (*It.*); Joaquim (*Sp.*)

Giobbe (*m.*) (*Ebr.:* "Perseguitato" "L'afflitto") 10 *mag.*

Gioberto (*m.*) (*Ted. ant.:* "Illustre nel paese")

Gioconda (*f.*) (*Lat.*) 25 *nov.*; 10 *mag.*; 2 *giu.*; 27 *lug.*// (*Ing.*) Glenda

Giocondiano (*m.*) (*Lat.* "Appartenente a Giocondo") 4 *lug.*

Giocondino (*m.*) (*dim.* di Giocondo") 21 *lug.*

Giocondo (*m.*) (*Lat.:* "Allegro" "Gaio") 9 *gen.*; 18 *mar.*; 29 *mag.*; 3 *lug.*; 14 *nov.*; 13, 30 *dic.*

Giodoco (*m.*) (*Lat.*) (corrispondente a Giovanni e Giacobbe) 13 *dic.*

Gioele (*f.*) (*Ebr.:* "Giuramento") var. Gioella 13 *lug.*

Gioella (*f.*) v. Gioele

Gioia (*f.*) (*Lat.* "Piena di grazia e di bontà") // var. e dim. Josie (*Fr.*) // Joya, Joyette, Joyann, Joyanne, Joye, Joi

Giona (*m.*) (*Ebr.:* "Colomba") 11 *feb.*; 29 *mar.*; 21, 22 *set.;* v. Jonathan

Gionata (*m*) v. Giona, Jonathan

Giordana (*f.*) v. Giordano, 5 *set.*; 6 *mar.*

Giordano (*m.*) (*Ebr.:* "Scorre presso Dan", città biblica;) 6 *mar.*; 5 *set.*; 5, 15, 13, 20 *feb.*; 19, 7 *ag.* // var. e dim. Jared, Jorden, Jordie, Jordon, Jori, Jory, Jourdain

Giorgia (*f.*) (*Lat.*) v. Giorgio; 15 *feb.* // var. e dim. Georgena, Georgene, Georgetta, Georgette, Georgia, Georgiana, Georgianna, Georgianne, Georgie, Georgina, Georgine, Georgy (*Ing.*); Jirca, Jirina, Jirka (*Cec.*); Georgienne, Georgette (*Fr.*); Giorgiana (*It.*); Georgina, Georgine (*Ted.*); Gruzia,Gyorci (*Ung.*); Gerda (*Lett.*); Georgina, Gina (*Rus.*); Georgina, Gina, Jorgina (*Sp.*)

Giorgio (*m.*) (*Gr.:* "*Ghe*" = "terra" e *"Ergon"* = "lavoro; *Lat.:* "Agricoltore") 23, 19 *apr.*; 27 *lug.*; 24 *ag.*; 20, 25 *ott.*; 2, 10 *nov. // var.* e *dim.* Doddy, Dod, George, Georgi, Georgie, Georgy, Jorge(*Ing.*); Georg, Georgi (*Bul.*); Durko, Jiri, Jurko, Juro, Jurik, Jur, Juraz (*Cec.*); Georges (*Fr.*); Georgios, Giorgis, Giorgos, Gogos (*Gr.*); Jurgis (*Lit.*); Jurek (*Pol.*); Egor, Georgiy, Jurgi, Juri, Yegor, Youri, Yura, Yurchik, Yuri, Yurik, Yusha, Yurko, Zhorka (*Rus.*); Jorge, Jorrin, Yogi (*Sp.*); Georg, Goran, Joergen, Jorgen (*Sv.*); Georg, Jeorg, Jorg, Juergen, Jurgen (*Ted.*) // Egor, Geirgia, Georas, Geordie, Georg, Georgio, Georgius, Georgy, Gora, Gora, Gorch, Gorgel, Gyorgy, Inoulia, Jorg, Jorge, Jorick, Joris, Jorn, Jurg, Jurgen, Juris, Jrrianna, Seiorse, Sior, Yorick, Youka, Yourassia, Youria

Giorio (*Piem.*) *v.* Giorgio, 23 *apr.*

Giosafatte (*m.*) (*Ebr.* "Il Signore giudica") 12, 14, 27 *nov.*

Giosuè (*m.*) (*Ebr.* "Il Signore salva") 1 *set.*

Giovacchino (*m.*) 9 *set.*; 20 *mar.*; 26 *lug.; v.* Gioacchino

Giovanna (*f.*) (*Ebr.* "Dio è misericordioso") *femm.* di Giovanni; 27, 13 *dic.*; 30, 31, 24 *mag.*; 16 *gen.*; 5 *feb.*; 23 *lug.*; 8, 24, 26 *ag.*; 1 *set. // var.* e *dim.* Joana (*Bras.*); Jana, Janka, Janica, Jenka, Johanka, Johanna (*Cec.*); Jensine (*Dan.*); Janne (*Fin.*); Jean, Jeanne, Jeanette, Jeanie, Jeannette, Jeannine (*Fr.*); Ioanna (*Gr.*); Kini (*Haw.*); Jane, Jeane, Jeanette, Jeanie, Jeanine, Jeannette, Jennette, Jenni, Jennica, Jennie, Jennine, Jenny, Jess, Jessi, Jessie, Joan, Joana, Joanna, Joanne, Joeann, Johanna, Joni, Jonie, Jony (*Ing.*); Shena, Sheena, Sinead (*Irl.*); Gianina, Gianna, Giannina, Nina (*It.*); Ja-na, Janina, Zanna (*Let.*); Janina, Janyte (*Lit.*); Jana, Janina, Jasia, Joanka, Joanna, Joasia, Zannz (*Pol.*); Ivana, Ivanna, Ioanna (*Rus.*); Iva, Ivana, Ivanka, Jovanka (*Sl*); Juana, Juanita, Nita (*Sp.*); Hanna, Hanne, Hannele, Hanni, Johanna, Jutta (*Ted.*); Janka, Johanna, Zsanett (*Ung.*) // Ivanne, Jan, Janae, Janean, Janeen, Janel, Janela, Janell, Janella, Janelle, Janellen, Ja-nessa, Janet, Janeta, Janetta, Janette, Jannelle, Janey, Ja-nice, Janie, Janina, Janine, Janita, Janis, Janise, Janinna, Janna, Jany, Jayne, Jaynell, Jeani, Jessy, Jinni, Jinnie, Jinny, Joanina, Janka, Janeska, Jasia, Jena, Nanette, Netta, Nita, Seonaid, Sheona, Shiona, Sine, Vanina

157

Giovanni (*m.*) ("Dio è misericordioso" "Dono del Signore") *24 giu.*; 5, 10, 12, 15, 17, 23, 27, 28, 31 *gen.*; 4, 8, 14, 23, 24, 27 *feb.*; 5, 8, 16, 19, 27, 28, 30 *mar.*; 27 *apr.*; 6, 7, 10, 13, 15 16 18, 27, 23, 24, 30 *mag.*; 6, 10, 12, 22 23, 26, 27 *giu.*; 11, 12, 21, 27, 31 *lug.*; 4, 9, 11, 13, 18, 19, 27 *ag.*; 3, 7, 13, 16, 23, 27, 29 *set.*; 9, 18, 20, 29 *ott.*; 1, 12, 24 *nov.*; 3, 5, 13, 14, 17, 21, 24, 27, 31 *dic. // var.* e *dim.* Jean (*Fr.*); Evan, Ewan, Jack, Jackye, Jacky, Jahn, Jock, Jocko, John, Johnnie, Johnny, Jon, Jonnie (*Ing.*); Sean (*Irl*); Ansis (*Let.*); Ivan, Vania (*Rus.*); Hans (*Ted.*) // Evyn, Hannele, Henneke, Henescel, Iaian, Ian, Iban, Ivassik, Jaine, Gion, Hampe, Hampus, Han-ko, Jan, Janos, Jean, Jen, Jens, Joao, Joen, Joes, Johan, Johann,Johannes, Jonet, Jons, Joop, Juan, Juhans, Seain, Shane, Shang, Shani, Sheenagh,Sjang, Shaughn, Shaun, Shawn, Zane

Giovanni Battista (*m.*) (*Gr.:* "Che battezza" "Immergere") 31 *mag.*; 7, 24 *giu. //* Bapper, Baptista, Baptistine, Baptistin, Batista, Bautisse, Bop (*Fr.*)

Giovenale (*m.*) (*Lat.* "Giovanile) 2, 3, 7 *mag.*

Gioventino (*m.*) (*Lat.:* "Giovanile") 25 *gen.*

Giovenza (*f.*) 15 *feb.*

Giovenzio (*m.*) (*Lat.:* "Giovanile") 8 *feb.*; 1 *giu.*; 17 *set.*

Gioviniano (*m.*) (*Lat.* "Appartenente a Giove") 5 *mag.*

Giovino (*m.*) (*Lat.:* "Appartenente a Giove") 6 *mar.*

Giovita (*f.*) (*Lat.:* "Giovane vita" "Ragazza") 15 *feb.*

Girardo (*m.*) (*Ted. ant.* "Forte lanciere") 28 *nov.*

Giribaldo (*m.*) (*Ted. ant.* "Ardimentoso")

Girisa (*f.*) (*hindu* "Signore della montagna")

Girolamo (*m.*) (*Gr.* "Nome sacro") (*Lat.* "Di sacra fama") 30 *set.*; 9 *mag.*; 8 *feb.*; 3 *mar.*; 30 *giu.*; 6, 20, 22 *lug.*; 1 *ag.*; 5 *ott.;* Girometta, Gerry, Hieronymus, Ieronim, Jeromia, Jeromin, Jeronim, Jeronimo, Jenimus, Jerrome, Olmes, Onimus, Ronimus // Gerome (*Fr.*); Jerome, Jerry (*Ing.*); Gerolamo (*It.*)

Gisa (*f.*) (*Ebr.* "Pietra tagliata") (*Teut.* "Dono") *var.* Gissa, Giza, Gizza

Giselda (*f.*) (*Ted. ant.:* "Freccia" "Pegno di fede) *v.* anche Gisella

Gisele (*f.*) *v.* Gisella

Gisella (*f.*)(*Ted. ant.* "Pegno di fede" "Eroina" "Campionessa" "Pungente" "Punta della freccia") 7, 19, 21 *mag.// var.* e *dim.* Gisela, Gisele, Gisella

(*Ing.*); Giza, Gizela (*Cec.*); Gisèle, Giselle (*Fr.*); Gizi, Gizike, Gizus (*Ung.*); Gisela (*Sp.*); Gizela (*Let.*) // Giselda, Gesella, Gisla, Gleitjie, Silke

Giselle (*f.*) *v.* Gisella

Gisleno (*m.*) (*Celt.* "Compagno affettuoso") 9 *ott.*

Gismondo (*m.*) (*abbr.*) *v.* Sigismondo

Gita (*f.*) (*yid.* "Buona") // (*Sl.*) *v.* Margherita

Gitana (*f.*) (*Sp.* "Zingara")

Gitka (*f.*) *v.* Margherita

Gitta (*f.*) *v.* Brigitta, Margherita

Gituska (*f.*) *v.* Margherita

Giuda (*m.*) (*aram.* "Zelante verso Dio") 28 *ott.*; 19 *giu.; v.* Judah

Giuditta (*f.*)(*Ebr.* "Ebrea" "Giudea" "Donna onorata") *femm.* di Giuda; *16, 29 giu.*; 5, 6 *mag.* // Judita (*Bul.*); Jitka (*Cec.*); Judithe (*Fr.*); Ioudith (*Gr.*); Ita, Jodie, Jody, Jud, Judd, Jude, Judette, Judie, Judinta, Juditha, Judi, Judie, Judith, Judy, Jodi, Jodie, Jody (*Ing.*); Judite, Judita (*Lit.*); Judita (*Sp.*); Judita (*Ted.*); Juci, Jucika, Judit, Jutka (*Ung.*) // Yudif, Yudita, Judit, Siobhan, Yehudin

Giulia (*f.*)(*Lat.*) 14 *apr.;* 21,22 *mag*; 15, 21, 27 *lug.*; 1, 7 *ott*; 10 *dic.* // *var.* e *dim.* Julee, Juliane // Gillie, Jill, Juli, Julia, Julie, Juliet, Julietta, Julina, Juline, Julissa (*Ing*); Jula, Jul-

ca, Juliana, Juliska, Julka (*Cec.*); Julianne, Juliette, Julienne (*Fr*); Sile (*Irl.*); Giulietta (*It.*); Jula, Julcia (*Pol.*); Iulia (*Rum.*) Yulinka, Yuliya, Yulka, Yulya (*Rus.*); Sileas (*Scoz.*); Jula, Juliana, Yula (*Ser.*); Juliana, Julieta, Julita (*Sp.*); Juli, Julianna, Julinka, Juliska (*Ung.*) // *v.* Giulio

Giuliana (*f.*) (*Lat.*) *v.* Giulia; 7, 16 *feb.*; 20 *mar.*; 19 *giu.*; 12, 17, 18 *ag.*; 1 *nov.*

Giuliano (*m.*) (*Lat.*) *v.* Giulio; 9, 7, 8, 17, 27, 28, 29 *gen.*; 12, 13, 16, 17,19, 24, 27 *feb.*; 8, 16, 23 *mar.*; 22, 24 *mag.*; 5, 9 *giu.*; 18, 20 *lug.*; 7, 9, 12, 25, 28, 31 *ag.*; 2, 4 *set.*; 3, 13, 30 *ott.*; 1 *nov.*; 9 *dic.*

Giulietta (*f.*) (*Lat.* "Contenta") 15, 30 *lug.*; 18 *mag.*; 16 *giu.*; *v.* Giulia

Giulio (*m.*) (*Gr.* "Lanuginoso") (*Lat.:* "Che appartiene alla gens *Julia*) (*Lat.* forse da Giove) 12 *apr.; 5 dic.*; 19, 31 *gen.*; 27 *mag.*; 2 *giu.*; 1 *lug.*; 19 *ag.*; 3, 20 *dic.* // *var.* e *dim.* Giliane, Gillet, Gillette, Gyula, Jill, Julchen, Jule, Juli, Jiuliaantje, Juliet, Julius, Juluen, Juult, Ouliacha, Oulianche, Schull, Sile, Sileas, Youli, Youliane // Jules, Julien (*Fr.*); Gillian, Jillian, Julian (*Ing.*); Julio (*Sp.*); Gyla (*Ung.*)

Giuniano (*m.*) (*Lat.* "Che è lie-

159

to") 13 *ag.*

Giunone (*f.*) (divinità *rom.*) *var.* Junien, Juno, Junon

Giupi (*f.*) *v.* Giuseppina

Giuseppe (*m.*) (*aram.:* "Figlio aggiunto da Dio ad altri figli") 19 *mar.*; 4, 15 *feb.*; 5, 17, 20. 23 *mar.*; 16, 22 *apr.*; 1 *mag.*; 23, 26 *giu.*; 20, 22 *lug.*; 25, 27 *ag.*; 18 *set.* // *var.* e *dim.* Beppe, Bepi, Peppino, Peppo, Peppone, Peppa, Pino, Pina, Giuseppino, Giuseppina, Giusi // Iosep, Josef, Fieneke, Joop, Joos, Josee, Josef, Josephus, Jozsef, Jupp, Ossip, Sabel, Seb, Sebel, Seefke, Seosaimhtin, Sepp, Seva, Siene // Youssef, Youssouf (*Ar.*); Joséph (*Fr.*) Jo, Joe, Joette, Joey, Joseph (*Ing.*); Josè (*Port.*); Josè, Pepe, Pepita, Pepito (*Sp.*); Iosiph (*Rus.*)

Giuseppina (*f.*) (*Ebr.*) *femm.* di Giuseppe // *var.* e *dim.* Fiena, Fifi, Fifine, Fina, Finie, Giupi, Giusi, Jo, Josefine, Josephina, Josette, Josiane, Joysiane, Jozie, Jozina, Peppi, Phine, Sefa, Seffi // Josephine (*Fr.*); Josie, Jossie, Josepha, Josephe (*Ing.*); Josefa, Josefina, Pepita (*Sp.*)

Giusi (*f.*) *v.* Giuseppina

Giusta (*f.*) (*Lat.:*"Onesta" "Proba") 15, 19 *lug.*; 14 *mag.*; 1 *ag.*

Giustina (*f*) (*Lat.* "Onesta" "Proba") 7 *ott.*; 14 *mag.*; 16 *giu.*; 26 *set.*; 30 *nov.; v.* Giustino // *var.*

Justa, Justin, Justina

Giustiniano (*m.*) (*Lat.* "Onesto" "Giusto") 23 *ag.*

Giustino (*m.*) (*Lat.* "Onesto" "Giusto") 1 *giu.* 13, 14 *apr.*; 1 *gen.*; 11, 18 *lug.*; 1 *ag.*; 17 *set.*; 6 *ott.*; 12 *dic.* // *var.* e *dim.* Giustina, Giusto, Justa, Juste, Justina, Justinien, Justinienne, Justan, Justen, Justin, Juston, Justinian, Justino, Justis, Justus

Giusto (*m.*) (*Lat.* "Probo" "Onesto") 3, 10 *nov.*; 25, 28, 29 *feb.*; 28 *mag.*; 5 *giu.*; 2, 14, 21 *lug.*; 25, 26 *ag.*; 14, 18 *ott.*; 14 *dic.*

Giusy (*f.*) *v.* Giuseppina

Givon (*m.*)(*Ebr.* "Collina" "Cima")

Giza (*f.*) *v.* Giselle.

Gladi (*f.*) (*Haw.*) *v.* Gladys

Gladwin (*m.*) (*Ing.ant.* "Amico allegro, sorridente") *dim.* Win, Winn, Winnie, Winny.

Gladys (*f.*) (*Gall.* "Gladiolo") (dal *Lat.* Claudius) // *var.* e *dim.* Gladdie, Gladi, Gladyse, Gleda

Glafira (*Gr.* "Elegante") 13 *gen.*

Glauco (*Gr.* "Del colore del mare" "Verde chiaro") 1 *apr.*

Gleda (*f.*) (*Isl.* "Fare felice")

Glen (*m.*) (*gael.* "Vallata") *var.* Glenn, Gyln, Glynn

Glenda (*f.*) *v.* Glenna; Gioconda; 5 *mar.*

Glendon (*m.*) (*gael.* "Dalla fortezza nella vallata") *dim*.Don, Donnie, Donny, Glen, Glenn

Glenna (*f.*) (*gael.*) *femm.* di Glen; *var.* Glenda, Glenne, Glennis, Glynis, Glynnis

Glicera (*f.*) (*Gr.* "Dolce" "Mite") 13 *mag.*

Gliceria (*f.*) (*Gr.:* "Dolce" "Amorevole") 22 Ott

Glicerio (*m.*) (*Gr.:* "Dolce" "Amorevole") 13 *gen.*; 23 *apr.*; 21 *dic.*

Glicero (*m.*) (*Lat.*; *Gr.* "Dolce" "Mite" "Amorevole") 20 *set.*

Glisente (*f.*) (*Celt.* "Prodiga di amore") 26 *lug.*

Glori (*f.*) ("Gloriosa")

Gloria (*f.*) (*Lat.* "Gloria" "Lode universale") *var.* Glo, Glori, Glory, Glorya

Gloriana (*f.*) (*comb.* di Gloria e Anna) *var.* Gloriane, Glorianna, Glorianne

Gloriano (*masch.* di Gloriana)

Glory (*f.*)("Gloriosa") *v.* Gloria

Glynis (*f.*) (*anglo-am.* "Valle di montagna")

Glynne (*f.*) (*anglo-am.* "Piccola valle")

Goare (*Ebr., etim. sc.*) 6 *lug.*

Gobano (*m.*) (*It.* dal *fr.* Gobain, *etim. sc.*) 20 *giu.*

Godardo (*m.*) (*Sass.:* "Aiutato da Dio") 8 *giu.; v.* Godeardo

Goddard (*m.*) (*teut.* "Virtuoso") *var.* Godard, Godart, Goddart, Gotthard, Gotthart; *v.* Godeardo

Godeardo (*m.*) (*Germ.* "Forte grazie a Dio") 4 *mag.*

Godeberta (*f.*) (*Ted. ant.* "Che splende grazie a Dio") 11 *apr.*

Godefroy (*m.*) (*Fr.*) *v.* Goffredo

Godelieve (*f.*) (*Fr.*) 6 *lug.// var.* e *dim.* Goda, Godelaine, Godeline, Godelieff, Godolefa, Godeleine, Godoleva, Godolewa, Godolieba

Godenzo (*m.*) *v.* Gaudenzo; 22 *gen.*

Godescalco (*m.*) (*Sass.* "Poeta di Dio") 1 *mar.*

Godfrey (*m.*)(*anglo-am.*) *v.* Goffredo

Godfroy (*m.*) *v.* Goffredo; 13 *gen.*

Godiva (*f.*) (*Anglo-sass.* "Dono di Dio")

Godo (*m.*) (*tronc.* di Godone) 8 *mag.*

Godoleva (*f.*) ("Colei che ama Dio") 6 *lug.*

Godolia (*f.*) (*gael.* "Corona di Dio") 1 *lug.*

Godone (*m.*) (*Fr.* "Donato a Dio") 13 *gen.*

Godwin (*m.*) (*Ing. ant.:* "Buon amico") // *var.* e *dim.* Goodwin, Win, Winnie, Winny

Goel (*m.*) (*Ebr.* "Il redentore")

Goffredo (*m.*) (*Got.* "Pace di Dio") 8 *nov.*; 13 *gen.*; 2 *ott.*; // *var.* e *dim.* Friedel, Geof, Geoff, Godefroi, Godel, Godfred, Godfrey, Godfroi, Godfroy, Godofredo, Goffert, Goraidh, Godfridus, Gothafraith, Gotschi, Gottfredo, Gottfriede, Gottfried, Gotti, Gotz, Gotzi, Jeff, Jeffe, Jefferey, Jeffers, Jeffie, Jeffrey, Jeffry, Jeffy

Golda (*f.*) (*Ing.ant.* "Dai capelli d'oro") *var.* Goldi, Goldie, Goldina, Goldy

Goldie (*f*) (*teut.* "Dai capelli d'oro") *var.* Golda, Goldy, Goldye

Goldwin (*m.*) (*Ing.ant.* "Amico d'oro") // *var.* e *dim.* Goldwyn, Win, Winnie, Winny

Golia (*m.*) (*Ebr.* "Esilio")

Goliath (*m.*) (*Fr.*) *var.* e *dim.* Golia, Goliat, Goliato, Golio

Gomberto (*m.*) (*Sass.* "Nobile viaggiatore") 29 *apr.*

Gomero (*m.*) *Celt.* "Consumatore") 28 *mar.*

Gondulfo (*m.*) (*Ted. ant.* "Lupo battagliero") 17 *giu.*

Gonerio (*m.*) (*Celt.* "Uomo nuovo") 18 *lug.*

Gonsalvo (*m.*) (*Iber.; Ted.* "Che soccorre in battaglia") 5 *feb.*

Gontran (*m.*) (*Fr.*) 28 *mar.*; *var.* Gontram, Gontrana, Gontrane, Gontrano

Gontrano (*m.*) (*Ted. ant.* "Corvo di guerra") 28 *mar.*

Gonzaga (*m.*) 3 *giu.*

Gonzague (*m.*) (*Fr.*) *var.* Gonzaguette, Zaguette

Gonzalo (*m.*) (*teut.* "Quello che soccorre in battaglia") 10 *gen.*

Goodwin (*m.*) v. Godwin

Goran (*m.*) (*Sv.*) (*Scan.* "Fatto-

162

re" "Contadino") *v.* Giorgio

Gordiano (*m.*) (*Gr.* "Proveniente da Gordio") 10 *mag.*; 17 *set.*

Gordo (*m.*) (*Gr.* "Oriundo di Gordio") 3 *gen.*

Gordon (*m.*) (*Ing.* "Dalla collina delle tre punte") (*Teut.* "Forza") // *var.* e *dim.* Gordan, Gorden, Gordie, Gordy

Gorgonia (*f.*) (*Lat.:* "Corallo") 9 *dic.*

Gorman (*m.*) (*Irl. gael.* "Piccolo dagli occhi blu" "Uomo di argilla")

Gosheven (*m.*) (*Ind. Nordam.:* "Grande saltatore")

Gosselino (*m.*) (*Fr.* "Oriundo della Gotia" "Goto") 12 *feb.*; *var.* Josselin Jocelyn,

Gosto (*m.*) *v.* Augusto

Gottardo (*m.*) (*Ted. ant.* "Forte mediante Dio) 5 *mag.*

Goulven (*Fr.*) 1 *lug.*; *var.* Golven, Goul'chen, Goul'chennig, Goulvena, Goulvenez, Goulwen, Goulwena, Goulwenig

Gower (*m.*) (*Gall.* "Puro")

Gowon (*m.*) (*Nig.* "Colui che fa (venire) la pioggia")

Gozal (*m.*) (*Ebr.* "Uccello")

Grace (*f.*) (*Fr.*) (*Ing.*) *v.* Grazia

Graciliano (*m.*) (*Lat.* "Delicato") 12 *ag.*

Gradie Grady (*m.*) (*gael.* "Illustre")

Graeme (*m.*) *v.* Graham

Graham (*m.*) (*Ing. ant.*; *teut.* "Abitante la grigia terra" o "La grigia casa") *var.* Graeham, Graeme, Gram

Gramazio (*m.*)(*Dan. ant.*: "Scrittore") 11 *ott.*

Granger (*m.*) ("Contadino")

Grant (*m*) (*Lat.*; *Ing.* "Grande")

Grantham (*m.*) (*Ing. ant.* "Dal grande campo") *dim.* Grant

Grantland (*m.*) (*Ing. ant.:* "Dalla grande pianura") *dim.* Grant

Granville (*m.*)(*Fr.* "Dalla grande città")

Grata (*f.*) (*Lat.* "Gradita") 1 *mag.*

Gratiniano (*m.*) (*Lat.* "Colui che è riconoscente") 1 *giu.*

Grato (*m.*) (*Lat.* "Riconoscente") 7 *set.*; 20 *mar.*; 5 *dic.*

Gray (*m.*) (*abbr.*) *v.* Grayson

Grayson (*m.*) (*Ing.* "Figlio del fattore") // *var.* e *dim.* Gray, Grey, Greyson

Grayson (*m.*) (*Ing. ant.* "Figlio del giudice") // *var.* e *dim.* Grayson, Sonnie, Sonny

Grazia (*f.*)(*Lat.* "Leggiadra""Bella": da Grato) (*nome cristiano:* "Grazia Divina") *16 apr.; 2 lug.*; 27 *mar.*; 21 *ag.* // *var.* e *dim.* Gracieuse, Gratien, Gratienne, Grazielle (*Fr.*); Grace (*Ing.*); Maria Gratia (*Sp.*) // Arete, Engracia, Gracia, Gracie, Gracye, Gratia, Gratiana, Grayce, Graca, Graciane, Grazilla, Griselda // Graziella, Graziosa, Maria Grazia

Graziana (*f.*) *v.* Grazia; 1 *mag.*

Graziano (*m.*) (*Lat.* "Figlio di Grato" "Gradito") 1 *giu.*; 23 *ott.*; 18 *dic.*

Graziella (*f.*) *v.* Grazia; 2 *lug.*

Graziosa (*f.*) *v.* Grazia

Grazioso (*m.*) (*Lat.* "Ben accetto") 13 *mar.*

Greda *v.* Margherita

Gredel *v.* Margherita

Greer (*f.*)(*Lat.* "Attenta") *v.* Gregoria (*femm.* di Gregory)

Greet (*f.*) *v.* Margherita

Greg (*m.*) *v.* Gregorio

Gregg (*m.*) *v.* Gregorio

Gregoire (*Fr.*) *v.* Gregorio

Gregor (*m.*) *v.* Gregorio

Gregoria (*f.*) *v.* Gregorio

Gregorio (*m.*) (*Gr.* "Di ingegno pronto" "Vigile" "Eroe") 3 *set.*; 4, 9, 10 *gen.*; 10, 11, 13 *feb.*; 9, 12 *mar.*; 24 *apr.*; 9 *mag.*; 5, 17, 19 *giu.*; 25 *ag.*; 30 *set.*; 17, 20, 23, 28 *nov.*; 10, 19, 24 *dic.* // *var.* e *dim.* Greagoir, Greer, Gregoor, Gregorius, Gregori, Gregorine, Grels, Grinia, Griogair, Grioghar, Igora, Ingvarr, In-gver, Ingwar Jerina, Jorina, Joris // Greg, Gregg, Greggory, Gregory (*Ing.*); Grigor, Grigori (*Bul.*); Gregoire (*Fr.*); Gregorios, Grigorios (*Gr.*); Gregorio (*Port.; Sp.*); Gregors (*Let.*); Igor (*Rus;*) Gries (*Sv.*); Gregor (*Ted.*)

Gregory (*m.*) *v.* Gregorio

Gresham (*m.*)(*Ing. ant.* "Dai pascoli")

Gressa (*f.*) (*Norv.* "Erba")

Grethel (*f.*) *v.* Margherita

Greta (*f.*) (*Ted.*) *v.* Margherita *var.* Gretal, Gretchen, Grete, Gretel, Grethal

Gretche / Gretchen (*f.*) *v.* Margherita

Grete / Gretel *v.* Margherita

Gretta *v.* Margherita

Gretus *v.* Margherita

Grey (*m.*) *v.* Grayson

Grieta / Grietje *v.* Margherita

Griffith (*m.*) (*Gall.* "Capo crudele" "Rosso") // *dim.* Griff, Griffie, Griffy, Griffen, Griffin

Grifone (*It.*) (*med.*)

Griselda (*f.*) (*teut.* "Eroina grigia" "Indomita") // *var.* e *dim.* Griselle, Grizelda, Grizelle, Selda, Zelda

Griswold (*m.*) (*teut.* "Dalla foresta grigia")

Grita (*f.*) *v.* Margherita

Grover (*m.*) (*Ing.ant.* "Dal sottobosco") *dim.* Grove

Grozzelino (*m.*) 7 *nov.*

Gualberto (*m.*) (*Sp.*) 2 *mag.*; *var.* Gaudebert, Gaudeberte, Goberto, Gualber, Jaubert, Joubert, Jouberte

Gualfardo (*m.*) (*Got.*)

Gualterio (*m.*)(*Sp.*) *v.*Gualtiero

Gualtiero (*m.*) (*Ted. ant* "Capo dell'esercito") 4, 5 *giu.*; 22 *gen.*; 28 *feb.*; 2 *mag.*; 22 *lug.*; 2 *ag.*; 16 *nov.*; 8 *apr.*; *v.* Walter

Guarino (*m.*) (*teut.* "Che difende") 6 *feb.*

Guarnerio (*m.*) *v.* Werner

Gudelia (*f.*)(*Ted.ant.* "Buona")

Gudrun (*f.*) (*teut.* "Figlia del re") *var.* Kudrun, Kutrun, Guntrun, Gundula, Gunda, Guda

Gudula (*f.*)(*Celt.* "Buona") 8 *gen. Anglo-am.*

Guelfo (*m.*) (*Ted.ant.* "Cagnolino")

Guendalina (*m.*) (*Celt.* "Dalle bianche sopracciglia" "Colei che protegge" "Donna dei Vandali") 18 *ott.*// (da Guendolina, 14 `ott.*) // *var.* Guendolen, Gwen, Gwenda, Gwendaline, Gwendolen,Gwendolyn, Gwendolynne, Gwenette, Gwenn, Gwenna, Gwennaig, Gwenne, Gwennen, Gwennez, Gwennig, Wanda, Wandala, Wandeline, Wandis, Wando, Wandula, Wenda, Wendi, Wendie, Wendila, Wendolen, Wendy, Winni // *v.* Wanda

Guendolina (*f.*) 14 *ott.*; *v.* Guendalina, Wanda

Guerrico (*m.*) (*Sass.* "Potente difensore") 19 *ag.*

Guerrino 6 *feb.*; *v.* Guarino

Guglielmina (*f.*) 25 *giu.*; *v.* Guglielmo // *var.* e *dim.* Elma, Guillaumette,Guilelmina, Guillemette, Minella, Vilma, Willa, Willabelle, Wilma, Willi, Willie // Bill, Billi, Billie, Billy, Helma, Helmine, Min, Mina, Minna, Minni, Minnie, Minny, Valma, Velma, Wil-helmina,

Wilhelmine, Willa-mina, Wiletta, Wilette, Willy, Wilmette, Wylma (*Ing.*); Val-ma (*Finl.*); Vilma (*Rus.*; *Cec.*; *Sv.*)

Guglielmo (*m.*) (*Germ., sign. inc.* "Uomo che con la sua tenacia si difende dagli attacchi altrui" "Elmo della volontà" "Volontà di guerra") *10 feb.*; *25 mar.*; *10 gen.*; *6 apr.*; *28 mag.*; *8, 25 giu.*; *5, 29 lug.*; *21 ott.*; *30 nov. // var. e dim.* Guillemet, Guillemin, Guillerme, Guilmot, Guillou, Viliam, Villerme, Wilcy, Wilko, Willen, Willeme // Vilhelm (*Bul.*); Vila, Vilek, Vilem, Viliam, Vilko, Vilous (*Cec.*); Guillaume, Guillaums (*Fr.*); Vasilios, Vassos (*Gr.*); Uilliam (*Irl.*); Bill, Billie, Billy, Will, William, Willi, Willie, Willis, Willy, Wilson, Williamson (*Ing.*); Vas, Vasili, Vasiliy, Vasilak, Vaska, Vassili, Vasya, Vasyl (*Rus.*); Guillermo (*Sp.*); Vilhelm, Ville, Wilhelm, Willie (*Sv.*); Wilhelm, Willi, Willy (*Ted.*); Vili, Vilmos (*Ung.*); Welfel, Wolf (*yid.*)

Guiberto (*m.*) (*Prov.* "Insigne istruttore") *23 mag.*

Guicciardo (*m.*) (*Germ.* "Ardito in battaglia") *25 giu.*

Guidlhana (*f.*) (*Mozambico*)

Guido (*m.*) (*It.*, *Ol.*; *Sp.*) (*Celt.* "Bosco")(*Ted. ant.* "Istruito") 7, 12 *set.*; 31 *mar.*; 12, 16, 25 *giu. // var. e dim.* Guyon (*Ing.*); Gui, Guy, Vitus (*Fr.*); Guido (*Sp.*); Wito (*Ted.*)

Guillaume (*Fr.*) *v.* Guglielmo

Guinevere (*f.*) *v.* Ginevra

Guinibaldo (*m.*) (*Ted. ant.* "Vincitore") 1 *nov.*

Guinizone (*m.*) (*Prov. med.* "Savio") 26 *mag.*

Guiscardo (*m.*) *v.* Guicciardo

Guite (*f.*) *v.* Margherita

Gumesindo (*m.*) (*Ted. ant.* "Di antica e forte stirpe") 13 *gen.*

Gummaro (*m.*) (*Ted. ant.* "Celebre in guerra") 11 *ott.*

Gunda (*f.*) (*Norv.* "Guerriera" "Fanciulla in battaglia")

Gundelinda (*f.*)(*Ted.ant.* "Scudo in battaglia") 28 *mar.*

Gundene (*f.*) (*Ted. ant.* "Guerriera") 18 *lug.*

Guniforto (*m.*)(*Ted.ant.* "Forte in battaglia") 22 *ag.*

Gunnar (*Isl.*; *Norv.*) *v.*Gunther

Gunther (*m.*) (*Norv. ant.* "Guerriero") *// var. e dim.* Gun, Guntar, Gunter, Gunthar (*Ing.*); Gunter (*Fr.*); Gunter, Guenter, Guenther (*Ted.*); Guntero (*It.*); Gunnar (*Norv.*; *Isl.*) // Gunner

Gur (*m.*) (*Ebr.* "Cucciolo di leone")

Guria (*m.*) (*Celt.* "Impetuoso come un fiume in piena") 15 *nov.*

Guriel (*m.*) (*Ebr.* "Dio è la mia forza e protezione")

Gurion (*m.*) (*Ebr* "Leone")

Gurit (*f.*) (*Ebr.* "Giovane animale") *var.* Gurice

Gus (*m.*) *v.* Angus, Augustus e Gustave; Costantine

Gusci (*m.*) *v.* Gerardo

Gustaf (*m.*) (*Sv.*) *v.* Gustavo

Gustava (*f.*) (*teut.* "*femm.* di Gustav: *dim.* Gussie, Gussy, Gustie

Gustave (*m.*) (*Fr.*) *v.* Gustavo

Gustavo (*m.*) (*Sv.* "Sostegno dei Goti") ("Scettro del re" "Re degli svedesi") (*Germ.* "Che prospera") *2 ag.; 27 nov.*; *7 mag.*; *7 ott.// var.* e *dim.* Gosta, Gui, Gurig, Gust, Gustaphine,Gustaviane, Gustavine, Gustavus, Gustel, Guyon, Guyonne, Guyot, Guyotte, Veit, Vitus // Gus, Gussie, Gussy, Gustave, Gustus (*Ing.*); Gustav, Gusti, Gustik, Gusty (*Cec.*); Gustaff (*Ted.*); Kosti (*Fin.*); Gustave, Guy (*Fr.*); Gustavs (*Let.*); Gustav (*Rum.*); Gustavo, Tabo, Tavo (*Sp.*); Gustaf, Staf (*Sv.*); Gustav (*Ted.*)

Guthrie (*m.*) (*Teut.* "Eroe di guerra") (*gael.* "Posto ventoso")

Guy (*m.*) (*Fr.*) *12 giu.; v.*Guido

Guyapi (*m.*) (*Ind. Nordam.*)

Guyla (*f.*) (*var.* di Guy)

Guyleene (*f.*) *v.*Guyla

Guyon (*m.*) (*Ing.*) *v.* Guy

Gwayne (*m.*) *v.* Gawain

Gwenael (*f.*)(*Fr.*) *v.* Gwenaelle

Gwenaelle (*f.*) (*Fr.*) *3 nov.; var.*

Gwenal, Gwenhael, Gwennhael

Gwendolen (*f.*) *v.* Guendalina

Gwendoline (*f.*) (*Fr.*) *v.* Guendalina

Gwendolyn (*f.*) *v.* Guendalina

Gwenn (*f.*) (*Fr.*) *v.* Guendalina, Gwynne

Gwenolè (*f.*) (*Fr.*) *3 mar.;* Guénola,Guénolè, Gwenola, Gwennolea, Gwennolè

Gwynne (*f.*) (*Celt.* "Bianca" "Gentile") *var.* Gwyn, Gwyneth, Winnie, Winny; *v.* anche Guendalina

Gyasi (*m.*) (*Gha.* "Ragazzo bellissimo")

Gypsy (*f.*) (*orig. inc.* "Combattente") *var.* Gipsy

H

Habibah (*f.*) (*Ar.* "Amata") *var.* Haviva.

Hadden (*m.*) (*Ing. ant.* "Brughiera") *var.* Haddon

Hadley (*m.*) e (*f.*) (*Ing. ant.* "Dal campo caldo") *var.* e *dim.* Haddie, Hadleigh, Lee, Leigh

Hadrian (*m.*) (*Ing.*; *Sv.*) *v.* Adriano

Hadrien (*m.*) (*Fr.*) *v.* Adriano

Hadwin (*m.*) (*Ing. ant.* "Amico in guerra") *dim.* Win, Winnie, Winny

Hagar (*f.*) (*Ebr.* "Colei che fug-

Hagen (*m.*) (*gael.* "Giovane" "Piccolo") *var.* Hagan

Haidee (*f.*) *v.* Haydee

Haifa (*f.*) (*nome di città*)

Hailee (*f.*) *v.* Hayley

Hailey (*f.*) *v.* Hayley

Haines (*m.*) (*teut.*: "Recinto chiuso") *var.* Haynes

Hakeem / Hakim (*m.*) ("Saggio")

Hakon (*m.*) (*Norv.* "Di nobile razza")

Hal (*m.*) *v.* Harold; Henry

Halbert (*m.*)("Casa luminosa")

Halcomb (*m.*) (*raro*)

Halcyon (*f.*) ("Calma" "Pacifica")

Halcyone (*f.*) (*Gr.:* "Martin pescatore")

Halden (*m.*) (*Norv. ant.:* "Per metà danese") // *var.* Haldan, Haldane

Haldis (*f.*) (*teut.* "Decisa" "Determinata") // *var.* e *dim.* Halda, Haldi, Haldisse

Hale ((*m.*) (*Ing. ant.* "Abitante nella sala" o "Sano") *var.* Hall

Hale (*m.*) (*Ind. Nordam.* "Al di sopra")

Halette (*f.*) *v.* Hal

Haley (*m.*) e (*f.*) (*gael.* "Ingegnoso")

Halford (*m.*) ("La grande proprietà vicino al guado")

Halima (*f.*) (*sw., Afr.* "Gentile")

Halina (*f.*) *v.* Elena

Hallam (*m.*) (*Ing. ant.* "Fianco della collina")

Hallett (*m.*) ("Piccola proprietà terriera")

Halley (*m.*) (*Ing. ant.* "Prato della tenuta") (*m.*) *dim.* Lee, Leigh

Halliday (*m.*) (*raro*)

Hallie (*f.*) (*teut.*) *dim. femm.* di Harold; *var.* Halley, Hally

Halona (*f.*) (*Ind. Nordam.* "Felice fortuna")

Halsey (*m.*) (*Ing. ant.* "Isola di Hal") // *var.* e *dim.* Hal, Halsy

Halstead (*m.*) (*Ing. ant.* "Proprietà terriera") // *var.* e *dim.* Hal, Halsted, Steady

Halversen (*m.*) (*raro*)

Hamilton (*m.*) (*Ing. ant.* "Tenuta della montagna") *dim.* Tony

Hamish (*m.*) *v.* James

Hamlet (*m.*)("Piccolo cottage")

Hamlin (*m.*)(*Fr.;Ted.ant.* "Piccolo seguace della casa")

Hammond (*m*)(Nome comune)

Hamuda (*f.*) (*Ebr.* "Desiderabile")

Han (*Ol.*)

Haney (*m.*) (*raro*)

Hanford (*m.*) (*Ing.ant.* "Guado in alto") // *var.* e *dim.* Hanleigh, Lee, Leigh

Hank (*m.*) (*abbr.*)

Hanley (*m.*)("Paese del prato")

Hanna (*f.*) *v.* Anna

Hannah (*f.*) ("Favore" "Grazia") *v.* Anna

Hannele (*f.*) *v.* Anna

Hans (*m.*) (*Norv.*) *v.* Giovanni

Hansen (*m.*) (*raro*)

Hanson (*m.*) (*raro*)

Haralda (*f.*) (*teut.*) *femm.* di Harold; *var.* Halda, Harilda, Harolda, Heralda; *v.* anche Hallie

Haran (*m.*) ("Alpinista" "Montanaro")

Harbin (*m.*) (*raro*)

Harcourt (*m.*) (*Fr. ant.* "Abitazione fortificata") *dim.* Harry

Harden (*m.*) (*Ing. ant.* "Valle della lepre") *dim.* Denny

Harding (*m.*) ("Risoluto")

Hardy (*m.*) (*Teut.* "Audace" "Tollerante")

Harlan (*m.*) (*Ing. ant.* "Terra della battaglia" o "Messaggero") *var.* Harland, Harlin

Harlene (*f.*) (*raro*)

Harley (*m.*) (*Ing. ant.* "Prato della lepre" o "Prato del cervo") // *var.* e *dim.* Arley, Harleigh, Lee, Leigh

Harlow (*m.*) (*Ing. ant.* "Dalla collina fortificata" o "Collina del cervo") *var.* Arlo.

Harman (*m.*) ("Cacciatore di cervi")

Harmon (*m.*) *v.* Herman

Harmony (*f.*) (*Lat.* "Concordia" "Accordo") *var.* Harmoni, Harmonie

Harold (*m.*) (*Norv. ant.* "Signore delle armi") // *var.* e *dim.* Araldo, Hal, Harald, Harry, Herold

Harper (*m.*) e (*f.*) (*Ing. ant.*

"Suonatore d'arpa")

Harrel / Harrell (*m.*) (*raro*)

Harriet (*f.*) (*teut.*) *v.* Enrica

Harrigan (*m.*) (*raro*)

Harrington (*m.*) (*raro*)

Harris (*m.*) (*Ing. ant.* "Figlio di Harry") *var.* Harrison

Harry (*m.*) *v.* Enrico, Harold

Hart / Harte (*m.*) (*Ing. ant.:* "Cervo")

Hartley (*m.*) (*Ing. ant.:* "Campo dei cervi") *dim.* Hart, Lee, Leigh

Hartwell (*m.*) (*Ing. ant.:* "Sorgente dei cervi")

Harvey (*m.*) (*teut.* "Guerriero") // *var.* e *dim.* Harv, Hervey

Hasina (*f.*) (*sw. Afr.* "Buona") *var.* Hasina

Haskel (*m.*) (*yid.*) *v.* Ezechiele *var.* Askell

Hassan (*m.*) ("Bello" "Ben fatto")

Hastings (*m.*) ("Rapido" "Veloce")

Hatice (*f.*) (*der. esotico-etn.*)

Hattie (*f.*) *v.* Harriet

Hauk (*m.*) (*Norv.*)

Havelock (*m.*) (*Norv. ant.* "Battaglia navale")

Haven (*m.*) ("Porto")

Hawk (*m.*) ("Falco") *var.* Hawke

Hawkesworth (*m.*) (*raro*)

Hawley (*m.*) (*Ing. ant.* "Campo recintato") *dim.* Lee, Leigh

Haydee (*f.*) ("Modesta")

Hayden (*m.*) (*Ing. ant.* "Valle

recintata") *var.* Haydon
Hayes (*m.*) (*Ing. ant.* "Posto recintato)
Hayley (*f.*) ("Campo di fieno")
Haynes (*m.*) (Nome comune)
Hayward (*m.*) (*Ing.ant.* "Guardiano del recinto")
Haywood (*m.*) (*Ing. ant.* "Foresta recintata") // *var.* e *dim.* Heywood, Woodie, Woody
Hazard (*m.*) ("Di natura elevata")
Hazel (*f.*) ("Dall'albero di nocciolo" o "Protetta da Dio")
Hazen (*m.*) ("Lepre")
Hazlett (*m.*) (*raro*)
Heath (*m.*) (*Ing.* "Della brughiera")
Heather (*f.*) ("Fiore di erica" o "Arbusto in fiore"); *v.* Ethel
Hebe (*f.*) *v.* Ebe
Hector (*m.*) *v.* Ettore
Heda (*f.*) *v.* Edvige
Hedda (*f.*) (*Dan.*) *v.* Edvige
Hedric (*m.*) (*raro*)
Hedvig (*f.*) *v.* Edvige
Hedwig (*f.*) (*teut.*) *v.* Edvige
Hedy (*f.*) *v.* Edvige
Heidi (*f*) *v.*Hildegard; Adelaide
Heinrich (*m.*) (*Ted.*) *v.* Enrico
Heinz (*m.*) *v.* Enrico
Heit (*m.*) (*Frisone, Ol.* "Padre")
Helen (*f.*) (*Ing.*) *v.* Elena
Helene (*f.*) (*Fr.*) *v.* Elena
Helga (*f.*) (*teut.* "Sacra")
Helman (*m.*) (*raro*)
Helmer (*m.*) (*raro*)
Helmine (*f.*)(*Fr.*"Protettrice incrollabile") *var.* Mimi
Helmut (*m.*) *var.* e *dim.* Helle, Helm, Helmi, Helmke, Helmo, Helmoed, Helmuts, Hellmuth
Heloise (*f.*) ("Guerriera famosa")
Helsa (*f.*) (*Ebr.* "Consacrata a Dio")
Henderson (*m.*) ("Figlio eccellente")
Henri (*m.*) *v.* Enrico
Henrietta / Henriette (*f.*) *v.* Enrica
Henrik (*m.*) (*Finl.*; *Norv.*) *v.* Enrico
Hephzibah (*f.*) (*Ebr.* "La mia gioia è in lei") *var.* Hephsiba, Hepsiba, Hepsibah, Hepziba, Hepzibah
Hera (*f.*) (*Gr.* "La regina degli Dei")
Herald (*m.*) *v.* Aroldo
Herbert (*Teut.* Guerriero che rifulge" o "Albero") 20 *mar.* // *var.* e *dim.* Bert, Berie, Berty, Erberto, Harbert, Hebert, Herb, Herbie, Herby, Heriberto // *v.* Erberto
Hercule (*Fr.*) *v.* Ercole
Hercules (*m.*) *v.* Ercole
Herman (*m.*) (*teut.*) *v.* Armando, Ermanno
Hermance (*m.*) *v.* Armando, Ermanno
Hermann (*Teut.*) *v.* Armando, Ermanno
Hermine (*f.*) 9 *lug.;* *v.* Erminia
Hermione (*f.*)("Imparentata"`"Affine") *v.* anche Erma

Hernando (*m.*) *v.* Ferdinando

Herrald (*m.*) *v.* Aroldo

Hershel (*m.*) (*Ebr.* "Cervo") // *var.* e *dim.* Hersch, Heerschel, Hersh, Herzel, Heschel, Heshel, Hirsch

Hervè (*m.*) 17 *giu.* // *var.* e *dim.* Hervey, Hervea, Herveig, Herveline, Herveva, Hervey, Hervie

Hesper (*f.*)(*Gr.*"Stella della sera") *var.* Hespera, Hesperia

Hester (*f.*) *v.* Esther

Hetti / Hetty (*f.*) (*abbr.*)

Hewitt (*teut.* "Piccolo Hugh") (*m.*) // *var.* e *dim.* Hewie, Hewett; *v.* Hugh

Heywood (*m.*) *v.* Haywood

Hiatt (*m.*) (*nome comune*)

Hibernia (*f.*) (*Lat.* "Irlanda")

Hibiscus (*f.*) *var.* Hibisca, Hibiska

Hidde (*m.*) (*Frisone, Ol.*)

Hilaire (*f.*) *v.* Ilaria

Hilary (*m.*) e (*f.*) *v.*Ilaria, Ilario

Hilda / Hilde (*f.*) *v.*Alida, Ilda, Hildegard

Hildegard (*f.*) (*teut.* "Fanciulla guerriera") 17 *set.* // *var.* e *dim.* Heidi, Hilda, Hildagard, Hildagarde, Hilde, Hildegarde, Hildie, Hildy; *v.* Ilda

Hildegonde (*f.*) (20 *apr.*)

Hillel (*m.*)(*Ebr.* "Immensamente ammirato")

Hilliard (*m.*) (*Teut.*: "Guerriero audace") *var.* Hillier, Hillyer

Hilton (*m.*) (*Ing. ant.* "Campo della collina") // *var.* e *dim.* Hylton, Tony.

Hinda (*f.*) (*Ebr.* "Cervo")

Hiram (*m.*) (*Ebr.* "Il più nobile" o "Esaltato") *dim.* Hi, Hy

Hiroko (*f.*) (*Giap.* "Benedetta")

Hobart (*m.*) *v.* Hubert

Hoffman (*m.*) ("Cortigiano")

Hogan (*m.*) (*gael.* "Giovane" o "Eminente")

Hogue (*m.*) (*raro*)

Holbrook (*m.*) (*Ing. ant.* "Ruscello nella piccola valle") // *var.* e *dim.* Brook, Brooke, Holbrooke

Holcomb (*m.*) (*Ing. ant.* "Valle profonda")

Holden (*m.*)(*teut.* "Gentile" "Cavità nella valle")

Hole (*m.*) (*Som.*)

Hollace (*f.*)(*nome deriv. da cognome*)

Holland (*f.*) (*nome di località*)

Hollis (*m.*) (*Ing. ant.* "Boschetto di agrifoglio")

Holly (*f.*) ("Albero di agrifoglio") *var.* Hollie, Hollye

Holmes (*m.*) (*Ing.* "Isole del fiume") *var.* Holman, Homann

Holt (*m.*) (*Ing. ant.* "Foresta")

Holton (*m.*) ("Città della foresta")

Homer (*m.*) (*Gr.* "Pegno") *var.* Homère, Homerus, Omero

Honora (*f.*) (*Lat.:* "Onorabile" "Degna d'onore") // *var.* e *dim.* Honey, Honor, Honoria, Nora, Norah, Noreen, Norina, Norine.

Honorè (*m.*) e (*f.*) (*Lat.* "Che è rispettato") 16 *mag.*; 27 *feb.*// *var.* e *dim.* Honor, Honorat, Honoratus, Honorius, Onorata, Onorato, Onorio

Hope (*f.*) (*Ing. ant.* "Speranza")

Horace (*m.*) *v.* Orazio

Horacia (*f.*) (*femm.* di Horace) *var.* Horatia; *v.* Orazia

Horatio (*m.*) *v.* Orazio

Hortense (*f.*) *v.* Ortensia

Horton (*m.*) (*Ing. ant.* "Campo grigio") *dim.* Tony

Hosea (*m.*) (*Ebr.* "Salvezza")

Houghton (*m.*)(*Ing. ant.*"Campo scosceso") *dim.* Tony

Houston (*m.*)(*Ing.ant.* "Città della collina") *dim.* Hugh, Hughie, Tony

Howard (*m.*) (*Ing. ant.* "Guardiano") *dim.* Howie

Howell (*m.*) (*Gall.* "Vigile") // *var.* e *dim.* Howe, Howie

Howland (*m.*) (*Ing. ant.* "Zone montagnose") *dim.* Howie

Hoyt (*m.*) ("Gioia tumultuosa")

Hubert (*m.*) *v.* Uberto

Huberta (*f.*) *v.* Uberta

Huel (*m.*) (*raro*)

Huette (*f.*)(*teut.*) *femm.* di Hugh; *var.* Huetta

Huey (*m.*) *v.* Uberto

Hugh (*m.*) (*Ing.*) *v.* Ugo

Hugo (*m.*) (*Finl.*) *v.* Ugo

Hulbert (*m.*) (*teut.* "Grazia e brillantezza") *dim.* Bert, Bertie, Berty, Burt, Hulbard, Hulburt

Hulda (*f.*) (*Ebr.*: Profetessa dell'antico Testamento); *var.* Huldah

Humbert (*m.*) *v.* Umberto

Hume (*m.*) (*teut.* "Casa")

Humphrey (*m.*) (*teut.* "Uomo di pace") *var.* Humfrey, Humfried, Hunfredo, Onofredo

Hunter (*m.*) (*Ing.* "Cacciatore") *dim.* Hunt

Huntington (*m.*) (*Ing. ant.*: "Terra della caccia" "Città dei cacciatori") // *var.* e *dim.* Hunt, Huntingdon, Tony

Huntley (*m.*) (*Ing. ant.* "Campo del cacciatore") *dim.* Hunt, Lee, Leigh

Hurd (*m.*) (*Anglosass.* "Duro")

Hurley (*m.*) (*gael.* "Marea marina")

Hussein (*m.*) (*Ar.* "Piccolo e bello")

Hutton (*m.*) (*Ing.ant.*"Casa sul promontorio") *dim.* Tony

Huw (*m.*) *v.* Hugh

Huxley (*m.*) (*Ing. ant.* "Campo di Hugh") *dim.* Hux, Lee, Leigh

Hyacinth (*f.*) *v.* Giacinta; *var.* Hyacinthe

Hyacinthe (*f.*) *v.* Giacinta

Hyatt (*m.*) (*Ing. ant.* "Alto cancello") *var.* e *dim.* Hiatt, Hy

Hydrangea (*f.*) (Dal fiore dell'ortensia)

Hyland (*m.*) ("Montanaro")

Hyman (*m.*) (*Ebr.* "Vita") // *var.* e *dim.* Chaim, Hayyim, Hy,

Hymie, Mannie, Manny

Hypatia (*f.*) (*Gr.* "Bella e saggia")

I

Ia (*f.*) (*Per.* "Sola") 4 *ag.*

Iacopo (*m.*) v. Giacomo, Giacobbe, Jacopo, 13 *lug.*

Iacopone (*m.*) v.Jacopo; 25 *dic.*

Iago (*m.*) v. Giacomo

Ian (*m.*) (*Ing.*) v.John

Ianka (*m.*) v. Marcello

Iantha (*f.*) (*Gr.* "Fiore viola") *var.* Ianthe.

Ibisco (*m.*) v. Hibiscus

Ibrahim (*m.*) (*Ar.*) v. Abramo

Ichabod (*m.*)(*Ebr.* "Gloria passata")

Icilio (*m.*) (*Lat.* "Battitore") 19 *ag.*

Ida (*f.*) (*Ted. ant.* "Guerriera") (*Teut.* "Felice") (*ant. nordico* "Lavoro") (*orig. etn.:* dal monte Ida, nell'isola di Creta) 4 *set.;* 15 *gen.*; 2, 13 *apr.*; 8 *mag.* // *var.* e *dim.* Idalia, Idalina, Idaline, Idchen, Ide, Idella, Idelle, Idette, Iken, Ita, Itchen, Itte

Idalia (*f.*) ("Felicità")

Idamae (*f.*) ("Felice")

Idio (*m.*) (*Tosc.*) (*tronc.* di Didio: v.) 26 *nov.*

Ido (*m.*) ("Guerriero""Lavoro")

Idona (*f.*) (*teut.* "Industriosa")

var. Idonah, Idonna, Iduna

Idris (*f.*) ("Abile")

Ife (*f.*) (*Yor., Nig.* "Amore")

Iffredo (*m.*) (*Piem.*; *teut.* "Protetto da Dio") 8 *nov.*

Ifigenia (*f.*) (*Gr.* "Donna di forte razza") 21 *set.*

Iginia (*femm.* di Igino) 2 *apr.*

Igino (*m.*) (*Gr.* "Prospero" "Fausto" "Sano") 11 *gen.*

Ignace (*m.*) (*Fr.*) v. Ignazio

Ignacia (*f.*) *femm.* di Ignace; v. Ignazia

Ignatius (*m.*) v. Ignazio

Ignazia (*f.*) *femm.* di Ignazio; *var.* Gnacie, Ignatia, Ignatzia

Ignazio (*m.*) (*Etr.*) (*etim. inc.*; *Lat.* "Fuoco" "Ardente" "Fiero"; *Gr.* "Figlio") 31, 11, 26, 31 *lug.*; 31 *giu.*; 13 *mar.*; 13 *apr.*; 1, 3 *feb.*; 5, 11 *mag.*; 17, 23 *ott.*; 17, 20 *dic.* // *var.* e *dim.* Gnazi, Iggie, Iggy, Ignace, Ignacio, Ignatius, Ignatz, Ignaz, Inigo, Nazeri, Natz

Igor *femm.* di Igna (*Fr.*; *Scan.*; *Rus.*) 27 *ott.*; v. Gregorio

Ike (*m.*) (*Ing.*) v.Isacco

Ila / Ilamay (*f.*) (*raro*)

Ilana (*f.*) ("Albero")

Ilaria (*femm.* di Ilario) 3, 31 *dic.*; 13, 14 *gen.*; 12 *ag.* // *var.* e *dim.* Allaire, Hilaria, Hilarie, Hilary, Hillary, Hillery, Guilarka, Ilari, Ilarka, Ilariouchka, Lariocha

Ilarino (*dim.* di Ilario) 23 *ag.*

Ilario (*m.*) (*Lat.* "Gaio" "Allegro" "Lieto") 7, 13, 31 *gen.;* 16 *mar.*; *9*, 29 *apr.*; 5, 15 *mag.*; 7 *ag.*; 10, 27 *set.*; 3, 17 *nov. // var.* e *dim.* Hario, Harione, Hellier, Hilar, Hilaire, Hilario, Hilarion, Hilarius, Hill, Hillary, Hillery, Hillie, Hilly, Hiolario, Ilarione

Ilarione (*m.*) (*Lat.* "Allegro") 13 *gen.*; 21, 25 *ott.*; 12 *lug.*

Ilaro (*m.*) (*var.* di Ilario) 28 *feb.*; 10 *set.*

Ilda (*f.*) (*Ted. ant.* "Guerriera") *9 apr.; 17*, 18 *nov.*; 27 *ott. // var.* e *dim.* Hild, Hilde, Hildie, Hylda; *v.* Hildegarde, Elda

Ilde (*f.*) *v.* Matilde

Ildebrando (*m.*) (*Ted.* "Ardimentoso in battaglia") 22 *ag.*

Ildefonso (*m.*) (*Ted. ant.* "Pronto alla battaglia") 23 *gen.*

Ildegarda (*f.*) (*Ted.* "Ardimentosa in battaglia" "Guerriera") 17 *set.*; 30 *apr.*

Ildegonda (*f.*) (*Ted. ant.* "Battagliera") 20 *apr.*; 6 *feb.*; 5 *ag.*; 14 *ott.*

Ileana (*f.*)(*Gr.*"Simile al sole") (*Ebr.*"pianta") // (*Rum.; Ing.*) *v.* Elena, 18 *ag.*

Ileane (*f.*) (*Ing.*) *v.* Elena

Ilena (*f.*) (*Ing.*) *v.* Elena

Ilene (*f.*) (*Ing.*) *v.* Elena

Ilia (*m.*) (*Gr.* "Selvaggio") 28 *mag.*

Iline (*f.*) (*Ing.*) *v.* Elena

Ilio (*m.*) (*Gr.: orig. etn.* "Troiano" "Abitante di Troia")

Ilka (*f.*) (*Celt.* "Industriosa") *var.* Ilke

Illene (*f.*) (*Ing.*) *v.* Elena

Illidio (*m.*) (*Lat.* "Colui che percuote") 7 *lug.*

Illona (*f.*) (*Ing.*) *v.* Elena

Illuminata (*f.*) (*Lat.*) 29 *nov.*

Illuminato (*m.*) (*Lat.:* "Dotto" "Istruito") 8 *lug.*; 11 *mag.*

Ilona (*f.*) ("Raggiante") *v.* Elena

Ilsa (*f.*) *v.* Alice

Ilse (*f.*) (*Ted.*) *v.* Alice, Elisabetta

Imelda (*f.*) (*Ted. ant.* "Celeste eroina" "Moderata" "Grande battaglia") 12 *mag.*; 16 *set.*

Imelino (*m.*) (*Ted.ant.* "Cielo") 10 *mar.*

Imerio (*m.*) (*Lat.* "Oriundo di Himeria", antica località siciliana) 17 *giu.*

Immacolata (*f.*) ("Senza peccato", nome imposto in onore della Immacolata Concezione di Maria Vergine) 8 *dic.; v.* anche Concetta

Immacolato (*m.*) (*raro*) (Cuore Immacolato di Maria) 11 *giu.*

Immanuel (*m.*) *v.* Emanuele

Imogene (*f.*) (*Lat.* "Immagine") *var.* Emogene, Imogen, Imogena

Impero (*m.*) (*It.*) (dal *lat.: imperium*: "Comando" "Autorità" "Dominio")

Ina (*f.*) (dim. di nomi terminanti con "*ina*" come Caterina, Regina ecc.). Oggi usato come nome proprio.

173

Incoronata (*f.*) ("Che ha la corona")

India (*f.*) (*nome geografico*)

Indro (*m.*)(*Per.* "Rilucere" "Fiammeggiare" "Debellare") (*India* "Dio sterminatore di nemici") (*Mad.* "Uomo dei boschi" "Uomo silvano") 10 *feb.*

Ines (*f.*) (*Sp.*; *Port.*) 21 *gen.*; 10 *set.; v.* Agnese

Inessa (*f.*) *v.* Ines, Agnese

Inez (*f.*) (*Sp.*; *Port.*) *v.* Agnese

Inga (*f.*) *v.* Inge

Inge (*f.*)(*Sv.* "Campagna" "Veloce") *var.* Inger; 11 *gen.*

Ingeborg (*f.*) (*Sv.*) *v.* Ingrid

Ingemar (*m.*) (*Norv. ant.* "Figlio famoso") 11 *gen.*; *var.* Ingamar, Ingmar

Inger (*m.*) (*Norv. ant.* "L'armata del figlio") *var.* Ingar, Ingvar

Ingmar (*m.*) *v.* Ingemar

Ingram (*m.*)(*teut.* "Angelo nero") *var.* Ingraham

Ingrid (*f.*) (*Sv.* "Figlia") (*Got.* "Pietra") *femm.* di Ingeborg 2 *set.*; 9 *ott.*; 16 *nov.* // *var.* e *dim.* Inga, Ingeborg, Inger, Ingerid, Ingri, Ingrida

Inisio (*m.*) (*gael.*: *orig. etn.* "Oriundo di Enni", località irlandese) 30 *dic.*

Innis (*m.*) (*gael.* "Dall'isola del fiume") *var.* Innes, Inness

Innocent (*m.*)(*Fr.*) *v.* Innocenzo

Innocente (*m.*) 28 *dic.*

Innocenza (*m.*)(*Lat.*) 16 *set.*; 1 *feb.; v.* Innocenzo

Innocenzo (*m.*) (*Lat.* "Che è innocente") 16, 3, 12, 14 *mar.*; 17, 27 *apr.*; 22 *giu.*; 28 *lug.*; 22 *set.*; 12 *ag.*; 28 *dic.* // *var.* e *dim.* Innocente, Enzo, Nocenzio

Iodolo (*m.*) (*Gal.* "Color della viola") 2 *mar.*

Iola (*f.*) ("Alba nuvolosa")

Iolanda (*f.*) (*Fr. ant.:* "Color della viola") (*Got.:* "Felice in patria") (*Gr.:* "Fiore dell'uomo") 17 *gen.*; 6 *mag.*; 15 *giu.*; 28 *dic.* // *var.* e *dim.* Eolanda, Eolande, Iolanda, Iolande, Iolanthe, Yolande, Yolane (*Ing.*); Jolan, Jolanka, Joli (*Ung.*); Jola, Jolanta (*Pol.*); Yola, Yoli (*Sp.*)// Iolantha, Jolanda, Yolantha, Yolanthe Violante // Eolande, Iola, Iolana, Iolande, Iolantha, Iole, Iolende, Iolente, Jolanda, Jolanthe, Jolenta, Violette, Yola, Yoland, Yolanda, Yolaine, Yolène, Yolenta, Yolente

Iole (*f.*) (*Gr.* "Violetta") 3 *mag.*; 17 *gen.*

Iona (*m.*)(*Gr.* "Violetto") 6 *ag.* // *var.* Ione, Ionia, Ionne

Ipazio (*m.*) (*Gr.* "Sommo" "Illustre") 3, 17, 18 *giu.*; 29 *ag.*; 14 *nov.*

Ippocrate (*m.*) (*Gr.:* "Forte cavaliere")

Ippolito (*m.*) (*Gr.:* "Che scioglie i cavalli dalle briglie") 13 *ag.*; 30 *gen.*; 3 *feb.*; 20 *mar.*; 21 *ag.*; 30 *ott.*; 2 *dic.*

Ira (*m.*) (*Ebr.* "L'attento")

Irayna (*f.*) (*raro*)

Irene (*f.*) (*Gr.* "Dea della Pace") 28 *lug.*; 1, 3 *apr.*; 30 *mar.*; 22 *gen.*; 5 *mag.*; 20 *ott.* // *var.* e *dim.* Airene, Eirena, Eirene, Iren, Ira, Erena, Irena, Irenaeus, Irenca, Irènèe, Irènion, Ireneo, Irinei, Irounia, Rena, Reni, Renia, Renie, Rina // Irina (*Rus.*)

Ireneo (*m.*) (*Gr.* "Uomo pacifico") 28 *giu.*; 23, 26, 30 *ag.*; 10 *feb.*; 25, 26 *mar.*; 5 *mag.*; 3 *lug.*; 15 *dic.*

Irenione (*m.*) *v.* Ireneo; 16 *dic.*

Iride (*f.*)(*Gr.*"Λnnunzio") 4*set.*

Iris (*f.*) (*Gr.*"Arcobaleno")(Nome di fiore) 4 *set.* // *var.* Irisa

Irma (*f.*) (*Germ.*: "Potente"; da Irmin = Odino, Dio dei Sassoni) equivalente a *Erminia, v.;* 24 *dic.;* 9 *lug.* // *var.* Arminia, Emela, Ermengarda, Ermin, Erminia, Imela, Irmchen, Irme, Irmela, Irmeline, Irmina, Irmine, Irmo, Irmouchka

Irmina (*f.*) (*Ted. ant.* "Donna forte, potente") 2 *apr.; v.* anche Irma

Irvin (*m.*) *v.* Irving, Erwin

Irvina (*f.*) (*Anglo-Sass.*) *femm.* di Irving; *var.* Ervina, Ervine, Ervinne, Irvetta, Irvette, Irvinne

Irvine (*m.*) *v.* Irving, Erwin

Irving (*m.*) (*gael.*"Bello" "Giusto") // *var.* e *dim.* Erv, Ervin, Irv, Irvin, Irvine, Irwin; *v.*

Erwin

Isa (*f.*) (*Celt.* "Luminosa") 4 *dic.; dim.* di Lisa, Luisa, Elisa, Elisabetta

Isaac (*m.*) (*Ing.*) 20 *dic.; v.* Isacco

Isabel (*f.*) (*Sp.*) *v.* Isabella

Isabella (*f.*) (*Fen.*: "Amante di Baal" "Sacerdotessa del Dio Baal") (*Ebr.* "Casta" "Pura" "Consacrata a Dio") // (*Sp. v.* Elisabetta) 4 *giu.;* 5 *nov.*; 25 *feb.*; 29 *giu.*; 31 *ag.*; 22 *feb.*; 4,8 *lug.*; 12 *nov.*; 9 *dic.*// *var.* e *dim.* Isabelle (*Fr.*); Bella, Belle, Bellie, Isa, Isabel (*Ing.*); Isa (*It.*); Isabela (*Sp.*) // Isobel, Isobella, Isobelle, Ysabel, Zabella, Zabelle

Isabelle (*f.*) (*Fr.*) *v.* Isabella; 22 *feb.*

Isacco (*m.*) (*Ebr.* "Colui a cui Dio sorride") 2, 11, 13, 22 *apr.*; 14 *gen.*; 25 *mar.*; 25 *mag.*; 19 *ott.*; 12 *nov.*; 17, 20 *dic.*// Ike, Isac, Isaak, Isacio, Isak, Itzik, Izzy, Yschak, Ikey, Ikie, Itzaq, Izak

Isacio (*m.*) 21 *apr., v.* Isacco

Isadora (*f.*) (*Gr.*) 17 *apr.; femm.* di Isidoro // *var.* e *dim.* Dora, Dory, Isidora

Isaia (*m.*) (*Ebr.* "Dio dà salvezza") 6 *lug.*; 14 *gen.*; 16 *feb.*

Isaiah (*m.*) (*Ebr.*) *v.* Isaia; *dim.* Izzy

Isauro (*m.*) (*Lat.*: *orig. etn.* "Oriundo di Isaura", località

175

dell'Asia Minore) 17 *giu.*

Ischirione (*m.*) (*Gr.:* "Forte") 22 *dic.*

Iseulte (*f.*) *v.* Isolina

Ishmael (*m.*) (*Ebr.* "Dio ascolterà")

Iside (*f.*) (*Eg.*) (*Div. egiziana*) *v.* Isidoro

Isidora (*f.*) (*femm.* di Isidoro") 17 *apr.*

Isidore (*m.*) (*Fr.*) 4 *apr.; v.* Isidoro

Isidoro (*m.*) (*Gr.* "Dono di Iside") 2, 5, 15 *gen.*; 4 *feb.*; *4,* 17 *apr.*; 15 *mag.*; 14 *dic.* // Dore, Dory, Isador, Isadora, Isadore, Isidor, Isidora, Isidro, Izzy, Isidorius

Isis (*f.*) (*v.* Iside, Divinità egiziana, sorella di Osiris)

Ismaele (*m.*) (*Ebr.* "Dio mi ascolta") 17 *giu.*

Ismail (*m.*) (*Ar.*)

Isnardo (*m.*) (*Celt.* "Molto luminoso") 19 *mar.*

Iso (*m.*) (*Celt.* "Luminoso" "Lucente") 14 *mag.*

Isolda (*f*) (*Celt.*) *v.*Isotta; 17 *ott.* // *var.* e *dim.* Isolde, Isolt, Isotta, Izild, Izolda, Yseult, Yseulte, Yseut, Ysolde, Zolda

Isolde (*f.*) (*Fr.; Ted.*) *v.* Isolda

Isolina (*f.*) (*Celt.; Fr.*) *v.* Isotta; *var.* Iseulte (*Fr.*) 2 *apr.*

Isotta (*f.*) (*Celt.* "Colei che domina con la spada") 2 *apr.*; 17 *ott.; var.* Isolina, Isolda

Israel (*m.*) (*Ebr.* "Lotta per il Signore") 13, 14 *dic; dim.* Izzy

Israele (*m.*) (*Ebr.*) *v.* Israel

Itala (*f.*) *v.* Italo

Italia (*f.*) (*nome geografico*) (*Gr.* "Terra dei vitelli"; da *Enotria* "Terra del vino")

Italo (*m.*) (*Lat.* "Vitello") (*nome patriottico*) // *femm.* Italia e Itala; 19 *ag.*

Iva (*f.*) (*Celt., orig. inc.*) (*Ted.* "L'albero del tasso") *v.* Giovanni; 19 *mag.; v.* Ivana, Yvonne

Ivaa (*f.*) *v.* Ivah

Ivah (*m.*) ("Piccolo villaggio")

Ivaldo (*m.*) (*orig. inc.*)

Ivalyn (*f.*) (*raro*)

Ivan (*m.*) *v.* Giovanni

Ivana (*f.*) *femm.* di Ivano; *8 ott.*; 9 *mag.*; 23 *dic.; var.* Evonna, Evonne, Ivane, Ivanna, Ivanne, Ivonna, Ivonne, Yevette, Yvette // Iva, Ivetta (*It.*); Iwona, Iwonka (*Pol.*); Ivone (*Port.*); Ivona (*Rus.*) // *v.* Ivo

Ivana (*f.*) *femm.* di Ivan, *24 giu.; v.* Giovanna

Ivano (*m.*) (*Prov.*) *v.* Ivo; *8 ott.*; 1, 10 *nov.*

Ivanoe (*m.*) (*Celt.* "Prestante" "Attivo") 10 *giu.; v.* Ivo

Ivar (*m.*) (*Norv. ant.* "Arciere") *var.* Iver, Ives, Ivor, Yves, Yvon

Ivarson (*m.*) ("Figlio di Giovanni")

Ivetta (*f.*) (*Celt.* "Prestante") 13 *gen.*

Ivette (*f.*) (*raro*)
Ivey / Ivie (*f.*) *v.* Ivy
Ivio (*m.*) *v.* Ivo; 8 *ott.*; 6 *ott.*
Ivo (*m.*) (*orig. inc.*) (*Ted.* "L'albero del tasso") 19 *mag.*; 23 *dic.; var.* Yves (*Fr.; Sp.*); Iwo (*Ing. Ted.*) // Ivanoe
Ivone (*m.*) (*Celt.* "Presente" "Vigile" "Attivo") *v.* Ivo; 19, 28 *mag.*
Ivonne (*m.*) (*Scan.*) *v.* Ivana
Ivor (*m.*) *v.* Giovanni
Ivory (*f.*) (Avorio)
Ivy (*f.*) ("Edera rampicante")
Iza (*dim.* di Liza)

J

Jabal (*m.*) ("Canale" "Stretto")
Jabari (*m.*) (*sw. Afr.* "Coraggioso")
Jabez (*m.*) ("Dolore" "Pena")
Jace (*m.*) (*raro*)
Jacinda (*f.*) *v.* Giacinta
Jacinta (*f.*) *v.* Giacinta
Jacinte (*f.*) (*Fr.*) *v.* Giacinta
Jacinthe (*f.*) *v.* Giacinta; *var.* Jacyntha
Jack (*m.*) *v.* Giacomo; John
Jacklin (*f.*) (*nome con orig. da cognome*)
Jacklyn / Jacklynne (*f.*) *v.* Giacomina
Jackson (*m.*) (*Ing. ant.* "Figlio di Jack") *dim.* Jack, Sonny.
Jaclyn / Jaclynn (*f.*) *v.* Giacomina

Jacob *v.* Giacobbe, Giacomo
Jacoba (*f.*) *v.* Giacoma
Jacopo (*m.*) 25 *lug.; v.* Giacomo, Iacopo
Jacqueline (*f.*) (*Fr.*) *v.* Giacomina
Jacquenette (*f.*) (*raro*)
Jacques (*m.*) (*Fr.*) *v.* Giacomo
Jacynth (*m.*) *v.* Giacinto
Jada / Jade (*f.*) *v.* Giada
Jader (*m.*) (*Ar.* "Stella")(*Celt.* "Cavaliere") *v.* Giadero
Jae (*m.*) (*raro*)
Jae (*f.*) *v.* Jay
Jael (*f.*) (*Ebr.* "Capra selvatica" "Capra di montagna")
Jafit (*f.*) (*Ebr.* "Bella" "Amabile") *var.* Jaffa, Jaffice
Jaga (*f.*) (*Pol.*) *v.* Agnese
Jago (*m.*) *v.* Giacomo
Jagur (*m.*) (*nome di città*)
Jahi (*m.*) (*sw. Afr. dell'Est*: "Dignitoso")
Jahn (*m.*) *v.* John, Giovanni
Jaime (*f.*) *v.* James, Giacomo
Jairus (*m.*) ("Rischiaratore")
Jake (*m.*) (*abbr.*) *v.* Giacomo
Jalaine (*f.*) (*raro*)
Jamal (*m.*) (*Ar.*)
James (*m.*) (*Ing.*) *v.* Diego, Giacomo, Giacobbe
Jameson (*m.*) ("Figlio di James")
Jamie (*f.*) *v.* James, Giacomo
Jamila (*f.*) (*Ar.; Som.* "Bella") *var.* Djamila, Jamilah, Jamillah, Jamille, Jamillia

Jan (*f.*) *v.* Jane

Jan (*m.*) (*Ing.*) *v.* John

Janos (*m.*) (*Ing.*) *v.* John

Janda (*f.*) (*nome con orig. da cognome*)

Jandina (*f.*)(*Sp.*) *v.* Alessandra

Jandino / Jando (*m.*) (*Sp.*) *v.* Alessandro

Jandra (*f.*) (*nome con orig. da cognome*)

Jane (*f.*) *femm.* di John, *v.* Giovanna

Janeen (*f.*) *v.* Janine

Janessa (*f.*) (*raro*)

Janet (*f.*) *v.* Giovanna

Janeva (*f.*) *v.* Geneva

Janica (*f.*) *v.* Giovanna

Janice (*f.*) (*Ing.*) *v.* Giovanna

Janisa (*f.*) *v.* Giovanna

Jansen (*m.*) (Figlio di Jan)

Janyssa (*f.*) *v.* Giovanna

Jarad (*m.*) *v.*Jared

Jarah (*f.*) ("Miele" "Dolcezza" "Dolce")

Jarami (*m.*) *v.* Geremia

Jardena (*f.*) (*Ebr.* "Fluire in basso") *femm.* di Jordan

Jareb (*m.*) ("Difensore di Yahweh")

Jared (*m.*) *v.* Giordano

Jarek (*m.*) (*raro*)

Jaren (*m.*) ("Cantare")

Jarita (*f.*) (*Ar.:* "Una brocca d'acqua di terracotta")

Jarod (*m.*) *v.* Jared

Jarrad (*m.*) *v.* Jared

Jarrel (*m.*) *v.* Jarrell

Jarrell (*m.*) (nome comune)

Jarrett (*m.*) *v.* Garrett

Jarrod (*m.*) *v.* Jared

Jarvis (*m.*) (*Teut.* "Lancia acuminata") *var.* Jarvey, Jervis

Jascha (*m.*) (*Rus.*) *dim.* di Giacomo e di Giacobbe

Jascia (*m.*) (*Rus.*) *v.* Giacomo

Jase (*m.*) (*abbr.*)

Jasen (*m.*) *v.*Jason, Giasone

Jasmine (*f.*) *v.* Gelsomina

Jason (*m.*) (*Gr.* "Guaritore") *var.* di Joshua; *dim.* Jay, Sonny; *v.* Giasone

Jasper (*m.*) *v.* Gaspare

Jassy (*f.*) (*abbr.*)

Jay (*m.*) (*Ing.* "Gaio" "Loquace") *var.* Jaye; *v.* anche Giacobbe; Giacomo; Jason

Jaye (*f.*) *v.* Jay

Jaylene (*f.*) (*raro*)

Jayme / Jaymee (*f.*) *v.* Jamie

Jayne (*f.*) (*Sans.* "Vittoriosa") *v.* Jane, Giovanna

Jaynell (*f.*) (*nome doppio*)

Jayson (*m.*) *v.* Jason

Jeager (*m.*) (*raro*)

Jean (*f.*) (*Ing.*) *v.* Giovanna

Jean (*m.*) (*Fr.*) Giovanni

Jean-Louis (*Fr.*)(*nome doppio*)

Jean-Marie(*Fr.*)(*nome doppio*)

Jeana (*f.*) *v.* Jane, Giovanna

Jeanelle (*f.*) *v.* Jane, Giovanna

Jeanette (*f.*) *v.* Jane, Giovanna

Jeanie / Jeanne (*f.*) *v.* Jane, Giovanna

Jeannie (*f.*) (*Fr.* 30 *mag.*) *v.* Giovanna

Jeannine (*f.*) (*Fr.* 30 *mag.*) *v.*

Giovanna

Jena (*f.*) *v.* Giovanna

Jed / Jedd (*m.*) (*Ar.* "Mano") *v.* Jedidiah

Jedidiah (*m.*) (*Ebr* "Amato dal signore") *dim.* Jed

Jeff (*m.*) *v.*Jefferson

Jefferson (*m.*) (*Ing. ant.* "Figlio di Jeffrey" "Figlio della pace") *dim.* Jeff, Jeffie, Jeffy

Jefford (*m.*) (*raro*)

Jeffrey (*m.*) ("Pace buona") *v.* anche Geoffrey

Jeffrie (*m.*) *v.* Jeffrey

Jehan (*m.*) (*Orig.esotica o etn.*)

Jehu (*m.*) ("Egli è Jehovah")

Jelani (*m.*) (*sw., Afr.* "Potente")

Jelena (*f.*) (*Rus.*) *v.* Elena

Jemimah (*f.*) (*Ebr.* "Colomba") *var.* Jemima, Jemmima

Jemina (*f.*) (*Ebr.*"Colei che usa la mano destra") // *var. e dim.* Jem, Jemi, Jemma, Jemmi, Jemmie, Jemmy

Jemma (*f.*) *v.* Gemma

Jenae (*f.*) (*raro*) *v.* Genae

Jenette (*f.*) *v.* Jane, Giovanna

Jeneva (*f.*) *v.* Geneva

Jenica (*f.*) (*Rum.*) *v.* Giovanna

Jenine (*Fr.*) *v.* Giovanna

Jenise (*f.*) *v.* Janice, Giovanna

Jennie (*f.*) *v.* Eugenia; Genevieve; Guinevere; Jane; *var.* Jen, Jenn, Jenna, Jenny

Jennifer (*f.*) *v.* Ginevra

Jennilee (*f.*) (Nome composto)

Jennings (*m.*) (*anglo-sass.:* "Discendente di John")

Jensen (*m.*) ("Figlio di Giovanni")

Jeppe (*m.*) (*Dan.*)

Jerah (*m.*) (*nome Biblico:* "Mese")

Jerald (*m.*) *v.* Geraldo

Jeraldine (*f.*) *v.* Geraldine

Jerard (*m.*) *v.* Gerardo

Jerelene (*f.*) (*raro*)

Jeremiah (*m.*) *v.* Geremia

Jeremie (*m.*) (*Fr.*) *v.* Geremia

Jeremy (*m.*) *v.* Geremia

Jeremyn (*m.*) (*Lat.* "Tedesco") *dim.* Jerry

Jeri (*f.*) (*abbr.*) *v.* Jerry

Jericho (*m.*) ("Fragrante")

Jerilyn (*f.*) (Nome composto")

Jermaine (*m.*) *v.* Germano

Jeroen (*m.*) (*nome di orig. esotica o etnica*)

Jerome *v.* Gerolamo; 30 *set.*

Jerrilealee (*f*) (nome composto)

Jerrine (*f.*) (*raro*)

Jerry (*m.*) *v.*Geremia, Gerardo, Gerolamo

Jess (*m.*) e (*f.*) *v.* Jesse

Jessa (*f.*) (*abbr.* di Jessalyn, Jessica)

Jessalyn (*f.*) (*raro*)

Jesse (*m.*) (*Ebr.*"Opulento" o "Yahweh esiste")

Jesselyn (*f.*) (Nome composto)

Jessey (*m.*) *v.* Jesse

Jessica (*f.*) (*Ebr.* "Jahvè mi ha guardato") (*Got.* "Ostaggio ribelle") 4 *nov.* // *var. e dim.* Jesse, Jess, Jesse, Jessi, Jessie, Jessy, Jesseca, Jesslyn (*Ing.*);

179

Janka (*Ung.*); Gessica (*It.*) // Jessa, Jessalynn, Seasaidh

Jesus (*m.*) (*Fr.*) ("Gesù")

Jethro (*m.*) (*Ebr.* "Abbondanza") *dim.* Jeth

Jett (*m.*)

Jetta / Jette (*f.*) (*nome con orig. da cognome*)

Jewel (*f.*) (*Lat.* "Pietra preziosa") *var.* Jewell, Juelle

Jezebel (*f.*) ("Esalta l'idolo")

Jhayne (*f.*) (*nome con orig. da cognome*)

Jhermayne (*m.*) *v.* Germano

Jilian (*f.*) *v.* Gillian

Jill (*f.*) *v.* Giulia

Jillian (*f.*) *v.* Gillian

Jim (*m.*) (abbr.) *v.* Giacomo

Jimi / Jimmi (*Fr.*) *v.* Jean

Jin (*f.*) (*Giap.* "Eccellentissima")

Jina (*f.*) (*sw.* "Nome")

Jinny (*f.*) *v.* Ginevra

Jennee (*f.*) *v.* Ginevra

Jitana (*f*) ("Gitana" "Zingara")

Jo (*m.*) e (*f.*) *dim.* di John, Jonathan, Joyce; 19 *mar.*

Joab (*m.*) (*Ebr.* "Dio è il padre")

Joachim (*m.*) (*Fr.*) *v.* Gioacchino

Joan (*f.*) *v.* Giovanna

Joana (*f.*) *v.* Giovanna

Joanie (*f.*) *v.* Giovanna

Joann (*f.*) *v.* Giovanna

Jo Ann (*f.*) *v.*Giovanna

Joanna (*f.*) *v.* Giovanna

Joanne (*f.*) *v.*Giovanna; *var.* Johanna

Joao (*m.*) (*Port.*) *v.* Giovanni

Joaquim (*Port. v.* Gioacchino

Job (*m.*) ("Perseguitato")

Joby (*f.*) (*Ebr.* "Afflitta" o "Perseguitata") *var.* Jobina, Jobi, Jobie

Jocelyn (*f.*) (*Lat.*"Giusta") *var.* Joceline, Jocelyne, Jocelynne, Joscelyn, Joslyn, Joslynne // (*m.*) *v.* anche Josselin

Jock (*m.*) *v.* Jacob, Giacobbe

Jodean (*f.*) (*raro*)

Jodee (*f.*) *v.* Judah, Giuditta

Jodi (*f.*) (*Ebr.* "Lodata") *abbr.* di Judith; *var.* Jodie, Jody

Jody (*f.*) *v.* Giuditta

Jody (*m.*) *v.* Giuseppe

Joe (*m.*) e (*f.*) *dim.* di John, Jonathan, Josephine, Joyce; *v.* Giuseppe, 19 *mar.*

Joeann (*f.*) (*nome doppio*)

Joel (*m.*) (*Ebr* "Jehovah è il Signore") 13 *lug.*, *var.* Joell

Joella (*f.*) (*Ebr.* "Il Signore è volenteroso") *var.* Joela, Joelle, Joellen, Joellyn

Joelle (*f.*) (*Ebr.*, *femm.* di Joel) *var.*Joela, Joella

Joellen / Joellyn / Joelynn (*f.*) (*nome doppio*)

Joep (*Ol.*)

Joette (*f.*) *v.* Joe

Joey (*m.*) (*abbr.*)

Joffre (*m.*) (*raro*)

Jogáila (*m.*) (*Lit.*) *v.* Ladislào

Johann (*m.*) (*Ted.*) *v.* Giovanni

Johanna (*f.*)(*Ted.*) *v.* Giovanna

John (*m.*) (*Ing.*) *v.* Giovanni

Johnetta (*f.*) *var.* di John

Johnny (*m.*)(*Ing.*) *v.* Giovanni

Johnson (*m.*)("Figlio di John")

Jojanneke (*f.*) (*Frisone, Ol.*)

Jolan (*f.*) (*Ung.*) *v.* Iolanda

Jolanda (*f.*) *v.* Iolanda

Jolene (*f.*) (*raro*)

Jolie (*f.*) (*Fr.* "Graziosa)

Joline (*f.*) (*Ebr.:* "Ella accrescerà") *femm.* di Giuseppe; *var.* Joleen, Jolene

Jolyn (*f.*) (*nome doppio*)

Jonah (*m.*) (*Ebr.:* "Colomba") *var.* Jonas, Giona

Jonathan (*m.*) (*Ebr.* "Dio ha dato") 21 *set.* // *var.* e *dim.* Giona, Gionata, Jonathon, Jon, Jonnie

Jonell / Jonelle (*f.*) (*raro*)

Joni / Jonni (*f.*) (*abbr.*)

Jonie (*f.*) *v.* Giovanna

Jonina (*f.*)(*Ebr.* "Colomba") *var.* Giona, Gionata, Jona, Jonati, Jonit, Yona, Yonit, Yonita

Jonna/ Johnna (*f.*) *v.* Giovanna

Jora (*m.*) ("Pioggia d'autunno") *var.* Jorah

Jorah (*m.*) ("Pioggia d'autunno)(*Giap.* "Corsa" o "Tasso") // (*Gha.:* nome dato ai bambini nati morti: "Resta e non andartene")

Joram (*m.*) ("Dio è l'Altissimo")

Jordan (*m.*) *v.* Giordano

Jordana (*f.*) (*Ebr.:* *femm.* di Jordan) *var.* Jordanna; *v.* Giordana

Joren (*m.*) (*raro*)

Jorene (*f.*) (*raro*)

Jorge (*m.*) *v.* Giorgio

Jorgina (*f.*) (*Sp.*) *v.* Giorgia

Josabell (*f.*) (*nome doppio*) *var.* Josibelle

Josanne (*f.*) (*nome doppio*)

Josè (*m.*) e (*f.*) *v.* Giuseppe

Joseline (*m.*) (*Fr.*) *v.* Josselin, Gosselino

Joseph (*m.*) (*Ing.*) *v.* Giuseppe

Josephine (*Fr.*) *v.* Giuseppina

Josette (*f.*) *v.* Giuseppina

Josh (*m.*) (*abbr.*) *v.* Joshua

Joshua (*m.*) (*Ebr.* "Dio è salvezza") *dim.* Josh

Josiah (*m.*) (*Ebr.* "Il fuoco del Signore") *var.* Josias

Josiane (*f.*) *v.* Gioia // (*m.*) *v.* Giuseppe

Joss (*m.*) (nome comune)

Josselin (*m.*) (*Fr.*) 13 *dic.* // *var.* e *dim.* Gosselino, Joceline, Jocelyn, Jocelyne, Joscelyne, Josseline

Jotham (*m.*) (*Ebr.* "Possa Dio renderci perfetti")

Jourdan (*m.*) *v.* Giordano

Joy (*f.*) *v.* Gioia

Joyce (*f.*) (*Irl.*) (*contr.* di Josephine) (*Lat.* "Gaia" "Gioiosa")

Joyceanna (*f.*) (*nome doppio*)

Joyita (*f.*) (*Sp.:* "Gioiello non costoso ma bello") *var.* Joy, Joya

Juan (*m.*) (*Sp.*) *v.* Giovanni

Juanetta (*f.*) *v.* Giovanna

Juanita (*f.*) (*Sp.*) *v.* Giovanna; *var.* Juana, Nita

Jubal (*m.*) ("Colui che fa la musica")

Jud / Judd (*m.*) *abbr.* di Judah

Judah (*m.*) (*Ebr.* "Lodato" "Glorificato") *var.* Giuda, Judas, Jude, Yehuda, Yehudah, Yehudi; *v.* Giuda

Judas / Jude (*m.*) *v.* Giuda

Judith (*f.*) *v.* Giuditta

Judson (*m.*) (*Ing. ant.* "Figlio di Judah" "Figlio del lodato")

Jules (*m.*) (*Fr.*) *v.* Giulio

Julia (*f.*) (*Ing.*) *v.* Giulia

Julian (*m.*) *v.* Giulio

Julie (*f.*) (*Fr.*) *v.* Giulia

Julien (*m.*) (*Fr.*) *v.* Giulio

Julienne (*f.*) (*Fr.*) *v.* Giulia

Juliette (*f.*) (*Fr.*) *v.* Giulia

Julio (*m.*) (*Sp.*) *v.* Giulio

Julius (*m.*) (*Ing.*) *v.* Giulio

Jun (*f.*) (*Cin.* "Verità")(*Giap.* "Obbediente")

June (*f.*) (*Lat.:* "Giovane") *var.* Junell, Ju, Junell, Junette, Junina, Junita

Junella (*f.*) (*comb.* di June + Ellen: "Nata in giugno")

Junien (*f.*) *v.* Junon, Giunone

Junius (*m.*) (*Lat.* "Giovane")

Juno (*f.*) (*Lat.*) *v.* Giunone

Junon (*f.*) (*Fr.*) *v.* Giunone; *var.* Giuniata, Giunonee, June, Junette, Juni, Junia, Junie, Junine, Junius, Youna, Younona

Jurgen (*m.*) *v.* Giorgio

Juri / Jurij (*Rus.*) *v.* Giorgio

Justice (*m.*) ("Giustizia")

Justin (*m.*) (*Ing.*) *v.* Giustino

Justine (*f.*) (*Ing.*) *v.* Giustina

Justus (*m.*) ("Giusto")

Justyn (*m.*) *v.* Giustino

Jutta (*f.*) *v.* Giuditta

Jyll (*f.*) *v.* Gillian

K

Kabil (*m.*) (*Tur.* "Indemoniato") // (*Ing.*) *v.* Cain

Kace (*m.*) (*nome con orig. da cognome*)

Kacey (*f.*) (*raro*)

Kachina (*f.*)(*Ind.Nordam.*: "Danzatrice sacra")

Kacie / Kacee (*f.*) (*raro*)

Kadar (*m.*) (*Ar.:* "Potente") *var.* Kedar

Kade (*m.*) (*nome con orig. da cognome.*)

Kadin (*m.*) (*Ar.* "Amico" "Compagno" "Confidente") *var.* Kadeen

Kadir (*m.*) (*Ar.* "Verde" o "Verde raccolto") *var.* Kadeer

Kadra (*f.*) (*nome con orig. da cognome*)

Kadrey (*f.*) (*nome con orig. da cognome*)

Kaga (*m.*) (*Ind. Nordam.* "Scrittore")

Kagami (*f.*) (*Giap.* "Specchio")

Kagan (*m.*) *v.* Kegan

Kai (*m.*) e (*f.*) (*Haw.* "Mare") *v.* Caterina

Kaine (*m.*) *v.* Kane

Kairn (*m.*) (*nome con orig. da*

cognome)

Kakar (*m.*) (*Todas, India* "Erba")

Kala (*f.*) (*hindu*: "Nera" o "Tempo")

Kalama (*f.*)(*Haw.:* "Torcia fiammante")

Kalanit (*f.*) (*Ebr.:* "Il fiore kalanit dal luminoso colore")

Kalb (*m.*) (*Ar.*)

Kale (*m.*) (*Haw.*) *v.* Carlo

Kaleb (*m.*) *v.* Caleb

Kalere (*f.*) (*Afr.* "Piccola donna")

Kali (*f.*) (*hindu*: "Dea nera" o "Tempo, il distruttore")

Kalifa (*f.*) (*Som.* "Felice")

Kalil (*m.*) (*Ar.:* "Buon amico") (*Isr.*"Corona" o "Ricchezza") *var.* Kahlil, Khaleel, Khalil

Kalila (*f.*) (*Ar.* "Amata" o "Dolce cuore" o "Fidanzata") *var.* Kaleela, Kalilla, Kaylee, Kaylil

Kalina (*f.*) (*nome con orig. da cognome*)

Kalinda (*f.*) (*hindu*" "Il sole") // *var.* Kaleenda

Kalindi (*f.*) (*hindu*: "Il fiume Jumna")

Kaliq (*m.*) (*Ar.* "Creativo")

Kaliska (*f.*) (*Ind., Miwok:* "Coyote che caccia un cervo")

Kalista (*f.*) (*nome con orig. da cognome*)

Kallan (*m.*) (*raro*)

Kalle (*m.*) (*Scan.*) *v.* Carlo

Kalleen (*f.*) (*nome con orig. da cognome*)

Kalli (*f.*) (*Gr.* "Allodola" o "Bel fiore") *dim.* di Calandra // *var.* e *dim.* Cal, Calli, Callie, Kal, Kallie, Kally

Kally (*f.*) *v.* Kalli

Kalman (*m.*) (*Ung.*) *v.* Carlo

Kalmia (*f.*)

Kaloosh (*m.*) (*Arm.* "Avvento benedetto")

Kaluwa (*f.*) (*Usenga, Afr.* "Dimenticata")

Kalyca (*f.*) (*Gr.* "Bocciolo di rosa") // *var.* e *dim.* Kali, Kalie, Kaly, Kalica, Kalika

Kam (*m.*) (*abbr.*)

Kama (*f.*) (*Haw.*) *v.*Thelma

Kama (*f.*) (*hindu* "Amore")

Kamali (*m.*) e (*f.*) (*Shona, Rod.* "Lo spirito che aiuta i neonati")

Kamania / Kamaria (*f.*) (*sw. Afr.* "Come la luna")

Kamata (*f.*) (*Ind. Miwok* "Gioco")

Kameke (*Umbundu, Afr.* "Cieco") (*f.*)

Kameko (*f.*) ("Piccolo di tartaruga o di tortora")

Kameron (*m.*) e (*f.*) *v.* Cameron

Kami (*m.*) (*hindu* "Affezionato")

Kamil (*m.*) (*Ar.* "Perfetto") *var.* Kameel

Kamila (*Ar.* "Perfezione" "Perfetta") (*f.*)

Kamila (*Ung. Let. Pol.*) *v.* Camilla; *var.* Kamilah, Kamilla, Kamillah

183

Kanani (*f.*) (*Haw.* "La bellezza") *dim.* Ani, Nani

Kanda (*f.*) (*nome con orig. da cognome*)

Kandace (*f.*) *v.* Candace

Kandra (*f.*) (*nome con orig. da cognome*)

Kane (*f.*) (*Giap.* "Doppio esperto" "Fare due cose alla volta")

Kane (*m.*) (*Celt.* "Luminoso") *var.* Kain, Kayne

Kane (*m.*) (*Giap.* "Dorato")

Kane (*m.*) (*Haw.* "Uomo" "Cielo dell'est")

Kanene (*f.*)(*Umbundu, Afr.* "Una piccola cosa nell'occhio è grande")

Kaniel (*m.*) (*Ebr.* "Stelo" "Giunco") // *var.* e *dim.* Kan, Kani, Kanny

Kanika (*f.*)(*Mwera, Kenya* "Panno nero")

Kano (*m.*) (*orig. esotico-etn.*)

Kantu (*m.*) (*hindu:* "Felice")

Kanya (*f.*) (*hindu* "Vergine")

Kapua (*f.*) (*Haw.* "Fiore" "Fioritura")

Kapuki (*f.*) (*Sudan:* "Primogenita")

Kara (*f.*) *v.* Cara

Kara (*m.*) (*Banti, Esk.:* "Dal dito rotto")

Karalee (*f.*) (*orig. esotico-etn.*)

Karan (*f.*) *v.* Karen

Kardal (*m.*) (*Ar.* "Seme di senape")

Kareem (*m.*) (*Ar.* "Generoso e amichevole" "Prezioso e distinto") *var.* Karim

Karen (*f.*) *v.* Caterina

Karena (*f.*) *v.* Caterina

Kari (*f.*) (*Am.*) ("Piccola e femminile") *v.* Caroline, Carrie; *var.* Karee, Karie, Karry, Kary

Karida (*f.*) (*Ar.* "Intatta" "Illibata" o "Virginale")

Karim (*m.*) *v.* Kareem

Karin (*f.*) (*Fr. Sv.*) *v.* Caterina

Karina (*f.*) *v.* Caterina

Karine (*f.*) *v.* Caterina

Karis (*nome con orig. da cognome*)

Karisa / Karissa (*f.*) (*raro*)

Karita (*f.*) (*raro*)

Karl (*m.*) (*Ted.*) *v.* Carlo

Karla (*m.*) (*ab. Austr.* "Fuoco")

Karla (*f.*) (*Cec.; Ted.; Am.*) *v.* Carla

Karlan (*m.*) (*nome con orig. da cognome*)

Karlee (*f.*) *v.* Carla, Carolina

Karleen (*f.*) *v.* Carla, Carolina

Karlon (*m.*) (*nome con orig. da cognome*)

Karlotta (*f.*) *v.* Carla

Karlson (*m.*) *v.* Carlson

Karlton (*m.*)

Karly (*f.*) *v.* Carolina

Karlyn (*f.*) (*nome con orig. da cognome*)

Karma (*f.*) (*sans.* "Destino") (*hindu* "Azione") *var.* Carma

Karmel (*m.*) e (*f.*) (*Ebr.*) *v.* Carmela, Carmelo

Karne (*m.*) (*nome con orig. da cognome*)

Karol (*m.*) *v.* Carlo
Karole (*f.*) *v.* Carla
Karolina (*f.*) (*Ung.*; *Rus.*) *v.* Carolina
Karr (*m.*) (*nome con orig. da cognome*)
Karyn (*f.*) *v.* Caterina
Kasa (*f.*) (*Ind. Nordam.*, *Hopi* "Vestito di pelliccia") *var.* Kasha, Kahsha
Kaseko (*m.*) (*Shona, Rod.* "Deridere")
Kasi (*f.*) (*hindu:* "Dalla città sacra")
Kasib (*m.*) (*Ar.* "Fertile") *var.* Kaseeb
Kasim (*m.*) (*Ar.* "Diviso") *var.* Kaseem
Kasimir (*m.*) (*Sl.*) *v.* Casimiro
Kasinda (*f.*) (*Umbundu, Afr.:* "La terra che blocca il passaggio vicino alla tana di un animale")
Kasper (*m.*) *v.* Gaspare
Kass (*m.*) (*Ted.* "Come un uccello nero") *var.* Kaese, Kasch, Kase
Kassia (*f.*) (*Pol.*) *v.* Caterina
Kat (*f.*) (*abbr.*) *v.* Caterina
Katarina (*f.*) *v.* Caterina
Kate (*f.*) (*Ing.*) *v.* Caterina
Kateb (*m.*) (*Ar.* "Scrittore")
Kateke (*f.*) (*Umbundu, Afr.:* "Siamo restati troppo a lungo e abbiamo abusato della sua ospitalità")
Katharine (*f.*) *v.* Caterina
Katherine (*f.*) *v.* Caterina

Kathi (*f.*) *v.* Caterina
Kathleen (*f.*) *v.* Caterina
Kathrin (*f.*) *v.* Caterina
Kathryn (*f.*) *v.* Caterina
Kathy (*f.*) *v.* Caterina
Katia (*f.*) (*Fr.*) *v.* Caterina
Katie (*f.*) *v.* Caterina
Katina (*f.*) *v.* Caterina
Katja (*f.*) (*Rus.*) *v.* Caterina
Katjuscia (*f.*) (*Rus.*) (*dim.*) *v.* Caterina
Katlyn (*f.*) *v.* Caterina
Katri (*f.*) *v.* Caterina
Katrin (*f*) *v.* Caterina
Katrina (*f.*) *v.* Caterina
Katriona (*f.*) *v.* Caterina
Katura (*f.*) (*Babudja, Zimb.* "Adesso mi sento meglio", riferito al dopo parto)
Katy (*f.*) (*Fr.*) *v.* Caterina
Katya (*f.*) (*Rus.*) *v.* Caterina
Kaula (*f.*) (*Haw.* "Profeta")
Kaulana (*f.*) (*Haw.* "Famosa")
Kaveri (*f.*) (*hindu* "Il fiume sacro Kaveri")
Kavindra (*f.*) (*hindu:* "Poeta potente")
Kay (*f.*) *v.* Caterina
Kaya (*f.*) (*Ind. Nordam.*, *Hopi* "La mia sorellina maggiore")
Kaya (*f.*) (*Giap.:* "Corsa" o "Tasso")
Kaya (*f.*) (*Gha.* "Resta e non andartene")
Kaye (*f.*) *v.* Caterina
Kayin (*m.*) (*Yor.*, *Nig.* "Celebrato" nome dato ai neonati molto attesi)

185

Kayla (*f*)(*Am.*) *v.*Caterina, Kay
Kayleen (*f.*) (*raro*)
Kayley (*f.*) *v.* Kylie
Kaylyn (*f.*) (*raro*)
Keady (*m.*) (*Scoz.*) *v.* Adamo
Keahi (*m*) e (*f*) (*Haw.*"Fuoco")
Keane (*m.*) (*Ing.* "Tagliente") (*Celt.* "Bello") *var.* Kean, Keen, Keene
Keaney (*m.*) ("Soldato")
Kearn / Kearne (*m.*) (*nome con orig. da cognome*)
Keath (*m.*) *v.* Keith
Keaton (*m.*) (*raro*)
Keb (*m.*) (*Eg.* "Il Dio egiziano Keb")
Kecia (*f.*) (*raro*)
Kedar (*m.*) (*hindu*: "Signore della montagna")
Keddie (*m.*) (*Scoz.*) *v.* Adamo
Keddy (*m.*) (*Scoz.*) *v.* Adamo *var.* Keady, Keddie
Kedem (*m.*)(*Ebr.*"Anziano" "Antico" o "Dall'est")
Kedma (*f.*) (*Ebr.* "Che promette l'est") *var.* Kedmah
Keefe (*m.*) (*gael.* "Bello" "Amabile")
Keegan (*m.*) (*gael.* "Piccolo fuoco") *var.* Kegan
Keela (*f.*) ("Bella")
Keeler (*m.*) (*raro*)
Keeley (*f.*) ("Piccolo falco")
Keenan (*m.*) (*gael.* "Vecchietto") *var.* Kienan
Keene (*m.*) (*nome con orig. da cognome*)
Kei (*f.*) (*Giap.* "Rapimento" "E-

stasi" o "Rispetto") *var.* Keiko
Keidra (*f.*) (*raro*)
Keiki (*f.*) (*Haw.* "Figlia")
Keiko (*f.*) (*Giap.* "Amata")
Keir (*m.*) (*Celt.* "Dalla pelle scura)
Keith (*m.*) (*Irl. gael.* "Colui che viene dal posto della battaglia") (*Gall. ant.* "Dalla foresta")
Keitha (*f.*) *femm.* di Keith.
Kekoa (*m.*) (*Haw.* "Le dolci fronde dell'albero Koa sulle verdi creste delle montagne")
Kekona (*f.*) (*Norv. ant.* "Fontana" o "Sorgente") // *var.* e *dim.* Keli, Kelie, Kelli, Kellie, Kelley, Kelly
Kelby (*m.*) (*Ted. ant.* "Dalla fattoria della sorgente") *var.* Keelby, Kelbee, Kelbie, Kellby
Kelcey (*f.*) (*nome di città*)
Kelcie (*f.*) (*nome con orig. da cognome*)
Kelcy (*f.*) (*nome con orig. da cognome*)
Kelda (*f.*) (*Norv. ant.* "Una sorgente")
Kele (*m.*) (*Ind. Nordam., Hopi* "Sparviero") *var.* Kelle
Kelemen (*m.*) (*Ung.*) *v.* Clemente
Kelii (*m.*) (*Haw.* "Capo")
Kelila (*f.*)(*Ebr.*"Corona" o "Alloro"; *simbolo di vittoria* e *bellezza*) // *var.* e *dim.* Kaile, Kayle, Kelilah, Kelula, Kyla,

Kyle (*Yid.*)

Kell (*m.*) (*Norv. ant.* "Dalla sorgente")

Kelli / Kellie (*f.*) *v.* Kelly

Kelly (*m.*) e (*f.*) (*gael.* "Guerriero") *var.*Kele, Kellen, Kelley // *var. femm.* Keli, Kelia, Kellen, Kellei, Kelli, Kellie, Kellie, Kellina, Kellisa

Kelsey (*m.*) (*Teut.* "Colui che abita vicino all'acqua")

Kelsi (*f.*) (*Irl. gael.* "Guerriera") (*Scan.* "Dall'isola della nave") // *var. e dim.* Kelci, Kelcie, Kelsy, Kelsie

Kelton (*m.*) (*raro*)

Kelvin (*m.*) ("Amico del guerriero")

Kem (*m.*) (*Ing., git.* "Il sole")

Kemal (*m.*) (*orig. esotico-etn.*)

Ken (*m.*) (*abbr.*) *v.* Kenneth

Kenan (*m.*)("Possesso") *var.* Kenath

Kenda (*f.*) (*Am. mod.* "Figlia dell'acqua calma e trasparente") // *var. e dim.* Kendi, Kendie, Kendy, Kennda, Kenndi, Kenndic, Kenndy

Kendall (*f.*) (*nome con orig. da cognome*)

Kendall (*m.*) (*Ing. ant.* "Dalla valle luminosa") *var.* Kendal, Kendell

Kendra (*f.*) (*Anglosass.:* "Colei che capisce")

Kendrick (*m.*) (*gael.* "Figlio di Henry" o "Sovrano raffinato") *dim.* Ken, Kennie, Kenny,

Rick, Rickie, Ricky

Kenley (*m.*) (*Ing. ant.:* "Dal campo del re") // *var. e dim.* Ken, Kenleigh, Kennie, Kenny, Lee, Leigh

Kenn (*m.*) (*Gall. ant.* "Chiara, dolce acqua")

Kenna (*f.*) ("Colei che sa")

Kennan / Kennar (*m.*) (*raro*)

Kennard (*m.*) ("Amante audace")

Kennedy (*m.*) (*gael.* "Con l'elmo in capo" o "Signore") *dim.* Ken, Kennie, Kenny

Kenner (*m.*) (*raro*)

Kenneth (*m.*) (*Ing. ant.* "Giuramento regale") (*Celt.* "Bello") // *var. e dim.* Ken, Kenney, Kennie, Kenny (*Ing.*); Kenya, Kesha (*Rus.*); Chencho, Incencio, Inocente (*Sp.*)

Kenney (*m.*) (*raro*)

Kennon (*m.*) *v.* Kennan

Kenny (*m.*) (*Soprannome*)

Kent (*m.*) (*Gall. ant.* "Luminoso"-"Bianco") *dim.* Ken, Kennie, Kenny

Kenton (*m.*) ("Città del re")

Kenway (*m.*) (*Ing. ant.* "Audace in battaglia") *dim.* Ken, Kennie, Kenny

Kenya (*f.*) (*nome geografico*)

Kenyon (*m.*) (*gael.* "Dai bei capelli") *dim.* Ken, Kennie, Kenny

Kenzie (*f.*) (*nome con orig. da cognome*)

Kerani (*f.*) (*sans.* "Campane sacre") // *var.* e *dim.* Kera, Keri, Kerie, Kery, Rani

Kerby (*m.*) *v.* Kirby

Kerel (*m.*) (*Afrikaans* "Giovane uomo")

Kerem (*m.*)(*Tur.*: "Nobile e gentile")

Kerey (*m.*) (*Ing.*, *git.* "Diretto a casa, al proprio paese") *var.* Keir, Ker, Keri

Keriann (*f.*) (*nome doppio*)

Kerk (*m.*) *v.* Kirk

Kermit (*m.*) (*gael.* "Uomo libero")

Kern (*m.*) (*Irl. gael.*: "Piccolo scuro") *var.* Kearn, Kerne, Kieran

Kerne (*m.*) *v.* Kern

Kerr (*m.*) (*Irl. gael.*:"Uomo scuro" o "Lancia" "Campagna")

Kerrigan (*m.*) (*raro*)

Kerry (*m.*)(*Irl. gael.*:"Figlio dello scuro" o "Scuro") *var.* Ker, Keary // *var. femm.* Keri, Kerri, Kerrie

Kers (*m.*) (*Todas, India:* "La pianta coraggiosa")

Kersen (*m.*) (*Indon.:* "Ciliegia")

Kersten (*f.*) *v.* Kirsten

Kerwin (*m.*) (*Irl.; USA*) (*Irl. gael.* "Piccolo corvino") *var.* Kerwen, Kerwinn, Kirwin

Kesar (*m.*) (*Rus.*) *v.* Cesare

Kesava (*f.*) (*hindu:* "Che ha molti capelli")

Keshia (*f.*) (*Afr.* "La favorita")

Kesi (*f.*) (*sw.* "Una figlia nata quando suo padre è nei guai")

Kesia (*f.*) (*raro*)

Kesin (*m.*) (*hindu* "Povero dai capelli lunghi")

Kesse (*m.*) (*Ashanti, Gha.* "Grasso alla nascita")

Kessie (*f.*) (*Ashanti, Gha.* "Paffuta")

Ketty (*f.*) *v.* Caterina

Ketzia (*f.*) (*Ebr.* "Scorza di cannella") *var.* Ketzi, Kezia, Kezi

Kevin (*m.*) (*Irl. gael.* "Bello" "Amabile e gentile") *var.* Kev, Kevan, Keven, Kevon, Kevvy

Keyes (*m.*) (*raro*)

Keylor (*m.*) (*raro*)

Keziah (*f.*) ("Profumo scelto") *var.* Kezia

Khoury (*m.*) (*Ar.* "Sacerdote")

Kiana (*f.*) *v.* Anna; *var.* Kiani, Quiana

Kiani (*f.*) (*raro*) *v.* Kiana

Kibbe (*m.*)(*Ind. Nordam., Nayas* "Uccello della notte")

Kichi (*f.*) (*Giap.* "La fortunata")

Kiele (*m.*) (*Haw.* "Gardenia" "Fiore fragrante")

Kienan (*m.*) (*nome con orig. da cognome*)

Kieran (*gael.* "Piccolo scuro") (*m.*) *var.* Kiernan

Kijeld (*m.*) (*Dan.*)

Kijika (*m.*)(*Ind. Nordam.:*"Cammina con calma")

Kiki (*f.*) (*Soprannome*)

Kikilia (*f.*) (*Haw.*) *v.* Cecilia

Kiku (*f.*) (*Giap.* "Crisantemo")

Kile (*m.*) *v.* Kyle.

Killian (*m.*) (*Irl. gael.* "Piccolo

guerriero) *var.* Kilian, Killie, Killy

Kilroy (*m.*) (*nome con molteplici orig.*)

Kim (*m.*) e (*f.*) (*Ing. ant.* "Sovrano") // (*m.*) *v.* Kimball // (*f.*) *v.* Kimberly

Kim (*m.*)(*Viet.:* "D'oro" o "Metallo")

Kimana (*f.*) (*Ind. Nordam., Shoshone:* "Farfalla")

Kimball (*m.*) (*anglo-sass.* "Regalmente coraggioso") // *var.* e *dim.* Kim, Kimbell, Kimble

Kimberly (*f.*) (*Ing. ant.* "Campo della fortezza reale") // *var.* e *dim.* Kim, Kimberlee, Kimberley, Kimberli, Kimberlie, Kimbra, Kimmi, Kimmie, Kym

Kimberlyn (*f.*) (*raro*)

Kimi (*f.*) (*Giap.* "Impareggiabile" o "Sovrana") *var.* Kimie, Kimiko, Kimiyo

Kin (*m.*) (*Giap.* "Dorato")

Kincade / Kincaid (*m.*) (*nome con orig. da cognome*)

King (*m.*) (*Ing. ant.* "Sovrano")

Kingsley (*m.*) (*Ing. ant.* "Dalla campagna reale") // *var.* e *dim.* King, Kingsleigh, Kingsly, Kinsley, Lee, Leigh

Kingston (*m.*) (*Ing. ant.* "Dalla residenza reale") *dim.* King, Kinston, Tony

Kini (*f.*) (*Haw.*) *v.* Giovanna

Kinlay / Kinley (*m.*) (*raro*)

Kinney (*m.*) (*raro*)

Kinross (*m.*) (*raro*)

Kiona (*f.*) (*raro*)

Kipp (*m.*) (*Ing. ant.* "Dalla collina aguzza") *dim.* Kip, Kipper, Kippie, Kippy

Kipton (*m.*) (*raro*) *var.* Kerby

Kira (*f.*) (*raro*)

Kiral (*m.*) (*Tur.* "Re")

Kirby (*m.*) (*Norv. ant.* "Dalla città della chiesa") *v.* Christy

Kiri (*f.*) (*raro*)

Kiril (*m.*) (*Bulg.*) *v.* Cyril

Kirima (*f.*)(*Banti, Eskimo:* "Collina")

Kiritan (*m.*) (*hindu* "Corona da indossare")

Kirk (*m.*) (*Norv. ant.:* "Della chiesa")

Kirsi (*f.*) (*India* "Il fiore amaranto")

Kirsten (*f.*) *v.* Cristina, Kirstin

Kirstie (*f.*) *v.* Cristina, Kirstin

Kirstin (*f.*) *v.* Cristina,

Kirstyn (*f.*) *v.* Cristina, Kirstin

Kisa (*f.*) (*Rus.* "Gattina")

Kishi (*f.*)(*Giap.* "Spiaggia" "Longevità) (*f.*)

Kiska (*f.*) (*Rus.*) *v.* Caterina

Kismet (*f.*) (*Am.* "Fato" "Destino")

Kissa (*f.*)(*Luganda, Uganda* "Nata dopo due gemelli")

Kistna (*m.*) (*hindu*: "Il fiume sacro Kistna")

Kistur (*m.*) (*Ing., git.*: "Cavaliere")

Kit (*m.*) (*abbr.*) *v.* Cristiano, Cristoforo; *var.* Kitt

Kita (*f.*) (*Giap.* "Nord")

Kito (*m.*) (*sw.* "Gioiello") ("Il bambino è prezioso")

Kitt (*m.*) *v.* Kit

Kittredge (*m.*) (*raro*)

Kittrell (*m.*) (*raro*)

Kitty (*f.*) *v.* Caterina

Kivi (*m.*) (*Ebr.* "Sostenuto dai talloni") *var.* Akiba, Akiva, Kiva

Kiwa (*f.*) (*Giap.* "Nata al confine")

Kiyoshi (*m.*) (*Giap.* "Calma") *var.* Yoshi

Kizza (*m.*) (*Uganda, Afr.* "Nato dopo i gemelli")

Klaasina (*m.*) *v.* Nicola

Klarika (*f.*) (*Ung.; Sl.*) *v.* Clara

Klasie (*m.*) *v.* Nicola

Klaus (*m.*) (*Ted.*) *dim.* di Nicholas, Nicola

Kleber (*m.*) *var.* Klèbert, Klèberte

Kleiske (*m.*) *v.* Nicola

Kleon (*m.*) *v.* Cleon

Klesa (*f.*) (*hindu* "Dolore")

Kliment (*m*) (*Rus.*) *v.* Clemente

Knox (*m.*)(*Ing. ant.* "Dalle colline")

Knud (*m.*) (*Dan.* "Gentile")

Knut (*m.*) (*Norv.; Sv.*) (*Norv. ant.* "Nodo" "Groviglio") *var.* Canute, Knute

Knute (*m.*) *v.* Knut

Kobbe (*m.*) (*Frisone, Ol.*)

Kohinoor (*f.*) (*Per.:* "Montagna di luce")

Koko (*m.*) (*Giap.* "Cicogna", simbolo di longevità)

Kokudza (*m.*) (*Afr.* "Il bambino non può vivere a lungo")

Kola / Kolaig (*m.*) *v.* Nicola

Kolenya (*f.*) (*Ind. Nordam., Miwok* "Tossire")

Kolina (*f.*) (*Sv.*) *dim.* di Katherine

Kolya (*m.*) *v.* Nicola

Kona (*f.*)(*hindu* "Angolare"; Nome di Saturno, "Dio nero hindu")

Konane (*m.*) e (*f.*) (*Haw.* "Luminoso come il chiaro di luna")

Konni (*m.*) (*Ted.*) *v.* Corrado

Kono (*m.*) (*Ind. Nordam., Miwok:* "Uno scoiattolo che morde una nocciola")

Kontar (*m.*) (*Akan, Gha.:* "L'unico ragazzo")

Kora (*f.*) ("Potente") *v.* anche Cora

Korb (*m.*) (*Ted.* "Canestro")

Kori (*f.*) (*Am.*) *v.* Cora

Korri (*f.*) *v.* Cora

Korudon (*m.*)(*Gr.:* "Uomo con l'elmetto" o "Uomo con la cresta") *var.* Corydon, Coryell

Kostantin (*m.*) (*Rus.*) *v.* Costantino

Kostas (*m.*) (*Gr. mod*) *v.* Costantino; *v.* Dinos

Kosti (*m.*) (*Finl.*) *v.*Gustavo

Kostya (*f.*) (*Rus.*) *v.* Costanza

Koto (*f.*) (*Giap.* "Arpa")

Kovar (*m.*) (*Cec.* "Fabbro")

Kris (*f.*) *v.* Cristina // (*m.*) *v.* Cristiano

Krishna (*m.*) e (*f.*)(*hindu* "Delizioso") *var.* Kistna, Kistnah, Krisha, Krishnah

Krispin (*Cec.; Ted.; Ung.; Sl.*) *v.* Crispino

Kriss (*m.*) (*Am.; Let.*) *v.* Cristoforo

Krista (*f.*) ("Cristiana")

Kristal (*f.*) *v.* Crystal

Kristen (*f.*) *v.* Cristina

Krister (*m.*) (*Sv.*) *v.* Cristiano

Kristi (*f.*) *v.* Cristina

Kristian (*m.*) (*Rus.; Sv.; Am.*) *v.* Cristiano

Kristin (*f.*) (*Scan.*) *v.* Cristina

Kristina / Kristine (*f.*) *v.* Cristina

Kristo (*m.*) (*Gr.*) *v.* Cristoforo

Kristopher (*m.*) *v.* Cristoforo

Kristy (*f.*) *v.* Cristina

Kruin (*m.*) (*Afrikaan* "La cima dell'albero" o "La cima della montagna")

Krysta (*f.*) (*Pol.*) *v.* Cristina

Krystal / Krystin (*f.*) *v.* Cristina

Krzystoff (*m.*) *v.* Cristoforo

Kuai Hua (*f.*) (*Cin.* "Fiore di malva", fiore di settembre, simbolo di potere magico) // (*Ing.*) *v.* Melba

Kulya (*f.*) (*Ind. Nord Am., Miwok*: "Nocciole dolci bruciate")

Kumi (*m.*) (*Akan, Gha.:*"Forte")

Kumi (*f.*) (*Giap.:* "Treccia" (di capelli) *var.* Kuniko

Kumuda (*f.*) (*Sans.* "Loto")

Kuni (*f.*) (*Giap.:* "Nata nel paese") *var.* Kuniko

Kuper (*m.*) (*yid.* "Di rame" "Di color rame")

Kuri (*f.*) (*Giap.* "Castagno")

Kurt (*m.*) (*Fr.; Ted.; Am.*) 26 *nov.; v.* Corrado

Kurtis (*m.*) *v.* Curtis

Kusa (*f.*) (*hindu* "L'erba sacra Kusa")

Kusum (*f.*) (*Sri-Lanka*) "Fiori"

Kuzih (*m.*) (*Ind. Nordam.* "Grande parlatore")

Kwaku (*m.*) (*Akan, Gha.:* "Nato di mercoledì")

Kwam (*m.*) (*Ind. Nordam., Zuni*) *v.* Giovanni

Kwame (*m.*) (*Akan, Gha.* "Nato di sabato")

Kwamin (*m.*) (*Gha., Afr.* "Nato di sabato")

Kwanita (*f.*) (*Ind. Nordam. Zuni*) *v.* Giovanna

Kwesi (*m.*) (*Ochi, Afr.* "Nato di domenica")

Kyla (*f.*) (*gael.*) *femm.* di Kyle *v.* Kelila; *var.* Kyleene, Kylie

Kyle (*m.*)(*yid.* "Coronato di alloro", simbolo di vittoria) (*Irl. gael.* "Colui che viene dallo stretto" "Bello" "Vittorioso") *var.* Kiel, Kile, Kiley, Ky, Kylie

Kym (*f.*) (*abbr.*)

L

La Dawn (*f.*) (*raro*)

La Dawna (*f.*) (*raro*)

Laban (*m.*) (*Ebr.* "Bianco")
Labelle (*f.*) (*nome con orig. da cognome*)
Lacey (*f.*)(*Am.*) *v.* Larissa; *var.* Lacee, Lacie, Lacy
Lachlan (*m.*) ("Insenatura del mare")
Laci (*f.*) (*raro*)
Laclaire (*f.*) (*raro*)
Lacy (*f.*) *v.* Lacey
Ladd (*m.*) (*Ing.:* "Aiutante") *var.* Lad, Laddie, Laddy
Ladean (*m.*) *v.* Ladene
Ladeane (*f.*) (*raro*)
Ladelle (*f.*) (*raro*)
Ladene (*m.*) (*raro*)
Ladi (*m.*) (*Bari, Sudan* "Secondo nato di due gemelli" "Primo nato di due gemelli")
Ladislào (*m.*) (*Pol.:* "Signore che governa con gloria") 27 *giu.* 4 *mag.* 31 *ott.* // *femm.* Valeska (*Sl.*) // *var.:* Ladislav, Vladislav (*Cec.*); Jogáila, Vladislovas (*Lit.*); Wladislaw (*Pol.*); Vlaicu (*Rum.*); Vladislav (*Ser.; Cr.*); László (*Ung.*)
Ladislav (*m.*) (*Cec.*) *v.*Ladislào
Ladner (*m.*) (*raro*)
Lado (*m.*) (*Bari, Sudan* "Secondo figlio maschio")
Ladonna (*f.*)
Lael (*f.*) (*Ebr.* "Devota al Signore") *var.* Lail, Laile, Layle
Laela (*f.*) ("Scura") *v.* Laila
Laetitia (*f.*) (*Fr.*) 18 *ag.;* *v.* Letizia
Lagenia (*f.*) (*raro*)

Lahela (*f.*) (*Haw.*) *v.* Rachele
Laila (*f.*) ("Scura") // (*Sv.*) *v.* Laura
Laine (*f.*) *v.* Lane
Laini (*f.*) *v.*Lanie
Laird (*m.*) (*Celt.* "Proprietario terriero")
Lais (*m.*) (*India* "Leone")
Lajane (*f.*) (*raro*)
Lajeane (*f.*) *v.* Lejeane
Lajos (*m.*) (*Ung.*)
Lajuana (*f.*) (*raro*)
Laka (*f.*) (*Haw.:* "Attrarre" o "Addomesticata")
Lakae (*f.*) (*raro*)
Lakeisha (*f*)(*Am.mod.,orig.sc.*)
Lakita (*f.*) *v.* Laquita
Lakya (*f.*) (*hindu* "Nata di giovedì")
Lal (*m.*) (*hindu*: "Amato")
Lala (*f.*) (*Sl.* "Tulipano")
Lalita (*f.*)(*sans.:* "Onesta") (*hindu* "Affascinante") // *var.* e *dim.* Lalitta, Lalittah, Lita
Lamar (*m.*) (*Lat.* "Vicino al mare") (*Teut.*"Terra famosa" "Il mare")
Lambert (*m.*)(*Fr.*) *v.*Lamberto
Lamberto (*m.*) (*Long.:* "Illustre in patria") (*Teut.* "Terra luminosa") 16, 2, 14 *apr.*; 25 *giu.*; 22 *ag.*; 17 *set.;* *var.* Lamb, Lambe, Lamberta, Lamberte, Lambertus, Lambrecht, Lamme, Lampe, Lamprecht, Landbert, Lando, Lanz, Lanza, Lanzo // Lambert (*Fr.*)
Lamont (*m.*) (*Norv. ant.* "Av-

vocato") // *var.* e *dim.* Lammond, Lamond, Monthy

Lan-Hononoma (*m*) (*Ind. nordam., Hopi:*"Flauto in piedi")

Lana (*f.*) (*Ing.* "Armoniosa") (*Haw.* "Galleggiare") *dim.* di Alana; *var.* di Helen // *var.* e *dim.* Lanelle, Lanetta, Lanette, Lanna

Lancaster (*m.*) (*raro*)

Lance (*m.*) (*Lat.:* "Aiutante") (*Ted. ant.* "Terra") *var.* Lancelot, Launce, Launcelot

Lancillotto (*m.*) (*med.* "Lanciere") 27 *giu.*

Landelino (*m.*) (*ant. Germ.* "Agricoltore") 15 *giu.*

Landen (*m.*) *v.* Landon

Landis (*m.*) (*Fr. ant.* "Dalla pianura erbosa" o "Nativo") *var.* Landers

Lando (*m.*) *v.*Lamberto, Rolando

Landoaldo (*m.*) (*Ted. ant.* "Forte per la patria") 19 *mar.*; 1 *dic.*

Landolfo (*Fr. ant.* dal *ted.*"Apportatore di vittoria" "Il lupo del paese", il lupo era un animale sacro al dio Odino), 7, 1 *giu.*

Landon (*m.*) (*Ing. ant.* "Dall'aperta, erbosa campagna") *var.* Landan, Landen.

Landry (*m.*) ("Signore del feudo")

Lane (*f.*) (*Ing.*) *dim.* di Alana

Lane (*m.*) (*Ing.* "Dal sentiero" "Stretto sentiero") *dim.* Lanny

Lanfranco (*m.*) (*Long.* "Liberatore della patria") 23 *giu.*; 28 *mag.*; 25 *nov.*

Lang (*m.*) (*Norv. ant.:* "Uomo alto")

Langdon (*m.*) (*Ing.ant.* "Dall'estesa collina") // *var.* e *dim.* Donny, Landon, Lang, Langsdon, Langston

Langley (*m.*) (*Ing.ant.* "Dall'estesa campagna" o "Dall'estesa foresta") // *var.* e *dim.* Landleigh, Lang, Langly, Lee, Leigh

Langston (*m.*) (*Ing. ant.* "Dalla città dell'uomo alto" o " Dalla tenuta dell'uomo alto") *var.* Lang, Langsdon.

Langundo (*m.*) (*Ind. Nordam.* "Pacifico")

Lani (*m.*) e (*f.*) (*Haw.* "Celeste")

Lanice (*f.*) (*raro*)

Lanie (*m.*) *var.* Laini

Lanier (*m.*) (*raro*)

Lanita (*f.*) *v.* Lana

Lannie (*m.*) *v.* Rolando

Lannie (*f.*) (*abbr.*)

Lanny (*m.*) *v.* Rolando

Lanora (*f.*) *v.* Lenora

Lansing (*m.*) (*raro*)

Lanu (*m.*) (*Ind. Nordam., Miwok*)

Lanza (*m.*) (*raro*)

Laquita (*f.*) (*raro*)

Lara (*f.*) (*Lat.* "Rinomata" "Famosa", nome di una ninfa del Lazio) // (*Rus.*) *dim.* di Larissa,

Laura
Laralee (*f.*) (*nome doppio*)
Lardo (*m*) (*Lat.*"Pingue") 8 *ag.*
Laree / Larae (*f.*) (*raro*)
Lareen (*f.*) *v.* Laura
Larelia (*f.*) (*raro*)
Larena (*f.*) *v.* Laura
Larene (*f.*) *v.* Laura
Largo (*m.*) (*Lat.* "Abbondante")
8 *ag.*; 16 *mar.*
Lari (*f.*) (*USA*) *dim.* di Laura e
Lara
Larina (*f.*) (*Lat.* "Gabbiano")
Larinda (*f.*) (*raro*)
Larissa (*f.*) (*Gr.*"Allegra") *var.* e
dim. Lacee, Lacie, Lacy (*Am.*);
Larisa, Larisse, Rissa (*Ing.*);
Lara, Larochka (*Rus.*)
Larita (*f.*) (*raro*)
Lark (*f.*) ("Uccello") *var.* Larke
Larose (*f.*) (*nome con orig. da
cognome*)
Larry (*m.*) (*abbr.*) *v.* Lawrence
Lars (*m.*) (*Scan.*) *v.* Lorenzo
Larson (*m.*) (*Scan.* "Figlio di
Lorenzo") *dim.*Sonny
Larue (*m.*) ("Pianta della gra-
zia")
Lascelles (*Ing.*)
Lashi (*m.*) (*Ing., git.*) *v.* Luigi;
var. Lash, Lasho
Lashley (*m.*) (*raro*)
Lassiter (*m.*) (*raro*)
László (*m.*) (*Ung.*) *v.* Ladislào
Latanya (*f.*) *v.* Latonya
Latasha (*f.*) (*raro*)
Latham (*m.*) (*teut.* "Colui che
sta vicino ai granai")

194

Lathrop (*m.*) (*Ing. ant.:* "Dal
granaio della fattoria") // *var.* e
dim. Lathe, Lathrope, Lay
Laticia (*f.*) *v.* Letizia
Latimer (*m.*) (*Ing.*"Interprete")
dim. Lattie, Latty
Latino (*m.*) (*Lat.* "Abitante del
Lazio") 24 *mar.*
Latisha (*f.*) *v.* Letizia
Latona (*f.*) (*Lat.:* dal nome della
Dea greca Leto, madre di
Apollo e Diana) *var.* Latonah,
Latonia, Latoniah
Latonya (*f.*) (*raro*)
Latoya (*f.*) (*raro*)
Latricia (*f.*) (*raro*)
Laura (*f.*) (*Gr.; Lat.* "Alloro"
pianta sacra ad Apollo) (*Lat.*
"Pura" "Coronata d'alloro") 18
ag.; *19 ott.*; *27 dic.* // *var.* e
dim. Lora (*Bul.*); Laure, Lau-
rent, Laurette (*Fr.*); Lola
(*Haw.*); Lari, Larilia, Laureen,
Laural, Laurel, Laurella, Lau-
relle, Lauren, Laureen, Laure-
na, Laurene, Lauretta, Laurette,
Lauri, Laurice, Laurie, Lauriet-
te, Lolly, Lora, Loralie, Loree,
Loreen, Lorrie, Lorry, Lory
(*Ing.*); Lalla, Lauretta, Laurina,
Lora, Lore, Lorella, Lorenza,
Loretta, Orietta (*It.*); Laurka
(*Pol.*); Laurinda (*Port.*); Lara,
Lavra (*Rus.*); Laureana (*Sp.*);
Layla (*Sv.*) // Lauret, Laureta,
Laurin, Lauryn, Laret, Larette,
Lorella, Loret, Lorette, Lorin,
Lorinda, Lorna, Lorrin, Loryn,

Lorynn, Lorynne
Laural (*f.*) *v.* Laura
Lauralee (*f.*) (*nome doppio*)
Laure (*f.*) (*Fr.*) *v.* Laura
Laureen (*f.*) *v.* Laura
Laurel (*f.*) *v.* Laura
Lauren (*f.*) (*Ing.*) *v.* Laura // (*m.*)
v. Lorenzo
Laurence (*m.*) *v.* Lorenzo
Laurent (*Fr.*) *v.*Laura, Lorenzo
Laurentino (*m.*) (*Lat.* "Oriundo
di Laurentum", città del Lazio)
3 *feb.*; 3 *giu.*
Lauretta (*f.*) *v.* Laura
Lauri (*f.*) *v.* Laura, Loredana,
Lorenza
Laurian (*f.*) (*nome con orig. da
cognome*)
Lauriano (*m.*) (*Lat.* "Che è cinto
di alloro") 4 *lug.*
Laurie (*f.*) *v.* Laura, Lorenza
Laurieann (*f.*) (*nome doppio*)
Laurina (*f.*) *v.* Laura
Lauro (*m.*) (*Lat.* "Alloro") 18
ag.; 30 *set.*; 9 *dic.*
Lauryn (*f.*) *v.* Laura
Lautone (*m.*) (*Ted. ant.* "Mon-
dato") 22 *set.*
Lavelle (*f.*) ("Purificante")
Lavender (*f.*)("Fiore viola palli-
do" "Fiore di lavanda")
Laverne (*f.*) (*Fr. ant.* "Prima-
verile") // *var.* e *dim.* Laverna,
La Verna, La Verne, Verna
Lavi (*m.*) (*Ebr.* "Leone") *var.*
Leib, Leibel
Lavinia (*f.*) (*Lat.* "Donna di Ro-
ma" o "Purificata" o "Donna

del Lazio" "Oriunda di Lavi-
nio") // *var.* e *dim.* Lavina, La-
vinie, Lavinna, Vina, Vinia,
Vinnie, Vinny
Lavinio (*m.*) (*Orig. etn.* "Oriun-
do di Lavinio", città fondata da
Enea) (*Lat.* "Purificato")
Lavona / Lavonia / Lavonne (*f.*)
(*raro*)
Lavonya (*f.*) (*raro*)
Lawanda (*f.*) (*raro*)
Lawford (*m*) (*Ing. ant.* "Dal gua-
do sulla collina") *dim.* Ford.
Lawrence (*m.*) *v.* Lorenzo
Lawson (*m.*) (*Ing. ant.* "Figlio di
Lawrence") *dim.* Sonnie, Sonny
Lawton (*m.*) (*Ing. ant.* "Dalla
città della collina" o "Dalla te-
nuta della collina") // *var.* e
dim. Laughton, Law, Tony
Layla (*f.*) (*sw., Afr.* "Nata nella
notte") // (*Sv.*) *v.* Laura
Layna (*f.*) (*nome con orig. da
cognome*)
Layne (*m.*) e (*f.*) *v.* Lane.
Lazar (*m*) *v.*Lazzaro
Lazarus (*m*) *v.*Lazzaro
Lazzaro (*m.*) (*Ebr.* "Colui che
Dio ha aiutato") 17 *dic.*; 2, 23
feb.; 27 *mar.*; 12 *apr.*; 17 *lug.*
// *var.* e *dim.* El, Eli, Eleazaro,
Eliezer, Ely, Lazar, Lazarus //
Lazare (*Fr.*); Lazaro (*Sp.*)
Le Vonne (*f.*) (*raro*)
Lea (*f.*) (*Gr.* "Leonessa") *femm.*
di Leo; 28 *set.*; 22 *mar.*; *var.*
Leah, Lia, Liah
Lea (*dim.*) *v.* Leah

Leah (*f.*) (*Ebr.* "Stanca" "Esausta") // *var.* e *dim.* Lea, Lee, Leigh, Lia, Liah (*Ing.*); Lia (*Fr.; It.; Port.*); Lean (*Ted.*); Leah (*yid.*); *v.* Lia

Leana (*f.*) (*Ing.*) *v.* Elena

Leander (*m.*) *v.* Leandro

Leandra (*f.*) *femm.* di Leandro // *var.* e *dim.* Leanda, Lee, Leigh, Leodora, Leoine, Leoline, Leonanie, Loena, Leonelle, Leonette, Leonice, Leonissa

Leandro (*m.*) (*Gr.* "Uomo delicato" "Uomo del popolo") 27, 28 *feb.*; 5 *ott.*

Leanita (*f.*) (*raro*)

Leanna (*f.*) (*comb.* di Lea e Anna) *v.* Leanne

Leanne (*f.*) (*Ing.: comb.* di Leah e Anne) *var.* Leana, Leane, Leann, Leanna, Liana, Liane, Lianna, Lianne

Leatrice (*f.*) (*Ing.: comb.* di Lee e Beatrice)

Leben (*m.*) (*yid.* "Vita")

Leda (*f.*) (*Gr., etim. inc.*) 2 *set.*// *var.* e *dim.* Lee, Leeda, Lida, Lyda

Ledah (*f.*) (*Ebr.* "Nascita") *v.* Letizia // *var.* e *dim.* Leda, Lida, Lidah

Ledonya (*f.*) (*raro*)

Lee (*m.*) e (*f.*) (*Ing. ant.* "Dalla campagna") (*Irl. gael.* "Poeta") *abbr.* dei nomi contenenti "*Lee*"; *var.* Leigh; *dim.* Langley, Leah, Leandra, Leda, Leland, Leona, Leonardo, Leroy, Leslie, Lindley, Oakley

Leeann (*f.*) (*nome doppio*)

Leeba (*f.*) (*Ebr.* "Cuore")

Leena (*f.*) (*Est.*) *v.* Elena

Leeta (*f.*) (*Ing.*) *v.* Alida

Lehua (*f.*) (*Haw.:* "Sacro agli Dei")

Lei (*f.*) ("Ragazza")

Leia (*f.*) (*Mozambico*)

Leif (*m.*) (*Norv. ant.* "Amato") *var.* Lief

Leigh (*m.*) e (*f.*) *v.* Lee

Leighton (*m.*) (*Ing. ant.* "Dalla fattoria in campagna") // *var.* e *dim.* Lay, Layton, Leigh, Tony

Leila (*f.*) (*Ar.* "Nera" "Scura come la notte" o "Nata nella notte") *var.* Laila, Layla, Leela, Leilah, Leilia, Lela, Lila, Lilah

Leilani (*f.*) (*Haw.* "Ragazza divina" "Fiore divino")

Leisha (*f.*) (*raro*)

Leith (*m.*) (*Celt.* "Fiume largo")

Lejeane (*f.*) (*raro*)

Leks (*m.*) (*Est.*) *v.* Alessandro

Leksik (*m.*) (*Cec.*) *v.* Alessandro

Lekso (*m.*) (*Cec.*) *v.* Alessandro

Lekszi (*f.*) (*Ung.*) *v.* Alessandra

Lel (*m*)(*Ing., git.*"Egli prende")

Lela (*f.*) (*Sp.*) *v.* Adele; Adelaide // (*Ing.*) *v.* Alida

Lelah (*f.*) (*raro*)

Leland (*m.*) (*Ing. ant.:* "Campagna") *dim.* Lee, Leigh

Lelia (*f.*) (*Lat.* "Scherzosa") 11 *ag.*

Lelio (*m.*) (*Gr.* "Chiacchierone" "Loquace") 11 *mar.*; *abbr.* di

Aurelio, 27 *giu.*

Lella (*f.*) *abbr.* di Fiorella, Gabriella, ecc.

Lello (*m.*) *abbr.* di Antonello, Donatello, ecc.

Lelya (*f.*) (*Rus.*) *v.* Alessandra

Lemar (*m.*) *v.* Lamar

Lemuel (*m.*) (*Ebr.* "Consacrato a Dio") *dim.* Lem, Lemmie, Lemmy

Lemuela (*f.*) (*Ebr.: femm.* di Lemuel) *var.* Lemuella

Len (*m.*) (*Ind. Nordam., Hopi* "Flauto")

Len-Mana (*f.*) (*Ind. Nordam., Hopi:* "Fanciulla del flauto")

Lena (*f.*) (*Ebr.* "Dimora") (*Lat.* "Seducente") *v.* Arlene, Elena; Maddalena; Marilena; Selena // *var.* e *dim.* Lenah, Lina, Linah (*Ing.*); Liene (*Let.*)

Lenci (*m.*) (*Ung.*) *v.* Lorenzo

Lendall (*m.*) (*nome con orig. da cognome*)

Lenin (*m.*) (pseudonimo di Vladimir Ilich Uljanov, rivoluzionario russo)

Lenina (*f.*) italianizz. di Lenin

Lenino (*m.*) italianizz. di Lenin

Lenita (*f.*) (*var.* di Lena)

Lenka (*f.*) (*Cec.*) *v.* Elena

Lenn(*m.*) *v.* Leonardo

Lennard(*m.*) *v.* Leonardo

Lennart (*m.*) *v.* Leonardo

Lennie (*m.*)(*abbr.*) *v.* Leonard

Lennis (*m.*) (*raro*)

Lenno (*m.*) (*Ind. Nordam.:* "Uomo")

Lennor (*m.*) (*Ing., git.* "Primavera" o "Estate")

Lenny (*m.*) (*abbr.*) *v.* Leonardo

Lenora / Lenore (*f.*) *v.* Elena; Eleonora

Lensar (*m.*) (*Ing., git.* "Con i suoi genitori") *var.* Lendar

Leo (*m.*) *v.* Leone, Leonardo, Leopoldo ; 5 *mag.*; 3 *lug.*

Leobardo (*m.*) (*Ted. ant.:* "Forte" "Coraggioso, come un leone") 18 *gen.*

Leocadia (*f.*) (*Gr.* "Dea bianca") 9 *dic.*

Leocrizia (*f.*) (*Gr.* "Incoronata") 15 *mar.*

Leodegario (*m.*)(*Ted.ant.* "Guerriero glorioso") 2 *ott.*; 24 *apr.*

Leoma (*f.*) ("Sprazzo di luce")

Leomene (*m.*) (*Gr.* "Che comanda i leoni") 23 *dic.*

Leon (*m.*) (*Fr.*) *v.* Leone

Leona (*f.*) (*Lat.: femm.* di Leo) // *var.* e *dim.* Lee, Leola, Leonda, Leone, Leonelle, Leonie, Leonna, Leontine, Leontyne

Leonard (*m.*) (*Fr.; Ted.*) *v.* Leonardo

Leonarda *femm.* di Leonardo

Leonardo (*m.*) (*Long.; Teut.; Fr. ant.* "Ardito, forte come un leone") 6, 10, 26 *nov.*; 11 *apr.*; 15 *ott.*// *var.* e *dim.* Lee, Len, Lenard, Lenn, Lennard, Lennie, Lenny, Leo, Leon, Léonard, Leonerd, Leonidas, Lon, Lonnard, Lonie, Lonny (*Ing.*); Leonard, Lienard (*Fr.*); Leo-

narda, Nardo, Nardino (*It.*);
Leonhard (*Ted.*); Eleonardo
(*Port.*); Leonardo (*Sp.*); Leon-
hards, Leons (*Let.*); Leonards
(*Lit.*); Linek, Leonek, Nardek
(*Pol.*); Leonid (*Rus.*) // Loya,
Leontes, Leent, Lehar, Lehrd,
Leindel, Leinhard, Len, Len-
del, Lennard, Lennart, Leo-
narde, Leonharde, Lernet, Lie-
net, Liet, Linnert, Lionardo //
v. anche Leone

Leone (*m.*) (*Lat.* "Leone") // 10
nov.; 9 *gen.*; 5, 20 *feb.*; 1, 14
mar.; 11, 19, 22 *apr.*; 25 *mag.*;
12, 28, 30 *giu.*; 12, 20 *lug.*; 18
ag.; 10 *ott.* // Léon (*Fr.*); Leo,
Lee (*Ing.*); Lev (*Rus.*); Léon
(*Sp.*)// Leonello, Leonetto, Leo-
sko, Leonidas, Leonas, Liutas,
Leonek, Leos, Leao, Leonardo,
Leva, Levka, Levko, Leao,
Lion, Leonia, Leonila, Leo-
nilla, Lèonille, Leonina, Lèo-
nine, Lèonne, Leons, Lèontin,
Lèontine, Leontyne, Levounia,
Lionel, Lionello, Lonni, Lyon,
Lyonel, Nilla // *v.* anche Leonardo

Leonetta (*f.*) *v.* Leone

Leonia (*f.*) (*Gr.* "Simile al leone") 15 *giu.*; 13 *nov.*; *v.* Leone

Leonida (*m.*) (*Gr.*: "Simile al
leone") 22, 15, 19 *apr.*; 28
gen.; 8 *ag.*; 2 *set.*; *var.* Leonilda

Leonide (*f.*) *v.* Leonia

Leonilda (*f.*) (*Ted.* "Leone in

battaglia") 17 *gen.*

Leonino (*m.*) (*Lat.* "Superbo"
"Coraggioso") 10 *set.*

Leonio (*m.*) 3, 14 *feb.*; *var.* di
Leone

Leonora (*f.*) (*Fr.*) *v.* Eleonora

Leonore (*f.*) (*Fr.*) *v.* Eleonora

Leonoro (*m.*) (*Celt.* "Comandante") 1 *lug.*

Leontina (*f.*)(*orig. etn.:* "Abitante di Lentini")

Leontine (*f.*) *v.* Leona

Leonzia (*f.*) (*Gr.* "Leonina") 6
dic.

Leonzio (*m.*) (*Gr.* "Leonino") 13
gen.; 10, 19 *mar.*; 24 *apr.*; 18
giu.; 10 *lug.*; 1 *ag.*; 12, 27 *set.*

Leopardo (*m.*) (*Lat.*) 7 *nov.*

Leopold (*m.*) (*Fr.*) *v.* Leopoldo

Leopolda (*f.*) (*teut.*: *femm.* di
Leopold) *var.* Leopoldina, Leopoldine

Leopoldine (*f.*) *v.* Leopolda

Leopoldo (*m.*) (*teut.* "Valoroso
in mezzo al popolo" "Difensore
del popolo") 15 *nov.*; 2 *apr.*;
Bolbi, Leobold, Leibold, Leo-
debald, Leopoldino, Leppe,
Leupold, Liutbald, Luitpold,
Lupold, Lutbald, Polde, Poldie,
Polte

Leor (*m.*) e (*f.*) (*Ebr.* "Io ho la
luce")

Leora (*f.*) ("Faccia") (*raro*)

Leotie (*f.*) (*Ind. Nordam.* "Fiore
della prateria")

Leovigildo (*Vis.* "Leone vigile")
20 *ag.*

Leron (*m.*) (*Ebr.* "La mia canzone") *var.* Lerone, Liron, Lirone

Leroy (*m.*) (*Fr.* "Il re") // *var.* e *dim.* Elroy, Lee, Leigh, Leroi, Roy

Les (*m.*) (*Ing.*) *v.* Lester, Leslie

Les (*f.*) (*Rus.*) *v.* Alessandro

Lesbia (*f.*) (*Lat.:* pseudonimo della donna amata da Catullo) (*Gr.* "Abitante di Lesbo") 5 *apr.*

Leska (*f.*) (*Cec.; Sl.*) *dim.* di Alessandra

Leslie (*m.*) e (*f.*) (*gael.* "Dalla grigia fortezza") (*Ing.* "Persona avveduta") 1 *set.*// *var.* e *dim.* Lee, Leigh, Les, Lesli, Lesley, Lesly, Leslye, Lezli, Lezlie, Lezly

Leslye (*f.*) *v.* Leslie

Leslyn (*f.*) (*nome doppio*)

Lester (*m.*) (*Lat.:* "Dal campo degli eletti") *dim.* Les

Lesya (*f.*) (*Rus.*) *v.* Alessandra

Leta (*f.*) (*sw.* "Portare") (*U.S.A. abbr.* di Letizia e Latonia) // ("Gioiosa")

Letanzio (*m.*) (*Lat.* "Mortale") 17 *lug.*

Letitia (*f.*) *v.* Letizia

Letizia (*f.*) (*Lat.* "Gioia") 9 *lug.*; 13 *mar.* // *var.* e *dim.* Leda, Leta, Letisha, Letti, Lettie, Letty, Tish, Tisha (*Ing.*); Leticia (*Ung. Sp. Port.*); Letycia (*Pol.*) // Latisha, Laetoria, Laetus, Lalou, Ledah, Leètice, Leta, Leticia, Letitia, Leto, Letti-

ce, Lettie, Letty, Levenez, Liè Liède, Tish, Titia, Tizia

Leto (*m.*) (*Lat.* "Ucciso") 6 *set.*

Letta (*f.*) *dim.* di Alethea

Lettie / Letty (*f.*) (*abbr.*)

Leucio (*m.*) (*Gr.* "Bianco") 18 *ag.*; 11, 28 *gen.*

Lev (*m.*) (*Cec.; Rus.*) *v.* Lco

Levana (*f.*) (*Ebr.* "Luna") (*Lat.* "Il sole che sorge") *var.* Livana

Levar (*m.*) (*raro*)

Leverne (*m.*) (*raro*)

Levi (*m.*) (*Ebr.* "Raccolto in preghiera") *var.* Lev, Levey, Levy, Lewi

Levia (*f.*) (*Ebr.* "Raccogliersi") *v.* Livia

Levina (*f.*) *dim.* di Levi

Lew (*m.*) *dim.* di Lewis

Lewall (*m.*) (*nome con orig. da cognome*)

Lewell (*m.*) (*nome con orig. da cognome*)

Lewis (*m.*) *v.* Luigi, 21 *giu.*

Lex (*m.*) (*Ing.*) *dim.* di Alexander; *v.* Alex

Lexa (*f.*) (*Cec.; Sl.*) *dim.* di Alexandra

Lexi (*f.*) (*Ing.*) *v.* Alessandra

Lexie (*f.*) (*Ing.*) *v.* Alessandra

Lexy (*f.*) (*Ing.*) *v.* Alessandra

Lexine (*f.*) (*Ing.*) *v.* Alessandra

Leya (*f.*) (*Sp.* "Fedeltà alla legge")

Leyden (*m.*) (*nome con orig. da cognome*)

Leydon (*m.*) (*nome con orig. da cognome*)

Leyland (*m.*) ("Campagna")

Li Hua (*f.*) (*Cin.* "Fiore di pero", *simbolo di longevità*)

Lia (*f.*) (*Ebr.* "Stanca" "Laboriosa") 1 *giu.; v.* Lea e Leah

Liam (*m*) (*Irl.*) *abbr.* di William

Lian (*f*) (*Cin.* "Salice grazioso")

Liana (*f.*) (*Fr.* "Pianta rampicante") // *var.* e *dim.* Lean, Leana, Leane, Liane, Lianna, Lianne // *dim.* di Liliana, Iliana, Eliana, Emiliana

Liang (*m.*) (*Cin.* "Buono" "Eccellente")

Lianne (*f.*) ("Schiava" "Salice") *var.* Liana

Libby (*f.*) *v.* Elisabetta

Libe (*f.*) (*Lat.* "Oriunda della Libia") (*f.*) 15 *giu.*

Liben (*m.*) (*It.* dal verbo *ted.* "*lieben*" = "amare")

Libera (*f.*) 18 *gen.; v.* Libero

Liberale (*m.*) (*Lat.*) 27 *apr.*

Liberata (*f.*) (*Lat.:* "Non più schiava") 20 *lug.*; 16, 28 *gen.*; 23 *mar.*

Liberato (*m.*)(*Lat.* "Liberato dalla schiavitù") 17 *ag.*; 20 *dic.*; 30 *ott.*

Liberatore (*m.*) (*Lat.*) 15 *mag.*

Liberio (*m.*) (*Lat.* "Indipendente") 30 *dic.*; 29 *apr.*; 27 *mag.*

Libero (*m.*) (*Lat.*"Non schiavo" "Indipendente") 30 *dic.*; 23 *set.* // *nome anarchico*

Liberto (*m.*) (*Lat.:* "Affrancato") 23 *giu.*

Liborio (*m.*)(*Ebr.:* "Ispirato") 29 lug.

Liboso (*m.*) (*Gr.; Lat.:* dal cognomen della gens Scribonia) 29 *dic.*

Libra (*f.*) (*Lat.* "Bilancia")

Licandro *v.* Nicandro 17 *lug.*

Licarione (*m.*) (*Gr.* "Forte come il lupo") 7 *giu.*

Licerio (*m.*) (*Lat.* "Permissivo") 2 *ott.*; 27 *ag.*

Licha (*f.*) (*Sp.*) *v.* Alice

Lici (*f.*) (*Gr.; Ung.*) *v.* Alice

Licia (*f.*) (*Gr.* "Oriunda della Licia")

Licinia (*f.*) (*Lat*) 3 *ag.; v.* Licinio

Licinio (*m.*) (*Lat:.* "Abitante della Licia" "Che ha fluenti capelli") 7 *ag.*

Licio (*m.*) (*Gr.* "Oriundo della Licia")

Lida (*f.*) (*Rus.*) *v.* Leda, Lidia

Lidania (*f.*) (*gael.* "Che scherza") 11 *ag.*

Lidia (*f.*) (*Gr.* "Abitante della Lidia") 3 *ag.*; 27 *mar.* // *var.* e *dim.* Lydia, Lydie (*Ing.*); Lidka (*Cec.*); Lydie (*Fr.*); Lidi (*Ung.*); Lida, Lidka (*Pol.*); Lida, Lidiya, Lidka, Lidochka (*Rus.*)

Lidio (*m.*) *v.* Lidia

Lidiya (*f.*) (*Rus.; Gr. ortodosso*) *v.* Lidia

Lido (*f.*) *v.* Lidia

Lidorio (*m.*)(*Lat.* "Colui che colpisce") 13 *set.*

Liduina (*f.*) (*Celt.* "Festa bella e

gioiosa") 13 *ott.*; 14 *apr.*

Lidurina (*f.*) (*Celt.*) 14 *apr.; v.* Liduina

Lien (*f.*) (*Cin.* "Loto", simbolo di purezza)

Lien Hua (*f.*) (*Cin.* "Fior di loto")

Liene (*f.*) (*Let.*) *v.* Lena

Liesel (*f.*) *v.* Elisabetta

Lieto (*m.*) (*Lat.* "Beato" "Giulivo") 5 *nov.*

Lifardo (*m.*) (*Gr.* "Colore del fuoco") 3 *giu.*

Ligorio (*m.*) (*Lat.* "Colui che colpisce") 13 *set.*

Lila (*f.*) (*hindu* "Il libero volere di Dio") (*Per.* "Lillà")

Lila (*Pol.*) *dim.* di Leopoldine

Lilac (*f.*) ("Fiore di Lillà") *dim.* Lil, Lila

Lilah (*f.*) *v.* Lillian

Lili (*f.*) *v.* Lily

Lilia (*f.*) (*Haw.*: "Fiore di Lillà") *var.* Lileana; *v.* Liliana

Liliana (*f.*) (*Lat.* "Giglio") 19 *nov. // var.* e *dim.* Lilli (*Est.*); Lilika (*Gr.*); Lilia, Lileana (*Haw.*); Lil, Lila, Lili, Lilia, Lilian, Liliane, Lilla, Lilli, Lillian, Lillie, Lilly, Lily, Lilyan (*Ing.*); Elisabetta (*It.*); Lilana (*Let.*); Leka, Lelya, Lena, Lenka, Lili, Olena, Olenka (*Rus.*); Liljana (*Ser.*); Lilia (*Sp.*); Lilian, Lieschen, Liesel, Lilli, Lili, Lily, Lizie (*Ted.*); Boske, Bozsi, Lilike (*Ung.*) // Lilibeth

Liliane (*Fr.*) *dim.* di Elisabeth

Lilibeth (*f.*) (*nome doppio*: Lilian + Elisabeth)

Liliha (*f.*) (*Haw.* "Disgusto")

Liliosa (*f.*) (*Lat.*) 27 *lug.*

Lilith (*f.*) (*Ar.* "Della notte")

Lilka (*f.*) (*Pol.*) *v.* Luisa

Lillian (*f.*) *v.* Liliana

Lilliana (*f.*) (*nome doppio*)

Liluye (*f.*) (*Ind. Nordam., Miwok* "Aquila che canta quando spicca il volo")

Lin (*f.*) (*orig. esotico etn.*)

Lina (*f.*) *dim.* di Adelina, Angelina, Carolina, Michelina, Paola ecc. // *femm.* di Lino, 23 *set.*

Lincoln (*m.*) (*Celt.* "Dall'insediamento vicino al lago") *dim.* Linc, Link

Linda (*f.*) (*Lat.* "Pulita" "Pura") 22 *gen.*; 22 *mar.*; (*tronc.* di Adelinda, Ermelinda, Teodolinda, Zelinda) *var.* Lindi, Lindie, Lindy, Lynda; *v.* Melinda

Lindal (*m.*) (*nome con orig. da cognome*)

Lindall (*m.*) (*nome con orig. da cognome*)

Lindberg (*m.*) (*teut.*"Dalla collina dei tigli") *dim.* Lindy.

Linden (*f.*) ("Dall'albero di Tiglio")

Lindi (*f.*) *v.* Lindley, Melinda

Lindley (*m.*) (*Ing. ant.* "Del campo del tiglio") // *var.* e *dim.* Lee, Leigh, Linleigh, Lindy

Lindner (*m.*) (*raro*)

Lindon (*m.*) *v.* Lyndon

201

Lindsay (*m.*) (*Ing. ant.* "Isola del tiglio") *v.* Lindsey

Lindsey (*f.*) ("Isola del saggio" "Isola dei tigli" "Isola dei serpenti") *var.* Lindsi, Lindsie, Lindsay, Linsey, Linsi, Linsie, Linsy

Lindy (*f.*) (*abbr.*) *v.* Lindley

Line (*Fr.*) *v.* Adeline

Linetta (*f.*) *v.* Linette

Linette (*f.*) (*Fr. ant.:* da "Fanello", uccello canterino) *var.* Lanette, Linet, Linetta, Linette, Linnet, Linnette, Lynette, Lynnet, Lynnette

Linfred (*m.*) (*teut.* "Pace amichevole")

Linley (*f.*) (*nome con orig. da cognome*)

Linnell (*f.*) (*nome con orig. da cognome*)

Lino (*m.*) (*Gr.:* "Rete") 23 *set.* // *dim.* e *abbr.* di Adelio, Angelino, Michelino, Rosolino, Paolo ecc.

Linus (*m.*) (*Gr.:* "Dai capelli chiarissimi")

Lio (*m.*) (*Haw.:* var. di Leo)

Lioba (*Got.* "Che fa barriera") 28 *set.*

Liolya (*f.*) (*Rus.*) *v.* Elena

Liona (*f.*) (*Haw.* "Leone")

Lionel (*Fr.*) *v.* Lionello

Lionello (*m.*) 1 *mar.*; 10 *nov.*; *dim.* di Leone; *var.* Leonel, Leonello, Leonila, Leonilo, Linnel, Lionnel, Lionnella, Lionnello

Lirit (*f.*) (*Ebr.* "Poetico" "Lirico" "Musicale")

Lisa (*f.*) *v.* Elisabetta; Melissa

Lisandra (*f.*) *v.* Lysandra

Lisandro (*Gr.* "Uomo libero") // (Tosc.) *v.* Alessandro

Lisanne (*f.*) (*nome doppio*)

Lise (*m.*) (*Ind., Miwok:* "La testa del salmone sta uscendo dall'acqua")

Lise (*Fr.*) *v.* Elisabetta

Liseli (*f*) (*Ind. Nordam., sign.sc.*)

Liseta (*f.*) (*Sp.*) *v.* Elisabetta

Lisetta / **Lisette** (*f.*) *v.* Elisabetta, Lisa, Luisa

Liso (*m.*) (*Cin.* "Monaca buddista")

Liss / **Lissa** (*f.*) (*Am.*) *dim.* di Melissa o di Millicent

Lissilma (*f.*) (*Ind. Nordam.* "Che tu sia lì")

Lita (*f.*) *v.* Leta

Lita (*f.*) (*Ing.*) *v.* Alida

Litonya (*f.*) (*Ind. Nordam., Miwok* "Lanciarsi in picchiata")

Litsa (*f.*) (*Gr. mod.:* da "Evangelia", *v.*) var. di Angela)

Liu (*m.*) (*Afr.* "Voce")

Liv (*f.*) (*Scan.* "Io sono") (*raro*)

Livana (*f.*) (*Ebr.* "Bianco" o "La luna") // *var.* e *dim.* Levana, Leva, Liva

Livanga (*f.*) (*Umbundu, Afr.:* "Sii il primo a pensare, ma non il primo a mangiare")

Livario (*m.*) (*Celt.* "Bluastro")

Livia (*f*) (*Ebr.:* "Corona") *femm.* di Livio; *v.* Olivia

202

Livino (*m.*) (*Lat.* "Appartenente alla famiglia Livia") 12 *nov.*

Livio (*m.*) (*Lat.* "Pallido" "Livido") 22 *feb.*

Liviya (*f.*) (*Ebr.* "Leonessa") // *var.* e *dim.* Levia, Leviya, Livia

Livona (*f.*) (*Ebr.* "Spezia" "Incenso") *var.* Levona

Liwanu (*m.*) (*Ind. Miwok* "Orso ringhiante")

Liz / Liza (*f.*) (*abbr.*) *v.* Elisabetta

Lizabeth (*f.*) *v.* Elisabetta

Lizanne (*f.*) (*nome doppio*)

Lizbeth (*f.*) *v.* Elisabetta

Lizina (*f.*) (*Let.*) *v.* Elisabetta

Lizzie (*f.*) (*abbr.*) *v.* Elisabetta

Llewellyn (*m.*) (*Gall. ant.* "Come un leone" o "Fulmine" "Lampo") // *var.* e *dim.* Lew, Llewelyn, Llywellyn

Lloyd (*m.*) (*Gall. ant.* "Dai capelli grigi") *var.* Floyd, Loyd

Lo 21 *giu.*; *v.*Aloisio

Locke (*m.*) (*nome con orig. da cognome*)

Lodovica (*f.*) *v.* Ludovica

Lodovico (*m.*) *v.* Ludovico

Loe (*m.*) (*Haw.* "Re")

Loftin (*m.*) (*raro*)

Lofton (*m.*) (*raro*)

Logan (*m.*) (*gael.* "Dalla cavità")

Loi (*f.*) (*nome monosill.*)

Loic (*f.*) (*Celt.*) *v.* Lois, Louis

Lois (*f.*) (*Fr.*) ("Gradevole") *v.* Louis, Luisa

Lokelani (*f.*) (*Haw.* "Rosa del paradiso")

Lokni (*m.*) (*Ind. Nordam., Miwok* "La pioggia cade da un piccolo buco nel tetto")

Lola (*f.*) *v.* Dolores, Carlotta, Charlotte, Lorenza

Lola (*f.*) (*Haw.*) *v.* Laura

Lolita (*f.*) (*Sp.:* *dim.* della Vergine Maria Dolores)

Lombard (*m.*) (*Teut.* "Barbuto" "Dalla lunga barba") *dim.* Bard

Lon (*m.*) (*abbr.*) *v.* Alfonso; Lorenzo

Lon (*m.*) (*Irl. gael.* "Fiero, feroce e forte") *var.* Lonnie, Lonny

Lona (*f.*) ("Solitaria") (*raro*)

Lonato (*m.*) (*Ind. Nordam.* "Selce")

Lonee (*f.*) (*raro*)

Longino (*m.*) (*Gr.:* "Alto") 16, 15 *mar.*; 24 *apr.*; 24 *giu.*; 21 *lug.*

Loni (*f.*) (*raro*)

Lonn (*m.*) (*abbr.*) *v.* Alfonso; Lorenzo

Lonna (*f.*) (*raro*)

Lonni (*f.*) (*raro*)

Lonnie (*m.*) (*abbr.*)

Lonny (*m.*) (*abbr.*)

Lono (*m.*) (*Haw.* "Dio di pace e dell'agricoltura")

Lope (*m.*) *v.* Lupo

Lora (*f.*) ("Pianto" "Che piange")

Loralee (*f.*) (*nome doppio*)

Loralie (*f.*) ("In lutto")

Loralyn (*f.*) (*nome doppio*)

Loran (*m.*) *v.* Lorenzo
Lorand (*m.*) *v.* Rolando
Lorant (*m.*) (*Ung.*) *v.* Lorenzo
Lorant (*m.*) *v.* Rolando
Loredana (*f.*) (*Ven.*: dalla famiglia Loredan) // (*var.* di Lauretana, Madonna di Loreto) // (*Lat.* "Boschetto di lauro o di alloro") // (*orig. lett.*) 10 *dic.*; *dim.* Lauri
Loredano (*m.*) *v.* Loredana
Lorelei (*f.*) (*teut.* "Colei che richiama verso le rocce") *var.* Lura, Lurette, Lurlene,Lurline
Lorella (*f.*) *v.* Laura
Lorelle (*f.*) ("Vittoriosa")
Loren (*m.*) *v.* Lorenzo
Lorena (*f.*) (*Fr.*, *nome geografico:* dal Regno medievale della Lorena) *v.* Lorraine; *var.* Laraine, Larraine, Loraine, Lorayne
Lorene (*f.*) (*Fr.*) *v.* Laura
Lorens (*m.*) (*Norv.; Sv.; Dan.*) *v.* Lorenzo
Lorenza (*f.*) (*Lat.*: da *Laurentium*, antica città del Lazio in cui vi erano molti boschetti di lauro) 8 *ott.*; *v.* Lorenzo // *var.* e *dim.* Larrance, Larrence, Lauren, Laurie, Lawrie, Lary, Lon, Lonnie, Lonny, Loren, Lorence, Lorens, Lorin, Lorna, Lorne, Lorrie, Lorry (*Ing.*); Laurence, Laurent (*Fr.*); Lenci (*Ung.*); Enza, Oretta, Renza, (*It.*) // Laure, Lauretta, Laurette, Lauriane, Lauridas, Laurie, Lau-

ritz, Lawry, Lavra, Lavria, Lorinda, Loritta, Louwine, Louwra
Lorenzo (*m.*) (*Lat.* "Nativo di Laurentium") 10 *ag.*; 8 *gen.*; 2, 3, 7 *feb.*; 30 *apr.*; 6 *giu.*; 21, 22, 27 *lug.*; 31 *ag.*; 5, 20, 28 *set.*; 14 *nov.*; 17 *dic.* // *var.* e *dim.* Larrance, Larrence, Larry, Lars, Lauren, Laurence,Laurie, Lawrance, Lawrence, Lawrie, Lary, Lerry, Lon, Lonnie, Lonny, Lorant, Loren, Lorence, Lorens, Lorin, Lorn, Lorna, Lorne, Lorrie, Lorry(*Ing.*); Lauritz, Lorenz (*Dan.*); Laurens, Lenz, Lorenz (*Ted.*); Lauri (*Fin.*); Laurence, Laurent (*Fr.*); Lenci, Lorant, Lorinc (*Ung.*); Labhras (*Irl*); Enza, Enzo, Lorenza, Oretta, Renza, Renzo (*It.*); Brencis, Labrencis (*Let.*); Raulas, Raulo (*Lit.*); Inek, Lorenz (*Pol.*)// Labhruinn, Laure, Laureano, Laurèat, Lauretta, Laurette, Lauriane, Lauridas, Laurie, Laurenz, Lauritz, Lawry, Lewerentz, Lavr, Lavra, Lavrenti, Lavria, Lohr, Lons, Lorentz, Lori, Lorin, Lorinda, Loritta, Lortz, Laurens, Louwine, Louwra
Loretha (*f.*) (*raro*)
Loretta (*Sp.*) 27 *dic.*; *v.* Laura
Lorette (*f.*) *v.* Laura
Lori (*f.*) ("Vittoriosa")
Loria (*f.*) *v.* Lori
Loriana (*f.*) *v.* Floriana o Glo-

riana

Lorianna / Lorianne (*f.*) (*nome doppio*)

Lorilee / Lorilyn (*f.*) (*nome doppio*)

Lorimer (*m.*) (*Lat.*: "Colui che fa la bardatura, i finimenti") // *var.* e *dim.* Lorrie, Lorrimer, Lorry

Lorin (*m.*) *v.* Loran

Lorinda (*f.*) *v.* Laura

Loring (*m.*) (*Teut.*: "Famoso in guerra" o "Istruttivo") *dim.* Lorrie, Lorry

Loris (*f.*) ("Lenta")

Loris (*m.*) *v.* Lorenzo

Lorita (*f.*) ("Sola")

Lorna (*f.*) ("Perduta") *v.* anche Laura

Lorne (*m.*) *v.* Lorenzo; *var.* Lorn, Loran

Lorraine (*f.*) (dal Regno medievale della Lorena) *var.* Laraine, Larraine, Loraine, Lorayne

Lorri (*f.*) *v.* Lori

Lory (*m.*) *v.* Mallory

Loryn (*f.*) *v.* Lorinda

Lota (*f.*) (*hindu* "Coppa")

Lotario (*m.*) (*Fr.* da Clotario "Nobile guerriero") 15 *giu.*

Lothar (*m.*) (*Ted.*) *v.* Luigi; Lutero. Luther

Lotta (*f.*) *v.* Lottie

Lottie (*f.*) (*Sv.*) *v.* Carolina, Carlotta

Lotus (*f.*) (dal fiore di Loto)

Lou (*f.*) e (*m.*) *v.* Louis; Luisa

Louanne (*f.*) ("Graziosa eroina")

Loudon (*m.*) (*teut.* "Dalla bassa vallata") *var.* Lowden

Louella (*f.*) *v.* Luisa

Louetta (*f.*) (*raro*)

Loui (*f.*) *v.* Luisa, Ludovica

Louis (*m.*) *v.* Luigi, Ludovico

Louise (*f.*) *v.* Luisa

Louisette (*f.*) (*Fr.*) *v.* Luisa

Louison (*m.*) (*Fr.*) *v.* Luigi

Loup (*m*) (*Fr.*) *v.* Lupo; 29 *lug.*

Lovejoy (*f.*) (*nome composito*)

Lovelle (*f.*) (*raro*)

Lovina (*f.*) (*raro*)

Lowell (*m.*) (*Ing. ant.*: "Amato") (*Fr. ant.* "Giovane lupo") *var.* Lovell

Loyal (*m.*) ("Fedele")

Loyce (*m.*) (*raro*)

Loye (*f.*) (*nome monosill.*)

Luana (*f.*) (*Polin.*, nome di una divinità: "Lua Nuu")

Luann (*f.*) *v.* Luana

Luba (*f.*) (*Sl.* "Amante")

Luc (*m.*) (*Fr.*) *v.* Luca

Luca (*m.*) (*Lat.. orig. etn.:* "Oriundo della Lucania") (*Gr.* "Luminoso") *v.* Lucio, Luciano; 7, 12, 27 *feb.*; 2 *mar.*; 22 *apr.*; 13, *18 ott.*; 2 *dic.*// Laux, Louka, Loukama, Louki, Loukia, Loukina, Loutsi, Loutsian, Luc, Luca, Lucas, Luce, Lucetta, Lucette, Lucia, Lucian, Luciana, Lucias, Lucide, Lucie, Lucien, Lucienne, Lucija, Lucile, Lucillien, Lucinda, Lucinde, Lucinien, Lucille, Lucio,

Luciole, Lucius, Luck, Lucky, Lucy, Lucyna, Lukas, Luke, Lux, Luz, Luzia, Luzei, Lutzele, Lutzel, Zeia, Zeiete

Lucan (*m.*) (*raro*)

Lucano (*m.*) (*Lat.* "Abitante della Lucania") 30 ott

Lucas (*m.*) (*Fr.*) *v.* Luca

Lucchesio (*m.*) (*orig. etn.* "Abitante della Lucchesia") 28 *apr.*

Luce (*f.*) (*Fr.; It.*) *v.* Lucia, 13 *dic. // (It.) (sost. femm.*) nome legato al Futurismo, movimento artistico, inizi XX sec. // *v.* anche Meira (*Ebr.*); Egle, Elena (*It.*)

Lucerio (*m.*) (*Lat.* "Dà luce") 10 *dic.*

Lucia (*f.*) (*Lat.* "Luce") 13 *dic.*; 25, 26 *mar.*; 25 *mag.*; 1 *giu.*; 6 *lug.*; 19 *set.*; 29 *ott.*; 7 *nov.; v.* Lucio; *var.* Cindy, Lou, Lu, Luci, Luciane, Lucida, Lucie, Lucile, Lucille, Lucinda// Luce, Lucette, Lucie, Lucile (*Fr.*); Lucy (*Ing.*); Lucetta, Luciana, Lucilla (*It.*); Lucya (*Sp.*)

Lucian (*m.*) *v.* Luciano

Luciana (*f.*) *v.* Lucia, Luciano; 7 *gen.; 18 mag.*

Lucianna (*f.*) (*nome doppio*)

Luciano (*m.*) (*Lat.* "Nato nella luce" "Portatore di luce") 7 *gen.; 18 mag.; 3, 8, 19 gen.*; 7 *lug.*; 26 *ott.*; 24 *dic. // var.* e *dim.* Luc, Luca, Lucas, Luce, Lucian, Lucias, Lucien, Lucienne, Lucio, Luck, Lucky, Lu-

kas, Luke

Lucidio (*m.*) (*Lat.* "Che riluce") 26 *apr.*

Lucien (*m.*) (*Fr.*) 7 *gen.; v.* Luciano

Lucienne (*f.*) *v.* Luciana

Lucifer (*m.*) *v.* Lucifero

Lucifero (*m.*) (*Lat.* "Che porta la luce")

Lucilla (*f.*) (*Lat.* "Colei che porta la luce") *dim.* di Lucia; 16 *feb.*; 31 *ott.*; 25 *ag.*; 8 *dic.*; 29 *lug.*

Lucille (*f.*) *v.* Lucilla

Lucina (*f.*)(*Lat.* "Splendore o bagliore lunare") 30 *giu.*

Lucinda· (*f.*) ("Chiarezza") *var.* Lucindra

Lucine (*f.*) ("Luce graziosa") *var.* Lucina

Lucio (*m.*) (*Lat., etim. inc.* "Illuminare" "Nato alla luce del giorno" "Luce" "Portatore di luce e di conoscenza") 4, 6 *mar.*; 2, 11, 15, 18 *feb.*; 6, 23 *mag.*; 20 *ag.*; 22 *apr.*; 10 *set.*; 4, 19, 29 *ott.*; 1, 3, 15 *dic.// var.* e *dim.* Lucas, Lucian, Lucen, Lucius, Luck, Lucky, Luke (*Ing.*); Lukas (*Cec.*); Luce, Lucien, Lucius (*Fr.*); Lucius, Lucas (*Ted.*); Loucas (*Gr.*) Lukacs (*Ung.*); Lukass (*Let.*); Lukasz (*Pol.*); Lucas, Lucio (*Port.; Sp.*); Luchok, Luka, Lukash, Lukasha, Lukyan (*Rus.*); Lukas (*Sv.*); Lusio (*Ind. Nordam, Zuni*)

Luciolo (*m.*) (*Lat.*: "Brillante") 3 *mar.*

Lucita (*f.*) (*orig. esotico-etn.*) (*Sp.* da Maria de la Luz "Maria della luce") *var.* Lusita (*Ind. Zuni*)

Lucius (*m.*) *v.* Luca, Luciano

Lucky (*f.*) *v.* Felicia

Lucrece (*f.*) (*Fr.*) *v.* Lucrezia; 15 *mar.*

Lucretia (*f.*) *v.* Lucrezia

Lucrezia (*f.*) (*Etr., sign. inc.*) (*Lat.* "Guadagno" "Ricompensa") (*orig. etn.*: Monte Lucretilis, della Sabina) 15 *mar.*; *23, 28 nov.*; *23 dic.// var.* e *dim.* Crezia, Loukretsia, Lucrèce, Lucrecia, Lucrecio,Lucretia, Lucrezio, Lukretia

Lucy (*f.*) *v.* Lucia

Ludano (*m.*) (*Celt.* "Dedicato a Lud") 12 *feb.*

Ludgero (*m.*) (*ant. ted.* "Guerriero celebre") 26 *mar.*

Ludmilla (*f.*) (*Sl.* "Amata dal popolo") // *var.* e *dim.* Ludmila, Ludmille, Mila, Milena, Milina, Militza, Millie, Milly

Ludovic (*m.*) (*Fr.*) *v.* Luigi e Ludovico

Ludovica (*f.*)(*Ted.* "Illustre guerriera") 31 *gen.*; 11 *ag.*; 1 *ott.*; *var.* Lodovica

Ludovico (*m.*) (*Ted.* "Glorioso combattente") (*ant.Germ.* "Uomo illustre") (*ant. Fr.* da Clodoveo); *v.* Luigi; 19, 25 *ag.*; 3, 11, 30 *apr.*; 5 *feb.*; 9 *ott.*; *var.*

Clodovico

Ludwig (*Dan. Ted.*) *v.* Luigi

Luella (*f.*) ("Sagace eroina") *v.* anche Louise

Luenda (*f.*) (*raro*)

Luetta (*f.*) ("Marziale")

Luigi (*m.*) (*Ted. ant* "Glorioso combattente"; *Teut.* "Celebre guerriero") *v.*Ludovico; 21 *giu.*; 11, 28 *apr.*; 2 *mag.*; 27 *set.*; 10, 17, 24 *ott.*; 9 *nov.*; 6 *feb.*; 25 *ag.// Alabhaois, Aloisa, Aloisia, Aloisus, Aloys, Aloysia, Aloysius, Clodwig, Clovis, Clovisse, Eloise, Heloise, Labhaoise, Ladewig, Lajos, Loig, Lewes, Lun, Ludovicus, Louisette, Loison, Lowik, Lozoic, Lu, Ludel, Ludovika, Ludovig, Ludvik, Ludwiga, Lugaidh, Lulu, Luthais, Luwisi, Viki, Vikli, Visen, Wickel, Wigg, Wiggl, Wisie, Zaig // Louis, Louise, Ludovic, Ludovique (*Fr.*); Lew, Lewis, Lewie, Louis (*Ing.*); Alvise, Clodoveo, Clodovico, Eloisa, Luigia, Luisa (*It.*); Ludwik, Ludis (*Let.; Rus.*); Ludwik, Lutek (*Pol.*); Luis, Luisita, Luisito, Luiz (*Port.; Sp.*); Ludvig (*Sv.; Norv.*); Ludwig (*Ted.*) // dim. Gino, Gina, Luigino, Luigina, Gigi

Luigia (*f.*) (da Luisa) 17 *ott.*

Luis (*m.*) (*Port.; Sp.*) *v.* Luigi

Luisa (*f.*) (*teut.* "Gloriosa fanciulla guerriera") (*Fr.* "Donna illustre") 15, 2 *mar.* // *var.* e *dim.* Alison, Alyson, Aloisa, Aloisia, Eloisa, Eloise, Heloise, Lois, Lou, Loui, Louella, Louisa, Louisetta, Louisette, Lu, Luella, Luise, Lula, Lulie, Lulù (*Ing.*); Aloyse, Lisette, Luisette (*Fr.*); Aloisa, Luise (*Ted.*); Eloisa (*Gr.*); Eloisa (*It.*); Lovisa (*Norv.*); Iza, Lodoiska, Luda, Ludwika, Luisa (*Pol.*); Louisa (*Rum*); Luiza, Luyza (*Rus*); Eloisa, Luisa (*Sp.*) // Aloisia

Luisanna (*nome doppio*)

Luister (*m.*) (*Africaans*: "Ascoltatore")

Luke (*m.*) v. Lucio

Lul (*f.*) (*Ind. Nordam.* "Coniglio")(*Anglo-sass.*"Influsso calmante") v. Lucia; Luisa

Lula (*f.*) v. Lulu

Loula (*f.*) v. Lulu

Lulani (*f.*) (*Haw.* "Il punto più alto nel cielo")

Lullo (*m.*) (*ant. Germ.:* "Mezza luna") 16 *ott.*

Lulù (*f.*) v. Luciana

Luminosa (*f.*) (*Lat.* "Che splende di luce propria") 9 *mag.*

Luna (*f.*) (*Lat.* "Luna") *var.* Lunatta, Lunette

Lunt (*m.*) (*Norv. ant.* "Dal bosco")

Lupe (*f.*) (*Orig. esot.etn.*)

Luperco (*m.*) (*Lat.* "Che allontana i lupi") (*m.*) 17 *apr.*; 30 *ott.*

Luperio (*m.*) (*Lat.*"Sacro al Dio Lupercus") 17 *nov.*

Lupicino (*m.*) (*Lat.*"Piccolo lupo") 3 *feb.*; 31 *mag.*

Lupita (*f.*) (*orig. esototico etn.*)

Lupo (*m.*) (*med.* "Lupo") 9 *giu.*; 29 *Lug.*; 1, 25 *set.*; 2 *dic;* Ellula, Leu, Lobo, Lope, Louve, Lovell, Lowell, Lua, Uffe, Ulf, Wilf, Wolfel, Wolfilo // Lope (*Sp.*); Wolf (*Ted.*)

Luppo (*m.*) (*Sab.* "Fecondo") 23 *ag.*

Lusa (*f.*) (*Finl.*) v. Elizabetta

Lusela (*f.*) (*Ind. Nordam., Miwok* "Orso che dondola le zampe mentre lecca")

Lussorio (*m.*) (*Lat.* "Splendente") 21 *ag.*

Lutero (*m.*) (*It.*) v. Luther

Lutgarda (*f.*) (*Long.* "Che ha celebri origini") 13, 16 *giu.*

Lutgarde (*m.*) (*Fr.*) 16 *giu.*

Luther (*m.*) (*Teut.:* "Famoso guerriero") *var.* Lothaire, Lothar, Lothario, Lutero

Lutherum (*m.*) (*Ing., git.* "Sonno profondo")

Luvern (*m.*) v. Leverne

Luyu (*m.*) (*Ind. Miwok,* "Scuotere la testa")

Luz (*m.*) e (*f.*) (*Sp.*) v. Lucia

Lyall (*m.*) v. Lyle

Lyell (*m.*) v. Lyle

Lydia (*f.*) (*Gr.* "Donna abitante della Lidia") v. Lidia // *var.* e *dim.* Liddie, Lidia, Lydie

Lyla (*f.*) v. Lillian

Lylah (*f.*) *v.* Lillian

Lyle (*m.*) (*Fr. ant.* "Dell'isola") *var.* Lisle, Ly, Lyell

Lyman (*m.*) (*Ing. ant.* "Uomo dei campi")

Lynda (*f.*) *v.* Linda, Melinda

Lyndall (*m.*) (*nome geografico*) *var.* Lyndel, Lyndell

Lyndon (*m.*) (*Ing. ant.: nome geografico* "Dalla collina dei tigli") // *var.* e *dim.* Lin, Lindon, Lindy, Lynn

Lyndsey (*f.*) *v.* Lindsey

Lynette (*f.*) *v.* Linnet

Lynley (*f.*) (*nome con orig. da cognome*)

Lynn (*m.*) e (*f.*) (*Ing. ant.* "Cascata" o "Laghetto vicino ad una cascata") // (*f.*) *var.* Lin, Linell, Linelle, Linette, Linn, Linne, Linnette, Lyn, Lyndel, Lyndell, Lyndelle, Lynelle, Lyneeta, Lynetta, Lynna, Lynne, Lynnell, Lynnelle, Lynnette, Lynette (*Ing.*); Lina (*Sp.*) // *v.* Linda

Lyon (*m.*) (*nome con orig. da cognome*)

Lyric / Lyrica (*f*) ("Poema musicale")

Lyris (*f.*) (*Gr.:* da "Arpa" o "Lira") *var.* Lyra, Lyrisse

Lyron (*m.*) (*Ebr.* "Poetico" "Lirico") *var.* Liron // (*f.*) Lyssa

Lysander (*m.*) (*Gr.* "Liberatore") *dim.* Sander, Sandy

Lysandra (*f.*) (*Gr. femm.* di Lysander)

Lysette (*f.*) *v.* Lisa

Lyssa (*f.*) (*abbr.*) *v.* Lyron

M

Machas (*m.*) *v.* Michele

Maai (*f.*) *v.* Maria

Maaia (*f.*) *v.* Maria

Maartina (*f.*) *v.* Martina

Mab (*f.*) (*gael.:* la "Regina dei giusti" nella mitologia Irlandese)

Mabel (*f.*) (*Lat.* "Amabile") // *var.* e *dim.* Amabel, Amabelle, Mabelle, Mae, May, Maybelle; *v.* Amalia; *contr.* di Maria Isabella

Maberto (*m.*) (*Celt.* "Figlio insigne") 11 *mag.*

Mac (*m.*) (*Celt.* "Figlio di..") *dim.* dei nomi che iniz. per "*Mac*", "*Max*", "*Mc*"; *var.* Mack; *v.* anche Mc

Mac (*m.*) *v.* Massimo

MacAdam (*m.*) (*gael.* "Figlio di Adam") // *var.* e *dim.* Adam, Mac, Mack, McAdam

MacAlister (*m.*) (*der.* da cognome) *var.* Mcallister

Macaria (*f.*) (*Gr.* "Felice") 18 *apr.*

Macario (*m.*) (*Gr.* "Felice") 2, 15, 19 *gen.*; 10 *mar.*; 20 *giu.*; 18, 12 *ag.*; 5, 6 *set.*; 30 *ott.*; 20 *dic.*

MacArthur (*m.*) (*raro*)

Maccabeo (*m.*)(*Ebr.* "Martello") 1 *ag.*

MacDonald (*m.*)(*gael.* "Figlio di Donald") // *var.* e *dim.* Don, Donald, Mac, Mack, McDonald

MacDougal (*m.*)(*Scoz., gael.:* "Il figlio dello straniero scuro") // *var.* e *dim.* Mac, Mach, Dougal

MacDuff (*m.*)

Macedone (*m.*) (*Gr.* "Eccelso") 27 *mar.*

Macedonio (*m.*) (*Lat.* "Oriundo della Macedonia") 13 *mar.*; 24 *gen.*; 12 *set.*

Machthild (*f.*) *v.* Matilde

Macia (*f.*) *v.* Matilde

Maciej (*m.*) *v.* Matteo

Mack (*m.*) *v.* Massimo

MacKenzie (*m.*)(*gael.*"Figlio del saggio capo") // *var.* e *dim.* Ken, Mac, Mack, McKenzie

MacMillan (*m.*) (*raro*)

MacMurray (*m.*) (*Irl. gael.:* "Figlio dell'uomo di mare") // *var.* e *dim.* Mac, Mach, Murray, Murry

MacNeil (*m.*) (*raro*)

Macra (*f.*) (*Lat.:* "Gracile") 6 *gen.*

Macrina (*f.*) (*dim.*) (*Lat.* "Smilza") 14 *gen.*; 19 *lug.*

Macrino (*m.*) (*Gr.* "Magrolino" "Smilzo") 17 *set.*

Macrobio (*m.*) (*Gr.* "Che ha lunga vita") 13 *set.*

Macuto (*m.*) (*Gr.* "Chiazzato") 15 *nov.*

Macy (*m.*) (*Ing. ant.* "Mazziere") *var.* Macey

Maddalena (*f.*) (*Ebr., orig. etn.* "Donna di Magdala") 22, 16, 27 *lug.*; 10 *apr.*; 13, 18, *25*, 29 *mag.*; 14 *ott.* // *var.* e *dim.* Alena, Lena, Lina, Lynne, Mada, Madale, Madalena, Madalene, Maddi, Made, Madel, Madelaine, Madeli, Madelin, Madella, Madelle, Madelon, Madi, Madlen, Madlin, Mado, Madlin, Madlyn, Magda, Magdala, Magdalen, Magdalena, Magdalene, Magdelaine, Magdelene, Magel, Maggeline, Maggy, Magl, Maighdlin, Malena, Mala, Malina, Marleen, Marleene, Marlene, Marline, Marlyne, Maud // Madeleine (*Fr.*); Lynn, Maddie, Maddy, Madeline (*Ing.*); Magda, Magdelen (*Ted.*)

Maddock (*m.*) (*Celt.* "Benefattore") *var.* Maddox

Maddox (*m.*) ("Forte, energico")

Maddy (*f.*) *v.* Matilde

Madeleine (*f.*) (*Fr.*) *v.* Maddalena

Madeline (*f.*) *v.* Maddalena

Mades (*m.*) *v.* Matteo

Madge (*f.*) *v.* Margaret, Margherita

Madigan (*m.*) (*raro*)

Madison (*m.*) (*Ing. ant.* "Figlio del guerriero") *dim.* Maddie, Maddy, Sonnie, Sonny

Madoc (*m.*) (*Ing.*)

Madruina (*f.*) ("Acquatica") 5 set.

Mae (*f.*) v. Maria, Maia

Maeda (*f.*) v. Maida

Maeget (*f.*) v. Margherita

Maei (*f.*) v.Maria

Mael (*f.*) v. Mael

Maela (*f.*) v. Mayliss

Maelan (*f.*) v. Mayliss

Maelennig / Maelezig (*m.*) v. Mayliss

Maelig (*f.*) v. Mayliss

Maeliss (*f.*) v. Mayliss

Maelyn (*f.*) (*nome doppio*)

Maeve (*f.*) (*raro*)

Mafalda (*f.*) (*Germ.; Port. ant.; Fr.* "Forte in battaglia") 7 *ag.*; 2 *mag.*; v. Matilde

Maffeo (*m.*) 24 *feb.*; var. di Matteo

Mag (*f.*) v. Margherita

Magali / Magalie (*f.*) (*Fr.*) v. Margherita

Magaly (*Fr.*) v. Margherita

Magda (*f.*) 22 *lug.*; var. di Maddalena

Magdalen / Magdalene (*f.*) v. Maddalena

Magenta (*f.*) ("Rosso porpora")

Maggi (*f.*) v. Margherita

Maggie (*f.*) v. Margherita, Magna, Magnolia

Maggiorino (*m.*)(*dim.*di "Maggiore") 27 *giu.*

Maggy (*f.*) v. Magna, Magnolia, Margherita

Maglorio (*Lat.* "Molto glorioso") 24 *ott.*

Magna (*f.*) (*Lat.*: *femm.* di Magnus) *dim.* Maggie, Maggy

Magnerico (*m.*) (*Ted. ant.* "Educato") 25 *lug.*

Magno (*m.*) (*Lat.*: "Grande") 6 *ott.* 1 *gen.*; 15 *feb.*; 19 *ag.*; 5 *nov.*

Magnolia (*f.*) (nome floreale) *dim.* Maggie, Maggy

Magnus (*m.*) (*Lat.*: "Grande") *var.* Manus.

Magtel (*f.*) v. Matilde

Maguelone (*f.*) v. Margherita

Maguiguana(*m.*) (*Mozambico*)

Maguire (*m.*) (*nome con orig. da cognome*)

Mahalah (*f.*) ("Strumento musicale)

Mahalda (*f.*) (*Port.*) v. Mafalda; v. Matilde

Mahalia (*f.*) (*Ebr.* "Delicatezza" "Sensibilità") *var.* Mahala, Mahalah, Mahaliah

Mahan (*m.*) (*raro*)

Mahau (*f.*) (*Fr.*) v. Matilde

Mahaud / Mahaut v. Matilde

Mahir (*m.*) (*Ebr.* "Esperto")

Mahluli (*m.*) (*Ndebele, Zimb.*: "Vittorioso")

Mahubé (*f.*) (*Mozambico*)

Mahubula (*m.*) (*Mozambico*)

Mai (*f.*) (*nome monosillab.*)

Maia (*f.*) (*Gr.* "Madre" "Levatrice") (*Lat.*: Dea romana della Primavera) *var.* Mae, Maia, Maya, Maye

Maida (*f.*) (*Anglo-sass.* "Potente") // *var.* e *dim.* Maeda, May-

211

da, Maydie

Maidie (*f.*) *v.* Margherita

Maija *v.* Merrie

Maika *v.* Merrie

Maikki *v.* Merrie

Mailys (*f.*) (*Fr.*) 13 *mag.; var.* e *dim.* Maela, Maelan, Maelennig, Maelezig, Maelig, Maeliss, Mayliss

Maimun (*m.*) (*Ar.*"Fortunato")

Mainardo (*m.*) (*Lat. ant.; Germ.* "Virtuoso e forte") 9 *mag.*

Maiorico (*m.*) (*orig. etn.:* "Proveniente da Maiorca") 6 *dic.*

Mair (*f.*) *v.* Maria

Maire (*f.*) *v.* Merrie

Mairead (*f.*) *v.* Margherita

Mairghead (*f.*) *v.* Margherita

Maisie (*f.*) *v.* Margherita

Maita (*f.*) *v.* Marta

Maitè (*f.*) (*Fr.*) *v.* Maria

Maitilde (*f.*) *v.* Matilde

Maitland (*m.*) (*Ing. ant.* "Della campagna")

Maja (*f.*) *v.* Maria

Majesta (*f.*) (*Lat.*: ulteriore nome di Maia, Dea romana della Primavera) *v.* anche May

Majii (*f.*) *v.* Merrie

Maka (*f.*) *v.* Margherita

Makimus (*m.*) *v.* Massimo

Makis (*Gr. mod.*) *v.* Michele

Maks (*m.*) *v.* Massimo

Maksim (*m.*) (*Rus.*) *v.* Massimiliano, Massimo

Maksima (*m.*) *v.* Massimo

Maksimka (*m.*) *v.* Massimo

Maksis (*m.*) *v.* Massimo

Maksym (*m.*) *v.* Massimo

Maksymilian (*m*) *v.* Massimo

Makszi (*m.*) *v.* Massimo

Mal (*m.*) *v.* Mallory, Melvin

Mala (*f.*) (*raro*) // *v.* Matilde

Malachi (*m.*) (*Ebr.* "Messaggero del Signore") *var.*Malachy

Malachia (*m.*) (*Ebr.* "Inviato di Dio") 14 *gen.*; 3 *nov.*

Malania (*f.*) *v.* Melania

Malco (*m.*) (*Ebr.* "Consigliere") 28 *mar.*; 27 *lug.*; 21 *ott.*

Malcolm (*m.*) (*Ar.* "Colomba") (*gael.* "Discepolo del santo") *var.* Malcolmina, Malcolme

Maldon (*m.*) (*nome con orig. da cognome*)

Malena (*f.*)*Contr.* di Maria Maddalena

Malina (*f.*) *v.* Melinda

Malinda (*f.*) *v.* Melinda

Malinde (*f.*) *v.* Melinda

Malkin (*m.*) *v.* Matilde

Mall (*f.*) *v.*Maria

Mallie (*f.*) *v.* Melinda

Mallorey *v.* Mallory

Mallorie *v.* Mallory

Mallory (*m.*) e (*f.*) (*nome con orig. da cognome*)(*Ted. ant.* "Consigliere d'arme")(*Fr.ant.* "Sfortunato e forte") // *var.* e *dim.* Mal, Malory, Mallorey, Mallorie, Malori, Malorie, Lory

Malloy (*m.*) (*nome con orig. da cognome*)

Maloy (*m.*) (*nome con orig. da cognome*)

Mally (*f.*) *v.* Maria, Melinda

Malomo (*m.*) (*Afr.* "Non tornare indietro nello spirito del mondo")

Malori (*m.*) *v.* Mallory

Malorie (*m.*) *v.* Mallory

Malory (*m.*) *v.* Mallory

Malusio (*m.*) (*Lat.* "Brutto") 21 *ott.*

Malva (*f.*) *v.* Malvina

Malvin (*m.*) *v.* Melvin

Malvina (*f.*) (*Celt.* "Che spira dolcezza dagli occhi") *var.* Malva, Melba, Melva, Melvina

Mamante (*m.*) (*Lat.:* "Bambolone") 17 *ag.*

Mame (*f.*) *v.* Maria

Mamelta (*f.*) (*Lat.* "Che ha bel seno") 17 *ott.*

Mamerto (*m.*) (*Sab.:* Consacrato al dio Marte") 14 *mag.*

Mamie (*f.*) *v.* Maria

Mamiliano (*m.*) (*Lat.* "Di Mamilio") 12 *mar.*

Mamillo (*m.*)(*Lat.*"Mammella") 8 *mar.*

Mamo (*m*) e (*f*) (*Haw.*"Fiore di zafferano"o"Uccello giallo")

Mana (*f.*) (*Haw.* "Potere soprannaturale")

Manaba (*f.*) (*Ind. Navaho* "La guerra ricomincia con la sua venuta") *v.* Doba

Manabe (*m.*) (*Mozambico*)

Manaen (*m.*) (*Ebr.:* "Consolatore") 24 *mag.*

Manasse (*m.*) (*Ebr.* "Che fa dimenticare") 1 *nov.*

Manchu (*m.*)(*Cin.* "Puro" "Casto")

Manci (*f.*) *v.* Mansi, Margherita

Mancie (*f.*) *v.* Mansi

Mancino (*m.*) (*Fr. med.:* "Mancino") 9 *apr.*

Mancio (*m.*) (*Lat.:* "Monco") 15 *mag.*

Manco (*m.*) (*Inca, Peru:* "Re")

Manda (*f.*) (*Sp.* da Armanda) (*hindu:* "Saturno", Dio dell'occulto) *v.* Amanda // *var.* Armanda, Mandi, Mandie, Mandy

Mandara (*f.*) (*hindu* "L'albero mistico di Mandara")

Mandek (*m.*)(*Pol.*) *v.* Armando

Mandell (*m.*) (*Teut.* "Mandorla") *dim.* Mannie, Manny

Mander (*m*) (*Ing., git.* "Da me")

Mandi *v.* Manda

Mandie *v.* Manda

Mandisa (*f.*) (*Xhosa, Sud Afr.:* "Dolce")

Mando (*m.*) (*Sp.*) *v.* Armando

Mandy (*f.*) *v.* Amanda, Manda

Manette (*f.*) *v.* Merrie

Manetto (*m.*) (*Lat.* "Consacrato ai Mani", *spiriti benevoli*) 12 *feb.*

Maney (*f.*) *v.* Mansi

Manfred (*m.*) (*teut.*) *v.*Manfredi, Manfredo

Manfredi (*m.*) (*Ted.* "Pace assicurata con la forza")

Manfredo (*m.*) (*Ted. ant.* "Uomo di pace") 28 *gen.*; 27 *ott.*; *dim.* Fred, Freddie, Freddy, Mannie, Manny

Mangena (*f.*) (*Ebr.* "Canzone o melodia") *var.* Mangina

Mangwiro (*m.*) (*Zezuro, Zimb.* "Luminoso")

Mani (*f.*) (*Tibet*)

Manilio (*m.*) (*Gr.* "Non legato") 28 *apr.; v.* anche Manlio

Manioussa (*f.*) *v.* Maria

Manipi (*m.*)(*Ind. Nordam.:* "Meraviglia che cammina")

Manley (*m.*) (*raro*)

Manlio (*m*) (*Lat.* "Mattino", imposto a chi nasceva all'alba) ("Dedicato ai Mani" o "Legato ai Mani", numi tutelari della casa) 28 *apr.*: 23 *ott.; var.* Manilio

Mannea (*f.*) (*Lat.* "Dedicata ai Mani") 27 *ag.*

Manning (*m.*) (*teut.* "Figlio dell'uomo buono") *dim.* Mannie, Manny

Manno (*Lat.* "Dedicato ai Mani") 13 *lug.*

Manny (*m.*) *v.* Emanuele, Manfredo, Manning

Manola (*f.*) (*Sp.*) *v.* Emanuela, 26 *mar.*

Manolo (*m.*) (*Sp.*) *v.* Emanuele, 26 *mar.*

Manon (*f.*) *v.* Maria

Manon (*f.*) *v.* Merrie

Manrica (*f.*) *v.* Manrico

Manrico (*m.*) (*Unione* di Mario e Enrico)

Mansa (*m.*) (*Afr.* "Re")

Mansel (*m.*) *v.* Mansell

Mansell (*m.*) ("Canonica" "Parrocchia")

Mansey (*f.*) *v.* Mansi

Mansi (*f.*) (*Ind. Nordam., Hopi* "Fiore colto") // *var.* Maney, Manci, Mancie, Mansey, Mansie, Mansy

Mansie (*f.*) *v.* Mansi

Mansueto (*m.*) (*Lat.* "Trasformato dalla mano altrui" "Docile") 2, 6 *set.*; 28 *nov.*

Mansur (*m.*) (*Ar.* "Aiutato divinamente")

Mansy (*f.*) *v.* Mansi

Manu (*m.*) (*Akan, Gana* "Secondogenito")

Manuel (*m.*) *v.* Emanuele

Manuela (*f.*) (*Sp.*) *v.* Emanuela

Manuele (*m.*) *dim.* di Emanuele, 17 *giu.*

Manuelle (*f.*)(*Fr.*) *v.* Emanuela

Manville (*m.*) (*Fr. ant.:* "Dalla grande proprietà") // *var.* e *dim.* Mannie, Manny, Manvel, Manvil

Manya (*f.*) (*Rus.*) *v.* Maria

Marciana (*f.*)(*Lat.*) *v.*Marcello

Margret / Margrete (*f.*) *v.* Margherita

Marzell (*m.*) *v.* Marcello

Maralina (*f.*) *v.* Maria

Mara (*f.*) (*Cald.* "Afflitta") (*Sir.*: "Signora""Padrona")(*Ebr.*: "Amareggiata") // *dim.*di Samara, 3 *ag.; v.* Marta, Maria, Merrie, Tamara

Marabel (*f.*) *v.* Maria

Marabelle (*f.*) *v.* Maribelle

Maralah (*f.*) ("Sonno, riposo")

Maraline (*f.*) *v.* Maria

Marana (*Celt.* "Acquatica") 3 *ag.*

Marar (*m.*) (*Wataware, Zimb.* "Sporco") *var.* Marara

Marc (*m.*) *v.* Marco, Marcello

Marca (*f.*) *v.* Merrie

Marceau (*m.*) *v.* Marcello

Marcel (*m.*) (*Fr.*) *v.* Marcello, 16 *gen.*

Marceli (*m.*) *v.* Marcello

Marcelia (*f.*) *v.* Marcella, Marcia, Marcello

Marcelin (*m.*) *v.* Marcello

Marcella (*f.*) (*Lat.*) *v.* Marcello, Marco; *31 gen.*; 28 *giu.* // *var.* e *dim.* Marcelle, Marcelia, Marcellina, Marcelline, Marcelyn, Marcene, Marchelle, Marcie, Marcy

Marcelle (*f.*) (*Fr.*) *var.* Marchelle, Marcille; *v.* Marcello

Marcelliano (*m.*) (*Lat.* "Di Marcello") 18, 29 *giu.*; 9 *ag.*

Marcellin (*m.*) (*Fr.*) 6 *apr.; v.* Marcello, Marco

Marcellina (*f.*) (*dim.* di Marcella) 17 *lug.*

Marcelline (*f.*) (*Fr.*) *v.* Marcella, 17 *lug.*

Marcellino (*m.*) (*dim.*) 26, 6, 20 *apr.*; 2, 9 *gen.*; 2, 5, 6, 18 *giu.*; 14 *lug.*; 27 *ag.*; 5 *ott.* // *v.* Marcello

Marcello (*m.*) (*Lat.* dal cognomen Marcellus, *dim.* di Marcus) *v.* Marco // 16 *gen.*; 19 *feb.*; 20 *mar.*; 9, 25 *apr.*; 29 *giu.*; 14 *ag.*; 4 *set.*; 5, 7, 30 *ott.*; 1, 16, 26 *nov.*; 2, 29, 30 *dic.*// *var.* Calina, Cèline, Cèlinie, Ianka, Marc, Marceau, Marcel, Marceli, Marcelia, Marcelin, Marcella, Marcelle, Marcellin, Marcellina, Marcellino, Marcellus, Marchetto, Marchitta, Marcia, Marciana, Marciano, Marcie, Marcien, Marcienne, Marcile, Marcille, Marcio, Marcion, Marcionille, Marcius, Marcos,Marcus, Marcy, Marck, Mark, Marke, Markei, Markel, Markell, Markelline, Markian, Marko, Markoussia, Marks, Markus, Marquita, Marselis, Marsha, Marx, Marzel, Marzell, Marzella, Marzelline, Massia

Marcellus (*m.*) *v.* Marcello

Marcelyn (*f.*) *v.* Marcella

Marcene (*f.*) *v.* Marcella

March (*m.*) (*Ing.*: "Marzo" "Mese di Marte")

Marchelle (*f*) *v.* Marcella, Marcelle

Marchetto (*m.*) *v.* Marcello

Marchitta (*f.*) *v.* Marcello

Marci (*f.*) (*Am.*) *v.* Marcia // *var.* e *dim.* Marcie, Marcy, Marsi, Marsie, Marsy // (*m.*) *v.* Marco, Martino

Marcia (*f.*)(*Lat.*: "Appartenente a Marcio", cognomen di una gens romana) *femm.* di Marco; 2 *lug.*; 5 *giu.; var.* Marcella, Marcelia, Marci, Marcie, Mar-

215

cille, Marcy, Marquita, Marsha; v. Marcello, Marta

Marciana (f.) (Lat.) 9 gen.; 25 mag. 12 lug.

Marcianne (f.) (nome doppio) var. Marcianna

Marciano (m.) (Lat. "Dedicato a Marte") v. Marcello, Marco; 4, 10 gen.; 6, 26 mar.; 17, 20, 23, 30 apr.; 22 mag.; 5, 14, 17 giu.; 11 lug.; 9 ag.; 16 set.; 4 ott.; 2 nov.

Marcie (f.) v. Marcella, Marcello, Marcia

Marcien (m.) v. Marcello

Marcienne (m.) v. Marcello

Marcile (m.) v. Marcello

Marcilka (m.) v. Marco

Marcille v. Marcelle, Marcello, Marcia

Marcin v. Martina, Martino

Marcina (f.) v. Marco; var. Marcine

Marcio (m.) v. Marcello

Marcion v. Marcello

Marcionille v. Marcello

Marcius (m.) v. Marcello

Marck (m.) v. Marcello

Marco (m.) (Lat. "Dedicato a Marte" "Maschio" "Virile" "Martello" "Marziale") 25 apr.; 31 gen.; 24 feb.; 13, 19, 24 mar.; 18 giu.; 3 lug.; 1, 27, 28 set.; 1, 4, 7, 22, 24, 25 ott.; 22, 25 nov.; 15 dic. // var. e dim. Marc, Marcus, Markus (Ing.); Marcus, Marek, Marko (Cec.); Markus (Dan.; Ted.; Sv.); Marc (Fr.); Marinos, Markos (Gr.); Marci, Marcilka, Markus (Ung.); Markus, Marts (Let.); Marcos (Port.; Sp.); Mark, Marka, Markusha(Rus.); Marko, Mari (Slov); Mark, Markus (Ted)

Marcolfa (Ted. ant. "Che guarda i confini")

Marcos (m) v. Marco, Marcello

Marcsa (f.) v. Merrie

Marcus (m.) (Lat.; Ing.) v. Marco, Marcello

Marcy (f.) v. Marcella, Marcello, Marcia

Mardario (m.) (Lat., orig. etn. "Appartenente ai Mardi") 13 dic.

Marden (m.) (Ing. ant. "Dalla valle del lago")

Mardi (f.) (raro)

Mardonio (m.) (Gr. "Bellicoso") 24 gen.; 23 dic.

Marea (m.) (Gr. "Oriundo dell'Egitto") 22 apr.

Maree (f.) v. Maria

Marei (f.) v. Maria

Mareia (f.) v. Maria

Marek (m.) v. Marco

Marella (f.) v. Maria

Maren (f.) v. Maria

Marenka (f.) v. Merrie

Marenlin (m.)(Albania: "Marx + Engels + Lenin")

Maresa (f.) (Contr. di MariaTeresa)

Mareta (f.) femm. di Marea; 27 mar.

Maretta (*f.*) *v.* Maria

Marette (*f.*) *v.* Maria

Marfa (*f.*) *v.* Maria

Marfenia (*f.*) *v.* Marta

Marfoucha (*f.*) *v.* Marta

Margarethe *v.* Margherita

Marga (*f.*) (*Sans.* "Il sentiero") *v.* Margherita

Margalo (*f.*) *v.* Margherita

Marganit (*f.*) (*Ebr.*: Fiore dai petali rossi, blu e dorati, che cresce in Israele)

Margara (*f.*) *v.* Margherita

Margarette / Margaret (*f.*) *v.* Margherita

Margareta / Margarete (*f.*) *v.* Margherita

Margaretha / Margaretta (*f.*) *v.* Margherita

Margaretus *v.* Margherita

Margarid / Margarida (*f.*) *v.* Margherita

Margarita / Margarite (*f.*) *v.* Margherita

Margaritis / Margaritka (*f.*) *v.* Margherita

Margaro (*f.*) *v.* Margherita

Margaux (*f.*) (*Am. mod.*) (Forse dal nome dello champagne "*Margaux*")

Marge / Margeaux (*f.*) *v.* Margherita

Margerie/ Margery (*f*) *v.* Margherita

Marget / Margette (*f.*) *v.* Margherita

Margherita (*f.*) (*Per.; Gr.* "Perla") (Nome floreale) 16 *mag.;* 16 *nov.;* 12, 18 *gen.;* 22 *feb.;* 13 *apr.;* ; 10 *giu.;* 27 *ag.;* 16, 17 *ott.;* 2, 16, 23 *nov.;* 15, 30 *dic.* // *var.* e *dim.* Margarid (*Arm.*); Marketa (*Bul.*); Gita, Gitka, Gituska, Margita, Margareta, Marka, Marketa (*Cec.*); Marga, Margarete, Mari, Meeri, Reet (*Est.*); Marjatta (*Fin.*); Magali, Margot, Marguerite (*Fr.*); Margareta, Margaritis, Margaro (*Gr.*); Daisy, Madge, Mag, Maggi, Maggie, Maggy, Maisie, Marga, Margaret, Margareta, Margarete, Margarita, Margaretha, Margaretta, Margarite, Marge, Margeaux, Margery, Marget, Margie, Margit, Margory, Margot, Marguerita, Marguerite, Margy, Marjorie, Marjory, Meg, Megan, Meggi, Meggie, Meggy, Meghan, Meta, Peg, Pegeen, Peggi, Peggie, Peggy, Rita (*Ing.*); Grieta, Margrieta (*Let.*); Margarita (*Lit.*); Gita, Margita, Margisia, Rita (*Pol.*); Margarida (*Port.*); Perla (*Sl.*); Margreta, Margrete (*Sv.; Norv.*); Margarita, Marga, Margara, Rita, Tita (*Sp.*); Greta, Grete, Gretel, Gretchen, Margareta, Margarethe, Margit, Margot, Margret (*Ted.*); Gitta, Manci, Margit, Margita, Margo (*Ung.*) // Margory, Meta, Greda, Gredel, Greet, Gretta, Grethel, Gretus, Grietje, Grita, Guite, Magali, Maggi,

Maguelone, Maidie, Mairead, Mairghread, Maka, Margalo, Margarethe, Margaretus, Margarette, Margarite, Margaritka, Margerie, Maeget, Margette, Margo, Margotton, Margory, Margouchka, Margrethus, Margretta, Margrieta, Marhaid, Marharid, Mog, Ritocha

Margie (*f.*) *v.* Margherita

Margisia (*f.*) *v.* Margherita

Margit (*f.*) *v.* Margherita

Margita (*f.*) *v.* Margherita

Margo (*f.*) *v.* Margherita

Margory (*f.*) *v* Margherita

Margot / Margotton (*f.*) *v.* Margherita

Margouchka / Margreta (*f.*) *v.* Margherita

Margrethus / Margretta (*f.*) *v.* Margherita

Margrieta / Marguerita (*f.*) *v.* Margherita

Marguerite (*f.*) (*Fr.*) *v.* Margherita

Margy (*f.*) *v.* Margherita

Marhaid (*f.*) *v.* Margherita

Marharid (*f.*) *v.* Margherita

Mari (*f.*) (*U.S.A.*) *v.* Mary, Margherita, Marissa, Maria // (*m.*) *v.* Marco, Merrie

Mariarosa (*f.*) *v.* Rosa

Maria (*f.*)(*Ebr., etim. inc.:* "Goccia") (*Eg.* "Amata") 12 *set.*; 1 *gen.*; 11 *feb.*; 2, 16 *apr.*; 14, 25, 26 *mag.*; 23, 29 *giu.*; 6, 7, 16, 22, 27 *lug.* 2, 22, 24 *ag.*; 13, 19 *set.*; 3, 6, 22 *ott.*; 1, 24 *nov.*; 2

dic. // *var.* e *dim.* Maai, Maaia, Mae, Maei, Mair, Maja, Mall, Mally, Mame, Mamie, Manioussa, Manon, Mara, Marabel, Maralina, Maraline, Marei, Mareia, Marella, Maren, Maretta, Marette, Mari, Marichka, Mariam, Marian, Marice, Maridel, Mariedel, Marieke, Marielle, Marietta, Mariette, Marig, Marija, Marilee, Marilla, Marilin, Marilyn, Marilynne, Marinette, Mariola, Marion, Mariouchka, Mariquita, Marise, Marjelle, Marita, Marla, Marlo, Maroussia, Maruja, Maruska, Marya, Maryann, Maryanna, Maryanne, Marylin, Marylinn, Marylyn, Marysa, Maryse, Marzel, Maura, Maure, Maureen, Maurene, May, Maya, Meri, Meriel, Mia, Miempie, Mirzel, Mitzi, Moll, Molly, Moyra, Miureall, Muir, Muire, Myra, Myriam // Mirjam (*Finl.*); Marica, Marie (*Fr.*); Mary, Mim, Mimi, Mimmie, Minni, Minnie, Miriame, Miryam, Mitzi (*Ing.*); Miri (*Ing. git.*); Mariana, Mariano, Mariella, Marietta, Marilù, Marinella, Marisa, Mariuccia, Miriam, Moira (*It.*) // Maria Carmen, Maria Dolores, Maria Jesusa, Maria Lucita, Maria Luz (*Sp*)

Maria Carmen (*f.*) *v.* Maria

Maria Dolores (*f.*) *v.* Maria

218

Maria Grazia (*f.*)(nome doppio in onore della Madonna delle Grazie) *v.* Maria

Maria Jesusa (*f.*) *v.* Maria

Maria Lucita (*f.*) *v.* Maria

Maria Luisa (*nome doppio*)

Maria Luz (*f.*) *v.* Maria

Maria Pia (*nome doppio*) // *var.* Mariapia

Mariam (*f.*) *v.* Maria

Marian (*f.*) (*Fr.*) (*Ing.*) *v.* Maria, Marianna

Mariana (*f.*) *v.* Mariano, Maria, Marianna

Mariangela (*nome doppio*)

Marianka (*f.*) *v.* Marianna

Mariann (*f.*) *v.* Marianna

Marianna(*f.*) (dal *gr.:* "Mariamme", *var.* di Maryam) (*Eg.*; *Gr.* "Amata da Ammone") (*nome doppio*: Maria + Anna) *12 set.*; *17 feb.*; *26 mag.*; *var.* Marian (*Fr.*); Marian, Marianne(*Ing.*); Mariana (*Sp.*) // Mariann, Marion, Maryann, Maryanne, Marius, Marjan, Marien, Mariano, Marianka

Marianne (*f*)(*Fr.*) *v.* Marianna

Mariano (*f.*) (discendente di Maria) *v.* Maria // (Cognomen romano) // 1 *dic.*; 17 *gen.*; 30 *apr.*; 6 *mag.*; 19 *ag.*; 17 *ott.* *v.* Marianna, Mario

Mariarosa (*f.*) (*nome doppio*)

Maribee (*f.*) (*nome doppio*)

Maribel (*f.*) *v.* Maribelle

Maribella (*f.*) *v.* Maribelle

Maribelle (*f.*) (*Comb.* di Mary e Belle: "Bella Maria") *var.* Marabelle, Maribel, Maribella, Marybelle // *v.* Maria

Maribeth (*f.*) (*nome doppio*)

Marica (*f.*) (*Gr.*, *sign. inc.*) (*Lat.*: nome di una Ninfa) (*contr.* di Maria Carla; di Maria Enrica) *v.* Maria; 6 *ag.*; *var.* Marika

Marice (*f.*) *v.* Maria, Marina

Marichka (*f.*) *v.* Maria

Mariclaire (*f.*) (*nome doppio*)

Marid (*m.*) (*Ar.* "Ribelle")

Maridel (*f.*) *v.* Maria

Maridell (*f.*) (*nome doppio*)

Marie (*f.*)(*Fr.*) *v.*Maria, Merrie

Mariedel (*f.*) *v.* Maria

Marieke (*f.*) *v.* Maria

Mariel (*f.*) *v.* Maria

Mariella (*f.*) *v.* Maria

Marielle (*f.*) (*Fr.*) *v.* Maria

Mariellen (*f.*) (*nome doppio*) // *var.* Maryellen

Marien (*f.*) *v.* Marianna

Marienka (*f.*) *v.* Merrie

Marietta (*f.*) ("Piccola Maria") // *var.* Mariette, Maria

Mariette (*Fr.*) *v.* Marie, Maria

Marig (*f.*) *v.* Maria

Marigold (*f.*) (*nome floreale*: il fiore di una pianta del genere"Tagete") // *var.* e *dim.* Goldie, Marigolda, Marigolde

Marija (*f.*) *v.* Maria

Marijo (*f.*) (*nome doppio*)

Marika (*f.*) *v.* Marica, Mary, Merrie

Mariko (*f.*) (*Giap.*)

Marilee (*f.*) *v.* Merry, Maria

Marilena (*f.*) (*Fusione tra* Maria e Maddalena; Maria e Elena; Maria e Lena) 15 *mar.* // *var.* e *dim.* Lena, Marlene

Marilin (*f.*) *v.* Maria

Marilina (*f.*) (*Unione di* Maria e Lina) *v.* Marylin

Marilki (*f.*) *v.* Martino

Marilla (*f.*) *v.* Mariel, Maria

Marilou (*f.*) (*nome doppio*)

Marilu(*f.*) (*nome doppio*) *v.* Maria Luisa; *v.* Maria

Marilyn (*f.*) *v.* Maria; *var.* Marilynn, Maralyn

Marilynne (*f.*) *v.* Maria

Marilys (*f.*) (*raro*)

Marin (*f.*) (*Fr.*) *v.* Marina

Marina (*f.*) (*Etr. dal nome italico* Marius) (*Lat.* "Donna del mare") *17 lug.; 18 giu.;* 20 *ag.; var.* Marice, Marinda, Marinette, Marini, Marinna, Maris, Marisa, Marise, Marissa, Marisse, Marna, Marni, Marnie, Marny

Marinda (*f.*) *v.* Marina

Marine (*f.*) (*Fr.*) *v.* Marina

Marinella (*f.*) (*dim.* di Maria) *v.* Maria

Marinette (*f.*) *v.*Maria, Marina

Marini (*f.*) (*sw.* "Fresca, sana e bella") *v.* Marina

Marinna (*f.*) *v.* Marina

Marino (*m.*) (*Lat.* "Appartenente al mare") 3, 4 *set.*; 21 *gen.*; 3 *mar.*; 5, 10 *lug.*; 8 *ag.*; *26 dic.*

Marinos (*m.*) *v.* Marco

Mario (*m.*) (*Celt.* "Maschio") (*Etr.: dal nome italico* Marius) (*Lat.* "Colui che sta alla testa degli uomini" "Il condottiero") 16, 27, *19 gen.*; 4, 12, 27 *mar.*; 26 *apr.*; 25 *mag.*; 2, 8 *giu.*; 14 *lug.*; 31 *dic.; var.* Marina, Marino, Mariolino

Mariola (*f.*) *v.* Maria

Mariolino (*m.*) (*dim.*) *v.* Mario

Marion (*m.*) e (*f.*) (*Ebr.*) // (*f.*) *v.* Marianne, Maria, Marianna

Mariouchka (*f.*) *v.* Maria

Mariquita (*f.*) *v.* Maria

Marisa (*f.*) (*contr.* di Maria e Luisa) 17 *ott.; v.*Marina, Marissa, Maria

Marise (*Fr.*) *v.* Maria, Marina

Marisha (*f.*) (*Rus.*) *v.* Maria

Mariska (*f.*) (*orig. esotico etn.*) *v.* Merrie

Marissa (*f.*) (*Lat.* "Del mare") // *var.* e *dim.* Maris, Marisa, Mari, Meris, Merisa, Merissa; *v.* Marina, Marisa

Marisse (*f.*) *v.* Marina

Maristella (*f.*) (*Sp.*) (Maria + Stella)

Marita (*f.*) *v.* Maria, Marta

Mariuccia (*f.*) *v.* Maria

Marius *v.* Mario, Marianna

Marja (*f.*) *v.* Maria, Merrie

Marjan (*f.*) *v.* Marianna

Marjatta (*f.*) *v.* Margherita

Marjelle (*f.*) *v.* Maria

Marjorie (*f.*) *v.* Margherita

Marjory (*f.*) *v.* Margherita

Mark (*m.*) *v.* Marcello, Marco

Marka *v.* Marco, Margherita
Marketa (*f.*) *v.* Margherita
Marke *v.* Marcello
Markei *v.* Marcello
Markell (*m.*)(*raro*) *v.* Marcello
Markelline *v.* Marcello
Markene (*f.*) (*raro*)
Marketa (*f.*) *v.* Margherita
Markian (*m.*) *v.* Marcello
Marko *v.* Marcello, Marco
Markos (*m.*) *v.* Marco
Markoussia (*m.*) *v.* Marcello
Marks (*m.*) *v.* Marcello
Markus *v.* Marcello, Marco
Markusha (*m.*) *v.* Marco
Marla (*f.*) *v.* Maria
Marlaine (*f.*) ("Di Magdala")
Marlan (*m.*) e (*f.*) *v.* Marlin
Marland (*m.*) (*Ing. ant.* "Dalla frontiera")
Marlanna (*f.*) *v.* Maria
Marlayna (*f.*) *v.* Marleen
Marlee (*f.*) *v.* Marlie
Marleen / Marlena (*f.*) (*raro*) *v.* Maddalena
Marlene (*Ted.*) *v.* Maddalena
Marlie (*f.*) (*raro*)
Marliese (*f.*)(*Orig.esotico etn.*)
Marlin (*m.*) e (*f.*) *v.* Merlin
Marlina (*f.*) *v.* Maddalena
Marlisa (*f.*) (*raro*)
Marliss (*f.*) (*nome con orig. da cognome*)
Marlo (*f.*) (*nome con orig. da cognome*) *v.* Maria
Marlon (*m.*) *v.* Merlin
Marlow (*m.*) (*Ing. ant.* "Dalla collina vicina al lago") *var.* Marlo, Marlowe
Marlowe (*m.*) *v.* Marlow
Marlyn / Marlynn (*f.*) (*raro*)
Marna (*f.*) *v.* Marina
Marnell (*m.*) (*raro*)
Marni (*f.*) *v.* Marnie, Marina
Marnie (*f.*) (*Ebr.* "Rallegrata") *v.* Marina; *var.* Marnina
Marnin (*m.*) (*Ebr.* "Colui che crea gioia" o "Colui che canta")
Marny / Marnye (*f.*) *v.* Marina, Marnie
Maro (*m.*) (*Lat.* "Amico di Bacco") 26 *gen.*
Marolo (*m.*) (*Lat.* "Che viene dal mare" "Abitante della costa") 23 *apr.*
Marone (*m.*) (*Lat.*) 15 *apr.*
Marota (*m.*) (*Per.:* "Messaggero") 27 *mar.*
Maroula (*f.*) *v.* Merrie
Maroussia (*f.*) *v.* Maria
Marquez (*m.*) (*raro*)
Marquita (*f.*) (*raro*); *v.* Marcello, Marcia
Marra (*f.*) (*nome con orig. da cognome*)
Mars *v.* Marziale
Marsal *v.* Marziale
Marsden (*m.*) (*Ing. ant.* "Dalla valle paludosa") *dim.* Denny
Marselis (*m.*) *v.* Marcello
Marsh (*m.*) *v.* Marshall
Marsha (*f*) *v.*Marcia, Marcello
Marshall (*m.*) (*teut.* "Comandante militare") // *var.* e *dim.* Marsh, Marshal.

Marston (*m.*) ("Città della palude")

Mart (*m.*) (*Tur.* "Nato nel mese di marzo") anche *abbr.* di Martin; *v.* Marta, Martino, Marziale

Marta (*f.*) (*Per.; aram.; Gr.* "Signora") *29 lug.; 19 gen.*; 23 *feb.*; 20 *ott.* // *var.* e *dim.* Marthe (*Fr.*); Martella, Martelle, Martha, Marthe, Marthena, Marti, Martie, Marita, Marty, Matti, Mattie, Matty (*Ing.*); Marticka (*Cec.*); Marthe (*Fr.*); Martus, Martuska (*Ung.*); Marcia, Masia (*Pol.*); Martina, Maita (*Sp.*) // Mara, Marfa, Marfenia, Marfoucha, Mart, Mat // *v.* Martina

Martainu (*f.*) *v.* Martina

Martan (*m.*) *v.* Martino

Martana (*f.*) (*Lat.* "Devota al Dio Marte") 2 *dic.*

Martel *v.* Martino

Martella *v.* Marta

Martelle *v.* Marta

Marten (*m.*) *v.* Martin, Martino, Martina

Martey (*m.*) *v.* Martino

Martha (*f.*) *v.* Marta

Marthe (*f.*) (*Fr.*) *v.* Marta

Marthena (*f.*) *v.* Marta

Martiniano (*m.*) *v.* Martino

Martinien (*m.*) *v.* Martino

Marti *v.* Marta, Martino

Martia (*f.*) *v.* Marzia

Martial (*m.*) (*Fr.*) *v.* Marziale

Martialis / Martiane (*m.*) *v.*

Marziale

Marticka (*f.*) *v.* Marta

Martie (*f.*) *v.* Marta, Martina

Martieh (*m.*) *v.* Marziale

Martijn *v.* Martino

Martinka *v.* Martino

Martin (*m.*) *v.* Martino

Martina (*f.*) (*Lat.* "Dedicata a Marte") *femm.* di Martino, 1, *30 gen.; 11 nov.* // Marta, Maartina, Marcin, Martainu, Marten, Martie, Martijn, Martiniana, Martinienne, Martl, Martsen, Marty, Matten, Mertens, Mirtel, Tina // Martine (*Fr.*); Martina (*Sp.*) // *v.* Marta

Martine (*f.*) (*Fr.*) *v.* Martina

Martinho (*m.*) *v.* Martino

Martinian (*m.*) *v.* Martina

Martiniana (*f.*) *v.* Martina

Martiniano (*m.*) (*Lat.* "Appartenente a Marte") 2, 27 *lug.*; 2 *giu.*; 2 *gen.*; 16 *set.; v.* Martino

Martinianus (*m.*) *v.* Martino

Martinienne (*f.*) *v.* Martina

Martino (*m.*) (*Lat.* "Marziale" "Figlio di Marte") *11*, 3, 5, 12 *nov.*; 4 *lug.*; 31 *gen.*; 5, 11 *feb.*; 21 *giu.*; 1, 19 *lug.*; 12, 16 *set.*; 7, 9 *dic.*// *var.* e *dim.* Mart, Martan, Marten, Martey, Marti, Martie, Marton, Marty (*Ing.*); Martinka, Tynek, Tinko (*Cec.*); Martin (*Fr.*); Martel (*Ted.*); Martinos (*Gr.*); Marci, Marilki,Martino,Marton(*Ung.*); Martins (*Let.*); Martinas (*Lit.*); Marci (*Pol.*); Martinho (*Port.*);

Martyn(*Rus.*);Martiniano, Martino (*Sp.*); Marten (*Sv.*); Marti (*Sviz.; Slov.*) // Martinianus, Martinien, Martinian, Martinus

Martinos *v.* Martino

Martins *v.* Martino

Martinus (*m.*) *v.* Martino

Martirio (*m.*) (*Gr.* "Io testimonio") 23 *gen.*; 29 *mag.*

Martl (*f.*) *v.* Martina

Marton (*m.*) *v.* Martino

Marts (*m.*) *v.* Marco

Martsen (*f.*) *v.* Martina

Martus *v.* Marta

Martuska *v.* Marta

Marty (*m.*) (*Am.*) *v.* Martino, Marta

Martyn (*m.*) *v.* Martino

Maruja (*f.*) *v.* Maria

Marunda (*m.*) (*Tanz.*: "Industrioso")

Maruska (*f.*) *v.* Maria, Merrie

Maruta (*m.*) (*Per.* "Messaggero di Dio") 4 *dic.*

Marv (*m.*) (*Ing. ant.* "Amico del mare")

Marva (*f.*) (*Lat.* "Meravigliosa") *var.* Marvela, Marvella, Marvelle, Marvis

Marvin (*m.*) (*Ing. ant.* "Amico del mare" o "Amico del guerriero") // *var.* e *dim.* Marv, Merv, Mervin, Merwin, Merwyn, Murvyn, Myrvyn, Myrwyn

Marx (*m.*) *v.* Marcello

Maryse (*f.*) *v.* Merrie

Mary (*f.*) *v.* Maria

Marya (*f.*) *v.* Maria

Maryann / Maryanna (*f.*) *v.* Maria, Marianna

Maryanne (*f.*) *v.* Maria, Marianna

Marybelle (*f.*) *v.* Maribelle

Marybeth (*f.*) (*nome doppio*)

Marye (*f.*) *v.* Merrie

Maryellen (*f.*) *v.* Mariellen

Maryjo (*f.*) (*nome doppio*)

Marylin (*f.*) (*Fr.*) (*Unione* di Marie e Line; Maria e Lina = Marilina); *v.* Maria

Marylinn (*f.*) *v.* Maria

Marylise (*f.*) (*Fr.*) *v.* Maria

Marylou (*f.*) (*nome doppio*)

Marylyn (*f.*) *v.* Maria

Marysa (*f.*) *v.* Marina, Maria

Maryse (*f.*) (*Fr.*) *v.* Maria

Maryvonne (*f.*) (*Fr.*) *v.* Maria

Marzel *v.* Marcello, Maria

Marzella / Marzelline (*f.*) *v.* Marcello

Marzia (*f.*) *v.* Marziale, 21 *giu.*; 1 *mar.; var.* Martia

Marziale (*m.*) (*Lat.* "Consacrato al Dio Marte") 10 *lug.*; 16 *apr.*; 30 *giu.*; 22 *ag.*; 29 *set.*; 13 *ott.*; Mars, Marsal, Mart, Martiane, Martialis, Martieh, Marzio

Marziano (*m.*) (*var.* di Marziale) 6 *mar.*

Marzio (*m*) *v.* Marziale; 21 *giu.*

Masaccio (*m.*) *v.* Tommaso

Masago (*f.*) (*Giap.* "Sabbia")

Mascia *v.* Masha

Mascula (*m.*) (*Lat.* "Virile") 29 *mar.*

Masha (*f.*) (*Rus.*) *v.* Maria

Masia (*f.*) *v.* Marta

Masika (*f.*) (*sw., Afr.:* "Nata con la pioggia")

Maska (*m.*) (*Ind. Nordam.* "Potente")

Maslin (*m.*)(*Fr. ant.:*"Piccolo gemello")

Maso (*m.*) *v.* Tommaso

Mason (*m.*) (*Fr.ant.* "Colui che lavora la pietra" "Spaccapietre") *dim.* Sonnie, Sonny

Massenzia (*f.*) (*femm.* di Massenzio) 20 *nov.*

Massenzio (*m.*) (*Celt.* "Appartenente al Divo Massimo") 26 *giu.*

Massia (*m.*) *v.* Marcello

Massima (*f.*) (*Lat.* "Grande") 16 *mag.*; 26 *mar.*; 30 *lug.*; 2 *set.*; 1, 16 *ott.*; *v.* Maxine

Massimiano (*m.*) (*Lat.* "Che è grande") 8 *gen.*; 22 *feb.*; 9 *giu.*; 27 *lug.*; 21 *ag.*; 3 *ott.*

Massimiliana (*f.*)(*femm.* di Massimiliano)

Massimiliano (*m.*) (*Lat. dim.* di Maximus: "Massimo") (*contr.* di Massimo e Emiliano) 12 *mar.*; 12, 29 *ott.*; 14 *ag.*; *v.* Massimo

Massimina (*f*) 10 *lug.*; *v.* Massimino

Massimino (*m.*) (*dim.* di Massimo) 29 *mag.*; 8 *giu.*; 15 *dic.*

Massimo (*m.*) (*Lat.* "Il maggiore": cognomen delle potenti famiglie romane dei Fabii e dei Valerii) 25 *giu.*; 8, 15, 25 *gen.*; 18 *feb.*; 13, 14, 15, 30 *apr.*; 5, 11, 15, 29 *mag.*; 10, 12 *giu.*; 2, 13, 17, 18, 20, 23 *ag.*; 15, 25, 28 *set.*; 13, 20, 30 *ott.*; 18, 19, 27 *nov.*; 27 *dic.* // *var.* e *dim.* Maksim, Maksima, Maksis, Massimiliana, Massimiliano, Maxie, Maxim, Maxima, Maximilian, Maximiliana, Maximiliano, Maximilianus, Maximilien, Maximilienne, Maximille, Maximin, Maximino, Maximo, Maximus // *var.* e *dim.* Mac, Mack, Max, Maxey, Maxie, Maxim, Maximillian, Maxy, Maximilianus, Maximilien, Maxy (*Ing.*); Maxi, Maxim (*Cec.*); Maxime, Maxine (*Fr.*); Maximalian (*Ted.*); Maks, Makszi, Miksa, Maxi (*Ung.*); Makimus, Maksymilian(*Pol.*);Maximiliano (*Port.*); Maksim, Maksym, Maksimka, Sima (*Rus.*)

Masud (*m.*) (*sw. Afr.:* "Fortunato")

Mat (*m.*) e (*f.*) (*dim.* Matthew e Mathilda) *v.* Marta, Matilde, Matteo

Mata *v.* Matteo

Matana (*f.*) (*Ebr.* "Dono")

Matanmi (*m.*) (*Afr.*. "Non mi ingannare" "Non mi deludere")

Matata (*m.*) (*Tanz.* "Rumoroso")

Mate / Matei (*m.*) *v.* Matteo

Matek (*m.*) *v.* Matteo

Matelda (*f.*) *v.* Matilde

Mateo (*m.*) *v.* Matteo

Materno (*m.*) (*Lat.* "Della madre") 18 *lug.*; 14 *set.*

Mateus *v.* Matteo

Mateusz *v.* Matteo

Matfei (*m.*) *v.* Matteo

Matfrei (*m.*) *v.* Matteo

Mathe (*m.*) *v.* Matteo

Mathea (*f.*) ("Donata da Dio") *v.* Mattea

Matheiu (*m.*) *v.* Matteo

Matheson (*m.*) (*raro*)

Mathew (*m.*) *v.* Matteo

Mathia (*m.*) *v.* Matteo

Mathias (*m.*) (*Sv.*) *v.* Matteo

Mathida (*f.*) *v.* Matilde

Mathieu (*m.*) *v.* Matteo

Mathija (*f.*) *v.* Matteo

Mathilda *v.* Matilde

Mathilde *v.* Matilde

Mathis (*m.*) *v.* Matteo

Mathison (*m.*) (*raro*)

Mathurin (*Fr.*) *dim.* di Matteo

Matias (*m.*) *v.* Matteo

Matiaz (*m.*) *v.* Matteo

Matilda (*f.*) *v.* Matilde

Matilde (*f.*) (*teut.*: "Valorosa in battaglia") 14, 23 *mar.*; 30 *apr.*; 21, 31 *mag.*; 19 *nov.* // *var.* e *dim.* Mat, Matilda, Mathilda, Mathilde, Matti, Mattie, Matty, Maud, Maude, Tilda, Tildy, Tillie, Tilly (*Ing.*); Matylda, Tylda (*Cec.*); Mahaut, Mathilde (*Fr.*); Maddy, Malkin, Mathilde, Matty, Patty (*Ted.*); Matelda, Metilde (*It.*); Macia, Mala, Tila (*Pol.*); Ma-

halda (*Port.*); Matilde, Matusha, Matuxa (*Sp.*)// Machthild, Magtel, Mahaud, Mahault, Mahaut, Maitilde, Mathida, Mattis, Mechte, Mechetelt, Mechthil, Meckele, Mectilde, Megtilda, Mektilde, Mettelde, Mettild, Metze, Telia // *v.* Matilde

Matina (*f.*) (*orig. esotico etn.*)

Mato (*m.*) (*Ind. Nordam.* "Coraggioso")

Matope (*m.*) (*Mashona, Zimb.* "Questo sarà l'ultimo figlio")

Matrika (*f.*) (*hindu* "Madre")

Matrona (*f.*) (*Lat.* "Signora") 15, 20 *mar.*

Matroniano (*m.*) (*Lat.*: "Appartenente a Matrona") 14 *dic.*

Matson (*m.*) ("Figlio di Matteo")

Matsu (*f.*) (*Giap.* "Pino")

Matt (*m.*) (*Isr.*) *v.* Matteo

Mattalus (*m.*) *v.* Matteo

Mattea (*f.*) (*Ebr.*: *femm.* di Matthew; *var.* Mathea, Mathia, Matthea, Matthia, Mattie, Matty

Matten (*f.*) *v.* Martina

Matteo (*m.*) (*Ebr.*: "Uomo di Dio" "Dono del Signore") 21 *set.*; 6 *mag.*; 12 *nov.* // *var.* e *dim.* Mat, Mathew, Mathia, Mathias, Matias, Matt, Mattias, Mattie, Matthia, Mattmias, Matty (*Ing.*); Matei (*Bul.*); Matek, Matus (*Cec.*); Matt (*Est.*); Mathieu, Matthieu (*Fr.*); Mathe, Matthaus, Mat-

225

thias (*Ted.*); Matthaios (*Gr.*); Mate (*Ung.*); Matteus (*Norv.*); Matyas (*Pol.*); Mateus (*Port*); Matheiu (*Rum*); Matfei, Matvey, Mayfey, Motka, Mokya (*Rus.*); Mata (*Scoz.*); Mateo, Matias (*Sp.*) // Maciej, Mades, Mateusz, Matfrei, Mathija, Mathis, Matiaz, Matt, Mattalus, Mattew, Matthaeus, Matthaus, Matthew, Matti, Mattias, Matvei, Matyas, Mazè, Thiess, Tewis

Matteson (*m.*) ("Figlio di Matteo")

Matteus (*m.*) *v.* Matteo

Mattew *v.* Matteo

Matthaeus / Matthaios (*m.*) *v.* Matteo

Matthaus *v.* Matteo

Matthea *v.* Mattea

Matthew (*Ing.*) *v.* Matteo

Matthia *v.* Matteo

Matthias (*Fr.*) *v.* Matteo, 14 *mag.*

Matthieu (*Fr.*) *v.* Matteo, 21 *set.*

Matti (*f.*) e (*m.*) *v.* Marta, Matilde, Matteo

Mattia (*f.*) *v.* Matteo; 24 *feb.*; 30 *gen.*; 3 *giu.*; 14 *mag.*

Mattias (*m.*) *v.* Matteo

Mattie (*f.*) e (*m.*) *v.* Marta, Matilde, Mattea, Matteo

Mattis (*f.*) *v.* Matilde

Mattmias (*m.*) *v.* Matteo

Matty (*f.*) e (*m.*) *v.* Marta, Matilde, Mattea, Matteo

Maturino (*m.*) 9 *nov.*; *dim.* di

Matteo; *var.* Mathurin (*Fr.*)

Maturo (*m.*) (*Celt.* "Buono") 2 *giu.*

Matus (*m.*) *v.* Matteo

Matusha *v.* Matilde

Matuxa *v.* Matilde

Matvei (*m.*) *v.* Matteo

Matvey *v.* Matteo

Matyas *v.* Matteo

Matylda (*f.*) *v.* Matilde

Maud / Maude (*f.*) *v.* Matilde, Maddalena

Maudisa (*f.*) (*Xhosa, Afr.:* "Dolce")

Mauli (*m.*) (*Haw.* "Dalla pelle scura")

Maur (*m.*) *v.* Maurizio

Maura (*f.*) (*orig. etn.:* "Donna della Mauritania" "Dalla pelle scura") 13 *feb.*; 3 *mag.*; 21 *set.*; 30 *nov.; var.* Maureen, Maurilla, Maurita, Morissa, Morrisa, Morrissa; *v.* Maurizia, Maria, Merrie

Maurelius (*m.*) *v.* Maurizio

Maure (*f.*) *v.* Maria

Maureen (*f.*) (*Irl. gael.* "Piccola Mary") (*Fr. ant.* "Dalla pelle scura"); *var.* Maurene, Maurine, Mauretta, Moira, Mora, Moreen (*Ing.*); Morena (*Sp.*) // *v.* Maura, Maria

Maureen (*f.*) *v.* Merrie, Morena

Maurelle (*f.*) ("Scura")

Maurene (*f.*) *v.* Maria

Maurey *v.* Maurizio

Maurice *v.* Maurizio

Mauricette (*m.*) *v.* Maurizio

Mauricia (*f.*) *v.* Maurizia
Mauricio *v.* Maurizio
Maurie *v.* Maurizio
Maurilia (*f.*) *v.* Maurilio
Maurilio (*m.*)(*Lat.; celt.:* "Magnanimo") *femm.* Maurilia, *13 set.*; 7 *mag.; v.* Maurizio, Mauro
Maurin (*m.*) *v.* Maurizio
Maurino (*m.*) (*dim.* di Mauro) ("Brunetto") 25 *nov.*; 10 *giu.*
Maurise (*m.*) *v.* Maurizio
Maurita (*f.*) *v.* Maurizia
Maurits (*m.*) *v.* Maurizio
Maurizia (*f.*) *femm.* di Maurizio; *var.* Mauricia, Mauricette, Maurise, Maurita
Maurizio (*m.*)(*Lat.* "Moro" "Della Mauritiania" "Dalla pelle scura") *22 set.*; 28 *ag.*; 24 *apr.*; 10 *giu.; v.* Maur, Maurs, Maurelius, Maurey, Mauricio, Maurie, Maurilio, Maurin, Maurits, Mauro, Maurus, Maury, Mavr, Mavriki, Meurig, Meurisse, More, Morey, Morie, Moric, Moris, Morrell, Morrie, Morry, Seymour// Maurice (*Fr.*); Morris (*Ing.*); Mauricio (*Sp.*); Moritz (*Ted.*) // *v.* Mauro, Maurilio, Moore
Mauro (*m.*)(*Lat., orig. etn.* "Uomo scuro" "Abitante della Mauritiania") 15, 20, 27 *gen.*; 27 *lug.*; 1, 22 *ag.*; 8, 21, 22 *nov.*; 3 *dic.; v.* Maurilio, Maurizio
Mauronto (*m.*) (*orig. etn.* "O-

riginario di Mauron", località della Gallia) 20 *ott.*
Maurs (*m.*) *v.* Maurizio
Maurus (*m.*) *v.* Maurizio
Maury (*m.*) *v.* Maurizio
Mausi (*f.*) (*Ind. Nordam.:*"Fiore che viene colto")
Mavera (*f.*) (*nome con orig. da cognome*)
Mavilo (*m.*)(*Lat.* "Preferito") 4 *gen.*
Mavis (*f.*) (*Fr.* "Tordo canterino")
Mavr (*m.*) *v.* Maurizio
Mavra (*f.*) (*raro*)
Mavriki (*m.*) *v.* Maurizio
Max (*m.*) *abbr.* di Maximilian; Maxwell, 8 *gen.* // (*Fr.*) *v.* Maxime, Massimo
Maxey *v.* Massimo
Maximus *v.* Massimo
Maxi *v.* Massimo
Maxie (*m.*) *v.* Massimo
Maxim (*m.*) *v.* Massimo
Maxima (*f.*) *v.* Massimo
Maximalian (*m.*) *v.* Massimo
Maxime (*Fr.*) *v.* Massimo, 13 *ott.*
Maximilian (*m.*) *v.* Massimo, Massimiliano
Maximiliano (*m.*) *v.* Massimo
Maximiliana (*f.*) *v.* Massimo
Maximilianus (*m.*) *v.* Massimo
Maximilien (*m.*)(*Fr.*) *v.*Massimo, Massimiliano, 12 *mar.*
Maximilienne *v.* Massimo
Maximille *v.* Massimo
Maximillian / Maximin (*m.*) *v.*

227

Massimo

Maximino / Maximo (*m.*) *v.* Massimo

Maxine (*f.*) (*Fr.*) *femm.* di Maximilian; *v.* Massimo; *var.* e *dim.* Maxene, Maxie, Maxima, Maxime, Maxy, Maxyne

Maxwell (*m.*) (*Ing. ant.* "Grande fonte"); *dim.* Mac, Mack, Max, Maxey, Maxie, Maxim, Maxy

Maxy (*m.*) *v.* Massimo

May (*f.*) *v.* Maia, Majesta, Maria

Maya (*f.*) (*hindu*: "Potere creativo di Dio") *v.* Maia, Maria

Maybelle (*f.*) (*comb.* di May e Belle "Bella Maia" *v.* Maia)

Mayda (*f.*) *v.* Maida

Maydie (*f.*) *v.* Maida

Mayer (*m.*) *v.* Meyer

Mayes (*m.*) (*nome con orig. da cognome*)

Mayfey (*m.*) *v.* Matteo

Mayliss (*f.*) *v.* Mailys

Mayme (*f.*) *v.* Maria

Maynard (*m.*)(*teut.*: "Forte" "Risoluto") *var.* Meynard

Mayner (*m.*) ("Potente")

Maynor (*m.*) *v.* Mayner

Mazè (*m.*) *v.* Matteo

Mboza (*m.*) (*Mozambico*)

Mc (*m.*) *v.* Mac

McCabe (*m.*) (*der. da cognome*)

McCaine (*m.*) (*der. da cognome*)

McCall (*m.*)(*der.da cognome*)

McCord (*m.*)(*der.da cognome*)

McCoy (*m.*) (*der. da cognome*)

McCrea (*m.*)(*der.da cognome*)

McGuire (*m.*) (*der. da cognome*)

McIver (*m.*)(*der.da cognome*)

McKayla (*f.*) (*der. da cognome*) (*Raro*)

McKean (*m.*)(*der. da cogno-me*)

McKell (*m.*)(*der.da cognome*)

McKenna (*m.*)(*der. da cognome*)

McKinley (*m.*)(*der. da cognome*)

McKinnon (*m.*) (*der. da cognome*)

McLain (*m.*)(*der.da cognome*)

McLane (*m.*)(*der.da cognome*)

McRae (*m.*) (*der. da cognome*)

Mead (*m.*) (*Ing.ant.* "Dal campo") *var.*Meade

Meagan *v.* Megan

Meaghen *v.* Megan

Mechele (*f.*) *v.* Michela

Mechetelt (*f.*) *v.* Matilde

Mechte *v.* Matilde

Mechthil *v.* Matilde

Meckele *v.* Matilde

Mectilde *v.* Matilde

Meda (*f.*) (*Ind. Nordam.* "Profeta" "Sacerdotessa" o "Radice commestibile")

Medardo (*m*) (*Anglosass.* "Forte del suo onore") 8 *giu.*

Mederic (*m.*) (*Fr.*) *v.* Mederico

Mederico (*m.*) (*Ted. ant.* "Forte signore") 29 *ag.*; *var.* e *dim.* Matrich, Mède, Mèdèrich, Medrich, Merry

Medina (*f.*) (*nome di città*)

Medoro (*m.*) (*Germ.:* "Guerriero che combatte per l'onore") 1 *nov.*

Medwin (*m.*) (*Teut.* "Amico potente") *dim.* Winnie, Winny

Meeri (*m.*) *v.* Margherita

Meg (*f.*) *v.* Megan, Margherita

Mega (*f.*) (*Sp.* "Gentile, tenera e pacifica")

Megan (*f.*) (*Gr.* "Grande e potente") *var.* Meagan, Meaghen, Meg, Megen, Meghan, Meghann, Meighan // *v.* Margherita

Megen (*f.*) *v.* Megan

Meggi / Meggie (*f.*) (*abbr.*) *v.* Margherita

Meggy (*f.*) *v.* Margherita

Meghan *v.* Megan, Margherita

Meghann (*f.*) *v.* Megan

Megtilda (*f.*) *v.* Matilde

Mehitabel (*f*)(*Ebr.*"Favorita da Dio") // *var.* e *dim.* Hetty, Hitty, Mehetabel, Mehitabelle

Mehmet (*m.*) (*Tur.*) *v.* Muhammad

Mehtar (*m.*) (*India* "Principe")

Mei (*f.*) (*Haw.*) *v.* Maia

Meier (*m.*) *v.* Meyer

Meighan (*f.*) *v.* Megan

Meinrado (*m.*) (*Ted. ant.* "Forte e virtuoso") 21 *gen.*

Meira (*f.*) (*Ebr.* "Luce")

Mektilde (*f.*) *v.* Matilde

Mel (*f.*) (*Port.* "Miele")

Mel (*f.*) e (*f.*) *v.* Melania, Melvin

Mela (*f.*) (*Gr.* "Nero") 16 *gen. v.* Melania

Melaine (*f.*) *v.* Melania

Melana (*f.*) *v.* Melania

Melanee (*f.*) *v.* Melania

Melaneo (*m.*) (*Gr.* "Nero" "Scuro") 6 *gen.*

Melaney (*f.*) *v.* Melania

Melani *v.* Melania

Melania (*f.*)(*Gr.* "Scura") 31 *dic.* // Malania, Melaine, Melanija, Melanio, Melanius, Melany, Melas, Melloney, Mellony, Meltjie, Melanee, Melaney, Melani, Melania, Melany, Melenia, Melina, Mel, Melli, Mellie, Melly, Meloni, Melonie, Melony (*Ing.*); Melanie (*Fr.*); Ela, Mela, Melka (*Pol.*); Melana, Melaniya, Melanka, Melanya, Melashka, Melasya, Milya (*Rus.*); Milena (*Sl.*)

Melanie (*f.*) (*Fr.*) *v.* Melania, 31 *dic.*

Melanija (*f.*) *v.* Melania

Melanio (*m.*) (*Gr.*"Scuro" "Nero") 22 *ott.*; 6 *gen.*; *v.* Melania

Melanius (*m.*) *v.* Melanio

Melaniya (*f.*) *v.* Melania

Melanka (*f.*) *v.* Melania

Melantha (*f.*)(*Gr.*"Fiore nero")

Melany (*f.*) *v.* Melania

Melanya (*f.*) *v.* Melania

Melas (*f.*) *v.* Melania

Melashka (*f.*) *v.* Melania

Melasippo (*m.*)(*Gr.* "Cavallo nero") 7 *nov.*

Melasya (*f.*) *v.* Melania

Melba (*f.*) (*Lat.* "Malva") (*Gr.* "Soffice" "Sottile"); *var.* Malva, Melva // (*Cin.*) Kuai Hua (*v.*)

Melbourne (*m.*) (*Teut.* "Dal mulino del ruscello") // *var.* e *dim.* Mel, Melburn, Milburr, Millburn

Melchiade (*m.*) (*Gr.* "Rosso per il pudore") 10 *dic.*; 11 *gen.*

Melchiorre (*m.*) (*Ebr.* "Il mio re è luce") 28 *ott.*; 6 *gen.*; 20 *lug.*

Melcia (*f.*) (*Pol.* "Industriosa" o "Adulatrice") // *v.* Amelia

Melenia (*f.*) *v.* Melania

Melessa (*f.*) *v.* Melissa

Meleusippo (*m.*) (*Celt.* "Cavaliere nero") 17 *gen.*

Melezio (*Gr.* "Solerte e provvidente") 12 *feb.*; 24 *mag.*; 21 *set.*

Meli (*f.*) (*Ind., Nordam, Zuni*) *v.* Maria, Melissa // (*Gr.* "Miele")

Melia (*f.*) (*Sp.*) *v.* Cornelia

Melie (*f.*) *v.* Melissa

Melina (*f.*) (*Gr.* "Colore della mela") *dim.* di Mela; *v.* Melania, Melinda

Melinda (*f.*) (*Gr.* "Gentile e tenera") Forse *var.* di Belinda // *var.* e *dim.* Linda, Lindi, Lynda, Malina, Malinda, Malinde, Mallie, Mally, Melina, Melynda, Melli, Mellie, Melly

Melisa (*f.*) *v.* Melissa

Melisande (*f.*) *v.* Melusine

Melissa (*f.*) (*Gr.:* "Laboriosa come l'ape") 24 *apr.* // *var.* e *dim.* Lisa, Lissa, Melessa, Meli, Melie, Melisa, Melisse, Melita, Melitta, Melli, Mellie, Mellissa, Melly, Milli, Millie, Milly

Melisse (*f.*) *v.* Melissa

Melita (*f.*) (*Gr.* "Dolce come il miele" anche "Originaria dell'isola di Malta") *v.* Melissa

Melitina (*f.*) (*Lat.:* "Simile al miele") 15 *set.*

Melitone (*m.*) (*Lat.:* "Mielato") 1 *apr.*

Melitta (*f.*) *v.* Melissa

Melka (*f.*) (*Pol.*) *v.* Melania

Melli (*f.*) *v.* Melania, Meinda, Melissa

Mellie (*f.*) *v.* Melania, Meinda, Melissa

Mellissa (*f.*) *v.* Melissa

Mellito (*m.*) (*Lat.:* "Mielato") 24 *apr.*

Melloney / Mellony (*f.*) *v.* Melania

Melly (*f.*) *v.* Melania, Melissa, Melinda

Melonie (*f.*) *v.* Melania

Melody (*f.*) (*Gr.* "Canzone") *var.* Melodie

Meloni (*f.*) *v.* Melania

Melony (*f.*) *v.* Melania

Melosa (*f.*)(*Sp.*:"Di miele" "Dolce e gentile")

Meltjie (*f.*) *v.* Melania

Melusine (*f.*)(*Fr.*) Melicent, Melisande, Melisenda, Mellicent, Mil, Millicent, Millie, Millisent, Milly

Melva (*f.*) *v.* Malvina

Melvern(*m.*)(*Ind.Nordam.*"Grande capo")

Melville (*m.*) ("Città capoluogo")

Melvin (*m*) (*Celt.* "Capo" "Condottiero") // *var.* e *dim.* Mal, Malvin, Mel, Melvyn, Vinnie, Vinny

Melvina (*f.*) *v.* Malvina

Melvyn (*m.*) *v.* Melvin

Melynda (*f.*) *v.* Melinda

Memmio (*m.*) (*Lat.:* nome di una gens latina) 5 *ag.*

Mena (*m.*) (*Ebr.* "Consolatore") 15 *nov.*

Menachen (*m.*) (*Ebr.; yid.:* "Consolatore") // *var.* e *dim.* Mannes, Mannie, Manny, Menahem, Mendeley

Menalippo (*m.*) (*Gr.* "Cavallo nero") 2 *set.*

Menandro (*m.*) (*Lat.; Gr.:* "Uomo impetuoso") 28 *apr.*

Menasseh (*m.*) (*Ebr.* "Che induce a dimenticare")

Mendel (*m.*)(*Lat.*"Mente")(*sem.:* "Saggezza""Conoscenza") *dim.* Dell

Mendeley (*m*) (*Rus.*) *v.* Mendel

Menedemo (*m.*) (*Gr.* "Forza") 5 *set.*

Meneghino (*m.*) *v.* Domenico

Menelao (*m.*) (*Gr.* "Forza del popolo") 22 *lug.*

Meneo (*m.*) (*Gr.; Lat.* "Oriundo di Meneum", antica località sicula) 24 *lug.*

Menigno (*m.*) (*Lat.* "Forte come il fuoco") 15 *mar.*

Menna (*m.*)(*Gr.* "Forzuto") 11 *nov.*; 10 *dic.*; 3 *ott.*

Mennone (*m.*) (*Gr.* "Nero") 20 *ag.*

Menodora (*Gr.* "Dono della luna") 10 *set.*

Menora (*Ebr.*"Candelabro") *var.* Menorah

Menotti (*m.*) (nome da cognome storico)

Mentje (*f.*) (*Frisone, Ol.*)

Mercede (*f.*) (*Sp.*) *v.* Mercedes (da *Maria de las Mercedes*) 24 *set.*; 10 *ag.*

Mercedes (*f.*) (*Sp.* "Misericordiosa") 24 *set.*; 15 *ott.*

Mercer (*m.*) ("Mercante")

Mercuria (*f.*) 12 *dic.*

Mercuriale (*m.*) (*Lat.:* appartenente al culto di Mercurio) 23 *mag.*; 30 *apr.*

Mercurio (*m.*) (*Lat.* "Mercante") 25 *nov.*; 10 *dic.*

Mercy (*f.*) "Pietà")

Mered (*m.*) (*Ebr.* "Rivolta")

Meredith (*m*) e (*f*) (*Celt.*"Guardiano o guardiana del mare") // *var. masch.:* Meridith // *var. femm.:* Meri, Merideth, Merri, Merrie, Merry

Meri (*f.*) (*Finl.* "Mare") (*Ebr.* "Ribelle")

Meri (*f.*) *v.* Maria, Meredith

Merideth / Meridith (*f.*) *v.* Meredith

Meriel (*f.*) *v.* Maria, Mariel

231

Merilee (*f.*) *v.* Merry

Merina (*f.*) (*orig. etn.:* "Proveniente da Merina", antica località pugliese) 6 *gen.*

Merinda (*f.*) ("Del mare")

Meris (*f.*) ("Del mare") *v.* Marissa

Merisa (*f.*) *v.* Marissa

Merissa (*f.*) *v.* Marissa

Meriwa (*f.*) (*Banti, Eskimo, Afr.* "Spina")

Merla (*f.*) *v.* Merle

Merle (*Fr.*) (*m.*) (*f.*) (*Lat.* "Uccello nero") // *var. femm.* Merla, Merline, Merlyn, Meryl, Meryle, Merryl, Myrl, Myrle, Myrlene

Merlin (*m.*) (*Anglosass.* "Falcone") // *var.* e *dim.* Marlen, Marlin, Marlon, Merl, Merle

Merline *v.* Merle

Merlyn *v.* Merle

Merna (*f.*) *v.* Mirna

Merri (*f.*) *v.* Meredith

Merrick (*m.*) ("Famoso sovrano")

Merrie (*f.*) (*Ing.* "Felice") *v.* anche Marianne, Maribelle, Meredith // *var.* e *dim.* Merrielle, Merrilee, Merrily, Merry, Merrill, Mimi, Minette, Minni, Minnie, Minny, Miriam, Mitzi, Moira, Mollie, Molli, Molly, Muriel, Muriell, Polli, Pollie, Polly (*Ing.*); Marca, Marenka, Mariska, Maruska, Marienka (*Cec.*); Marye (*Est.*); Maija, Majii, Maikki, Marja (*Finl.*);

Manette, Manon, Marie, Maryse (*Fr.*); Maika, Maroula, Roula(*Gr.*); Mara, Mari, Marika, Mariska, Marcsa (*Ung.*) // Maire, Maura, Maureen, Moira, Moire, Moya

Merrielle *v.* Merrie

Merrilee *v.* Merrie

Merrill (*m.*) (*Teut.; Fr. ant.:* "Piccolo e Famoso") // *var.* e *dim.* Meril, Merill, Merle, Merrel, Merrell, Meryl // *v.* Merrie

Merrily (*m.*) *v.* Merrie

Merrin (*f.*) (*nome con orig. da cognome*)

Merripen (*m.*)(*Ing., git.* "Vita" o "Morte")

Merritt (*m.*) ("Meritevole"; "Degno")

Merry (*f.*) e (*m.*) (*Fr.*) *v.* Mèdèric, Meredith, Merrie

Merryl (*f.*) *v.* Merle

Mertens (*f.*) *v.* Martina

Merton (*m.*) (*Ing. ant.:* "Dal posto vicino al mare" "Città di mare") *dim.* Tony

Merulo (*m.*) (*Lat.* "Pesce") 17 *gen.*

Mervin (*m.*) *v.* Marvin

Meryem (*f.*) (*Tur.*) *v.* Miriam

Meryl (*f.*) (*Ing.*) (*Celt.* "Sposa") *v.* Merle

Meryle (*f.*) *v.* Merle

Mesha (*f.*) (*hindu* "Ariete")

Messalina (*f.*) (Da "Messala", nomen di una antica famiglia latina della stirpe Valeria, *der.*

dalla conquista di Messina) 23 *gen.*

Mestipen (*m.*) (*Ing., git.:* "Destino")

Meta (*f.*) *v.* Margherita

Metello (*m.*) (*Lat.:* "Soldato" cognomen di una gens romana) 24 *gen.*

Metilde (*f.*) *v.* Matilde

Metodio (*m.*) (*Gr.* "Che opera per uno scopo") 6 *apr.*; 14 *feb.*; 14 *giu.*; 18 *set.*

Metrano (*m.*) (*Gr.* "Misuratore") 31 *gen.*

Metrodora (*f.*) (*Lat.* "Dono di madre") 10 *set.*

Metrofane (*m.*) (*Gr.* "Che appartiene alla madre") 4 *giu.*

Mettelde (*f.*) *v.* Matilde

Mettild (*f.*) *v.* Matilde

Metze (*f.*) *v.* Matilde

Meure (*f.*) (*Fen.* "Muta")

Meurig / Meurisse (*m.*) *v.* Maurizio

Meyer (*m.*) (*Teut.* "Contadino" "Fattore") (*Ebr.* "Portatore di luce") *var.* Mayer, Meiere, Meir, Myer

Mhyra (*f.*) *v.* Mira, Myra

Michal *v.* Michele

Mikhail *v.* Michele

Mia (*f.*) (*Lat.* "Mia") (*U.S.A*; *Isr.*) *v.* Michela // anche *dim.* di Maria

Mickie (*m.*) *v.* Michele

Micaela (*f.*) *v.* Michela

Micah (*m.*) *v.* Michele

Mical (*f.*) (*nome con orig. da* cognome)

Micaria (*f.*) *v.* Michela

Michael (*m.*) (*f.*) (*Ing.*) *v.* Michele, Michaela

Michaela (*f.*) *v.* Michela

Michaele / Michaelina (*f.*) *v.* Michela

Michaella (*f.*) *v.* Michela

Michaelynne (*f.*) (*nome doppio*) *var.* Michalyn

Michail *v.* Michele

Michak *v.* Michele

Michal *v.* Michela, Michele

Michalene (*f.*) *v.* Michela

Michau (*f.*) *v.* Michele

Michea (*m.*) (*Ebr.* "Chi è come Dio?") 15 *gen.*

Michee (*f.*) *v.* Michela

Micheil *v.* Michela, Michele

Michelline (*f.*) *v.* Michela

Michel (*Fr.*) *v.* Michela, Michele

Michela (*f.*) (*Ebr.* "Chi è come Dio?", che corrisponde a "Povero" "Umile") 29 *set.*; 10, 30 *apr.*; 8, 14, 23 *ag.*; 12 *lug.*; 24 *ag.*; 10, 29 *ott.*; 6 *feb.* // *var.* e *dim.* Michèle, Micheline, Michelle, Michou (*Fr.*); Mia, Michal, Michel, Micki, Mickie, Micky (*Ing.*); Micaela, Michela (*It.*); Miguel, Miguela, Miguelita(*Sp.*) // Micaria, Michael, Michaela, Michaele, Michaelina, Michaella, Michal, Michalene, Michee, Micheil, Michella, Michelline, Michouka, Michoulia, Micke, Mickey,

Migueka, Mihaly, Mikaèl, Mikaela, Mikaella, Mikahilina, Mikal, Mikaly, Mikattilina, Mike, Mikki, Mikkiel, Mikko, Miklos, Mikosch, Mikus, Mischa, Mitchel

Michelangelo (*m.*) (*Unione* di Michele e Angelo) 10 *lug.*

Michele (*m.*) (*Ebr.* "Chi è come Dio?" che corrisponde a "Povero" "Umile") 8 *mag.*; *29 set.// Micah, Michal, Michail, Micheil, Michel, Mickel, Mickeyl, Mickie, Mikael, Mike, Mitch, Mitchel, Mitchell(*Ing.*); Mihail (*Bulg.*); Michal, Min, Minka, Misa, Miso, Misko (*Cec.*); Mihkel, Mikk (*Est.*); Mikko (Finl.); Dumichel, Michau, Michel, Michon (*Fr.*); Makis, Michail, Mihail, Mikhail, Mikhalis, Mikhos (*Gr.*); Mihal, Mihaly, Misi, Miska (*Ung.*); Mikelis, Miks, Mikus, Milkins (*Let.*); Mikkel (*Norv.*); Machas, Michak, Michal, Mihas (*Rum.*); Michail, Mika, Mikhail, Mikhalka, Misha, Mischa (*Rus*);Micheil (*Scoz*); Micho, Mickey, Miguel, Migui, Miki, Mique (*Sp.*); Mickel, Mihalje, Mikael (*Sv.*); Mihailo(*Ucr.*); Michael (*yid.*)

Michèle *v.* Michela, Michele

Michelina (*f.*) 9 *giu.*; 19 *giu.*; *dim.* di Michela

Micheline (*Fr.*) *v.* Michele, Michela

Michella (*f.*) *v.* Michela

Michelle (*f.*) (*Fr.*) *v.* Michele

Michelle (*f.*) *v.* Michela

Michi (*f.*) (*Giap.* "La via giusta")

Micho *v.*Michele

Michon *v.* Michele

Michou *v.*Michela

Michouka *v.* Michela

Michoulia (*f.*) *v.* Michela

Micke *v.*Michele

Mickel *v.* Michele

Mickey *v.* Michela, Michele

Mickeyl (*m.*) *v.* Michele

Micki *v.*Michela

Mickie *v.*Michela

Micky (*f.*) *v.* Michela

Micol (*m.*) (*Ebr.*)

Micu (*m.*) *v.*Nicola

Mid (*f.*) *v.* Mildred

Midori (*f.*) (*Giap.* "Verde")

Mieko (*f.*) (*Orig. esotico-etn.*)

Miele (*m.*) *v.* Michele; 29 *set.*

Miempie (*f.*) *v.* Maria

Mifula (*f.*) (*Mozambico*)

Migdonio (*m.*)(*Lat., orig. etn.:* "Oriundo da Magdonia") 23 *dic.*

Migina (*f.*)(*Ind., Omaha:* "La luna che torna" "La luna nuova")

Mignon (*f.*) (*Fr.* "Delicata") *var.* Mignonne, Mignonette

Migueka (*f.*) *v.*Michela

Miguel (*m.*) (*Sp.*) *v.* Michele

Miguela *v.*Michela

Miguelita *v.*Michela

Migui (*m.*) *v.* Michele

Mihail (*m*) *v.*Michele
Mihailo (*m*) *v.*Michele
Mihal (*m*) *v.*Michele
Mihalje (*m*) *v.* Michele
Mihaly (*f.*) *v.* Michela
Mihaly (*m*) *v.*Michele
Mihas (*m*) *v.*Michele
Mihkel (*m.*) *v.* Michele
Mika (*f.*) (*Ind. Nordam.* "Il procione accorto") (*Giap.* "La luna della terza notte" o "Luna nuova")
Mika (*m.*) *v.* Michele
Mika (*f.*) (*Rus.*) *v.* Domenica
Mikaèl *v.* Michela, Michele
Mikaela (*f.*) *v.* Michela
Mikaella *v.* Michela
Mikahilina (*f.*) *v.* Michela
Mikal (*f.*) *v.* Michela
Mikaly (*f.*) *v.* Michela
Mikattilina (*f.*) *v.* Michela
Mike *v.* Michela, Michele
Mikelis (*m*) *v.*Michele
Mikhail *v.* Michele
Mikhalis / Mikhalka (*m.*) *v.* Michele
Mikhos (*m.*) *v.* Michele
Miki (*f.*) (*Giap.* "Stemma") // *var.* Mikie, Mikiyo
Miki (*m.*) *v.* Michele
Mikk (*m*) *v.*Michele
Mikkel (*m.*) *v.* Michele
Mikki (*f.*) *v.* Michela
Mikkiel (*f.*) *v.* Michela
Mikko *v.* Michela, Michele
Miklos (*f.*) *v.* Michela
Mikosch (*f.*) *v.*Michela
Miks (*m.*) *v.* Michele

Miksa (*m.*) *v.* Massimo
Mikus *v.* Michela, Michele
Mila (*f*) (*Ser.* "Cara" "Preziosa") (*Sl.* "Amata dal popolo") (*Cec.*) *dim.* di Ludmilla
Milada (*f.*) (*Cec.* "Amore mio")
Milburn (*m.*) ("Mulino sul ruscello")
Mildred (*f.*) (*Anglo-sass.* "Gentile") *dim.* Mid, Milli, Millie, Milly
Milek (*m*) *v.* Nicola
Milena (*f.*) (*Ser.* "Benigna" "Cara" "Gloria per la sua misericordia") (*Unione* di Maria con Elena) 2 *lug.; var.* Mjlena, Melenja // *v.* Melania
Milene (*f.*) (*Fr.*) *v.* Milena
Miles (*m.*)(*Lat.* "Soldato" "Guerriero") (*Ted. ant.* "Misericordioso") *var.* Milo, Myles
Milford (*m.*) (*Ing. ant.:* "Dall'incrocio del mulino") *var.* Millford
Milhacasa (*f.*) (*Mozambico*)
Mili (*f.*)(*Ebr.*"Chi è come me") Anche *abbr.* di Millicent o Millie
Milika (*f.*) (*Got.* "Lavoro pesante" "Lavoro duro" "Industriosa") // (*Sl.*) *v.* Amelia
Milkins (*m.*) *v.* Michele
Millard (*m.*) (*Ing. ant.:* "Mugnaio") *var.* Miller, Millman, Milman
Milli (*f.*) *v.* Melissa, Mildred
Millicent (*f.*) (*Teut.* "Operosa" "Forte") // *var.* e *dim.* Lissa,

235

Mel, Melicent, Melisande, Melisenda, Mellicent, Melli, Mellie, Mellisent, Melly, Mili, Milicent, Milissent, Milli, Millie, Millisent, Milly

Millie (*f.*) *v.* Milly, Melissa, Mildred

Mills (*m.*) (*raro*)

Milly (*f.*) *v.* Amely, Camilla; Emilia; Melissa; Melusine; Mildred; Millicent

Milo (*m.*) (*Sl.* "Misericordioso") 23 *feb.; v.* Miles

Milton (*m.*) (*Ing. ant.:* "Della città del mulino") *dim.* Milt, Miltie, Milty

Milya (*f.*) *v.* Melania

Milziade (*m.*) (*Gr.* "Rosso dal pudore") 11 *gen.* 10 *dic.*

Mim (*f.*) *v.* Maria

Mimi (*f.*) (*Fr.*) *v.* Helmine, Miriam

Mimi (*f.*) *v.* Merrie, Maria

Mimis (*m.*) (*dim. Gr.*) *v.* Dimitri

Mimma (*f.*) *v.* Domenica

Mimmie (*f.*) *v.* Maria

Mimmo (*m.*) *v.* Domenico

Mimosa (*f.*) (Nome floreale) *dim.* Mim, Mimi, Mimmy

Min (*m.*) *v.* Michele

Mina (*f.*) (*Cec., abbr.* di Hermina, Erminia) (*Ted., abbr.:* di Helmine) *abbr.* di Beniamina, Firmina, Gelsomina, Guglielmina, Palmina ecc.

Minal (*f.*) (*Ind. Nordam.:* "Frutto")

Minda (*f.*) (*hindu*: "Conoscenza

o saggezza") *v.* Mynda

Mindi (*f.*) *v.* Mindy

Mindy (*f*) (*Soprannome* di Minna (*v.*) "Amore") *var.* Mindi, Mindie

Mineko (*f.*) (*Giap.* "Picco" "Figlio della montagna")

Minella (*f.*) (*raro*)

Minerva (*f.*) (*Etr.* "Intelligenza" "Saggezza") 23 *ag.; dim.* Min, Minnie, Minny

Minervino (*m.*) (*Gr.* "Ateniese") 31 *dic.*

Minervo (*Gr.* "Appartenente a Minerva") 23 *ag.*

Minette (*f.*) (*Fr.*) (*abbr.*) *v.*Helmine

Minette (*m.*) *v.* Merrie

Mingan (*m.*) (*Ind. Nordam.:* "Lupo grigio")

Miniato (*f.*) (*Gr.* "Carminio") 25 *ott.*

Minka (*m.*) *v.* Michele

Minna (*f.*) (*teut.* "Ricordo amoroso") (*Ted. v.* Helmine) // *var.* e *dim.* Min, Mina, Mindy, Minetta, Minette, Minnie, Minny

Minni (*f.*) *v.* Merrie

Minnie (*f.*) (*dim.*) 25 *giu.; v.* Maria, Mary, Merrie, Minerva, Minna, Whilhelmine

Minny (*f.*) *v.* Merrie

Minowa (*f.*) (*Ind. Nordam.:* "Voce che cammina")

Minsabula (*f.*) (*Mozambico*)

Mio (*f.*) (*Giap.* "Corda tripla")

Mique (*m.*) *v.* Michele

Mira (*f.*) *dim.* di Palmira; da Almira (*Ar.*); *v.* anche Mirabella, Mirabelle, Myra

Mirabella (*f.*) *v.* Mirabelle

Mirabelle (*f.*) (*Lat.*"Dalla grande bellezza") // *var.* e *dim.* Bella, Belle, Mira, Mirabel, Mirabell, Mirabella // *v.* anche Myra

Miranda (*f.*)(*Lat.* "Meravigliosa" "Donna da ammirare") *dim.* Randie, Randy; *v.*Randa

Mirco (*m.*) (*It.*) *v.* Mirko

Mireille (*f.*) (*Fr.*) *v.* Mirella

Mirella (*f.*) ("Bella" "Da ammirare") vezzeggiativo di Mira (*v.*) // Mireille (*Fr.*); Myra (*Ing.*) // Miriel

Miri (*f.*) (*Ing., git.* "Mio") (*Isr. v.* Miriam) *v.* Maria

Miriam (*f.*) *v.* Maria, 2 *apr.; v.* Merrie, Muir

Miriame (*f.*) *v.*Maria

Miribié (*f.*) (*Mozambico*)

Miriel (*f.*) *v.* Mirella

Mirjam (*f.*) *v.*Maria

Mirko (*m.*) (*Sl.*) *v.* Miroslaw

Mirna (*f.*) (*gael.* "Gentile") *var.* Merna, Moina, Morna, Moyna, Myrna

Mirocleto (*m.*) (*Gr.* "Ammiratore") 3 *dic.*

Mirone (*m.*) (*Lat.* "Profumo") 8 *ag.*; 17 *ag.*

Mirope (*m.*) (*Gr.* "Profumato")

Miroslaw (*m.*) (*Sl.*"Gloria nel mondo" "Fortuna e potere" "Pacifico") 5 *ott.*; 30 *mag.*

Mirta (*f.*) (nome floreale da Mirto) *v.* Myrtle

Mirtel (*f.*) *v.* Martina

Mirth (*f.*) (*Anglo-sass.* "Gaiezza")

Mirumbi (*m.*) (*Rwanda, Afr.* "Nato durante la pioggia")

Miryam (*f.*) *v.*Maria

Mirzel (*f.*) *v.*Maria

Misa (*m.*) *v.* Michele

Misaele (*m.*) (*Ebr.* "Non chiamato") 16 *dic.*

Mischa (*m.*) (*abbr. rus.*) *v.* Michele; *v.* anche Michela

Misha (*m.*) (*Rus.*) *v.* Michele

Misi (*m.*) *v.* Michele

Miska (*m.*) *v.* Michele

Misko (*m.*) *v.* Michele

Miso (*m.*) *v.* Michele

Misty (*f.*) *var.* Misti, Mysty

Misu (*m.*) (*Ind. Nordam., Miwok*: "Acqua increspata")

Mitch (*m.*) *abbr.* di Mitchell; *v.* Michele

Mitchel *v.* Michela, Michele

Mitchell (*m.*) *v.* Michele

Mitrio (*m.*) (*Gr.* "Incoronato") 13 *nov.*

Mituna (*f.*) (*Ind. Nordam., Miwok* "Avvolgere")

Mitzi (*f.*) *v.* Mary; Miriam, Maria, Merrie

Miureall (*f.*) *v.* Maria

Miwa (*f.*) (*Giap.* "Vedere lontano" "Lungimirante") *var.*: Miwako ("Ragazzo che vede lontano")

Miya (*f.*) (*Giap.* "Tempio")

Miyo (*f.*) (*Giap.* "Belle generazioni") // *var.* Miyoko ("Figlio di belle generazioni")

Miyuki (*f.*) (*Giap.* "Neve profonda")

Moderano (*m.*) (*Lat.* "Discreto") 22 *ott.*

Moderato (*m.*) (*Lat.*) 23 *ag.*

Modesta (*f.*) (*Lat.*: "Modesta") *var.* Modeste, Modestine, Modesty

Modesto (*f.*) (*Lat.* "Moderato" "Discreto") 12 *gen.*; 12, 24 *feb.*; 15 *giu.*; 2 *ott.*; 10 *nov.*

Modoaldo (*m.*) (*Lat.* "Dominato dalla gioia") 12 *mag.*

Moe (*m.*) *v.* Mosè

Moffat / Moffett (*m.*) (*raro*)

Mog (*f.*) *v.* Margherita

Mohammed (*m*) *v.*Muhammad

Mohan (*m*) (*hindu:* "Delizioso")

Moina (*f.*) *v.* Mirna

Moira (*m.*) (*Gr.* "Fato" "Destino") *v.*anche Maria, Merrie

Moire (*f.*) *v.* Merrie

Moise (*m.*) *v.* Mosè

Moisé (*m.*) *v.* Mosè

Moisei (*m.*) *v.* Mosè

Moises (*m.*) *v.* Mosè

Moisey (*m.*) *v.* Mosè

Moisis (*m.*) *v.* Mosè

Mojag (*m.*)(*Ind. Nordam.* "Inquieto")

Mokya (*m.*) *v.* Matteo

Moll (*f.*) *v.* Merrie, Maria

Molli (*f.*) *v.* Merrie, Maria

Mollie (*f.*) *v.* Merrie, Maria

Molly (*f.*) *v.* Merrie, Maria

Mona (*m.*) (*Gr.* "Solo") (*Ind. Nordam., Miwok*: "Raccogliere semi di stramonio") (*gael.* "Nobile") 12 *ott.*

Monaldo (*m.*) (*Ted. ant.* "Molto felice" "Dominato dalla gioia") 15 *mar.*

Mondo (*m.*) (*Lat.* "Elegante") 15 *apr.*

Monegonda (*f*) (*Ted.ant.*"Donna buona") 2 *lug.*

Monia (*f.*) (*Ar.*)

Monica (*f.*) (*Lat.*; *Gr.*: "Solitaria" "Eremita") (*Lat.* "Madre" "Signora") 27 *ag.*; 4 *mag.*; 9 *apr.; var.* Monique (*Fr.*); Monica (*Ing.*); Monika (*Ted.*)

Monitore (*m.*) (*Lat.* "Consigliere") 10 *nov.*

Monroe (*m.*) (*Celt.* "Dalla palude rossa") *var.* Monro, Munro, Munroe

Montague (*m.*)(*Fr.*"Dalla montagna appuntita") *var.* e *dim.* Montagu, Monte, Monty

Montana (*m.*) e (*f.*) (*nome di luogo*)

Montano (*m.*) (*Lat.*: "Montanaro") 24 *feb.*; 26 *mar.*; 17 *giu.*

Monte (*m.*) *v.* Montague, Montgomery

Monteene (*f.*) (*raro*)

Monteith (*m.*) (*raro*)

Montel (*m.*) (*raro*)

Montgomery (*m.*)(*Fr. ant.* "Dalla montagna degli uomini ricchi") *dim.* Monte, Monty

Monty (*m.*) (*abbr. di nomi che*

contengono "Mont")

Moore (*m.*) (*Fr. ant.:* "Dalla carnagione scura"); *var.* Morse; *dim.* di Maurice (*v.*)

Mora (*f.*) (*Sp.* "Piccolo mirtillo")

Moran (*m.*) (*nome con orig. da cognome*)

Morando (*m.*) (*Celt.* "Porta maestosa") 3 *giu.*

Mordecai (*m.*) (*Ebr.* "Guerriero") *var.* e *dim.* Mord, Mordechai, Mordie, Mordy, Mort, Mortie, Morty

More (*m.*) *v.* Maurizio

Moreau (*m.*) (*raro*)

Morcen (*f.*) *v.* Morreen

Morel (*m.*) ("Scuro")

Morela (*f.*) (*Pol.* "Albicocca") *var.* Morella, Morelle

Morena (*f.*) (*nome con orig. da cognome*)//(*Sp.*"Mora") *v.* Bruna, Maureen

Moreno (*m.*)(*Sp.*"Moro") *v.* Bruno

Morey (*m.*) *v.* Maurizio; Murray; Seymour

Morgan (*f.*)(*Gall.*"Litorale" "Costa" "Mare bianco" o "Marittimo") 9 *ott.; var.* Morganne, Morgen

Morgana (*f.*) (*gael.*) *femm.* di Morgan

Morgen (*m.*) *v.* Morgan

Moriah (*f.*) (*Ebr.* "Dio è il mio maestro") *var.* Moria, Morice, Moriel, Morielle, Morit

Moric / Morie (*m.*) *v.*Maurizio

Moris/ Moritz (*m.*) *v.*Maurizio

Morley (*m.*) (*Ing. ant.* "Dalla brughiera") *dim.* Lee, Leigh

Morna (*f.*) *v.* Mirna

Morreen (*f.*) ("Scura")

Morrell (*m.*) *v.* Maurizio

Morrie (*m.*)(*abbr.*) *v.* Maurizio

Morris (*m.*) (*Ing.*) *v.* Maurizio

Morrison (*m.*) (*Ing.ant.*"Figlio di Maurizio") *dim.* Sonnie, Sonny ; *v.* anche Maurizio

Morrow (*m.*) (*nome inusuale*)

Morry (*m.*) *v.* Maurizio

Morse (*m.*) (*Ing. ant.* "Figlio di Maurizio") *v.* anche Maurizio; Moore

Mortimer (*m.*) (*Fr. ant.:* "Colui che è vicino all'acqua stagnante") *dim.* Mort, Mortie, Morty

Morton (*m.*) (*Ing. ant.* "Dalla proprietà nella brughiera") *dim.* Mort, Mortie, Morty, Tony

Morven (*m.*) (*Scoz.* "Bambino del mare" o "Uomo di mare") (*Irl.* "Grande, dai capelli lunghi")

Morwenna (*f.*) ("Del mare")

Mosè (*m.*) (*Ebr.* "Salvato dalle acque") 4 *set.*; 18 *gen.*; 6 *lug.*; 28 *ag.*; 18 *dic.* // *var.* e *dim.* Moe, Moisé, Mose, Moshe, Moss (*Ing.*); Moisei (*Bul.*); Moise (*Fr.*); Moisis (*Gr.*); Mozes (*Ung.*); Moise (*It.*); Moze (*Lit.*); Moshe, Mosze, Moszek (*Pol.*); Moises (*Port.*); Moisey, Mosya (*Rus.*); Moises, Moshe,

Mozes (*yid.*)

Moselle (*f.*) (*Ebr.*) *femm.* di Mosè; *var.* Mozelle

Moseo (*m.*)(*Ebr.* "Appartenente a Mosè") 18 *gen.*

Moses (*m.*) *v.* Mosè

Moshe (*m.*)(*Ebr. Am.*) *v.* Mosè

Mosi (*m.*) (*Sw., Tanz.* "Primogenito")

Moss (*m.*) *v.* Mosè

Moswen (*m.*) (*Afr.* "Colore luminoso" "Luce nel colore")

Mosya / Mosze (*m.*) *v.* Mosè

Moszek (*m.*) *v.* Mosè

Motega (*m.*)(*Ind.Nordam:* "Freccia nuova")

Motka (*m.*) *v.* Matteo

Moya (*f.*) *v.* Merrie

Moyna (*f.*) *v.* Mirna

Moyra (*f.*) *v.* Maria, Moira

Moze (*m.*) *v.* Mosè

Mozelle (*f.*) (*Ebr.*) *v.* Mosè; *var.* Moselle

Mozes (*m.*) *v.* Mosè

Mquili (*m.*) (*Mozambico*)

Mu Lan (*f.*) (*Cin.* "Magnolia in fiore")

Mu Tan (*f.*) (*Cin.* "Peonia in fiore")

Muhammad (*m.*) (*Ar.* "Lodato") *var.* Ahmad, Ahmed, Amad, Amed, Hamid, Hamdrem, Hamdun, Hammad, Hammed, Humayd, Mahmud, Mahmoud, Mehemet, Mehmet, Mohamet, Mohamad, Mohammad, Mohammed, Muhammed

Muhambi (*m.*) (*Mozambico*)

Muhangala (*m.*) (*Mozambico*)

Muir (*m.*) (*Celt.* "Della brughiera") // *var.* e *dim.* Muire (*Irl.*); Mare (*Let.*); Marija (*Lit.*); Macia, Manka, Maryla, Maryna (*Pol.*); Maricara (*Rum.*); Maria, Mariya, Marya, Manka, Manya, Marinka, Marisha, Maruska, Masha, Mashenka, Mashka, Mura (*Rus.*); Mairi, Moire, Muire (*Scoz.*); Mari, Marie, Marita, Mariquita, Maruca, Maruja (*Sp.*); Mirjam (*Sv.; Norv.*); Miriam (*yid.*); Meli (*Ind. Nordam., Zuni*)// *v.* anche Maria

Muire (*f.*) *v.* Maria

Mulya (*f.*) (*Ind. Nordam., Miwok*: "Sbattere" o "Colpire")

Mummolino (*m.*) (*Lat.*: *dim.* di Mummio, *etim.* controversa) 8 *ag.*

Muna (*f.*) (*Ind. Nordam., Hopi*: "Piena del fiume")

Mundan (*m*)(*Zimb*"Giardino")

Mundo (*m.*) *v.* Raimondo

Munro / Munroe (*m.*) *v.* Monroe

Munyaradzi (*m.*) (*Zimb.* "Colui che consola")

Mura (*f.*) (*Giap.* "Villaggio")

Muraco (*m.*) (*Ind. Nordam.:* "Luna bianca")

Murdock (*m.*) (*Celt.* "Marinaio ricco")

Muriel (*f.*) (*Irl.* "Lucente come il mare") (*Ebr.*"Mirra" "Agrodolce") *var.* Meriel, Merrie, Murial, Murielle

Muriell (*f.*) *v.* Merrie

Muritta (*m.*) (*Celt.* "Netto") 13 *lug.*

Murphy (*m.*) ("Guerriero del mare")

Murray (*m.*) (*Celt.* "Marinaio") *var.* Morey, Murry

Musa (*f.*) (*Lat.* "Che protegge") 2 *apr.*

Musenda (*m.*) (*Baduma,Afr.* "Incubo")

Musetta (*f.*) (*Lat.* "Meditazione") *var.* Musa, Musette

Musette (*f.*) *v.* Musetta

Musonio (*m.*) (*Gr.* "Serioso") 24 *gen.*

Mustiola (*m.*) (*Lat.:* "Dolce") 3 *lug.*; 23 *nov.*

Muziano (*m*) (*Lat.* "Appartenente alla gente Muzia") 3 *lug.*

Muzio (*m.*) (*Lat.* "Silenzioso") 22 *apr.*; 13 *mag.*

Myles (*m.*) *v.* Miles

Mynda (*f.*)

Myra (*f.*) (*Lat.* "Stupenda" "Ammirabile") *var.* Maria, Mira, Mirella, Mirelle, Myrelle, Myrilla

Myralyn (*f.*) (*nome doppio*)

Myriam (*f.*) *v.* Maria

Myrl / Myrle / Myrlene (*f.*) *v.* Merle

Myrna (*f.*) *v.* Mirna

Myron (*m.*) (*Gr.* "Fragrante" "Piacevole") *dim.* Ron, Ronnie, Ronny

Myrrha (*f.*) ("Erba fragrante")

Myrtilla (*f.*) *v.* Myrtle

Myrtle (*f.*) (*Gr.:* "Albero di Mirto") // *var.* e *dim.* Mert, Merta, Myrt, Myrta, Myrtilla, Myrtille

N

Naaman (*m.*) (*Ebr.* "Piacente" "Gradevole") *var.* Naamann, Naman

Nabil (*m.*) (*Ar.* "Nobile")

Nabore (*Ebr.* "Luce del profeta") 12 *giu.*; 10, 12 *lug.*

Nacha / Nacia (*f.*) *v.* Natalia

Nada (*f.*) (*Rus.*) *v.* Nadia

Nadeen (*f.*) *v.* Nadia

Nadège (*f.*) *v.* Nadia

Nadejda (*f.*) *v.* Nadia

Nadenka (*f.*) *v.* Nadia

Nader (*m.*) (*nome con orig. da cognome*)

Nadeschda / Nadezka (*f.*) *v.* Nadia

Nadia (*f.*) (*Rus.* "Speranza") 17 *gen.*; 18 *set.*; *var.* Nadège (*Fr.*); Nadine (*Ing.*); Nadina (*Let.*); Nata (*Pol.*); Nadia, Nadiana (*Port*); Dusya, Nada, Nadenka, Nadezka, Nadina, Nadiya, Nadka, Nadya (*Rus.*); Nadia, Nadiana (*Sp.*); Nadine (*Ted.*) // Nadejda, Nadeschda, Nadiona, Nadioucha, Nadiouna, Nadioussa, Nadja

Nadiana (*f.*) *v.* Nadia

Nadina (*f.*) *v.* Nadia
Nadine (*f.*) (*Ing.*) *v.* Nadia
Nadiona (*f.*) *v.* Nadia
Nadioucha (*f.*) *v.* Nadia
Nahele (*m.*)(*Haw.*"Foresta" "Bosco")
Nahma (*m.*)(*Ind. Nordam.:* "Storione")
Nahum (*m.*) (*Ebr.:* "Compassione")
Naiad (*f.*) (*Lat.:* "Ninfa d'acqua")
Naida (*f.*) (*Lat.:* "Ninfa di fiume o d'acqua")
Naima (*Ar.* "Donna felice")
Nalren (*m.*) (*Ind. Dene:* "Egli è scongelato")
Namazio (*m.*) (*Lat.* "Che ama la verità.) 27 *ott.*
Namid (*m.*)(*Ind. Nordam.:* "Stella danzante")
Namir (*m.*) (*Ebr.* "Leopardo")
Nan (*f.*) (*abbr.*) *v.* Anna
Nancee (*f.*) (*dim. Ing.*) *v.* Anna
Nancy (*f.*) (*dim. Ing.*) *v.* Anna
Nancyjean (*f.*) (*nome doppio*")
Nandin (*m.*) (*hindu:* "Distruttore")
Nando (*m.*) *dim.*di Ferdinando
Nanette (*f.*) *v.* Anna
Nanfanione (*m.*) (*Gr.:* "Odoroso" "Profumato") 4 *lug.*
Nani (*f.*) (*Haw.:* "Bella")
Nani (*f.*) (*Gr.*) *v.* Anna
Nanine (*f.*) ("Graziosa")
Nanni (*m.*) *v.* Giovanni
Nanny (*f.*) *v.* Nancy
Nanon (*f.*) *v.* Nancy

Naomi (*f.*) (*Ebr.* "Amabile") (*Gr.* "Delizia" "Gioia") 14, 15 *dic.* // *var.* e *dim.* Naemi, Naemia, Nèhèmiah, Nèhèmie, Noami, Noèmi, Noèmie
Napolcon (*m*) (*Fr*) *v.* Napoleone
Napoleone (*m.*) (*Celt.* "Figlio del leone") 15 *ag.* (giorno di nascita di Napoleone Bonaparte) *var.* e *dim.* Leon, Napoleon, Nappie, Nappy
Nara (*f.*) (*Giap.* "Quercia") (*Ing. ant.* "La più vicina") (*Am.* nome di luogo, *sign.sc.*)
Narain (*m.*) (*hindu* "Il Dio Vishnu")
Narciso (*m.*) (*Gr.* "Sapore") 29 *ott.*; 2 *gen.* // (*Lat.* "Che fiorisce tardi") 18 *mar.*; 17 *set.*; 31 *ott.*
Narcisse (*m.*) (*Fr.*) *v.* Narciso 29 *ott.*
Narcisso (*m.*) *v.* Narciso
Nard (*m.*) (*Per.:* "Gioco degli scacchi")
Narda (*f.*) (*Per.:* "L'unta del Signore")
Nardo (*m.*) *v.* Leonardo
Nari (*f.*) (*Giap.* "Scoppio di tuono") *var.* Nariko: "Bambina di tuono"
Narilla (*f.*)(*Ing., git.:* *sign. sc.*) *var.* Narrila
Narno (*m.*)(*Gr.* "Oriundo di Narni") 27 *ag.*
Narseo (*m.*) (*Gr.* "Appartenente a Narsete") 15 *lug.*
Narsete (*m.*) (*Per.* "Frutto scu-

ro") 27 *mar.*

Narzale (*m.*) (*Gr.* "Che è scuro") 17 *lug.*

Nash (*m.*) (*nome con orig. da cognome*)

Nashota (*f.*) (*Ind. Nordam.:* "Gemella")

Nasnan (*f.*) (*Ind. Nordam., Carrier:* "Cinta da una canzone")

Nasser (*m.*) (*Ar.* "Vittorioso") *var.* Nassor

Nasya (*f.*) (*Ebr.* "Miracolo di Dio") *var.* Nasia

Nat (*m.*) (*abbr.*) *v.* Nathan, Natalia, Nataniele

Nata (*f.*)(*Ind. Nordam.* "Creatrice" "Danzatrice sulla corda")

Nata (*f.*) (*Pol.:* *v.* Nadia, Natalia); (*Rus.*) *v.* Natalia

Natacha (*f.*) *v.* Natalia

Natal (*m.*) (*Sp.*) *v.* Natale, Natalia

Natala (*f.*) *v.* Natalia

Natale (*m.*)(*Lat.*"Nascita" "Nato di Natale") 16 *mar.*; 13 *mag.*; 21 *ag.*; 31 *ott.*; 25 *dic. var.* Natal, Natale, Natalio, Nowell

Natalène (*f.*) *v.* Natalia

Natalia (*f.*) (*Lat.:* *femm.* di Natale) 27 *lug.*; 25 *dic.* // *var.* e *dim.* Natalic, Noel, Noelle (*Fr.*); Nat, Nati, Natie, Natti, Nattie, Natty, Netti, Nettie, Netty, Natala, Natalina, Nataline, Nate, Nathalia, Nathalie, Netta, Noel, Noelle, Novella (*Ing.*); Natalia, Natasa (*Cec.*); Natalia (*Ted.*); Natalia,

Nata, Natka, Nacia(*Pol.*); Nata, Natalka, Natalya, Natasa, Natasha, Talya, Tasha, Tashka, Taska, Tasya, Tata, Tuska, Tusya (*Rus.*); Natacha, Nati, Talia (*Sp.*) // Nacha, Natacha, Natal, Natala, Natalène, Natalicio, Nataline, Natalis, Natoulia, Nattie, Nelig, Noela, Noella, Noellie, Nouel, Novela, Tacha

Natalie (*f.*) *v.* Natalia

Natalina (*f.*) *dim.* di Natalia, 1 *dic.*

Nataline (.) *v.* Natalia

Natalino (*m.*) *dim.* di Natale

Natalis *v.* Natalia

Natalka *v.* Natalia

Natalya (*f.*) *v.* Natalia

Natanaele (*m.*) *v.* Natale

Natane (*f.*)(*Ind. Arapaho:* "Figlia")

Nataniele (*m.*) (*Ebr.:* "Dono di Dio") // *var.* e *dim.* Nat, Natanael, Nate, Nathan, Nathon, Natt, Natty (*Ing.*); Nathanael (*Fr.*) // *v.* Natale

Natasa (*f.*) *v.* Natalia

Natascia / Natasha (*f.*) (*Rus.*) *v.* Natalia

Nate (*m.*) *v.* Nataniele, Nathan

Nate (*f.*) Natalia

Natesa (*f.*) (*hindu* "Signore della danza")

Nathalia *v.* Natalia

Nathalie *v.* Natalia

Nathan (*m.*) (*Ebr.* "Dono") // *var.* e *dim.* Nat, Nate, Nathon, Natt, Natty (*Ing.*); Natan

243

(*Ung.; Pol.; Rus.; Sp.*)

Nathanael (*m.*) *v.* Nataniele

Nathania (*f.*) (*Ebr.: femm.* di Nathan) *var.* Natania, Tania, Tanya

Nathaniel (*m.*) *v.* Nataniele

Nati / Natie (*f.*) *v.* Natalia

Natka (*f.*) (*Rus.*) *v.* Natalia

Natoulia (*f.*) *v.* Natalia

Natti (*f.*) *v.* Natalia

Nattie (*f.*) *v.* Natalia

Natty (*f.*) *v.* Natalia

Naum (*m.*) (*Ebr.:* "Consolatore" "Compassionevole") 1 *dic.*

Nausicaa (*f.*) (*Gr.* "Barca")

Nav (*m.*) (*Ung.; Ing., git.:* "Nome")

Navarro (*m.*) (*da* Navarra)

Navit (*f.*) (*Ebr.* "Bella" "Piacevole") *var.* Nava, Navice

Nawat (*m.*) (*Ind. Nordam.:* "Mano sinistra")

Nayati (*m.*) (*Ind. Nordam.:* "Lottatore")

Naylor (*m.*) (*nome con orig. da cognome*)

Nayo (*f.*) (*Yor,. Nig.* "La nostra gioia")

Nazareno (*m.*) *v.* Nazario; 10 *dic*

Nazario (*m.*) (*Ebr.* "Di Nazareth" "Germoglio" "Fiore" "Consacrato") 17, 18, 27, *28 lug.;* 10 *mag.;* 12 *gen.;* 12, 19 *giu.;* 8 *ag.;* 18 *nov.; var.* Nazareno, Nazzareno

Nazzareno (*m.*) *v.* Nazario; 10 *dic.*

Nazzario (*m.*) *v.* Nazario

Nazzaro (*m.*) *v.* Nazario, 28 *lug.;* 10 *mag.;* 1 *ag.*

Ndumane (*m.*) (*Mozambico*)

Neal (*m.*) *v.* Neil

Neala (*f.*) (*gael.*) *femm.* di Neil *var.* Nealla, Neila, Neilla, Niala, Nialla, Nila

Nealy (*m.*) e (*f.*) *v.* Neil

Neci (*f.*) (*Lat.* "Profonda e infiammata")

Necia (*f.*) (*abbr.*)

Ned (*m.*) *dim.* di Edmondo, di Edoardo

Neda (*f.*) (*Ing. ant.* "Guardiana benestante") (*Sl.* "Nata di domenica") *femm.* di Edward; *der.* anche da Natalie; *var.* Nedda.

Nediva (*f.*)(*Ebr.* "Nobile e generosa")

Nedra (*f.*) (*Dizione capovolta* di Arden)

Neeley (*m.*) e (*f.*) *v.* Neil

Neely (*f.*) (*Irl. gael.:* "Campionessa") (*Am. mod.: femm.* di Neal); *var.* Nealie, Nealy, Neeli, Neelie

Neema (*f.*) (*sw.* "Nata in un periodo di prosperità")

Neera (*f.*) (*Gr.* "Giovane")

Neff (*f.*) (*nome con orig. da cognome*)

Nehanda (*f.*) (*Zezuru, Zimb.:* "Forte")

Nehemiah (*m.*)(*Ebr.* "La compassione del Signore")

Nehru (*m.*) (*India* "Canale")

Neil (*m.*) (*Irl., gael.* "Campione") *var.* Neal, Neale, Neall, Nealon, Neel, Neill, Neils, Nels, Nial, Niall, Niel, Niels, Niles, Nils (*Ing.*); Nilo (*Finl.*); Nil, Nilya (*Rus.*); Nels, Niels, Nils (*Scan.*); Niall (*Scoz.*)

Neilson (*m.*) *v.* Nelson

Neka (*f.*) (*Ind. Nordam.*: "Oca selvatica")

Nelda (*f.*) (*Ing. ant.* "Albero di sambuco")

Nelek (*m.*) (*Pol.*) *abbr.* di Kornelek; *v.* Cornel

Nelia (*f.*) (*Sp.*) *v.* Cornelia

Nelig (*f.*) *v.* Natalia

Nelka (*f.*) (*Pol.*) *v.* Petronilla

Nell (*f.*) *v.* Elena

Nella (*f.*) *dim.* di Antonella, Brunella, Giovannella ecc.; 1 *mag.*

Nellie (*f.*) *v.* Cornelia; Elena

Nello (*m.*) *dim.* di Antonello, Brunello, Lionello, Leonello ecc.

Nelly (*f.*) (*Fr.*) *v.* Elena

Nels (*m.*) (*Scan.*; *Am.*) *v.* Neil

Nelson (*m.*) (*Celt.* "Figlio di Neil") *var.* Nealson, Nilson, Neil

Nem (*m.*) (*gael.*: "Giusto") 3 *mag.*

Nemesio (*f.*) (*Gr.* "Che distribuisce") 31 *ott.*; 18 *lug.*; 1 *ag.*; 25 *ag.*; 19 *dic.*

Nemo (*m.*) (*Gr.* "Dalla forra" "Dalla valletta")

Nen (*m.*) (*Eg.* "Lo spirito di Nen")

Nenè (*f.*) *v.* Giovanna

Nenet (*f.*) (*Eg.* "La Dea Nenet" *nel "Libro della morte"*)

Neofito (*m.*) (*Gr.*"Nuova pianta" "Venuto alla fede") 20 *gen.*; 22 *ag.*

Neoma (*f.*) (*Gr.* "Luna nuova") *Var.* Neomah, Neona

Neomisia (*f.*) (*Lat.* "Nuova venuta dalla Misia", località dell'Asia Minore) 25 *set.*

Neone (*m.*) (*Gr.* "Nuovo") 24 *apr.*; 23 *ag.*; 28 *set.*; 2 *dic.*

Neonilla (*f.*) (*Lat.,* nome imposto alle figlie di ignoti: "Nuova, venuta dal nulla") 28 *set.*

Neopolo (*m.*) (*Gr.* "Nuovo polo" "Nuovo giro") 2 *mag.*

Neoterio (*m.*) (*Lat.* "Che ama le novità.) 8 *set.*

Neoto (*m.*) (*Celt.* "Buon nuotatore") 15 *giu.*

Nepa (*f.*) (*Ar.* "Che cammina all'indietro"; la Costellazione dello Scorpione)

Neper (*f.*) (*Sp.* "Della città nuova")

Nepoziano (*m.*) (*Lat.* "Che è prodigo") 22 *ott.*

Nerea (*f.*) (*Gr.* "Ninfa mari-na") 25 *dic.*; *v.* Nereo

Nereide (*f.*) (*Gr.* "Ninfa del mare") 12 *mag.*; *v.* Nereo

Nereo (*m.*) (*Gr.* "Grande nuotatore") 12 *mag.*; 16 *ott.*

Neri (*m.*) *abbr.* di Ranieri

Nerina (*f.*) *v.* Nereo, 12 *mag.* *dim.* di Neri

Nerine (*f.*) *v.* Nerina

Nerino (*m.*) *v.* Nereo; *dim.* di Neri

Nerio (*m.*) *v.* Nereo; 12 *mag.*

Nerissa (*f.*) (*Gr.* "Figlia del mare") *var.* Nerice, Nerine, Nerinne, Nerisse, Rissa

Nero (*m.*) (*Lat.* "Forte" "Severo") *var.* Neron (*Bul. Fr. Sp.*); Nerone (*It.*)

Nersa (*Gr.* "Proveniente da Nersae") 20 *nov.*

Nessa (*f.*) (*Rus.*) *dim.* di Anastasia

Nessie (*f.*) (*Scoz.*) *v.* Agnes

Nestabo (*Gr.* "Che digiuna") 8 *set.*

Nestor (*m.*) (*Fr.*) *v.* Nestore

Nestore (*m.*) (*Lat.* "Guida") (*Gr.* "Che va bene" "Il saggio") 4 *mar.*; 17, 26 *feb.*; 8 *set.*; 8 *ott.*; *var.* Stora, Nestora

Netia (*f.*) (*Ebr.* "Pianta" "Arbusto") *var.* Neta, Netta

Netis (*f.*)(*Ind. Nordam.:* "Amica fidata")

Neto (*m.*) (*Sp.*) *v.* Ernesto

Netta (*f.*) *v.* Natalia

Netti (*f.*) *v.* Natalia

Nettie (*f.*) *dim.* di Annette; *v.* Natalia

Netty (*f.*) (*abbr.*) *v.* Natalia

Neva (*f.*) (*Sp.* "Neve" "Estremamente bianca") *var.* Nevada, Neiva

Nevada (*f.*) ("Bianca come la neve")

Nevelone (*m.*) (*Prov.* "Figlio delle nuvole") 27 *lug.*

Nevia (*f.*) (*Lat.*) *v.* Nevio

Neville (*m.*) (*Fr. ant.* "Nuova città") *var.* Nevil, Nevile

Nevin (*m.*) (*Irl., gael.* "Veneratore del Santo") (*Ted. ant.* "Discendente" "Nipote maschio") // *var.* e *dim.* Nev, Nevins, Niven, Vinnie, Vinny

Nevio (*m.*) (*Lat.* "Neo" "Voglia")

Newall (*m.*) *v.* Newell

Newbold (*m.*)(*Ing.ant.* "Dal nuovo edificio")

Newell (*m.*) (*nome con orig. da cognome*)

Newland (*m.*)(*nome con orig. da cognome*)

Newlin (*m.*) (*Gall.* "Nuovo arrivo") *var.* Newlyn

Newman (*m.*) ("Uomo nuovo")

Newson (*m.*) (*nome con orig. da cognome*)

Newton (*m.*) (*Ing. ant.* "Dalla nuova proprietà")

Neza (*f.*) (*Sl.*) *v.* Agnese

Nhuachiluvane (*f.*) (*Mozambico*)

Nhuanine (*f.*) (*Mozambico*)

Niabi (*f.*) (*Ind. Nordam.:* "Cerbiatto")

Niall (*m.*) ("Campione")

Nibaw (*m.*) (*Ind. Nordam.:* "Io sto in piedi")

Nic (*m.*) *v.* Nicola

Nicabar (*m.*) (*Sp., git.* "Portare via" o "Rubare")

Nicandro (*m.*) (*Gr.* "Uomo vittorioso") 17 *giu.*; 15 *feb.*; 15 *mar.*; 4, 7 *nov.*

Nicanor (*m.*) (*Sp.*) *v.* Nicola

Nicanore (*m.*) (*Gr.* "Vincitore") 5 *giu.*; 10 *gen.*

Nicarete (*m.*) (*Gr.* "Che dona virtù") (*f.*) 27 *dic.*

Nicasio (*m.*) (*Gr.* "Che dà vittoria") 11 *ott.*; 14 *dic.*

Nicea (*m.*) (*Gr.* "Vittorioso") 29 *ag.*; 19 *ott.*

Niceforo (*m.*) (*Gr.* "Apportatore di vittoria") 19, 25 *feb.*; 13 *mar.*; 2 *giu.*

Niceta (*m.*) (*Gr.* "Che vince") 20 *mar.*; 7 *gen.*; 3 *apr.*; 15 *set.*

Niceto (*m.*) (*Lat.* "Colui che vince") 5 *mag.*

Nicezia (*f.*) 24 *lug.*

Nicezio (*m.*) (*Gr.* "Vincitore") 2 *apr.*; 8 *feb.*; 5 *dic.*; 1 *ott.*

Nich (*m.*) *v.* Nicola

Nichelle (*f.*) (*raro*)

Nichlaj (*m.*) *v.* Nicola

Nichol *v.* Nicola

Nichola *v.* Nicola

Nicholas *v.* Nicola

Nichole (*f.*) *v.* Nicole

Nichols (*m.*) *v.* Nicola

Nicholson (*m.*) ("Figlio di Nicola")

Nichy (*m.*) *v.* Nicola

Nicio (*m.*) (*Gr.:* "Vittorioso") 17 *apr.*

Nick (*m.*) *v.* Nicola

Nickerson (*m.*) (*nome con orig. da cognome*)

Nickie *v.* Nicola

Nickolaus *v.* Nicola

Nicky (*m.*) *v.* Nicola

Niclaus *v.* Nicola

Nicolaas *v.* Nicola

Nico (*m.*) (*Sl.*) *v.* Nicola 31 *gen.*; 18 *apr.*

Nicodemo (*m.*) (*Gr.* "Conquistatore del popolo") 3 *ag.*// *dim.* Nick, Nickie, Nicky

Nicodemus (*m.*) *v.* Nicodemo

Nicol (*m.*) *v.* Nicola

Nicola (*m.*) (*Gr.* "Vincitore per il popolo") 6 *dic.*; 7 *gen.*; 12 *feb.*; 3, 21 *mar.*; 4 *apr.*; 2 *giu.*; 25 *set.*; 13, 14 *nov.*// *var.* e *dim.* Claus, Colas, Cole, Colet, Colin, Klaus, Nichols, Nic, Nick, Nickie, Nickolaus, Nicky, Nicol, Nicolas, Nicolette, Niki, Nikita, Nikki, Nikky (*Ing.*); Nikita, Nikolas (*Bul.*); Nikula, Nikulas (*Cec.*); Nicolaas(*Ted.*); Nikolai (*Est.*); Colar, Coiette, Collette, Colin, Nicolas, Nicol (*Fr.*); Claus, Klaus, Nikolaus (*Germ.*); Nikolaus, Nikolos, Nikos (*Gr.*); Cola, Nicoletta, Niccolò, Nicolò (*It.*); Kola, Niklavs, Nikolais (*Let.*); Nicolai (*Norv.*); Mikolai, Milek (*Pol.*); Nicolau (*Port.*); Kolya, Nikita, Nikolai, Nikolaj (*Rus.*); Nicolàs (*Sp.*); Nicholas, Nich, Nichy, Nikka, Nikolaus (*Ted.*); Niklas, Nils (*Sv.*); Micu, Miki, Niki, Niklos (*Ung.*) // Claes, Clos, Cosette, Cozette, Klaasina, Klasie, Kleiske, Kolaig, Nichlaj, Nichol, Nichola, Nicholas, Niclaus, Nicol, Nico-

247

lasa, Nicolav, Nicole, Nicolette, Nicoli, Nicolin, Nicolina, Nicoline, Nicou, Nik, Nikej, Niklaus, Niklavs, Nikol, Nikolia, Nikolai, Nikolajs, Nikolaz, Nikoucha

Nicolai (*m.*) *v.* Nicola
Nicolas (*m.*)(*Fr.; Sp.*) *v.* Nicola
Nicolàs *v.* Nicola
Nicolasa *v.* Nicola
Nicolau *v.* Nicola
Nicolav *v.* Nicola
Nicole (*f.*) (*Fr.*) *v.* Nicola
Nicoletta (*f.*) 6 *dic.*; *v.* Nicola (*Gr.* "Vincitore per il popolo") // *var.* e *dim.* Colette, Collette, Cosette, Nichola, Nichol, Nichole, Nicholle, Nicholine, Nicki, Nickie, Nicky, Nicola, Nicoletta, Nicolette, Nicoli, Nicoleen, Nicoline, Nicolle, Nike, Niki, Nikki, Nikola, Nikolette, Nikolia (*Ing.*); Niki (*Gr.*)
Nicolette (*f.*) *v.* Nicola
Nicoli *v.* Nicola
Nicolin (*m.*) *v.* Nicola
Nicolina *v.* Nicola
Nicoline *v.* Nicola
Nicolò (*m.*) *v.* Nicola
Nicomede (*m.*) (*Gr.* "Principe vittorioso") 12 *mag.*
Nicone (*m.*) (*Gr.* "Vincitore") 23 *mar.*; 28 *set.*; 26 *nov.*
Nicostrato (*m.*) (*Gr.*: "Vittorioso") 8 *nov.*; 21 *mag.*; 7 *lug.*
Nicou (*m.*) *v.* Nicola
Nida (*f.*) (*Ind. Nordam., Oma-*

ha: "La creatura Nida")
Nigan (*m.*) (*Ind. Nordam.:* "Avanti")
Nigel (*m.*) (*Lat.:* "Scuro" "Nero")
Nik (*m.*) *v.* Nicola
Nika (*f.*) (*Rus.*) *v.* Domenica
Nike (*f.*)(*Gr.* "Vittoria") *v.* Nicola
Nikej (*m.*) *v.* Nicola
Niki (*f.*) (*Gr.*) *dim.* di Nicola
Niki (*m.*) (*Pol.*) *dim.* di Domenico
Nikita (*m.*) e (*f.*) (*Rus.*) *v.* Nicola, Nicoletta
Nikka *v.* Nicola
Nikki *v.* Nicola
Nikky *v.* Nicola
Niklas *v.* Nicola
Niklaus *v.* Nicola
Niklavs *v.* Nicola
Niklos *v.* Nicola
Nikol *v.* Nicola
Nikolai *v.* Nicola
Nikolais *v.* Nicola
Nikolaj *v.* Nicola
Nikolajs *v.* Nicola
Nikolas *v.* Nicola
Nikolaus *v.* Nicola
Nikolaz *v.* Nicola
Nikolia *v.* Nicola
Nikolos *v.* Nicola
Nikos *v.* Nicola
Nikoucha *v.* Nicola
Nikula *v.* Nicola
Nikulas *v.* Nicola
Nila (*f.*) ("Dal fiume Nilo")
Nilammone (*m.*) (*Gr.* "Compa-

gno di Dio") 6 *gen.*

Nilde (*f.*) (*Sass.* "Guerriera") 22 *mar.*; 21 *lug.*

Nile (*m.*) ("Fiume Nilo")

Nili (*f.*) e (*m,*) (*Ebr.* "La gloria (o eternità) di Israele non è menzogna o pentimento")

Nilla (*f.*) *tronc.* di Petronilla

Nilo (*m.*) (*Gr.* "Fiume") 26, 19 *set.*; 31 *dic.*; 20 *feb.*; 12 *nov.*

Nils (*m.*) (*Scan.*) *v.* Neil; (*Sv.*) *v.* Nicola

Nimmia (*m.*) (*Celt.:* "Credente") 12 *ag.*

Nina (*f.*) (*Ass.:* "Pioggia") (*Ebr.:* "Bella") (*Sp.:* "Fanciulla") *var.* Ninette, Ninette, Ninnetta, Ninnette; 15 *dic.*; *dim.* di Giovanna, ecc.

Ninette (*f.*) ("Piccola e graziosa")

Ninfa (*f.*) (*Gr.* "Sposa") 10 *nov.*

Ninfodora (*f.*) (*Gr.* "Sposa donata") 13 *mar.*

Niniano (*m.*) (*Lat.* "Che è bello") 16 *set.*

Ninita (*f.*) (*Sp.* "Ragazzina")

Nino (*m.*) (*Ass.:* "Pioggia") (*Ebr.:* "Bello") (*Sp.* "Fanciullo") 24 *giu.*

Nino (*m.*) (*it.*) (*dim.*) di Antonio, Giovanni ecc.

Nipa (*f.*) (*India* "Ruscello")

Nirel (*f.*) (*Ebr.* "La luce di Dio" "Campo coltivato")

Nirveli (*f.*) (*India* "Acqua o ragazza acquatica")

Nishi (*f.*) (*Giap.* "Ovest")

Nissan (*m.*) (*Ebr.* "Volo")

Nisse (*f.*) (*Scan.* "Elfo amichevole" o "Folletto amichevole") *var.* Nissa

Nissim (*m.*) (*Ebr.:* "Segno" "Miracolo")

Nita (*f.*) (*Ind. Nordam., Chotaw:* "Orso"// (*Sp.*) *v.* Anna; Anita; Juanita

Nitara (*f.*) (*sans.:* "Radicato profondamente")

Nitis (*m.*) (*Ind. Nordam.:* "Buon amico") *var.* Netis

Nitsa (*f.*) (*Gr.*) *v.* Elena

Nituna (*f.*) (*Ind. Nordam.:* "Mia figlia")

Nixon (*m.*) (*Ing. ant.:* "Figlio di Nicola")

Nizana (*f.*)(*Ebr.:*"Gemma" "Germoglio") *var.* Nitza, Nitzana, Zana

Nnamdi (*m.*) (*Nig.* "Mio padre è ancora vivo")

Noah (*m.*) (*Ebr.* "Riposo" "Pace") // *var.* e *dim.* Noi (*Bul.*); Noach (*Ted.*); Noi, Noy (*Rus.*); Noel (*Sp.*); Noak (*Sv.; Norv.*)

Nobantu (*f.*) (*Xhosa, Sud Afr.* "Popolare")

Noble (*m.*) (*Lat.* "Nobile" "Di alti natali")

Nodin (*m.*) (*Ind. Nordam.:* "Il vento") // *var.* Knoton, Noton

Noè (*m.*) (*Ebr.* "Quiete" "Riposo") 18 *nov.* // (*Fr.*) *v.* Nicola

Noel (*m.*) e (*f.*) *v.* Natale, Natalia // (*Sp.*) *v.* Noah

Noela (*f.*) *v.* Natalia

Noella (*f.*) *v.* Natalia

Noelle (*f.*) *v.* Natalia

Noellie (*f.*) *v.* Natalia

Noemi (*f.*) *v.* Naomi

Noemie (*f.*) (*Fr.*) *v.* Naomi

Noga (*f.*) (*Ebr.* "Brillante" "Luce mattutina")

Nola (*f.*) (*gael.*) *femm.* di Nolan

Nolan (*m.*) (*Celt.* "Nobile" "Famoso") *var.* Noland, Nolen

Nolanda (*f.*) ("Piccola campana")

Nolcha (*f.*) (*Ind. Nordam.* "Il sole")

Nolwenn (*f.*) (*Fr.*) 6 *lug.*; *var.* Gwennig, Gwennoal, Nolwennig

Nombese (*f.*)(*Benin, Nig.* "Bella bambina")

Nominanda (*f.*) (*Lat.* "Rinomata" "Famosa") 31 *dic.*

Nomusa (*f.*) (*Ndebele, Zimb.:* "Pietosa" "Misericordiosa")

Nona (*f.*) (*Lat.* "La nona figlia") // *var.* e *dim.* Nonie, Nonna, Nonnie

Nonna (*f*)(*Lat.*"Signora") 5 *ag.*

Nonno (*Lat.* "Signore") 2 *dic.*

Nora (*f.*) *v.* Eleonora

Norah (*f.*) *v.* Eleonora

Norbert (*m.*) *v.* Norberto

Norberta (*femm.* di Norberto)

Norberto (*m.*) (*Ted. ant.*"Splendore del nord" "Luminosità divina") 6 *giu.* // *var.* e *dim.* Bert, Bertie, Berty Norberis, Norberta, Norberte, Norbertus, Nordbert

Nord (*m.*) ("Nord")

Noreen (*f.*) ("Onorata")

Noretta (*f.*) *v.* Nora

Nori (*f.*) (*Giap.* "Precetto" o "Dottrina")

Norina (*Iber.* "Ragazza" "Nubile") *v.* anche Nora; 23 *apr.*; *v.* Honora

Norine (*f.*) *v.* Honora

Norma (*f.*) (*Dan.* "Donna del nord")

Norman (*m.*) (*Teut.* "Uomo del nord" "Uomo della Normandia") // *var.* e *dim.* Norm, Normand, Norris

Norrie (*m.*) *v.* Norman, Norton

Norris (*m.*) (*Fr.ant.* "Colui che viene dal Nord" "Re del Nord") *v.* anche Norman // *var.* Norrie, Norry

Northrop (*m.*)(*Ing. ant.* "Dalla fattoria del Nord")

Norton (*m.*) (*Ing. ant.* "Dalla città del Nord") *dim.* Tony

Norval (*m.*) ("Forza divina")

Norville (*m.*) (*Fr. ant.* "Dalla tenuta del Nord")

Norward (*m.*) (*Ing. ant.* "Guardiano del Nord")

Norwell (*m.*) (*Ing. ant.* "Dalla sorgente del Nord")

Norwood (*m.*) (*Ing. ant.* "Dalla foresta del Nord") *dim.* Woodie, Woody

Nostriano (*m.*) (*Lat.* "Nostrano" "Del proprio paese") 14 *feb.*

Notburga (*f.*) (*Celt.* "Venuta dai paesi del nord") 31 *ott.*

Nouel (*f.*) *v.* Natalia

Nour (*m.*) (*Fr.* "Arabo")

Noura (*f.*) (*Ar.* "Luce" "Speranza")

Nova (*f.*) (*Lat.* "Nuova" "Giovane") (*Ind. Nordam., Hopi:* "Cacciando una farfalla") *var.* Novia

Novato (*m.*) (*Lat.* "Rinnovato") 20 *giu.*

Novela (*f.*) *v.* Natalia

Novella (da Maria Novella: "Annunciazione di Maria") 25 *mar.*; *v.* Natalia

Novellone (*m.*) (*Lat.* "Figlio delle nuvole") 27 *lug.*

Nowles (*m.*) (*Ing.* "Dall'erboso pendio nella foresta") *var.* Knolls, Knowles

Noy (*m.*) (*Ebr.* "Bellezza")

Nsabula (*m.*) (*Mozambico*)

N'uabamo (*f.*) (*Mozambico*)

N'uacapne (*m.*) (*Mozambico*)

Nuccia (*f.*) (*Vezzeggiativo* di Pinuccia, Teresinuccia, ecc.)

Nuccio (*m.*) *dim.* di Giuseppe

Nugent (*m.*) (*raro*)

Numa (*f.*) (*Ar.*) *v.* Naomi

Numeriano (*m.*) (*Lat.*) 5 *lug.*

Numidico (*m.*) (*Gr.* "Della Numidia") 9 *ag.*

Nuna (*f.*) (*Ind. Nordam.:* "Terra" "Landa")

Nuno (*m.*) (*It.*)

Nunzia (*f.*) *v.* Annunziata

Nunzio (*masch.* di Annunziata) (*Lat.* "Che riferisce" "Che annunzia"); 5 *mag.*

Nuri (*m.*) (*Ebr.:* "Fuoco") *var.* Nur, Nuria, Nuriel

Nuria (*f.*) (*Ebr.* "Fuoco del Signore") *var.* Nuri, Nuriel

Nurit (*f.*) (*Ebr.:* "Piccolo fiore giallo") *var.* Nurice, Nurita

Nuru (*m.*) (*Sw.* "Luce")

Nusair (*m.*) (*dim. Ar.* di *"Nasr"* "Avvoltoio")

Nusi (*f.*) (*Ung.*) *v.* Anna

Nydia (*f.*) (*Lat.* "Nido" "Rifugio") *var.* Nidia

Nye (*m.*) (*Ing.* "Isolano")

Nyla (*f.*) ("Dal fiume Nilo")

Nyree (*Maori*)

O

Oakes (*m.*) (*Ing. ant.:* "Della quercia") *dim.* Oakie

Oakley (*m.*) (*Ing. ant.:* "Dal campo della quercia") *dim.* Lee, Leigh

Oba (*f.*) (*Yor., Nig.:* "Antica Dea del fiume")

Obadiah (*m.*) (*Ebr.* "Servitore di Dio") // *var.* e *dim.* Obadias, Obed, Obediah, Obie, Oby

Obdulia (*f.*) (*Celt.* "Ostinata") 5 *set.*

Obioma (*f.*) (*Igbo, Nig.* "Gentile")

Obizio (*m.*) (*Lat.* "Che si getta in avanti") 4 *feb.*

Oceano (*m.*) (*Gr. Lat.* "Immensità")

251

Octave (*m.*) (*Fr.*) *v.* Ottavio

Octavia (*f.*) *v.* Ottavia

Octavie (*f.*) (*Fr.*) *v.* Ottavia

Octavius (*m.*) *v.* Ottavio

Od *v.* Odette

Oda *v.* Odette

Odde *v.* Odette

Oddino (*m.*) (*Ant. germ.* "Picco-lo proprietario")

Oddo (*m.*) (*Germ.:* "Ricchezza") *v.* Otto, Ottone, Oder

Oddone (*m.*)(*Germ.*"Ricchezza") (*Long.* "Proprietario") 18 *nov.* 15 *giu.*; 4, 7 *lug.:* v. Oder, Ot-tone

Odelinda (*f.*) *v.* Odette

Odeardo *(It.)* *v.* Ottone, Oder

Odel *v.* Odette

Odele (*f.*) (*Gr.* "Melodia") *var.* Odelet, Odelette, Odelle

Odelia (*f.*) (*Teut.* "Prospera") (*Ebr.* "Colei che loda Dio") *var.* Odella, Odellia, Odetta, Odette

Odelin (*f.*) *v.* Odette

Odell (*m.*) (*Norv. ant.* "Sano" "Prosperoso") *dim.* Dell, O-dey, Odie, Ody

Oder (*m.*) (*Germ.* "Ricco") *var.* Oderico, Odeardo, Oderisio, Oddone, Ottone

Odera (*f.*) (*Ebr.* "Aratro")

Oderico (*m.*) *v.* Oder, Ottone

Oderisio *(It.)* *v.* Oder, Ottone

Odessa (*f*) (*Rus.:* nome di città)

Odet (*f.*) *v.* Odette

Odetta (*f.*) (*Celt.* "Amica del-l'acqua") 20 *apr.*

Odette (*f.*) (*Fr.*) *Femm.* di Ot-tone; *v.* Odelia, 20 *apr.*; 18 *nov.// var.* e *dim.* (*m.*) e (*f.*) Od, Oda, Odde, Oddone, Odel, Odelin, Odelinda, Odet, Odi-las, Odile, Odilia, Odilie, O-dille, Odilo, Odilon, Odina, Odinette, Odita, Odon, Otello, Otha, Otto, Otton, Ottone, Ude, Udo, Tillie; *v.*Oddo

Odilas (*f.*) *v.* Odette

Odile (*f.*)(*Fr.*) *v.* Odette 14 *dic.*

Odilia (*f.*) (*Celt.* "Ereditiera") 13 *dic.*; 14 *dic. // v.* Odette

Odilie *v.* Odette

Odille *v.* Odette

Odilo *v.* Odette

Odilon *v.* Odette

Odilone (*Celt.* "Ereditiero") 2 *gen.*; 1

Odin (*m.*) (*Fr.*) 4 *apr.*

Odina (*f.*) *v.* Oddo, Odette

Odinette (*f.*) *v.* Odette

Odino (*m.*) (*Ted. ant.* "Andare im-petuosamente")

Odisseo (*m.*) *v.* Ulisse

Odita (*f.*) *v.*Odette

Odo (*m.*) (*Ant. germ.:* "Proprie-tario") 2 *giu.*

Odoardo (*m.*) *v.* Edoardo

Odom (*m.*) (*yid.*) *v.* Abramo

Odon (*m.*) *v.* Odette

Odorico (*m.*) (*Ted. ant.* "Ric-chissimo") 14 *gen.*

Ofelia (*m.*) (*Gr.:* "Che aiuta" "Che soccorre") (*Lat.:* la gens *Ophelia* da "Offa", focaccia rotonda) 3 *feb.*; *var.* Ofilia, Ophelia, Ophelie, Phelia

Ogdan (*m.*) *v.* Ogden

Ogden (*m.*) (*Ing. ant.* "Dalla valle della quercia") *dim.* Denny

Ogin (*f.*) (*Ind. Nordam.:* "Rosa selvatica")

Oglerio (*m.*) (*Gal.* "Lettore di scritture") 9 *set.*

Ojemba (*m.*) (*Igbo, Nig.:* "Viaggiatore")

Okalani (*f.*) (*Haw.* "Dei cieli")

Oki (*f.*) (*Giap.* "Nel mezzo dell'oceano") // (*Ind. Nord-Am., Uroni* "Poteri magici")

Okon (*m.*) (*Ibibio, Nig.* "Nato nella notte")

Ola (*m.*) (*Pol.*) *v.* Alessandro

Ola (*f.*) (*Norv.* "Discendente") *Femm.* di Olaf

Olaf (*m.*) (*Norv. ant.* "Reliquia ancestrale") 29 *lug.* // *var.* e *dim.* Ola, Olaus, Olav, Ole, Olen, Olin, Olof, Oluf

Olao (*Scan.* "Figlio") 29 *lug.*

Olathe (*f.*) (*Ind. Nord Am.* "Bellissima")

Olcese (*m.*) (*Ligure*: da Ursicino "Piccolo orso") 5 *set.*

Oleda (*f.*) (*Ing.*) *v.* Alida

Oleen (*f.*) (*raro*)

Oleg (*m.*) (*Rus.*) (*Scan.* "Santo") *v.* Olga

Olek (*m.*) (*Pol.*) *v.* Alessandro

Oleksa (*f.*)(*Rus.*) *v.* Alessandra

Oleksandr (*Rus.*)*v.* Alessandro

Olena (*f.*) (*pop. rus.* di Helen. "Luce")

Oles (*Pol.*; *Rus.*) *v.* Alessandro

Olesia (*f.*) (*Pol.*) *v.* Alessandra

Oleska / Olesko (*Rus.*) *v.* Alessandro

Olesya (*m.*) (*Pol.*; *Rus.*) *v.* Alessandra

Oleta (*f.*) (*Ing.*) *v.*Alida

Olga (*f.*) (*Rus.*) (*Scan. ant.*: "Donna santa") 11 *lug.*; 5 *set.* // *var.*e *dim.* Olina, Olunka, Oluska (*Cec.*); Olli, Olly (*Est.*); Hailiga (*Fin.*) Ola, Olenka (*Pol.*); Lelya, Lesya, Olenka, Olesya, Olka, Olya, Olyusha (*Rus.*); Helga, Holg (*Ted.*) // Elga, Helga, Helge, Helgo, Helko, Hella, Helle, Ilga, Oleg, Olegouchka, Olgounia, Olgoussia, Oliacha, Olva

Oliana (*f.*) (*Haw.:* "Oleandro")

Olimpia (*f.*) (*Gr.* "Che abita l'Olimpo" "Del monte Olimpo") 17 *dic.*; 15 *apr.*// *var.* e *dim.* Lympia, Olympe, Olympia, Pia

Olimpiade (*m.*) e (*f.*) (*Gr.* "Che abita l'Olimpo) 1 *dic.*

Olimpio (*m.*) (*Gr.* "Celeste") 12 *giu.*; 26 *lug.*; 8 *dic.*

Olindo (*m.*) *v.* Olinto

Olinto (*m.*) (Nome geografico, città della Tracia)

Olisa (*f.*) (*Ibo, Afr.* "Dio")

Oliva (*m.*) (*Lat.*) 10 *giu.* *v.* Oliviero

Olive (*m.*) (*Fr.*) *v.* Oliviero

Olivella (*f.*) *v.* Oliva

Oliver (*m.*) *v.* Oliviero

Olivia (*f.*) (*Celt.*) 3 *giu.*; 5 *mar.*;

v. Oliviero; *Fr. v.* Olivier) //
var. e *dim.* Livia, Olive, Olivetta, Olivette, Ollie, Olly

Olivier (*Fr*) 12 *lug.*; *v.*Oliviero

Oliviera (*f.*) *v.* Oliviero, 3 *feb.*

Oliviero (*m.*) (*Celt.*) (*Lat.* "Albero d'olivo" "Culto sacro dell'olivo") (*Teut.* "Straniero") 27 *mag.* // *var.* e *dim.* Noll, Nollie, Nolly, Ol, Olier, Olive, Oliver, Oliveiros, Oliverio, Oliverius, Olivero, Olivier, Oliverus, Olivette, Olivia, Ollie, Ollier, Ollivier Olly, Olvan

Ollegario (*m.*) (*Sass.* "Molto diligente") 6 *mar.*

Ollie (*m.*) *v.* Oliver, Oliviero

Olman (*m.*) (*raro*)

Olo (*m.*) *v.* Rolando

Olujimi (*m.*) (*Yor., Nig.* "Dono di Dio")

Olympia (*f.*) *v.* Olimpia

Oma (*f.*) (*Ar.* "Comandante")

Omar (*m.*) (*Ar.* "Vivere lungamente" "Primo figlio" "Il supremo") *var.* Omer

Omara (*f.*) ("Raffinata nel parlare")

Ombeline (*f.*) (*Fr.*) 21 *ott.*

Ombellina (*f.*) (*Long.:* "Che ha piccola ombra") 21 *ag.*

Ombretta (*f.*)

Omer (*m.*) (*Fr.*) 9 *set.* // *var.* e *dim.*Audomer, Odemar, Odomar, Oomke, Oomer, Omero, Ommar, Ommo, Opper, Opperli, Otmar, Ottmar, Ottli, Ummo // *v.* Omero

Omero (*m.*) (*Gr.* "Cieco") 9 *set.*; *var.* Audomer, Omer (*Fr.*)

Omobono (*m.*) (*Lat.* "Uomo buono") 13 *nov.*

Omorose (*f.*) (*Benin, Nig.* "Bella bambina")

Omusa (*f.*) (*Ind. Nordam., Miwok:* "Mancare il colpo con le frecce")

Ona (*f.*) (*Lit.*) *v.* Anna

Onatah (*f.*) (*Ind. Irochesi:* "Spirito del corno e figlia della terra")

Onawa (*f.*) (*Ind. Nordam.:*"Sempre sveglia")

Ondina (*f.*) ("Ninfa d'acqua")

Ondine (*f.*) *v.* Ondina

Oneal (*m.*) (*raro*)

Onella (*f*)(*Ung*) *v.*Nellie, Elena

Onesiforo (*m.*) (*Gr.*) 6 *set.*

Onesime (*m.*) (*Fr.*) 16 *feb.*; *v.* Onesimo

Onesimo (*m.*) (*Gr.* "Benefico" "Utile") 16 *feb.*; 2 *mar.*; 13 *mag.*

Onesta (*f.*) (*Lat.*"Proba" "Virtuosa") 18 *ott*

Onesto (*m.*) (*Lat.* "Galantuomo" "Probo") 16 *feb.*

Oneta (*f.*) (*raro*)

Onetia (*f.*) (*raro*)

Oneva (*f.*) (*raro*)

Oni (*f.*)(*Yor., Nig.:*"Bambina nata in luogo sacro") (*Beni, Nig.* "Desiderata")

Onida (*f.*) (*Ind. Nordam.:* "Colei che cerca")

Onno (*m.*) (*Frisone, Ol.:* "L'uomo che è generoso" "Colui che è generoso")

Onofredo (*m.*) *v.* Humphrey

Onofria (*f.*) *v.* Onofrio

Onofrio (*m.*) (*Gr.* "Che sopporta"; *Lat.* "Che è sempre felice") 10, 12 *giu.*; 22 *apr.*

Onorata (*f.*) ("Stimata" "Apprezzata") 2, 11 *gen.*; *var.* Honora, Honoré

Onorato (*m.*) (*Lat.* "Stimato") 16 *gen.*; 8 *feb.*; 27 *ag.*; 1 *set.*; 28 *ott.*; 22, 29 *dic.*; *var.* Honoré (*Fr.*)

Onoria (*f.*) *v.* Onorio; 2 *giu.*

Onorina (*f.*) (*dim.* di Onorata) 27 *feb.*

Onorio (*m.*) (*Lat.* "Che è rispettato") 24 *apr.*; 30 *set.*; 21 *nov.*; 30 *dic.*; *var.* Honoré

Onyx (*f.*) ("Onice")

Oona (*f.*) ("Una"); *v.* Una

Opal (*f.*) (*sans.,* pietra preziosa: "Opale")

Ophelia (*f.*) *v.* Ofelia

Ophrah (*f.*) ("Giovane")

Opilio (*Gr.* "Pastore") 12 *ott.*

Ora (*f.*) *v.* Aurelia; *dim.* di Cora, Dora, Nora

Orah (*f.*) (*Ebr.*"Luce") // *var.* e *dim.* Ora, Oralee, Orit, Orlice, Orly (*Ebr.*)

Oralia (*f.*) *v.* Aurelia

Oralie (*f.*) *v.* Aurelia; *var.* Ora, Oralia, Orelia

Oranna (*f.*) (*Gael.* "Che prega") 15 *ott.*

Orazio (*m.*) (*Etr.: sign. sc.*) (*Gr.*

"Chiaroveggente") (*Lat.* "Sacro alla Dea della gioventù") 7 *nov.*; *var.* Horacio, Horatio, Horatius, Oratio, Horats

Ordway (*m.*) (*anglo-sass.:* "Lanciere")

Orelia (*f.*) *v.* Aurelia

Orelle (*f.*) *v.* Oriana

Oren (*m.*) (*Ebr.*"Cedro" "Abete") (*Gael.* "Dalla pelle chiara") *var.* Oran, Orin, Orren, Orrin

Orenda (*f.*) (*Ind. Nordam., Irochesi:* "Poteri magici")

Orenzio (*m.*) (*Lat.* "Che prega") 1 *mag.*; 24 *giu.*

Oreste (*m.*) (*Gr.* "Abitante dei monti") 13 *dic.*; 9 *nov.*

Orfeo (*m.*) (*Gr.* "Uomo dalla bella voce") 23 *feb.*

Orford (*m.*) (*Ing. ant.* "Dal guado degli armenti")

Oria (*f.*) (*Lat.* "D'oro" "Dorata")

Oriana(*f.*) (*Celt.:* "Dorata"; *Lat.:* "Nascente") *var.* Oralia, Orelda, Orelle, Orlann, Orlene

Oriane (*f.*) ("Dorata")

Oricolo (*m.*) (*Lat.* "Proveniente da Oricum) 18 *nov.*

Oriel (*f.*) *v.* Oria

Oriella (*f.*) *v.* Oria

Orielle (*f.*) *v.* Oria

Orietta (*f.*) *v.* Oria

Origene (*m.*) (*Gr.* "Originario della montagna") 1 *nov.*

Orin (*m.*) *v.* Oren

Oringa (*m.*) (*Sp.* "Abitante di Oringis", antica località spagnola) 4 *gen.*

Orino (*f.*) (*Giap.*)

Orio (*m.*) (*Gr.* "Bello" "Elegante") 25 *giu*

Orion (*m.*)(*Gr.* "Figlio del fuoco")

Orison (*m.*) ("Preghiera")

Orla (*f.*) ("Dorata")

Orlan (*m.*) (*raro*)

Orland *v.* Orlando, Rolando

Orlanda *v.* Orlando, Rolanda

Orlando (*m.*) (*Germ.* "Uomo che ha fama di ardito" "Uomo che viene dal paese glorioso") (*Gal. Lat.* "Uomo che da gloria alla patria") 15 *set.*; 16 *gen.*; 14 *ott.*// *var.* e *dim.* Lando, Duccio, Tuccio (*It.*) // *v.* anche Rolando

Orlenda (*f.*) (*Rus.* "Aquila")

Orlin (*m.*) ("Dorato")

Orlo (*m.*) *v.* Rolando

Ormisda (*m.*) e (*f.*) (*Per.*: "Buono") 6, 8 *ag.*; 20 *giu.*

Ormond (*m.*) (*Ing. ant.* "Dalla montagna dell'orso")

Orna (*f.*) (*Gael.* "Olivastra")

Ornella (*f.*) (*dal Lat."Fraxinus Ornus",* Frassino selvatico: "Snella e flessibile": *nome coniato da D'Annunzio*)

Ornice (*m.*)(*Ebr.* "Abete" "Cedro"); *var.* Orna, Ornit (*Ebr.*)

Oronzo (*m.*)(*Lat.* "Veloce" "Agile") 26 *ag.*; 22 *gen.*

Orpah (*f.*) (*Ebr.* "Cerbiatta") *var.* Orpa, Orpha

Orre (*m.*) (*Lat.* "Irsuto" "Ar-

ricciato") 13 *mar.*

Orren (*m.*) *v.* Oren

Orrin (*m.*) *v.* Oren

Orsa (*f.*) *v.*Ursula

Orsen (*m.*) *v.*Orson, Orso

Orsetta (*f.*) *v.* Orsola, Ursula

Orsino (*Lat.* "D'orso") 9 *nov.*

Orso (*m.*) (*Lat.* "Orso") 1 *feb.*; 13 *apr.*; 30 *lug.*; 30 *set.*; 21, 30*ott*; *v.* Orson, Orsola, Ursula

Orsola (*f.*) *v.* Ursula; 21 *ott.*

Orsolina (*f.*) (*dim.* di Orsola) 7 *apr.*

Orson (*m.*) ("Forte, coraggioso come un orso") // *var.* e *dim.* Sonnie, Sonny, Ursen; *v.* Orso, Ursula

Ortensia (*f.*) (*Lat.*) *v.* Ortensio *var.*Hortense (*Fr.*); Hortensia (*Ing.*) // Hortensa, Hortenz

Ortensio (*f.*) (*Lat.* "Che cura gli orti e i giardini") 11 *gen.*

Ortolana (*f.*) 29 *mag.*

Ortolano (*m.*) (*Lat.* "Lavoratore dell'orto") 28 *nov.*

Orton (*m.*) (*Teut.* "Uomo della salute" "Ricco") // *var.* Orten

Orville (*m.*) (*Fr.* "Città dorata")

Orvin (*m.*) ("Amico dorato")

Orwell (*m.*) (*nome con orig. da cognome*)

Osanna (*f.*) (*Ebr.* "Evviva" "Salve") 18 *giu.*; 9 *set.*; 27 *apr.*

Osbert (*m.*) (*Ing. ant.* "Divinamente luminoso") *dim.* Bert, Bertie, Berty

Osborn (*m.*) (*Ing.ant.* "Divinamente forte") // *var.* e *dim.* Osborne, Osbourne, Ozzie, Ozzy

Oscar (*m.*) (*Ted. ant.* "Lancia di Dio" "Guerriero di Dio") 13 *feb.* // *var.* e *dim.* Anschaine, Ansgaine, Ansgar, Ochy, Osgar, Oskar, Ossie, Ossy, Ozzie, Ozzy // Anscario (*Sv.*)

Osea (*m.*) (*Ebr.* "Salvato dal signore") 4 *lug.*

Osen (*f.*) (*Giap.* "Mille")

Osgod (*m.*) (*Ing. ant.* "Divinamente buono") *dim.* Ozzie, Ozzy

Osmer (*m.*) (*Teut.* "Fama divina") *var.* Osmar

Osmond (*m.*) (*Teut.* "Protezione divina") // *var.* e *dim.* Osmund, Ozzie, Ozzy

Osmondo (*m.*) (*Ted. ant.* "Protetto da Dio") 4 *dic.*

Ospizio (*m.*) (*Lat.* "Che da rifugio") 21 *mag.*

Ostiano (*m.*) (*Lat.* "Sacrificato") 30 *giu.*

Osvaldo (*m.*) (*Sass.* "Difensore della casa" "Dio che regna") (*Ing. ant.* "Potere divino") 5, 20 *ag.*; 29 *feb.*; 5 *ott.* // *var.* e *dim.* Answald, Ossie, Ossy, Ostrald, Osvald, Osweald, Oswell, Ozzie, Ozzy, Walde, Waldo

Oswald (*m.*) *v.* Osvaldo

Otello (*m.*) (*dim.* di Ottone) *v.* Odette

Otha (*f.*) *v.* Odette

Otilia (*f.*) *v.* Odilia; 16 *dic.*

Otis (*m.*) (*Gr.* "Fine di orec-

chio")

Otmaro (*m.*) (*Ted. ant.* "Autore di felicità) 16 *nov.*

Ottato (*m.*) (*Lat.* "Che ha optato") 16 *apr.*; 4 *giu.*

Ottavia (*f.*) (*femm.* di Ottavio) 20 *nov.* // *var.* e *dim.* Octavia, Octavie, Octaviana, Octavienne, Tava, Tavi, Tavia, Tavial // Tawia (*Pol.*)

Ottaviano (*m.*) (*Lat.* "Figlio di Ottavio") 2 *set.*; 22 *mar.*

Ottavio (*m.*) (*Lat.:* "L'ottavo", riginariamente imposto all'ottavo figlio; *cognomen* di una gcns romana) 20, 11 *nov.*; 5, 15 *mar.*; 1 *giu.*; 10, 11 *lug.* // *var.* e *dim.* Octave (*Fr.*); Ottaviano (*It.*); Octavio (*Sp.*); Octavian, Octavius, Octavus, Oktav, Oktavi, Octaaf, Octavien

Ottilia (*m.*) *v.* Odilia; 13 *dic.*

Ottilie (*f.*) (*Teut.:* "Eroina in battaglia") // *var.* e *dim.* Otila, Otti, Ottie, Ottilia, Ottillia, Tillie, Tilly, Uta

Ottilio (*m.*) *v.* Oddo, Oddone

Otto (*m.*) (*Teut.* "Ricchezza" "Sano") *v.* Oddo, Ottone

Otton (*m.*) *v.* Oddo, Ottone

Ottone (*Sass.* "Che possiede" "Proprietario") 30 *giu.*; 2 *lug.*; 16 *gen.*; 23 *mar.*; 22 *set.*; 28 *dic.*; *v.* Oddone, Oddo, Oder

Ottorino (*m.*) *v.* Ottone; 2 *lug.*

Ovid (*m.*) *v.* Ovidio

Ovida (*f.*) *femm.* di Ovid

Ovidio (*Lat.* "Pastore") 3 *giu.*

Owen (*m.*) (*Gall.* "Di nobili natali")

Owena (*f.*) (*Gall.*) *femm.* di Owen

Oya (*f.*) (*Ind.Nordam., Miwok* "Nominare")

P

Paschalle (*m.*) *v.* Pasquale

Pasqualino (*m.*) *v.* Pasquale

Paavo (*m.*) *v.* Paolo

Pablita (*f.*) *v.* Paola

Pablito (*m.*) (*Sp. dim.*) *v.* Paolo, 29 *giu.*

Pablo (*m.*)(*Sp.*) *v.*Paolo 29 *giu.*

Pace (*m.*) e (*f.*) *v.* Pacifico

Pachata *v.* Paolo

Pachouchka *v.* Paolo

Paciano (*m.*) (*Lat.* "Uomo di pace") 9 *mar.*

Pacifica (*f.*) *v.* Pacifico

Pacifico (*m.*) (*Lat.* "Amante della pace") 24, 21 *set.*; 5 *giu.*; 10 *lug.*

Paco (*m.*) (*Ind. Nordam.* "Aquila di mare dalla testa bianca")

Paco (*m.*) (*Sp.*) *v.* Francesco

Pacomio (*m.*) (*Gr.* "Originario di Paconia", città della Mesopotamia) 14, 9 *mag.*

Paddie *v.* Patrizio

Paddy (*m.*) (*Ing. dim.* di Patrick) *v.* Patrizio

Paddy (*m.*) *v.* Patrizio

Padgett (*m.*) (*nome con orig. da cognome*)

Padma (*f.*) (*Hindu* "Loto")

Padraic (*m.*) *v.* Patrick, Patrizio

Padraig *v.* Patrizio

Padrig *v.* Patrizio

Padriguez *v.* Patrizio

Padruig *v.* Patrizio

Pafnuzio (*m.*) (*Lat.* "Oriundo di Paphus", località cipriota) 19 *apr.*; 11, 24 *set.*

Pagan (*m.*) e (*f.*) (*raro*)

Pagano (*m.*)(*Lat.*"Rustico" "Della campagna") 26 *dic.*; 24 *mag.*; *var.* Paine, Payne

Page (*m.*) e (*f.*) (*Fr.* "Attendente") *var.* Padget, Padgett, Paget, Paige

Paine (*m*) *v.* Pagano; *var.* Payne

Paka (*f.*) (*Sw.* "Gattina")

Paki (*m*) (*Sud Afr.* "Testimone")

Pal (*m.*) (*Ing., git.* "Fratello") *v.* Paolo

Palani (*m.*) (*Haw.*) *v.* Francesco

Palatino (*m.*) (*Lat.* "Originario del colle Palatino") 30 *mag.*

Palazia (*f.*) (*Lat.* "Abitante di Palazio") 8 *ott.*

Palemone (*m.*) (*Gr.* "Lottatore") 11 *gen.*

Paley (*m.*) *v.* Paolo

Palila (*f.*) (*Haw.* "Uccello")

Palladia (*f.*) (*Gr.* "Figlia di Pallade" "Saggezza") 24 *mag.*

Palladio (*m.*) (*Lat.:* "Lanciatore") 27, 28 *gen.*; 6 *lug.*; 10 *apr.*

Pallas (*f.*) (*Gr.*) *v.* Palladia

Pallaton (*m.*)(*Ind.Nordam.* "Lottatore") *var.* Palladin, Pallaten

(*Ing.*)

Palma (*f.*) (*Lat.* "Palma") *var.* Palmazia, Palmira, Palmyra; *v.* Palmira

Palmazio (*m.*) (*Lat.*) 5 *ott.*; 4 *ott.*

Palmer (*m.*) (*Ing. ant.* "Che porta le palme" "Pellegrino" o "Crociato")

Palmina (*f.*) *v.* Palmiro

Palmira (*f.*) *v.* Palmiro. L'onomastico si festeggia la Domenica delle Palme

Palmiro (*m.*) (*Lat.* "Palma") (In onore dell'entrata di Cristo a Gerusalemme; nome dato ai pellegrini reduci della terra santa). L'onomastico si festeggia la Domenica delle Palme

Paloma (*f.*) (*Sp.* "Colomba")

Pam (*f.*) (*Abbr.* di Pamela)

Pamela (*f.*) (*USA; Ing.*) (*Gr.* "Tutta miele" "Dolcezza" "Donata") 16 *feb.* // *var.* e *dim.* Pam, Pamella, Pamala, Pamelina, Pammi, Pammie, Pammy // Pamèle (*Fr. Ing.*)

Pammachio (*m.*) (*Gr.* "Che è abile in ogni lotta")

Panacea (*Gr.* "Che rimedia a tutto") 1 *mag.*

Pancario (*m.*) (*Gr.* "Tutto grazioso") 19 *mar.*

Pancho (*m.*) (*Sp.*) *v.* Francesco

Pancrazio (*m.*) (*Gr.:* "Lottatore") 12 *mag.*; 3 *apr.*; 15 *giu.*

Pandita (*f.*) (*Hindu:* "Studiosa")

Pandolfo (*m.*) (*Ted.* "Condottiero forte e astuto come un lupo")

Pandora (*f.*)(*Gr.* "Donata") *dim.* Dora

Panfilo (*m.*) (*Gr.* "Amico di tutti") 1 *giu.*; 16 *feb.*; 7, 21 *set.*

Panos (*m.*) *v.* Pietro

Pansy (*f.*) (da *"Pansè"* "Viola del pensiero")

Pantagato (*m.*) (*Gr.:* "Buonissimo") 17 *apr.*

Pantalemone (*m.*) (*Gr.* "Grande indovino") 27 *lug.*

Pantaleone (*m.*) (*Lat.* "Leone in tutto") 27 *lug.*

Panteno (*m.*) (*Gr.* "Dedicato a Dio") 7 *lug*

Panthea (*f.*) (*Gr.:* "Tutti gli dei") *dim.* Thea

Panya (*f.*) (*Rus.*) *v.* Stefania

Paola (*f.*) (*Lat.* "La piccola" "La giovane") 24, 26 *gen.*; 3, 11, 18, 25 *giu.*; 20, 30 *lug.*; 20 *ag.*; 29 *ott.*; 15 *dic.*// *var.* e *dim.* Pauletta, Paulina, Pauline, Paulita, Pauli, Polli, Pawlina, Pola, Polcia, Pavlinka, Pavline, Pavlounia // Pavla (*Cec.*); Paule, Paulette, Pauline (*Fr.*); Paula, Paulie, Pauline, Pauly, Poll, Pollie, Polly (*Ing.*); Paolina, Lina (*It.*); Pavla, Pavlina (*Rus.*); Pablita (*Sp.*); Paula (*Ted.*)

Paoli (*m.*) *v.* Paolo

Paolillo (*m.*) (*Lat.* "Piccolo giglio") 13 *nov.*; 19 *dic.*

Paolina (*f.*) (*dim.*) *v.* Paola // 6 *giu.*; 2 *dic.*; 31 *dic.*

259

Paolino (*m.*) (*dim.*) *v.* Paolo, 22 *giu.*; 10, 28 *gen.*; 29 *apr.*; 4, 26 *mag.*; 12 *lug.*; 31 *ag.*; 10 *ott.*

Paolo (*m.*) (*Lat.* "Il piccolo" "Il giovane") 29 *giu.*; 19, 25 *gen.*; 18 *nov.*; 1, 5, 6, 8 *feb.*; 2, 7, 10, 12, 17, 19, 20, 22 *mar.*; 17, 28 *apr.*; 15, 17, 28 *mag.*; 1, 3, 7, 17, 26, 28 *giu.*; 3, 20, 25 *lug.*; 17, 25, 29 *ag.*; 3, 18, 19 *ott.*; 1 *nov.*; 15, 19, 24 *dic.* // *var.* e *dim.* Paley, Paulie, Poul, Paavo, Pachata, Pachouchka, Paoli, Paolino, Paulat, Paule, Paulien, Paulienne, Paulille, Paulin, Paulino, Paulinus, Paulita, Paulot, Pauls, Pauw, Pawl, Pauwel, Pauwels // Pavel (*Bulg.*); Pavel (*Cec.*); Paul (*Fr.*); Paul (*Ing.*); Paolino, Lino (*It.*); Pavel (*Rus.*); Pablito, Pablo (*Sp.*); Pavlik (*Rus*); Paula (*Ted*); Pal (*Ung*)

Paolo-Emilio (*m.*)

Paolo-Matteo (*m.*)

Papas (*m.*) (*Lat.:* "Pedagogo" "Aio") 16 *mar.*

Papia (*m.*) (*Lat.* "Originario di Pafo", antica città di Cipro) 29 *gen.*; 22, 26 *feb.*; 16 *mar.*

Papiano (*m.*) *v.* Papia

Papilo (*m.*) (*Gr.* "Bocciuolo") 13 *apr.*

Papina (*f.*) (*Ind. Miwok* "Una vite che cresce su una quercia")

Papiniano (*m.*)(*Gr.* "Butterato") 28 *nov.*

Papio (*m.*) (*Gr.* "Pedagogo") 28 *giu.*

Paquerette (*f.*) (*Fr.*) *v.* Pascale e Marguerite

Par (*m.*) (*Scan.*) *v.* Pietro

Paralcc (*f.*) (*raro*)

Paramone (*m.*) (*Gr.* "Ostinato") 29 *nov.*

Parasceva (*Gr.:* "Preparazione" "Vigilia") 20 *mar.*

Pardo (*m.*) (*Lat.* "Pantera leopardo") 26 *mag.*

Pardulfo (*m.*) (*Celt.* "Che lotta con i lupi") 6 *ott.*

Paride (*m.*) (*Gr.* "Lottatore" "Battagliero") 5 *ag.*

Paris (*m.*) (*Ing.*) *v.* Paride // (*nome di città:* "Parigi")

Parisina (*f.*) (*Celt.*) *v.* Parisio

Parisio (*m.*) (*Celt.*: dal nome di una tribù della Gallia) 25 *mar.*; 11 *giu.*

Parke (*m.*) (*raro*)

Parker (*m.*) (*Ing. ant.*:"Guardiano del parco") *var.* e *dim.* Park, Parke

Parlan (*m.*) (*Scoz.*) *v.* Barth

Parmena (*f.*) (*Lat.:* "Permanente") 23 *gen.*

Parmenio (*m.*)(*Gr.* "Perseverante") 22 *apr.*

Parnell (*m.*) (*Fr. ant.:* "Piccolo Pietro" "Piero") *var.* Parnel, Parrnell, Pernel, Pernell, Pietro

Parnella (*f.*) (*Fr. ant.*) *femm.* di Parnell; *v.* Piera; *var.* e *dim.* Nella, Parnela

Parr (*m.*) (*raro*)

Parris (*m.*) *v.* Paris

Parrish (*m.*) (*raro*)

Parry (*m.*)(*Gall.*: "Figlio di Harry") *v.* anche Pietro

Parsifal (*m.*) (*Celt.* "Popolo orgoglioso")

Partenio (*m.*) (*Gr.*: "Verginale" "Puro") 19 *mag.*

Parthenia (*f.*) *v.* Partenio; *var.* Parthena

Pasca (*f.*)(*Ing.*) *femm.* di Pascal

Pascal (*m.*) (*Fr.*) *v.* Pasquale

Pascale (*f.*)(*Fr.*) *v.* Pasquale

Pascalin *v.* Pasquale

Pascaline *v.* Pasquale

Pascalis *v.* Pasquale

Pascalle *v.* Pasquale

Pascasia (*f.*) *v.* Pasquale

Pascasio (*m.*) (*Ebr.*: "Che pascola" "Pastore") 22 *feb.*; 31 *mag.*; 13 *nov.*// *v.* Pasquale

Paschasius *v.* Pasquale

Pascha *v.* Pasquale

Paschal *v.* Pasquale

Paschalis *v.* Pasquale

Paschase *v.* Pasquale

Paschasie *v.* Pasquale

Pascoal *v.* Pasquale

Pascoe *v.* Pasquale

Pascual *v.* Pasquale

Pasha (*f.*) (*Rus.*) (*Gr.* "Dal mare") *var.* Palasha, Paska, Pelageya

Pasicrate (*m.*) (*Gr.* "Robusto") 25 *mag.*

Pasqua *v.* Pasquale, Pasqualina

Pasquala *v.* Pasquale, Pasqualina

Pasquale (*m.*) (*Ebr.* "Nato di Pasqua" "Transito" "Passare oltre") *Onomastico*: il giorno di Pasqua; 14, 17 *mag.*; 11, 26 *feb.*; 6 *dic.* // *var.* Pascalin, Pascalis, Pascasio, Paschal, Paschalis, Paschase, Paschasie, Paschasius, Pascoal, Pascoe, Pasqualino, Pasquot, Pascual // Pascal, Pascale (*Fr.*); Pascal (*Ing.*); Pasquil, Pasquin (*Port.*); Pasquil, Pasquin (*Sp.*)

Pasqualina (*f.*) 17 *mag.* *v.* Pasquale // *var.* e *dim.* Pascaline, Pascalle, Pascasia, Pascha, Paschalle, Pasqua, Pasquala

Pasquil *v.* Pasquale

Pasquin *v.* Pasquale

Pasquot *v.* Pasquale

Pastore (*m.*) (*Lat.*) 29, 28 *mar.*; 26 *lug.*

Pat (*m.*) (*Ind.Nordam.* "Pesce")

Pat (*m.*) (*dim.* di Patrick, 17 *mar.*; *v.* anche Patton

Patamon (*m.*) (*Ind. Nordam.*: "Furioso")

Patapio (*m.*) (*Lat.* "Aperto alla pietà") 8 *dic.*

Patek (*m.*) *v.* Patrizio

Patermuzio (*m.*) (*Lat.* "Padre di Muzio" "Padre brontolone") 9 *lug.*

Paterniano (*m.*) (*Lat.* "Appartenente a Paterno") 10, 12 *lug.*

Paterno (*m.*) (*Lat.*) 16 *apr.*; 12 *nov.*; 21 *feb.*

Pati (*f.*) (*Ind. Miwok:* "Intrecciare ceste per il pesce, con rami di salice")

Patia (*f.*) (*Sp., git.* "Foglia")

Patience (*f.*) (*Lat.* "Paziente")

Patjie (*m.*) *v.* Pietro

Paton (*m.*) *v.* Patrizio

Patric (*m.*) *v.* Patrizio

Patrice (*m.*) (*Fr.*) *v.* Patrizio

Patricia (*f.*) (*Ing.; Fr.; Sp.*) *v.* Patrizia

Patricio (*m.*) *v.* Patrizio

Patricius *v.* Patrizio

Patrick (*m.*) *v.* Patrizio

Patrik *v.* Patrizio

Patrikei (*m.*) *v.* Patrizio

Patriki *v.* Patrizio

Patrin (*m.*) (*Ing., git.* "Traccia di foglia")

Patriz (*m.*) *v.* Patrizio

Patrizia (*f.*) (*Lat.* "Di nobile discendenza") 25 *ag.*; 13 *mar.* // *var.*e *dim.*Pat, Patrice, Patricia, Patryce, Patti, Pattie, Patty, Patsy, Tricia, Trish, Trisha

Patrizio (*m.*) (*Lat.* "Di nobile nascita" "Aristocratico") 16, 17 *mar.*; 28 *apr.*; 24 *ag.* // *var.* e *dim.* Paddie, Paddy, Padraic, Padraig, Padrig, Padriguez, Pat, Patek, Paton, Patricius, Patrizius, Padruig, Patric, Patrice, Patricio, Patrik, Patrikei, Patriki, Patriz, Patten, Patty, Payton, Peyton, Rick, Rickie, Ricky, Ticho, Trick

Patrizius (*m.*) *v.* Patrizio

Patroba (*m.*) (*Ebr.* "Paternale") 4 *nov.*

Patroclo (*m.*) *v.* Patrocolo

Patrocolo (*m.*)(*Gr.*"Gloria della patria") *var.* Patroclo 21 *gen.*; 18 *nov.*

Patryce *v.* Patrizia

Patsy *v.* Patrizia

Patten *v.* Patrizio

Patterson (*m.*) ("Figlio di Pietro")

Patti *v.* Patrizia

Pattie *v.* Patrizia

Pattin (*m.*)(*Ing., git.* "Foglia") *v.* Patton

Patton (*m.*) (*Ing. ant.:* "Dalla tenuta del guerriero") // *var.* e *dim.* Pat, Paten, Patin, Paton, Patten, Pattin

Patty (*Fr.*) (*Ing.*) *dim.* di Patrick, Patricia; *v.* Patrizia, Patrizio

Patwin (*m.*) (*Ind. Nordam.* "Uomo")

Paul (*m.*) (*Ing.*) *v.* Paolo

Paula (*f.*) *v.* Paola, Paolo

Paulat (*m.*)*v.* Paolo

Paule (*m.*) (*Fr.*) *v.* Paola, 8 *ott.*

Pauletta *v.*Paola

Paulette (*Fr.*) (*Ing.*) *v.* Paola

Pauli *v.*Paola

Paulie *v.* Paolo, Paola

Paulien *v.* Paolo

Paulienne *v.* Paolo

Paulille *v.* Paolo

Paulin *v.* Paolo

Paulina *v.*Paola

Pauline (*Fr.*) *v.* Paola

Paulino *v.* Paolo

Paulinus *v.* Paolo

Paulita *v.* Paolo, Paola

Paulot *v.* Paolo
Pauls *v.* Paolo
Paulsen (*m.*) ("Figlio di Paul")
Paulson (*m.*) ("Figlio di Paul")
Pauly (*f.*)*v.*Paola
Pausha (*f.*) (*Hindu* "Nata durante il mese di Pausha (Capricorno)"
Pauside (*m.*) (*Gr.* "Quieto") 24 *mar.*
Pauw *v.* Paolo
Pauwel *v.* Paolo
Pauwels *v.* Paolo
Pavlinka *v.*Paola
Pavel (*m.*) (*Cec. Bulg. Rus.*) *v.* Paolo
Pavla (*f.*) (*Cec.*) (*Rus.*) *v.* Pao-la
Pavlik (*m.*) *v.*Paolo
Pavlina (*f.*) *v.* Paola
Pavline (*f.*) *v.* Paola
Pavlounia (*f.*) *v.* Paola
Pawl (*m.*) *v.* Paolo
Pawlina (*f.*) *v.* Paola
Paxton (*m.*) (*Teut.*: "Venditore ambulante") (*Ing. ant.* "Dalla città pacifica") // *var.* e *dim.* Packston, Packton, Pax, Paxon, Tony
Payat (*m.*) (*Ind. Nordam.* "Egli sta arrivando") // *var.* e *dim.* Pay, Payatt
Payne (*m.*) *v.* Paine
Payson (*m.*) (*raro*)
Payton (*m.*) *v.* Patrizio
Paz (m.) e (*f.*) (*Sp.* "Pace")
Pazia (*f.*) (*Ebr.*: "Dorata") // *var.* e *dim.* Paz, Paza, Pazice, Pazit
Paziente (*m.*) (*Gr.* "Resistente"

"Paziente") 8 *gen.*; 11 *set.*
Pazienza (*Lat.* "Che sopporta") 1 *mag.*
Peace (*f.*) *v.* Pacifica
Peadair *v.* Pietro
Peadar *v.* Pietro
Pearce (*m.*) *v.* Pietro
Pearl (*f.*) *v.* Perla
Pearsall (*m.*) (*raro*)
Pearson (*m.*) (*Ing.ant.* "Figlio di Peter") // *var.* e *dim.*Pierson, Sonnie, Sonny; *v.* Pietro
Peck (*m.*)
Peder (*Norv.*) (*m.*) *v.*Pietro
Pedrin *v.* Pietro
Pedrinka *v.* Pietro
Pedro (*m.*) *v.* Peter, Pietro
Pedzi (*f.*) (*Babudja, Zimb* "Colui che termina" "L'ultimo figlio")
Peer (*m.*) *v.* Pietro
Peet (*m.*) *v.* Pietro
Peeter (*m.*) *v.* Pietro
Peg (*f.*) *v.* Margherita
Pegasio (*m.*) (*Gr.* "Fontana") 2 *nov.*
Pegeen *v.* Margherita
Peggi (*f.*) *v.* Margherita
Peggie (*f.*) *v.* Margherita
Peggy (*f.*) *v.* Margherita
Peirce (*m.*) *v.* Pietro
Peke (*f.*) (*Ted. ant.* "Brillante" "Gloriosa") (*Haw.*) *v.* Bertha
Pekka (*m.*) *v.* Pietro
Pelage (*f.*) (*Fr.*) *v.* Pelagia
Pelagia (*f.*) (*Gr.*: "Marina") 23 *mar.*; 4 *mag.*; 8 *giu.*; 2, 11 *lug.*; 26 *ag.*; 8, 19 *ott.*; *var.* Pela-

gien, Pelagienne, Pelagius

Pelagie (*f.*) (*Fr.*) *v.* Pelagia

Pelagio (*m.*) (*Gr.* "Del mare") 2, 25 *mar.*; 8 *feb.*; 26 *giu.*; 28 *ag.*

Peleo (*m.*) (*Gr.* "Colui che scaglia") 20 *feb.*; 19 *set.*

Peleusio (*m.*) (*Gr.* "Venuto dalla palude") 7 *apr.*

Pelino (*m.*) (*Sab.* "Amante dei bei vestiti") 5 *dic.*

Pelipa (*f.*) (*Gr.* "Amante dei cavalli") // (*Ind. Nordam., Zuni*); *v.* Filippo

Pellegrina (*f.*) (*Lat.* "Viaggiatrice in terra straniera") 5 *ott.*; 10 *mag.*; 22 *feb.*

Pellegrino (*m.*) (*Lat.:* "Viaggiatore in terra straniera", soprannome che veniva dato a chi viaggiava in paesi stranieri) 26 *apr.*; 30 *gen.*; 24 *feb.*; 27 *mar.*; 5, 16 *mag.*; 13, 17 *giu.*; 7, 28 *lug.*; 1, 2, 25 *ag.*; 2 *set.*

Pemba (*f.*) (*Bambara, Afr.:* "La forza dell'esistenza presente")

Pembroke (*m.*) (*Gall.:* "Dalla montagna")

Pemene (*m.*) (*Gr.* "Pastore") 27 *ag.*

Penda (*f.*) (*Sw.* "Amata")

Pendelton (*m.*) (*raro*)

Penelope (*f.*) (*Gr.* "Tessitrice") 5 *mag.* // *var.* e *dim.* Pen, Penina, Penine, Penni, Pennie, Penny (*Ing.*); Pinelopi, Pipitsa, Popi (*Gr.*); Pela, Pelcia, Penelopa, Lopa (*Pol.*)

Peni (*f.*) (*Ind. Nordam., Carrier:* "La sua mente")

Penina (*f.*) (*Ebr.:* "Corallo" o "Perla") *var.* Peninit, Penny.

Penn (*m.*) (*nome con orig. da cognome*)

Pennell (*m.*) (*raro*)

Penrod (*m.*) (*Teut.* "Famoso comandante") *dim.* Penn, Pennie, Penny, Rod, Roddie, Roddy

Pentagapa (*Gr.* "Assai caritatevole") 2 *set.*

Penthea (*f.*) (*Gr.* "La quintogenita")

Peony (*f.*) (nome floreale: "Peonia") (*f.*) *var.* Peonie

Pepe (*m.*) *v.* Giuseppe

Pepin (*m.*) (*Ing. ant.* "Perseverante" o "Colui che presenta suppliche o petizioni") // *var.* e *dim.* Pepi, Peppi, Peppie, Peppy

Pepita (*f.*) (*Sp.; Ebr.*) *v.* Giuseppina

Pepito (*m.*) *v.* Giuseppe

Peppe (*m.*) *v.* Giuseppe

Pepper (*f.*) (Dalla spezia "Pepe")

Peppino *v.* Giuseppe

Peppo *v.* Giuseppe

Pequin (*m.*) *v.* Pietro

Perrette (*m.*) *v.* Pietro

Percival (*m.*)(*Fr. ant.* Colui che squarcia la valle") *var.* e *dim.* Parsifal, Perceval, Percy

Percy (*m.*) *v.* Percival

Perdita (*f.*) ("Perduta")

Perdue (*m.*) (*raro*)

Peregrine (*m.*) (*Lat.* "Girovago") *dim.* Perry

Perequin (*m.*) *v.* Pietro

Perez (*m.*) *v.* Pietro

Perfetto (*m.*) (*Lat.* "Senza difetti") 18 *apr.*

Pergentino (*m.*) (*Lat.* "Virile") 3 *giu.*

Pericle (*m.*)(*Gr.*"Circondato di gloria")

Perico (*m.*) *v.* Pietro

Perig (*m.*) *v.* Pietro

Perka (*m.*) *v.* Pietro

Perkin (*m.*) *v.* Pietro

Perla (*f.*) (*Sl.*) *v.* Margherita // (*Lat.* "Perla") // *var.* e *dim.* Pearla, Pearle, Pearline, Perle, Perlie, Perline, Perry // (*USA*) Pearl

Pernette (*m.*) *v.* Pietro

Pero (*m.*) *v.* Pietro

Perpetua (*f.*) (*Lat.* "Che dura in eterno") 27 *gen.*; 5 *lug.*; 4 *ag.*

Perpetuo (*m.*) (*Lat.* "Immutabile") 8 *apr.*

Perren (*m.*) *v.* Pietro

Perri (*f.*) (*nome con orig. da cognome*)

Perrin (*m.*) *v.* Pietro

Perrine (*m.*) *v.* Pietro

Perrinette (*m.*) *v.* Pietro

Perry (*m.*) (*Ing.*) (*Fr. ant.* "Piccolo Pietro") *var.* Parry; *v.* anche Pietro, Peregrine

Perseo (*m.*) (*Gr.* "Che saccheggia")

Persephone (*f.*) (*Gr.*)

Perseveranda (*f.*) (*Lat.:* "Continua a fare del bene") 26 *giu.*

Persia (*f.*) (*nome geografico*)

Persis (*f.*) (*Lat.* "Donna persiana")

Peta (*m.*) *v.* Pietro

Petar (*m.*) *v.* Pietro

Pete (*m.*) *v.* Pietro

Peter (*m.*) *v.* Pietro

Peterina *v.* Pietro

Peterson (*m.*) ("Figlio di Pietro")

Petey *v.* Pietro

Petia *v.* Pietro

Petie *v.* Pietro

Petinka *v.* Pietro

Petoussia *v.* Pietro

Petr *v.* Pietro

Petra (*f.*) (*Ted.*) *v.* Piera

Petrelis *v.* Pietro

Petrine *v.* Piera

Petrinka *v.* Pietro

Petronace (*Lat.* "Che è di Petronio") 6 *mag.*

Petronella (*f.*) *v.* Pietro

Petronia (*f.*) *v.* Pietro

Petronilla (*f.*) (*Lat.* "Pietruzza") *dim. femm.* di Petronio) 31 *mag.*; 1 *mag.*; *v.* Pietro

Petronille (*f.*) (*Fr.*) *v.* Petronilla

Petronio (*m.*) (*Lat.:Cognomen della gens Petronia,* proveniente da una località pietrosa) 4, 29 *ott.*; 6 *set.*; *v.* Pietro

Petros (*m.*) *v.* Pietro

Petru (*m.*) *v.* Pietro

Petrukas *v.* Pietro

Petruno (*m.*) *v.* Pietro

Petrus (*m.*) *v.* Pietro

Petrusa *v.* Pietro

Petrusha *v.* Pietro

Petter (*m.*) *v.* Pietro

Petula (*f.*)(*Lat.:* "Stizzoso" "Irritabile") *var.* Petulia

Petulia *v.* Petula

Petunia (*f.*) (*nome floreale*)

Petz (*m.*) *v.* Pietro

Peyo *v.* Pietro

Peyton (*m.*) (*Ing. ant.* "Dalla proprietà del combattente") *v.* Patrick, Patrizio // *var.* e *dim.* Pate, Payton

Phaedra (*f.*) (*Gr.:"La leggendaria moglie di Teseo")* var.* Phedra, Phaidra

Phaindi (*m.*) (*Mozambico*)

Phebe (*f.*) *v.* Phoebe

Phelan (*m.*) (*Celt.* "Lupo")

Phelps (*m.*) (*Ing. ant.* "Figlio di Philip")

Phil (*m.*) (*abbr.*) *v.* Philibert, Phillip; Philmore

Philana (*f.*) (*Gr.* "Amante del genere umano") *var.* Philene, Philida, Philina, Phillina

Philantha (*f.*) (*Gr.* "Amante dei fiori")

Philemon (*m.*) (*Gr.* "Amante")

Philetus (*m.*) (*Gr.* "Degno d'amore")

Philibert (*m.*) (*Fr.*) *v.* Filiberto

Philippa (*f.*) (*Fr.*) *v.* Pilippa

Philippe (*f.*) *v.* Filippa

Phillip (*m.*) (*Ing.*) *v.* Filippo

Philo (*m.*) (*Gr.* "Amore")

Philomena (*f.*) (*Gr.* "Amata" "Amante della luna" "Usignolo")

var. Philomela; *v.* Filomena

Phineas (*m.*) (*Ebr.* "Oracolo")

Phoebe (*f.*) (*Gr.* "Radiosa") // *var.* Phebe

Phoenicia (*f.*) (*dalla Fenicia*)

Phoenix (*f.*) ("Modello di virtù")

Phusa (*m.*) (*Mozambico*)

Phyllis (*f.*) (*Gr.* "Ramo verde") *var.* Phyllicia, Philis, Phillis, Phillisse, Phylis, Phylisse, Phylyse

Pia (*f.*) *v.* Pio, 19 *mag.*; 19 *gen.*

Pias (*m.*) (*Ing., git.* "Divertimento")

Piat (*m.*) *v.* Pio

Piato (*m.*) (*Lat.* "Che espia") 9 *set.*, *v.* Pio

Piatone (*m.*) (*Gr.* "Purgato")

Piatus (*m.*) *v.* Pio

Pictrus *v.* Pietro

Pie (*m.*) (*Fr.*) *v.* Pio

Pienza (*Lat. orig. etn.* "Originaria di Pentia", località senese) 11 *ott.*

Piera (*f.*) (*Lat.*) *dim.* di Pietro (*v.*) // *var.* e *dim.* Perine, Perrine, Pet, Peta, Petta, Petrina, Petrine, Petronella, Petronia, Pierella, Pierelle, Pierette, Pierra; *var.* Ela, Nela, Nelka, Petra (*Pol.*) // Tona

Pierandrea (*m.*) (*nome doppio*)

Pierangelo (*m.*) (*nome doppio*)

Pierantonio (*nome doppio*)

Piercarlo (*m.*) (*nome doppio*)

Pierce (*m.*) (*Ing.*; *Fr. ant.*) *v.* Pietro

Pierette (*f.*) *v.* Pietro

Pierfederico (*nome doppio*)
Pierfrancesco (*nome doppio*)
Piergiorgio (*m.*)(*nome doppio*)
Piergiulio (*m.*) (*nome doppio*)
Pierig (*m.*) *v.* Pietro
Pierina (*f.*) *dim.* di Piera
Pierino (*m.*) *dim.* di Pietro
Pierio (*m.*) (*Gr. "Dedicato alle Pieridi, ossia le Muse"*) 4 *nov.*
Pierke (*m.*) *v.* Pietro
Pierluigi (*m.*) (*nome doppio*) 28 *apr.*
Piermaria (*m.*) (*nome doppio*)
Piero (*m.*) (*dim.* di Pietro") 6 *gen.*; 21, 23 *feb.*; 16 *mar.*; 30 *lug.*; 2 e 4 *dic.*; 3 *ag.*
Pierpaolo (*m.*) (*nome doppio*)
Pierre (*m.*) (*Fr.*) *v.* Pietro
Pierreck (*m.*) *v.* Pietro
Pierrepont (*m.*) (*Fr. "Ponte di pietra"*) *var.* Pierpont
Pierrot (*m.*) *v.* Pietro
Piers (*m.*) *v.* Pietro
Pierse (*m.*) *v.* Pietro
Piersilvio (*m.*) (*nome doppio*)
Pierson (*m.*) ("Figlio di Peter")
Piet (*m.*) *v.* Pietro
Pieter (*m.*) *v.* Pietro
Pietrek (*m.*) *v.* Pietro
Pietrino (*m.*) *dim.* di Pietro
Pietro (*m.*) (*Lat. "Pietra" "Saldo come la roccia"*) 29 *giu.*; 3, 6, 9, 10, 11, 16, 18, 28, 31 *gen.*; 6, 8, 21, 22, 23 *feb.*; 2, 3, 11, 12, 13, 14, 16, 26, 29, 30 *mar.*; 17, 26, 27, 28, 29, 30 *apr.*; 7, 8, 13, 15, 19, 20, 29 *mag.*; 1, 2, 7, 17 *giu.*; 7, 10, 19, 25, 27,

30 *lug.*; 1, 3, 7, 8, 27, 30 *ag.*; 8, 9, 10, 17, 23 *set.*; 3, 4, 8, 18, 19, 25 *ott.*; 18, 27, 28 *nov.*; 2, 4, 6, 9, 21, 25 *dic.* // *var.* e *dim.* Panos, Patjie, Peadair, Peder, Pedrin, Pedrinka, Peer, Peet, Peeter, Pekka, Pequin, Perequin, Perez, Perico, Perig, Perka, Pero, Perren, Peta, Petar, Peterina, Petia, Petinka, Petoussia, Petr, Petrine, Petrinka, Petronio, Petros, Petru, Petrukas, Petruno, Petrusha, Petrusa, Petter, Petz, Petrelis, Peyo, Pictrus, Pierce, Pierig, Pierke, Pieter, Pierreck, Piers, Pierse, Piet, Pieter, Pietrek, Piotr, Piotrek, Pita, Piti, Pitrah, Pitt, Protia, Protz, Pyatr, Takis // Farris, Ferris, Parnell, Parry, Peadar, Pearce, Peirce, Perkin, Perry, Pete, Peter, Petey, Petie, Peter, Petrus (*Ing.*); Pernette, Perrette, Perrin, Perrine, Perrinette, Pierette, Pierre, Pierrot, Petronille (*Fr.*); Petronia, Petronella, Petronilla, Piera, Pierina, Pierino, Piero (*It.*); Par (*Norv.*); Pedro (*Sp.*); Peter, Petra (*Ted.*)

Pigmenio (*m.*) (*Gr. "Uomo basso di statura"*) 24 *mar.*
Pilade (*m.*) (*Gr. "Porta"*) (*Simbolo dell'amicizia*) 5 *set.*
Pilar (*f.*) (*Sp. "Pilastro"*) dal nome della cattedrale Nuestra Señora del Pilar a Saragozza
Pili (*m.*) e (*f.*) (*Sw., Afr.: "Secon-*

dogenito")

Pilisi (*f.*) (*Gr.* "Ramo verde") *v.* Phyllis

Pillan (*m.*)(*Ind. Araucano* "Essenza suprema") *var.* Pilan

Pilly (*f.*) *v.* Mary

Pina (*m.*) *v.* Giuseppe

Pinga (*f.*) (*Hindu:* "Scuro" o "Bruno fulvo")

Pinito (*m.*) (*Gr.* "Che ha i capelli ritti") 10 *ott.*

Pino (*m.*) *v.* Giuseppe

Pinuccia (*f.*) *v.* Giuseppina

Pinuccio (*m.*) *v.* Giuseppe

Piotrek (*m.*) *v.* Pietro

Pio (*m.*)(*Lat.* "Religioso" "Virtuoso" "Dal cuore puro") 30 *apr.*; 1, 5 *mag.*; 28 *feb.*; 11 *lug.*; 21, 20 *ag.*; 3, 8 *set.*; *var.* Piat, Piato, Piatus, Pius

Pionio (*m.*) (*Lat.* "Che è religioso") 1 *feb.*

Piotr (*m.*) *v.* Pietro

Piper (*f.*) (*Ing. ant.:* "Suonatrice di flauto")

Piperione (*m.*) (*Lat.:* "Pepato") 11 *mar.*

Pipino (*m.*) (*Celt.:* "Muovere") 21 *feb.*

Piran (*m.*) *v.* Pietro

Pirmino (*m.*) (*Gael.* "Uomo elevato") 3 *nov.*

Pirro (*m.*)(*Gr.:*"Dai capelli fiammanti")

Pita (*m.*) *v.* Pietro

Pita (*f.*) (*Bari, Sudan:*"Quarta figlia")

Piti (*m.*) *v.* Pietro

Pitrah (*m.*) *v.* Pietro

Pitt (*m.*) *v.* Pietro

Pius (*m.*) *v.* Pio

Placida (*f*) (*Lat.* "Quieta" "Tranquilla) *var.* Placidia, 11 *ott.*

Placidia (*f.*) *v.* Placida

Placido (*m.*)(*Lat.:*"Dolce" "Mansueto") 11, 5 *ott.*; 12 *giu.*; 4, 15 *mar.*

Plato (*m.*) *v.* Platone

Platon (*m.*)(*Sp.* "Dalle spalle larghe") *v.* Platone

Platone (*m.*) (*Gr.* "Largo, ampio") 4 *apr.*; 22 *lug.*

Platonide (*m.*) (*Gr.:* "Amico di Platone") 6 *apr.*

Plautilla (f.) (*Lat.:* "Appartenente ai Plauzi", antica famiglia romana) 20 *mag.*

Plebeio (*m.*) (*pers. lett.*)

Plinio (*m.*) (*Lat.* "Pieno, grasso")

Plutarco (*m.*) (*Gr.* "Dominatore della ricchezza") 28 *giu.*

Podio (*m.*) (*Gr.* "Piede" "Basamento") 28 *mag.*

Poinciana (*f.*) (Nome di pianta)

Poinsettia (*f.*) (Nome del fiore *Poinsettia o "Stella di Natale"*)

Pol (*m.*) (*Gr.* "Corona"; *Abbr.* di Pollux, *stella della costellazione dei Gemelli*)

Pol (*m.*) *dim.* di Paul; *v.* Paolo

Pola (*f.*) *v.*Paola

Polcia (*f.*) *v.*Paola

Poldo (*m.*) *v.* Leopoldo

Poliano (*m.*) (*Gr.* "Appartenente ai Polyani", antico popolo slavo) 10 *set.*

Policardo (*m.*)(*Gr.* "Che dà molti frutti") 7 *dic.*; 23 *feb.*

Policronio (*m.*) (*Gr.*: "Di lunga vita") 17 *feb.*; 6 *dic.*

Polidoro (*m.*) (*Lat.* "Fornito di molti doti")

Polieno (*m.*)(*Gr.* "Molto lodevole") 28 *apr.*

Polieuto (*m.*) (*Gr.* "Molto desiderato") 13 *feb.*; 21 *mag.*

Polio (*m.*) (*Gr.* "Canuto") 21 *mag.*

Polissena (*f.*) (*Gr.* "Molto ospitale") 23 *set.*

Poll (*f.*) *v.* Paola

Pollard (*m.*) (*Teut.* "Coraggioso")

Polli (*f.*) *v.* Mary, Maria, Merrie, Paola

Pollie (*f.*) *v.* Merrie, Paola

Pollione (*m.*) (*Gr.* "Molto utile") 28 *apr.*; 17 *mar.*

Pollock (*m.*) (*Ing. ant.* "Piccolo Paul")

Polly (*f.*) *v.* Mary, Maria, Merrie, Paola

Pollyam (*f.*) (*Hindu* "La Dea della peste")

Pollyana (*f.*) (*nome doppio*)

Polo (*m.*) *v.* Paolo

Pomeroy (*m.*)(*Fr.ant.:* "Nel frutteto dei meli") // *dim.*Roy

Pomona (*f.*) (Dea romana degli alberi da frutto)

Pompeo (*m.*) (*Sab. etim. inc.:* "Quinto") 14 *dic.*; 5 *apr.*; 7 *lug.*

Pompilio (*m.*) 15 *lug.*; *var.* di

Pompeo

Pomponio (*m.*) (*Lat. etim.inc.* forse: "Che è magnifico") 14 *mag.*; 30 *apr.*

Pomposa (*f.*)(*Lat.:* "Magnifica") 19 *set.*

Poni (*f.*) (*Bari, Sudan* "Secondogenita")

Pontico (*f.*) (*Gr.* "Originario del Ponto") 2 *giu.*

Ponziano (*m.*) (*Gr.* "Della gente Ponzia" "Di origine sannita") 19 *nov.*; 30 *ott.*; 13 *ag.*; 2, 31dic.

Ponzio (*m.*) (*Lat.:* "Quinto figlio") 14 *mag.*; 8 *mar.*; 10 *ag.*; 13 *dic.*

Poppone (*m.*) (*Lat.:* "Anziano") 7 *ag.*; 25 *gen.*

Poppy (*f.*) (*Lat.:* nome *floreale*: "Papavero")

Porcario (*m.*) (*Lat.:* "Guardiano di porci") 12 *ag.*

Porfirio (*m.*) (*Gr.* "Vermiglio" "Purpureo" "Rubicondo") 4 *mag.*; 26 *feb.*; 20 *ag.*; 6, 15 *set.*; 4 *nov.*

Porter (*m.*) (*Lat.* "Portatore" "Guardiano") *dim.* Terry

Portia (*f.*) (*Lat.* "Offerta" "Accolta")

Porzia (*f.*) (*Lat.* "Separata") 12 *ag.*

Porzio (*m.*) *v.* Porzia

Poul (*m.*) *v.* Paolo

Prassede (*f.*) (*Gr.* "Successo") 6 *ag.*

Preziosa (*f.*) (*It.; Port.*)

269

Primo (*m.*) (*Lat.*) 9 *giu.*

Prisca (*f.*) (*Lat.* "Antica" "Anziana") 8 *lug.*; 16 *gen.*

Priscilla (*f.*) *v.* Prisca, 8 *lug.*

Prisco (*m.*) (*Lat.* "Anziano") 4 *gen.*

Procolo (*m.*) (*Lat.* "Lontano") 14 *feb.*; 14 *apr.*; 19 *set.*; 4 *nov.*; 1, 9 *dic.*

Procopio (*m.*) (*gr.* "Che promuove") 8 *lug.*; 17, 27 *feb.*; 1 *apr.*

Proserpina (*f.*) (*gr.* "Splendente di luce")

Prospera (*f.*) *v.* Prospero

Prospero (*m.*) (*Lat.*: nome augurale, "Fortunato") 25 *giu.*

Protia *v.* Pietro

Protogene (*m.*) (*Gr.* "Nato per primo") 6 *mag.*

Protolico (*m.*) (*Gr.*: "Molto coraggioso") 16 *mag.*

Protz (*m.*) *v.* Pietro

Prudence (*f.*) *v.* Prudenzia

Prudenzia (*f.*) (*Lat.* "Che è prudente") 6 *mag.*; 6 *apr.* // *var.* e *dim.* Pru, Prue (*Fr.*) // Prew, Prewdence, Prudent, Prudentia, Prudentius, Prudenz, Prudie

Prudenzio (*m.*) (*Lat.* "Ponderato" "Avveduto) 1, 6, 28 *apr.*; *v.* Prudente e Prudenziano

Prunella (*f.*) (*Lat.* "Del colore della prugna" o "Pianta curativa")

Psyche (*f.*) (*Gr.* "Anima")

Pualani (*f.*) (*Haw.*: "Fiore celeste") *var.* Puni

Publio (*m.*) (*Etr.; Lat. sign. inc.*: "Amico del popolo") 19 *feb.*; 21 *gen.*; 16 *apr.*; 3 *lug.*; 2, 12 *nov.*

Puci (*m.*) *v.* Giuseppe

Pudente (*m.*) (*Lat.* "Modesto" "Pudico""Verecondo") 19 *mag.*

Pudentilla (*f.*) (*Lat.* "Colei che ha pudore")

Pudenzia (*f.*) (*Lat.*: "Modesta" "Vereconda") 21 *lug.*

Pukane (*m.*) (*Mozambico*)

Pulcheria (*f.*) (*Lat.* "Bella") 12 *ott.*; 10 *set.*

Pupolo (*m.*) (*Lat.*: "Fanciullo") 28 *feb.*

Purcell (*m.*) (*raro*)

Pursell (*m.*) (*raro*)

Pusicio (*m.*) (*Oriundo di Pusiano, località lombarda*)

Putnam (*m.*) (*anglo-sass.* "Abitante vicino allo stagno")

Pyatr (*m.*) *v.* Pietro

Q

Quadragesimo (*m.*) (*Lat.* "Nato in domenica di quaresima") 26 *ott.*

Quadrato (*m.*) (*Lat.*: "Squadrato") 26, 7 *mag.*; 26 *mar.*; 21 *ag.*

Quarantino (*m.*) (*Lat.*: *figlio di madre quarantenne*) 10 *gen.*

Quardo (*m.*) (*Der.* da Gerardo) *v.* Gerardo, 8 *ag.*

Quartilla (*f.*)(*Lat.* "Nata al quarto parto") 19 *mar.*

Quarto (*m.*)(*Lat.* "Nato dopo il terzo parto") 8, 3 *nov.*; 10 *mag.*; 6 *ag.*; 18 *dic.*

Quartus (*m.*) *v.* Quarto

Queenie (*f.*) (*Teut.*: "Regina") *var.* Queena; *v.* anche Regina

Quenby (*f.*) (*Scan.* "Femminile" "Di donna") // *var.* Quenbie

Quenna (*f.*) ("Regina")

Quentin (*m.*) *v.* Quinto

Querano (*m.*) (*Gael.*: "Essenziale") 9 *set.*

Querida (*f.*) (*Sp.* "Amata" "Cara")

Questa (*f.*) (*Fr.* "Colei che cerca" "Ricerca" "Questua")

Queta (*f.*) (*Sp.*) (*abbr.* di Enriqueta) *var.* Enrichetta

Quico (*m.*) (*Sp.*) (*abbr.* di Enrique e Francisco) *v.* Enrico e Francesco

Quieta (*f.*) (*Lat.* "Calma" "Tranquilla"; Dea romana della quiete e della morte) 28 *nov.*

Quieto (*m.*) *v.* Quieta

Quillan (*m.*) (*Irl. gael.* "Cucciolo")

Quillann (*m.*)(*gael.* "Cucciolo") // *var.* e *dim.* Quill, Quillan, Quillen, Quillon

Quimby (*m.*) (*Norv. ant.* "Colui che vive nella proprietà della donna") // *var.* e *dim.* Quenby, Quim, Quin, Quinby

Quinby (*m.*) (*Norv. ant.* "Dalla proprietà della donna")

Quincy (*m.*) (*Lat.* "Dalla proprietà del quinto figlio") *dim.* Quinn

Quinetta (*f.*) (*Gall.* "Benedetta da Dio") (*Lat.* "Quintogenita") 15 *lug.* // *var.* e *dim.* Quin, Quinci, Quincie, Quincy, Quintessa, Quintina, Tess, Tessa, Tessi, Tessie, Tina

Quinette (*f.*) *v.* Quinetta

Quinlan (*m.*)(*Gael.* "Forte" "Ben-formato") *dim.* Quinn

Quinlin (*m.*) (*Irl. Gael.* "Forte") *var.* Quinn, Quinley

Quinn (*m.*) (*Irl. Gael.* "Intelligente" "Saggio") *var.* Quinlin, Quinlin

Quinta (*f.*) *v.* Quinto

Quintilia (*f.*) (*Lat.* "Nata in luglio") 19 *mar.*; *v.* Quintilio

Quintiliano (*m.*) (*Lat.* "Nato a luglio") 13 *apr.*; 16 *apr.*; *v.* Quintilio

Quintilio (*m.*) (*Lat.*: nome imposto a chi nasceva nel mese di luglio) 8 *mar.*; 27 *gen.*

Quintin (*m.*) (*Sp.* "Quintogenito") *var.* Quito; *v.* Quinto

Quintina (*f.*) (*Lat.*) *femm.* di Quintino; *var.* Quenta, Quentina, Quinta, Quintilla

Quintiniano (*m.*) *v.* Quinto

Quintino (*m.*) (*Fr. ant.* "Agile") 31 *ott.*; 4 *ott.*

Quinto (*m.*) (*Lat.* "Il quinto nato" "Il quinto (genito)" // 19 *mar.*; 4 *gen.*; 10 *mag.*; 31 *ott.* // *var.* e *dim.* Quent, Quinn,

271

Quint, Quinta, Quintila, Quintiliano, Quintilien, Quintilienne,Quintilius, Quintina, Quintiniano, Quinton, Quintus // Quintin, Quentille (*Fr.*); Quito (*Sp.*)

Quinziano (*m.*) (*Lat.:* "Figlio di Quinzio") 14 *giu.*; 1 *apr.*; 23 *mag.*; 13 *nov.*; 31 *dic.*

Quinzio (*m.*) (*Lat. nome imposto al quinto figlio*) 5 *set.*; *v.* Quinto

Quiriaco (*m.*) (*Gr.* "Appartenente al Signore"; *Ebr.* "Padrone" "Signore") 23, 12 *ag.*; 29 *set.*

Quirico (*m.*) (*Gr.* "Signore" "Padrone") 16 *giu.*

Quirin (*m.*) (*Fr.*) *v.* Quirino

Quirino (*m.*) (*Lat.; Sab.* "Armato di lancia") 4 *giu.*; 25 *mar.*; 2 *ott.*; 11 *ott.*; 30 *mar.*

Quiteria (*f.*) (*Sp.:* "Libera") 22 *mag.*

R

Rab (*m.*) *v.* Roberto

Rabano (*m.*) (*Ted. ant.* "Corvo sacro") 4 *feb.*

Rabbie (*m.*) *v.* Roberto

Rabel (*m.*) (*raro*)

Rabi (*m.*) e (*f.*) (*Ar.:* "Brezza") // *var. femm.* Rabiah

Race (*m.*) (*nome con orig. da cognome*)

Rachael (*f.*) *v.* Rachele

Rachel (*f.*) (*Fr.*) *v.* Rachele

Rachela *v.* Rachele

Rachele (*f.*) (*Ebr.* "Pecorella di Dio") 15 *gen.*; 30 *set.* // *var.* e *dim.* Rachael, Rachela, Rachele, Rachelle, Rachie, Rachile, Rae, Raquel, Raquela, Raquelle, Ray, Shelly (*Ing.*); Rahil (*Bul.*); Rachelle (*Fr.*); Rahel (*Ted.*); Lahela, Rahela (*Haw.*); Raquel (*Sp. Port.*); Raissa, Rakhil, Rakhila, Rashel (*Rus.*); Rakel (*Sv. Norv.*); Rachel, Ruchel (*Yid.*)

Rachelle *v.* Rachele

Rachie *v.* Rachele

Rachile *v.* Rachele

Rad (*m.*) (*Ing. ant.:* "Consigliere") (*USA: abbr. di nomi che cominciano con* "Rad") *var.* Radd

Radbert (*m.*) (*Ing. ant.* "Saggio consigliere") *dim.* Bert, Bertie, Berty

Radburn (*m.*) (*Ing. ant.:* "Dal rosso ruscello") // *var.* e *dim.* Burnie, Burny, Rad, Radborn, Radborne, Radbourne

Radcliff (*m.*) (*Ing. ant.:* "Dalle rosse scogliere" "Dalle rosse colline") // *var.* e *dim.*.Cliff, Rad, Radd, Radcliffe

Radegonda (*f.*) (*Germ.* "Infaticabile in battaglia") 13 *ag.*; 18 *lug.*

Radell (*m.*) (*raro*)

Rader (*m.*) (*Orig. esotico-etn.*)

Radford (*m.*) (*Ing. ant.:* "Dal

guado rosso") // var. e dim. Rad, Radferd, Redford

Radinka (f.)(Sl. "Vivace" "Energica")

Radinulfo (m.) v. Raoul

Radley (m.) (Ing. ant.:"Dal campo rosso") // var. e dim. Lee, Leigh, Rad, Radleigh, Ridley

Radman (m.) (Sl. "Gioia")

Radmilla (f.)(Sl."Lavoratrice per il popolo")

Radnor (m.) (Ing. ant.: "Della spiaggia rossa") dim. Rad

Radolfo (m.)(Lat."Gloria del suo paese") 22 apr.

Radomil (m.) (Cec.)(Sl.: "Amante della pace")

Rae (f.) abbr. di Raylene e Raelene; v. Rachel, Rachele

Raeann (f.) (nome doppio)

Raeburn (m.) ("Dal rosso ruscello del cervo")

Raelyn (f.) (nome doppio)

Rafael (m.) v. Raffaele

Rafe (m.) abbr. di Raphael; v. Raffaele

Raffaele (m.) (Ebr.: "Dio guarisce") 29 set.; 24 ott. // var. e dim. Raphael, Raphaelle (Fr.); Raf, Raphael (Ing.) // Faila, Falia, Falito, Rafa, Rafael, Rafaella, Rafaelle, Rafaelli, Rafaello, Rafail, Rafaila, Rafe, Raff, Raffaello, Rafil, Rakha, Raphaela, Ray

Raffaella (f.) 6 gen., femm. di Raffaele

Raffaello (m.) v. Raffaele

Rafferty (m.) (Gael. "Prospero" "Benestante") dim. Rafe, Rafer, Raff, Raffer

Rafi (m.) (Ar. "Esaltante") v. Raffaele

Ragan (m.) (nome con orig. da cognome)

Ragnar (m.) (Norv.ant. "Potente esercito) var. Ragnor, Rainer, Rainier, Rayner, Raynor (Ing.); v. Rainier

Rahel (f.) v. Rachele

Rahela (f.) v. Rachele

Rahil (f.) v. Rachele

Rahman (m.) (Ar.: "Compassionevole" "Misericordioso") var. Rahmet (Tur.)

Rahn (m.) (raro)

Raide (f.) (Gr. "Vellutata") 28 giu.

Raiden (m.) (Giap. "Dio del tuono")

Raif (m.) v. Rafe

Raiford (m.) (raro)

Raimo / Raimond (m.) v. Raimondo

Raimonda (f.) v. Raimondo // var. e dim. Mona, Raimonda, Ramonda, Ray

Raimonde (m.) v. Raimondo

Raimondo (m.)(Ted. ant. "Protezione divina" "Protettore dell'intelligenza") 31 ag.; 7, 23 gen.; 3, 27 lug.; 5, 31 ott.; 3 dic. // var. e dim. Ray, Raymond, Raymund, Reamonn (Ing.); Rajmund (Cec.); Raymond (Fr.); Raimund (Ted.);

Reimond (*Rum.*); Raimundo, Ramòn, Ramona, Mundo (*Sp.*) // Raimo, Raimond, Raimund, Raimunda, Raimonde, Raimunds, Ramuncho, Raymonde, Reim, Reime, Reimund, Reinmund, Remus, Reum

Raimund (*m.*) *v.* Raimondo

Raimunda (*f.*) *v.* Raimonda

Raimundo / Raimunds *v.* Raimondo

Raina (*f.*)(*Teut.* "Potente" "Regina") // *var.* e *dim.* Rainah, Raine, Rayna, Raynah, Rayne, Reina, Reyna

Raina (*f.*) *v.* Regina

Rainaldo (*m.*) *v.* Rinaldo 17, 18 *ag.*; 24 *gen.*; 30 *mar.*

Rainelda (*f.*) (*Lat.* "Fanciulla degli dei") 16 *lug.*

Rainer (*m.*) (*Teut.* "Potente armata" "Guerriero") // *var.* e *dim.* Ragnar, Ray, Raynor; *v.* Rainier

Rainerio (*m.*) (*Ted. ant.*: "Guerriero invincibile") 4, 5 *ag.*

Raini (*m.*) (*Ind. Nordam.*: "Il Creatore")

Rainier (*m.*) (*Fr.*) 17 *giu.* // *var.* e *dim.* Rackner, Ragnar, Rainer, Raneiro, Raniera, Reginar, Regner, Regnerus, Regnier, Reignier, Reiner, Renner, Rinner, Neres

Rainieri (*m.*) *v.* Rainerio, 5 *nov.*

Raissa (*f.*) *v.* Rachele

Raizel (*f.*) (*yid.* "Il fiore della rosa") *var.* Rayzil, Razil

Rajmund (*f.*) *v.* Raimondo

Raj (*m.*) ("Governatore" "Signore")

Rajit (*m.*) (*Orig. esotico-etn.*)

Rakel (*f.*) (*Sv.*) *v.* Rachel, Rachele

Rakhil (*f.*) *v.* Rachele

Rakhila (*f.*) *v.* Rachele

Raleigh (*m.*) (*Ing. ant.* "Dal campo del cervo") // *var.* e *dim.* Lee, Leigh, Rawleigh, Rawley

Ralph (*m.*) *dim.* di Randolph; *v.* Rodolfo

Ralston (*m.*) (*Ing. ant.* "Della proprietà di Ralph") *dim.* Tony

Ramadam (*m.*) (*sw.* "Nato nel mese del Ramadam")

Ramey (*m.*) (*nome con orig. da cognome*)

Ramiro (*m.*) (*Ted. ant.* "Glorioso consigliere") 11 *mar.*

Ramla (*f.*) (*Sw.*:"Indovina" "Chiromante")

Ramòn (*m.*) (*Sp.*) *v.* Raimondo

Ramona (*f.*) (*Sp.*) *v.* Raimonda

Ramond (*m.*) *v.* Raimondo

Ramsden (*m.*) (*Ing. ant.* "Della valle del montone")

Ramsey (*m.*) (*Ing. ant.* "Isola del montone" "Isola del corvo" "Forte") // *var.* e *dim.* Ram, Ramsay, Ramsy

Ramuncho (*m.*) *v.* Raimondo

Rana (*f.*) (*Sans.*: "Reale") *var.* Ranee, Rani, Rania, Ranie

Rance (*m.*)(*Afr.*"Prendere in prestito tutto")

Rance (*m.*) *abbr.* di Ramson; *var.* Rancell, Ransell

Rand (*m.*) *abbr.*di Randall, Randolph

Randa (*f.*) (*raro*)

Randall (*m.*) (*Am.*) *v.* Randolph *var.* Rand, Randal, Randel, Randell, Randi, Randie, Randy

Randi (*f.*) *femm.* di Randolph; *var.* Randee, Randelle, Randie, Randy

Randine (*f.*) *femm.* di Randall

Randolfo (*m.*) *v.* Randolph

Randolph (*m.*) (*Ing. ant.* "Protettore del lupo") // *var.* e *dim.* Dolf, Dolph, Rafe, Raff, Ralf, Ralph, Ralphie, Rancie, Rand, Randal, Randall, Randell, Randi, Randolf, Randolfo, Randy, Raoul, Rolf, Rolfe, Rolph; *v.* Rodolfo

Randy (*m.*) *abbr.* di Randall o Randolph; *var.* Randi, Randie

Rane (*f.*) *v.* Regina

Ranek (*m.*) (*nome con orig. da cognome*)

Raney (*m.*) (*nome con orig. da cognome*)

Ranger (*m.*) (*Fr. ant.:* "Boscaiolo" "Guardiano della foresta") *var.* Rainger

Rani (*f.*) (*Hindu:* "Regina")

Ranice (*f.*) (*raro*)

Ranier (*m.*) (*Ing.*) *v.* Ragnar

Ranieri (*m.*) (*Ted. ant.:* "Esercito diretto dagli dei" "Forte" "Invincibile") 3 *lug.*; 17 *giu.*; 22 *apr.*

Raniero (*m.*) *v.* Ranieri, 30 *dic.*; 4 *ag.*

Ranita (*f.*) (*Ebr.:* "Canzone" o "Gioia"); *var.* Ranice, Ranit, Ranite

Ranolfo (*m.*) (*Ted. ant.* "Aiutante" "Robusto") 27 *mag.*

Ranon (*m.*) (*Ebr.:* "Cantare""Essere felici") *var.* Ranen

Ransell (*m.*) (*raro*)

Ransom (*m.*) (*Ing. ant.:* "Figlio dello scudo" "Riscattare") *var.* Rance, Ransome, Ranson

Ranson (*m.*) (*nome con orig. da cognome*)

Raoul (*Fr.*) (*Lat.* "Gloria della nazione") 20, 21 *giu.*; Radeke, Radinulfo, Radlof, Radola, Radolf, Radolphe, Radulf, Raff, Ralf, Ralph, Raoulet, Raoulin, Ratolf, Rauf, Raul, Reel, Relef, Rowl; *v.* Rodolfo

Raphael (*m.*) (*Fr.*) *v.* Raffaele

Raphaela (*f.*) *v.* Raffaella

Rapier (*m.*) (*Fr.* "Forte come una spada")

Raquel / Raquela (*f.*) (*Sp.*) *v.* Rachele

Raquelle *v.* Rachele

Rashel *v.* Rachele

Rashid (*m.*) (*Sw.* "Colui che dà buoni consigli")

Rashida (*f.*)(*Sw.*"Retta" "Virtuosa")

Rasia (*f.*) (*Gr.* "Rosa")

Rasifo (*m.*) (*Lat.* "Addetto ai misteri del Signore") 23 *lug.*

Ratri (*f.*) (*hindu:* "Notte")

Raul (*m.*) (*Fr. ant.*) *v.* Raoul e Rodolfo

Ravel (*m.*) (*nome con orig. da cognome*)

Ravelle (*f.*) (*nome con orig. da cognome*)

Raven (*f.*) ("Corvo")

Ravenna (*f.*) (*nome di posto, città*)

Ravi (*m.*) (*hindu:* "Generoso")

Raviv (*m.*) (*Ebr.* "Pioggia" o "Rugiada")

Rawdon (*m.*) (*Teut.* "Dalla collina del cervo") *var.* Rawden

Rawleigh / Rawley (*m.*) *v.* Raleigh

Rawlings (*m.*) (*nome con orig. da cognome*)

Rawnie (*f.*) (*Ing., git.:* "Signora")

Rawson (*m.*) (*nome con orig. da cognome*)

Ray (*m.*) *dim.* di Raymond; *v.* Raimondo, Roy // (*f.*) *v.* Rachele

Rayann (*f.*) (*nome doppio*)

Rayanna (*f.*) (*comb.* di Rachel e Anne) *var.* Raianna, Rayanne

Rayburn (*m.*) (*Ing. ant.* "Dal guado del cervo") // *var. e dim.* Bernie, Burnie, Raeburn, Raybourne, Reyburn

Raydan (*m.*) (*nome con orig. da cognome*)

Raye (*m.*) *v.* Rae

Rayford (*m.*) (*nome con orig. da cognome*)

Raymer (*m.*) (*nome con orig. da cognome*)

Raymond (*Fr.*) *v.* Raimondo

Raymonde / Raymund *v.* Raimondo

Raynard (*m.*) ("Dal giudizio risoluto")

Raynell (*f.*) (*nome doppio*)

Rayner (*m.*) *v.* Raynor

Raynor (*m.*) ("Guerriero saggio")

Razi (*m.*) (*aram.:* "Il mio segreto") *var.* Raz, Raziel

Razilee (*f.*) (*Ebr.* "Il mio segreto") *var.* Razili

Rea (*f.*)(*Gr.* "Papavero" o "Ruscello") *var.* Ria

Reade (*m.*) ("Rossiccio")

Reagan (*m.*) *v.* Regan

Reagen (*m.*) *v.* Regan

Reamonn (*m.*) *v.* Raimondo

Reason (*m.*) (*nome con orig. da cognome*)

Reba (*f.*) *v.* Rebecca

Rebecca (*f.*) (*Ebr.:* "Colei che irretisce (avvince) con le sue grazie") 9, 23 *mar.*; 30 *ag.*; 23 *set.*; Beck, Becky, Beckie, Bekki, Reba, Rebeca, Rebe, Rebekah, Rebekka

Red (*m.*) (*dim.*)

Redd (*m.*) (*nome con orig. da cognome*)

Rede (*m.*) (*Ing. ant.* "Dai capelli rossi" "Dalla carnagione rossa") *var.* Read, Reade, Reed, Reid

Redenta (*f.*) (*Lat.* "Riscattata")

23 *lug.*

Redento (*m.*) (*Lat.:* "Riscattato" "Liberato") 8 *apr.*

Reder (*m.*) (*nome con orig. da cognome*)

Redford (*m.*) *v.* Radford

Redmond (*m.*) (*Teut.* "Consigliere") *var.* Radmund, Redman, Redmund

Ree (*m.*) *v.* Rie

Reece (*m.*)(*Gall.:*"Ardente" "Temerario") *var.* Rees, Reese, Rhys, Rice (*Ing.*); Rhett (*Gall.*)

Reed (*m.*) *v.* Rede

Reet (*f.*) *v.* Margherita

Reeve (*m.*) (*Ing.* "Cambusiere" "Dispensiere") *var.*Reave, Reeves

Reg (*m.*) *dim.* di Reginaldo

Regan (*m.*) (*gael.* "Piccolo re") *var.* Reagan, Reagen, Regen; *v.* Regina

Regena *v.* Regina

Regenia *v.* Regina

Reggi *v.* Regina

Reggie *v.* Reginaldo, Regina

Reggy *v.* Regina

Regi *v.* Regina

Regie *v.* Regina

Regina (*f.*) (*Germ. ant.* "Regina") (da *Maria SS. Regina del Cielo*) 7 *set.*; 22 *feb.*; 2 *apr.*; 22 *ag.* // *var.* e *dim.* Gina, Raina, Regan, Regena, Regenia, Reggi, Reggie, Reggy, Regi, Regie, Règine, Reina, Reine, Rena, Renia, Reyna, Rina (*Ing.*); Reine, Reinette (*Fr.*); Gina,

Regine (*Ted.*); Reina, Gina, Gino (*It.*); Rane (*Norv.*); Ina, Renia (*Pol.*) // Raina, Regan, Reggie, Regino, Reginus, Reine, Rina

Reginald (*m.*) *v.* Reginaldo

Reginaldo (*m.*) (*Ted. ant.:* "Consigliere potente" "Che comanda nell'assemblea") 7 *mag.*; 17, 26 *set.*; 13 *ott.* // *var.* e *dim.* Raynold, Reg, Reggie, Reggy, Reginauld, Reinald, Reinaldo, Reinaldos, Reinhold, Reinold, Reinwald, Renald, Renaldo, Renato, Renault, René, Rinaldo, Rennie, Reynold, Reynolds, Ron, Ronald, Ronnie, Ronny // *v.* Rinaldo

Règine (*Fr.*) *v.* Regina

Regino *v.* Regina

Reginus *v.* Regina

Regis (*Fr.*) *v.* Regina; 16 *giu.*

Regnal (*m.*) ("Regnante")

Regolo (*m.*) (*Lat.* "Giovane re") 30 *mar.*

Rei (*m.*) ("Re")

Reid (*m.*) ("Rosso")

Reilly (*m.*) *v.* Riley

Reim *v.* Raimondo

Reime *v.* Raimondo

Reimer *v.* Riemer

Reimond / Reimund (*m.*) *v.* Raimondo

Reinmund (*m.*) *v.* Raimondo

Reina (*f.*) *v.* Regina

Reine (*f.*) *v.* Regina

Reiner (*m.*) (*nome con orig. da cognome*)

Reinette (*f.*) *v.* Regina

Reinoudt (*m.*) (*Frisone, Ol.*) (*med.:* "Colui che ha visto sorgere il sole")

Reldon (*m.*) (*raro*)

Rembert (*m.*) ("Giudizio brillante")

Remberto (*m.*) (*Dan. ant.* "Insigne vogatore") 11 *giu.*

Remedio (*m.*) (*Lat.* "Proveniente da Rhemi") 3 *feb.*; 3 *set.*

Remi (*Fr.*) *v.* Remigio

Remigio (*m.*) (*Celt. sign. sc.*) (*Lat.:* "Vogatore" "Rematore") 1, 28 *ott.*; 7, 18 *mag. // var.* e *dim.* Remey, Rehm, Remies, Remigius, Remy, Miek

Remington (*m.*) (*Ing. ant.* "Dalla tenuta del corvo") *dim.* Rem, Remy, Tony

Remo (*m.*) (*Lat.; Gr.* "Che scorre" o "Da Remuria", località sul colle Aventino) 22 *dic.*; 13 *ott.*; 24 *mar.*

Remondo (*m.*) (da *Veremondo* "Rispettato da tutti") 9 *ag.*; 6 *set.*; 22 *ott.*

Remus (*m.*) (*Lat.* "Veloce rematore"

Remus (*m.*) *v.* Raimondo

Remy (*m.*) *v.* Remigio

Ren (*f.*) (*Giap.* "Giglio acquatico" o "Loto")

Rena (*f.*) (*Gr.*) *v.* Irene, Regina

Renaldo (*m.*) *v.* Raimondo

Renata (*f.*) 23 *apr.*; *v.* Renato

Renato (*Lat.:* "Rinato" "Nato a vita nuova" "Nato una seconda

volta") 12 *nov.*; 6, 18 *ott. // var.* e *dim.* Renate, Renae, Renay, Reni, Renie, Renni, Rennie // Renè, Renèe (*Fr.*)

Renaud (*m.*) *v.* Raynard

Rendor (*m.*) (*Ung.* "Poliziotto")

Renè (*m.*) *v.* Renato, Reginaldo

Reneau (*m.*) (*nome con orig. da cognome*)

Renee (*f.*) (*Fr.*) *v.* Renata

Renfred (*m.*) (*Teut.:* "Pacificatore") *dim.* Fred, Freddie, Freddy

Renia (*f.*) (*Pol.*) *v.* Regina

Reniar (*m.*) (*nome con orig. da cognome*)

Renita (*f.*) (*Lat.* "Colei che confida in se stessa")

Renn (*f.*) (*nome con orig. da cognome*)

Renni (*f.*) (*nome con orig. da cognome*)

Rennie (*m.*) (*abbr.*)

Renny (*m.*) (*abbr.*)

Reno (*m.*) (*nome di posto, città*)

Renshaw (*m.*) (*Ing. ant.* "Dalla foresta del corvo") *dim.* Rennie, Shaw

Renwick (*m.*) (*Teut.* "Dal nido del corvo") // *dim.* Rennie

Renwood (*m.*) (*raro*)

Renza (*f.*) *dim.* di Lorenza

Renzo (*m.*) *dim.* di Lorenzo

Reparata (*f.*)(*Lat.* "Ricuperata") 8 *ott.*

Reposito (*m.*) (*Lat.* "Che sta appartato") 1 *set.*

Reseda (*f.*) (*Lat.:* Dal fiore della*"Reseda Odorata"*) *var.* Reseta, Resetta

Resi (*f.*) (*Ted.*) *dim.* di Teresa

Respicio (*m.*) (*Lat.* "Degno di considerazione") 10 *nov.*

Restituta (*m.*)(*Lat.* "Ridonata alla vita") 17, 27 *mag.*; 11 *feb.*

Restituto (*m.*) (*Lat.* "Restituito alla vita") 29 *mag.*; 10 *giu.*; 23 *ag.*; 9 *dic.*

Reta (*f.*) (*raro*)

Rett (*m.*) (*Gall.*) *v.* Reece

Reuben (*m.*) *v.* Ruben

Reum (*m.*) *v.* Raimondo

Reva (*f.*) (*hindu:* "Il fiume sacro Narmada")

Revdon (*m.*) (*nome con orig. da cognome*)

Reveaux (*m.*) (*raro*)

Revel (*m.*) *v.* Revell

Revell (*m.*) ("Gioia")

Reverenzio (*m.*) (*Lat.* "Riguardoso" "Timoroso") 12 *set.*

Reveriano (*m.*) (*Lat.* "Che è riguardoso") 1 *giu.*

Revis (*m.*) (*nome con orig. da cognome*)

Revocato (*m.*) (*Lat.* "Che è stato nuovamente chiamato") 7 *mar.*

Rex (*m.*) (*Lat.* "Re")

Rexford (*m.*) (*Ing. ant.:* "Del guado del re") *dim.* Rex, Ford

Rexine (*f.*) *femm.* di Rex

Rey / Reyes (*m.*) (*Sp.* "Sovrano" "Re") *v.* Roy, Reynard

Reyburn (*m.*) *v.* Raeburn

Reyhan (*m.*) (*Ar.* "Favorito da Dio") *var.* Rayhan

Reymonde (*m.*) (*Fr.*) *v.* Raimondo

Reyna (*f.*) *v.* Regina

Reynard (*m.*) (*Teut.* "Potente") (*Fr. ant.* "Volpe") // *var.* e *dim.* Ray, Raynard, Reinhard, Rennard, Renaud, Rey

Reynold (*m.*) *v.* Reginaldo

Rez (*m.*) e (*f.*) (*Ung.* "Di rame" "Color rame")

Rhama (*f.*) (*Som.* "Dolce")

Rhea (*f.*)(*Lat.* "Papavero")(*Gr.* "Fluente" "Ruscello fluente") *var.* Rea

Rheba (*f.*) (*raro*)

Rhee (*f.*) (*nome con orig. da cognome*)

Rhett (*m.*) (*Gall.*) *v.* Reece

Rhetta (*femm.* di Rhett)

Rhia (*f.*) (*nome non comune*)

Rhiana (*f.*) *v.* Rhianna

Rhianna (*f.*) ("Fanciulla") *var.* Riana, Rianna, Riane

Rhoda (*f.*) (*Gr.* "Rosa" o "Dall'isola di Rodi") // *var.* e *dim.* Rhodella, Rhodie, Rhody, Roda, Rodella, Rodelle, Rodi, Rodie, Rodina; *v.* anche Rosa

Rhodes (*m.*) ("Rosa")

Rhoenna (*f.*) *v.* Rowena

Rhona (*f.*) (*raro*)

Rhonda (*f.*) (*nome di località, nel Galles del Sud*) *var.* Ronda

Rhone (*m.*) (*nome con orig. da cognome*)

Rhonna (*f.*) *femm.* di Ron; *v.* Ronna

Rhyder (*m.*) *v.* Rider

Rhys (*m.*) ("Ardente")

Ria (*f.*) (*Sp.* "Fiume" "Foce di un fiume") *var.* Rea

Rian (*m.*) *v.* Ryan

Ricarda (*f.*) (*Teut.*) *v.* Riccarda

Ricario (*m.*) (*Ted. ant* "Guerriero potente") 26 *apr.*

Riccarda (*femm.* di Riccardo) 18 *set.*; 3 *apr.* // *var.* e *dim.* Rica, Ricca, Ricki, Rickie, Ricky, Riki, Rikki, Rycca

Riccardo (*m.*) (*Prov.* "Potente e valoroso") 3 *apr.*; 28 *gen.*; 7 *feb.*; 25 *mar.*; 9 *giu.* // *var.* e *dim.* Dick, Dickie, Dicky, Ric, Ricard, Rich, Richard, Richerd, Richie, Richy, Rick, Rickert, Ricki, Rickie, Ricky, Rico, Riki, Riocard, Ritch, Ritchie, Ritchy (*Ing.*); Risa (*Cec.*); Arri, Juku, Riki, Riks, Rolli (*Est.*); Reku, Rikard (*Fin.*); Richard (*Fr.*); Richart(*Ted.*); Rihardos (*Gr.*); Riczi, Rikard (*Ung.*); Ricciardo (*It.*); Richards, Rihards (*Let.*); Risardas (*Lit.*); Rikard (*Norv.*); Rye, Rysio, Riszard (*Pol.*); Dic (*Rum.*); Rostik, Rostislav, Rostya, Slava, Slavik, Slavka (*Rus.*); Ricardo, Richi, Ricky, Rico, Riqui (*Sp.*); Rickard (*Sv.*) // Karda, Reich, Reichard, Richarda, Richarde, Richardine, Richenza, Richerd, Richly, Ridsert, Ridzard, Riek, Rikkard, Rikitza

Rich (*m.*) (*Ing.*) *dim.* di Ulrich

Richard (*m.*) *v.* Riccardo

Richardson (*m.*) ("Figlio di Riccardo")

Richelle (*f.*)(*raro*) (*Fr.*) *v.* Rachele

Richelmo (*m.*) (*Ted. ant.* "Potente difensore") 1 *nov.*

Richie (*m.*) (*Ing.*) *dim.* di Richmond, Ulrich

Richieri (*m.*) (*Ted. ant.* "Guerriero") 26 *mar.*

Richmond (*m.*) (*Teut.* "Potente protettore") *dim.* Rich, Richie

Rick (*m.*) (*Ing.*) *dim.* di Ulrich

Rick (*m.*) *v.* Patrizio

Ricki (*m.*) *dim.* di Ulrich

Rickie (*m.*) *v.* Patrizio

Ricky (*m.*)(*Ing*) *dim.* di Ulrich

Ricky (*m.*) *v.* Patrizio

Rico (*m.*) (*Sp.*) *v.* Riccardo

Rida (*m.*) e (*f.*) (*Ar.* "Nel favore di Dio")

Rider (*m.*) (*Ing. ant.:* "Cavaliere") *var.* Ryder

Ridge (*m.*) (*Ing. ant.:* "Dal crinale")

Ridgeway (*m.*) (*Ing. ant.:* "Dalla strada lungo il crinale") *dim.* Ridge

Rie (*f.*) *abbr.* di Riesa

Riemer (*m.*) (*nome con orig. da cognome*)

Ries (*m.*) *v.* Rhys

Riesa (*f.*) (*anagramma di Aries; segno astrologico dell'Ariete*)

Rigby (*m.*) (*nome con orig. da cognome*)

Rigoberto (*m.*)(*Ted. ant.* "Signore coraggioso") 4 *gen.*

Rihana (*f.*) (*muss.:* "Dolce basi-lico")

Riki (*m.*)(*Est.*) *v.* Fredrick, Hen-ry

Rikki (*f.*) *abbr.* di Ulrich

Riley (*m.*)(*gael.* "Valente") *var.* Reilly, Ryley

Rima (*f.*) (*Pers. lett.: Eroina del romanzo di W. H. Hudson "Green Mansion"*)

Rimon (*m.*) (*Ebr.:* "Melograno")

Rimona (*f.*) *v.* Rimon

Rin (*f.*) (*Giap.* "Parco")

Rina (*m.*) (*Ted. ant.* "Consi-gliera") 5 *apr.*; *dim.* di Cateri-na o Marina; *v.* Regina

Rinaldo (*m.*) (*ant. germ.:* "Po-tente consigliere" "Che sovra-sta gli altri per intelligenza") 9, 5 *feb.*; Renaud, Renaut (*Fr.*); Reynold, Reginald, Ron, Ro-nald (*Ing.*); Reginaldo (*It.*); Reinhold (*Ted.*)

Ring (*m.*) (*Ing. ant.:* "Anello") *dim.* Ringo

Ringo (*m.*) (*Giap.:* "Mela" "La pace sia con te") *v.* Ring

Rino (*m.*) (*dim.* di Vittorino) 5 *set.*

Rio (*m.*) ("Fiume")

Riobard (*m.*) *v.* Roberto

Riordan (*m.*) (*gael.:* "Bardo" "Poeta regale") *dim.* Dan, Dan-ny

Rip (*m.*) (*Ted.* "Maturo" o "A-dulto") *v.* Ripley; Robert

Ripley (*m.*) (*Ing. ant.:* "Dal cam-po dell'urlatore") // *var.* e *dim.*

Lee, Leigh, Rip, Ripleigh

Ripsima (*f.*) (*Gr.* "Che nasconde le forme") 29 *set.*

Rique (*m.*) (*Orig. esotico-etn.*)

Riquette (*f.*) (*raro*)

Riri (*f.*) *v.* Caterina

Risa (*f.*) (*Lat.:* "Risa" "Risate") *var.* Rissa

Risha (*f.*) (*Hindu* "Nata durante il mese solare di Vrishabna")

Rita (*f.*) *abbr.* di Margherita; 22, 24 *mag.*

Ritamae (*f.*) (*nome doppio*)

Ritch (*m.*) (*abbr.*)

Ritocha (*f.*) *v.* Margherita

Ritsa (*f.*) (*Gr. mod.*) *v.* Alessan-dra

Ritsaert (*m.*)(*med.*)(*Frisone, Ol.*)

Riva (*f.*)(*Fr.* "Spiaggia" "Riva") *var.* Reeva, Rivalee, Rivella, Rivelle

Roald (*m.*) (*Teut.* "Sovrano ono-rato")

Roane (*m.*) (*nome con orig. da cognome*)

Roanna / Roanne (*f.*) *v.* Rosan-na

Roarke (*m.*)(*gael.:*"Sovrano ono-rato") // *var.* Rourke

Rob (*m.*) *v.* Roberto

Roba (*f.*) *v.* Roberta

Robb *v.* Roberto

Robbert *v.* Roberto

Robbi / Robbie (*m.*) e (*f.*) *v.* Roberta, Roberto

Robby (*m.*) e (*f.*) *v.* Roberta, Ro-berto

Robel (*m.*) *v.* Roberto

Robeli (*m.*) *v.* Roberto

Robena / Robenia (*f.*) *v.* Roberta

Rober (*m.*) *v.* Roberto

Robert (*m.*) *v.* Roberto

Roberta (*Ted.* "Splendente di gloria" "Famosa") 17 *set.* // *var.* e *dim.* Bobbet, Bobbette, Bobbi, Bobbie, Bobby, Bobbye, Bobetta, Bobette, Bobina, Roba, Robbi, Robbie, Robby, Robena, Ro-benia, Robin, Robina, Robine, Robinetta, Robinette, Robinia, Robyn, Ruperta (*Ing.*); Berta, Bobina, Roba (*Cec.*); Roberte, Robine (*Fr.*); Berta, Erta (*Pol.*); Berta, Bertunga, Ruperta (*Sp.*)

Roberte (*f.*) (*Fr.*) *v.* Roberta

Robertina / Robertine (*f.*) *v.*Roberta

Roberto (*m.*) (*Prov.* "Colui che ri-splende di gloria" "Famoso") 17 *set.*; 25 *feb.*; 17, 24, 29 *apr.*; 13 *mag.*; 7, 27 *giu.*; 18, 20 *lug.*; 10 *ott.* // *var.* e *dim.* Bert, Bertie, Berty, Bob, Bobbi, Bobbie, Bobby, Rab, Riobard, Rip, Rob, Robb, Robbi, Robbie, Robby, Robert, Robertson, Robinson, Robin, Rupert, Ruperto, Ruprecht (*Ing.*); Berty, Bobek, Rubert (*Cec.*); Robert, Roberte, Robin, Robinet (*Fr.*); Robert, Rudbert, Rupert, Ruprecht (*Ted.*); Robi (*Ung.*); Riobard (*Irl.*); Ruberto, Ruperto (*It.*); Roberts (*Let.*);

Rosertas (*Lit.*); Robin (*Rum.*); Berto, Bobby, Rober, Roberto, Ruperto, Tito (*Sp.*) // Rabbie, Robbert, Robel, Robeli, Roberta, Roberte, Robertina, Robertine, Robina, Robine, Robinia, Robinette, Roparz, Roperz, Roppel, Ruberta, Ruperta, Rupli

Roberts (*m.*) (*m.*) *v.* Roberto

Robertson (*m.*) *v.* Roberto (*Ing. ant.* "Figlio di Roberto") *v.* anche Roberto

Robi (*m.*) (*Ung.*) *dim. v.* Roberto

Robin (*m.*) e (*f.*) *v.* Roberto, Roberta

Robina (*f.*) *femm.* di Robert

Robine (*m.*) e (*f.*) *v.* Roberta, Roberto

Robinetta (*f.*) *v.* Roberta

Robinet (*m.*) *v.* Roberto

Robinette (*m.*) e (*f.*) *v.* Roberta, Roberto

Robinia (*m.*) e (*f.*) *v.* Roberta, Roberto

Robinson (*m.*) (*Ing. ant.* "Figlio di Roberto" "Figlio di Robin") *v.* Roberto

Robinson (*m.*) *v.* Roberto

Robustiano (*m.*)(*Lat.* "Vigoroso come la quercia") 24 *mag.* 31 *ag.*

Robustiniano (*m.*) *v.* Robustiano, 24 *mag.*

Robyn (*f.*) *v.* Roberta

Roc (*m.*) (*raro*)

Rocco (*m.*) (*Germ.* "Corvo" o "Cura" "Attenzione") (*Scan.*

"Uomo grande e forte" "Di alta statura") 16 *ag.*; 28 *feb. var.* Rocky

Rochelle (*f.*) (*Fr.* "Piccola roccia") // *var.* e *dim.* Rochell, Rochella, Rochetta, Rochette, Rocky, Roshella, Roshelle, Shelley, Shellie, Shelly

Rochester (*m.*) (*Ing. ant.* "Dal forte sulle rocce") // *dim.* Ches, Chester, Rock, Rockie, Rocky

Rock (*m.*) (*Ing. ant.* "Dalla roccia" "Pietra") *var.* Rockie, Rocky

Rockwell (*m.*) (*Ing. ant.:* "Dalla sorgente delle rocce") *dim.* Rock, Rockie, Rocky

Rocky (*m.*) *v.* Rocco, Rockwell

Rod (*m.*)(*abbr.*di Roderick, Rodger e Rodman) *var.* Rodd

Rodas (*m.*) (*Gr.; Sp.* "Posto delle rose")

Roddy (*m.*) *v.* Roderico

Roderica (*Teut.*) *femm.*di Roderico // *var.* e *dim.* Rica, Rickie, Ricky, Rodericka

Roderick (*m.*) *v.* Roderico

Roderico (*m.*) (*Teut.* "Sovrano famoso") // *var.* e *dim.* Broderick, Rick, Rickie, Ricky, Rod, Rodd, Roddie, Roddy, Roderic, Roderich, Rodrick, Rory(*Ing.*); Rodrique(*Fr.*); Roderick (*Ted.*); Roderigo, Rodrigo (*Ung.; It.*); Rurich, Rurik (*Rus.*); Rodrigo, Ruy (*Sp.*)

Roderico (*m.*) *v.* Roderico

Rodger (*m.*) *v.* Roger

Rodhlann (*m.*) *v.* Rolando

Rodiano (*m.*) (*Lat.:* "Di Rodi") 20 *mar.*

Rodina (*m.*) (*f.*) (*raro*)

Rodman (*m.*) (*Teut.* "Uomo famoso" "Eroico") *dim.* Manny, Rod, Rodd, Roddie, Roddy

Rodney (*m.*) (*Ing. ant.* "Dalla radura dell'isola") *dim.* Rod, Rodd, Roddie, Roddy

Rodolfo (*m.*)(*Ted. ant.*"Lupo glorioso") 17 *ott.*; 21, 25, 26 *giu.*; 17 *apr.*; 15 *lug.*; 1 *ag.*; 12 *nov.* // *var.* e *dim.* Dolf, Dolph, Raoul, Raul, Rodolph, Rodolphe, Rolf, Rolfe, Rollo, Rolph, Rudie, Rudolf, Rudolfo, Rudy (*Ing.*); Ruda, Rudek, Rudolf (*Cec.*); Rodolphe (*Fr.*); Ralph, Rudolf, Rutz (*Ted.*); Rezso, Rudi (*Ung.*); Rolo, Rudolfo, Rudi, Rudy, Rufo (*Sp.*) // Dolfi, Dulf, Hrolf, Reihl, Rilke, Rod, Rode, Rodekin, Rodin, Rodolf, Roelf, Roelof, Rohle, Roleke, Rolef, Rolke, Rolo, Rolof, Rolle, Rollekin, Rollon, Rudel, Rudi, Rudolphe, Rudy, Ruedolf, Ruedly, Ruef, Ruetsch, Rulle, Ruodi, Ruoff

Rodolphe (*m.*) (*Fr.*) *v.* Rodolfo

Rodopiano (*m.*) (*Gr.* "Che ha il viso roseo") 3 *mag.*

Rodrigo (*m.*) (*Ted. ant.* "Ricco di gloria") 13, 12, 15 *mar.*; *v.* Roderico

Rodriguez (*m.*) (*nome con orig. da cognome*)

Rody (*m.*) (*nome con orig. da cognome*)

Roeder (*m.*) (*nome con orig. da cognome*)

Roeland / Roelandje (*m.*) *v.* Rolando

Roemer (*m.*) (*nome con orig. da cognome*)

Rogan (*m.*) ("Dai capelli rossi")

Rogato (*m.*) (*Lat.* "Che domanda" "Che prega") 12 *gen.*; 8, 28 *mar.*; 17 *ag.*; 1 *dic.*

Rogaziano (*m.*) (*Lat.* "Che interroga Dio pregando") 24 *mag.*; 26, 31 *ott.*; 28 *dic.*

Rogelio (*m.*) *v.* Ruggero

Rogello (*m.*) (*Iber.* "Che è stato proposto") 16 *set.*

Roger (*m.*)(*Fr.*) *v.* Ruggero, Ruggiero, 30 *dic.*

Rogerio (*m.*) *v.* Ruggero

Roggero (*m.*) (*Ted. ant.* "Glorioso guerriero") 28 *lug.*

Rogina (*f.*) *femm.* di Roger

Rohan (*m.*) ("Rosso") (*hindu:* "Legno di sandalo")

Rohana (*f.*) (*hindu:* "Legno di sandalo") *var.* Rohanna

Rohin (*m.*) (*India:*"Sul sentiero in salita")

Roi (*m.*) (*India*) *v.* Roy

Roland (*m.*) (*Fr.*) *v.* Rolando

Rolanda (*f.*) (*Teut.*) *femm.*di Roland; *v.* Rolando

Rolande (*f.*) 13 *mag.*, *v.* Rolando

Rolando (*m.*) (*Germ.* "Uomo che ha fama di ardito" "Uomo che viene dal paese glorioso") (*Gall.; Lat.* "Dà gloria alla patria") 15 *set.*; 16 *gen.*; 14 *ott.*; 15 *lug.* // *var. e dim.* Lannie, Lanny, Orland, Rollie, Rollin, Rollins, Rollo, Rolly, Rowe, Rowland (*Ing.*); Orlando, Lando, Duccio, Tuccio (*It.*); Orlando, Rudland, Ruland (*Ted.*); Lorand, Lorant (*Ung.*); Orlando, Rolando (*Sp.*); Rolek (*Pol.*); Lando, Olo, Orlo, Roldan, Rolon, Rollon (*Sp.*) // Orlanda, Rodhlann, Roeland, Roelandje, Rolanda, Rolande, Rolands, Roldan, Roldo, Rolland, Rolle, Rollin, Rulande, Rulant // *v.* anche Orlando

Rolands (*m.*) *v.* Rolando

Roldan (*m.*) *v.* Rolando

Roldo (*m.*) *v.* Rolando

Rolek (*m.*) *v.* Rolando

Rolf / Rolfe (*m.*) *v.* Randolph; Rodolfo

Rolland (*m.*) (*raro*) *v.* Rolando

Rollanda (*f.*) (*femm.* di Rolando) 13 *mag.*; *var.* Rolinda

Rolle (*m.*) *v.* Rolando

Rollie (*m.*) *v.* Rolando

Rollin (*m.*) *v.* Rolando

Rollins (*m.*) *v.* Rolando

Rollo (*m.*) *v.* Rolando

Rollon (*m.*) *v.* Rolando

Rolly (*m.*) *v.* Rolando

Rolo (*m.*) *v.* Rodolfo

Rolon (*m.*) (*Sp.*) (*Ted. ant.* "Lupo famoso") *v.* Rolando

Rolph (*m.*) *v.* Rudolph, Rodolfo

Rom (*m.*) (*git.*) ("Uomo")

Roma (*f.*) (*Lat.:* Nome di città) *var.* Romana, Romina

Romain (*m.*) (*Fr.*) *v.* Romano 28 *feb.*

Roman (*m.*) (*Lat.* "Da Roma") *var.* Romain

Romana (*f.*) (*Lat.* "Di Roma) 23 *feb.*; *var.* Roma, Romaine, Romania, Romanie, Romanka, Romayne, Rome, Romina, Rimoussia

Romano (*m.*) (*Lat.* "Di Roma") 9, 24 *ag.*; 18, 28 *feb.*; 16 *mar.*; 2, 22 *mag.*; 6, 23 *ott.*; 18, 24 *nov.* // *var.* e *dim.* Mania, Manus, Roman, Romane, Romanus

Romaric (*m.*) (*Fr.*) 10 *dic.*; *var.* Maric, Romarich, Romary; *v.* Romarico

Romarico (*m.*) (*Ted. ant.:* "Signore illustre") 8 *dic.*

Rombaldo (*m.*)(*Ted. ant.:*"Famoso per l'audacia") 24 *giu.*

Rome (*m.*) (*Ing.*) *v.* Roma

Romedio (*m.*) ("Venuto da Reims") 15 *gen.*; *var.* Remedio

Romeo (*m.*) (*Lat.:* pellegrino che per devozione va a Roma) 25 *feb.*; 4, 5 *mar.*; 21 *nov.*; *var.* Romero

Romero (*m.*) (*Sp.*) *v.* Romeo

Romi (*f.*) (*Orig. esotico-etn.*)

Romilda (*f.*) (*Long.:* "Eroina") 1 *nov.*

Romina (*f.*) *v.* Roma, Romana, 28 *feb.*

Romney (*m.*) (*Gall.* "Ansa del fiume" "Fiume deviato")

Romoaldo *v.* Romualdo

Romola (*f.*) *femm.* di Romolo; 23 *lug.*

Romolo (*m.*) (*Etr.* "Che vive vicino al fiume", dalla gens Romilia che viveva sulla sponda del tevere) (*Lat.* "Da Roma") 6, 23 *lug.*; 24 *mar.*; 5 *set.*; 13 *ott.*

Romuald (*m*) (*Fr.*) *v.*Romualdo

Romualdo (*m.*) (*Got.* "Che comanda con gloria") 19 *giu.*; 7 *feb.* 23 *ott.*; *var.* Romoaldo, Rommelt, Romualdine, Romwald, Rumold

Romulus (*m.*) (*Lat.* "Abitante di Roma")

Romy (*f.*) (*dim.*) *v.* Roma, Rosemarie

Ron (*m.*) (*abbr.*) *v.* Myron, Ronald, Rondell, Ronel, Ronli

Rona (*f.*) (*raro*)

Ronal (*m.*) (*raro*)

Ronald (*m.*) *v.* Reginald

Ronalda (*f.*) (*Norv. ant.*) *femm.* di Ronald ; *var.* Rhona, Rona, Ronne, Ronni, Ronnie, Ronny

Ronda (*f.*) *v.* Rhonda

Rondean (*f.*) *v.* Ronalda; *var.* Rondell, Ronelle

Rondeen (*f.*) *v.* Rondean

Rondell (*m.*) ("Paffuto" "Grassottello")

Ronee (*f.*) (*abbr.*) *v.* Ronald

Ronel (*m.*) *v.* Ronli

Roni (*m.*) *v.* Ronli

Ronli (*f.*) (*Ebr.* "La gioia è mia") *var.* Rona, Roni, Ronia, Ronice, Ronit

Ronna (*f.*) *femm.* di Ron

Ronne (*m.*) *v.* Ronald

Ronnette (*f.*) *femm.* di Ron

Ronni (*m.*) *v.* Ronald

Ronnie (*m.*) (*abbr.*) *v.* Ronald

Roone (*m.*) ("Rosso")

Rooney (*m.*) (*gael.* "Dai capelli rossi") *var.* Rowan, Rowe, Rowen

Roos (*f.*) (*Ol.*) *v.* Rosa

Roparz (*m.*) *v.* Roberto

Roper (*m.*) (*Ing. ant.* "Cordaio" "Colui che fabbrica le corde")

Roperz *v.* Roberto

Roppel *v.* Roberto

Roque (*m.*) *v.* Rock

Rorke (*m.*) *v.* Roarke

Rory (*m.*) (*Irl., gael.* "Rosso") (*Am.*; *Irl.*) *v.* Roderick; Roger

Rosa (*f.*) (*Lat.*: Nome floreale) *abbr.* di Rosamunda; 23, 30 *ag.*; 4 *set.*; 6, 11 *mar.*; 7 *mag.*; 13 *dic.* // *var.* e *dim.* Ruza, Ruzena, Ruzenka (*Cec.*); Rose, Rosette (*Fr.*); Rasia, Rhoda, Rhodia, Rois, Rosa,Rosalee, Rosaleen, Rosella, Roselle, Rosette, Rosey, Rosie, Rosena, Rosi, Rosine, Rosy, Rozele, Rozella, Rozelle, Rozy, Zita (*Ing.*); Annarosa, Mariarosa, Rosalba, Rosamaria, Rosangela, Rosanna, Rosaura, Rosella, Rosetta, Rosina, Rosita, Rosolino (*It.*); Roze, Rozele, Rozyte (*Lit.*); Roza, (*Pol.*); Ru-za, Ruzha (*Rus.*); Chalina, Chara, Rosa, Rosana, Rosita, Shaba, Zita (*Sp.*);Roza, Rozsi, Ruzsa (*Ung.*) // Roos, Roschen, Roseli, Roselin, Roseline, Rosius, Roslin, Rosula, Rosule, Rozalija, Rozenn, Rozinus // *v.* Rosalinda

Rosabella (*f.*) *v.* Rosa, Rosabelle

Rosabelle (*f.*) (*comb.* di Rose e Belle "Bella rosa") *var.* Rosabel, Rosabella

Rosalba (*f.*) (*Lat.*: "Rosa bianca") *v.* Rosa

Rosalee (*f.*)(*nome doppio*) *v.* Rosalia

Rosaleen (*f.*) ("Piccola rosa"); (*Irl.*) *dim.* di Rosa; *v.* Rosalia

Rosalia (*f.*) (*Got., sign. sc.*) (*Prov.*: "Corona di rose") *abbr.* di Rosalinda; 4 *set.*; 15 *lug.*; *var.* Rosalie (*Fr.*); Rosalyn, Rosalynd, Roselyn (*Ing.*); Rosalio, Rosolino (*It.*) Rozalia (*Pol. Ung.*); Rosalee, Rosaleen, Rosalind

Rosalie (*f.*) (*Fr.*) *v.* Rosalia

Rosalina (*f.*) *v.* Rosa, Rosaleen

Rosalind (*f.*) *v.* Rosalinda, Rosalia

Rosalinda (*f.*) (*comb.* di Rosa e Linda) (*Ted.* "Difesa del cavallo") 12 *dic.* // *var.* e *dim.* Ros, Rosalia, Rosaline, Rosalyn, Rosalynd, Roselin, Roseline, Roslyn, Roz, Rozalin, Rozalind, Rozalyn, Rozlynd; *v.* Rosa, Rosalia

Rosalio (*m.*) *masch.* di Rosalia (*v.*)

Rosalynn (*f.*) (*nome doppio*)

Rosamaria (*f.*) (*nome doppio*)

Rosamond (*f.*) (*Teut.* "Protettrice" "Rosa del mondo") // *var.* e *dim.* Ros, Rosamund, Rosamunda, Rosemonde,Roz, Rozamond

Rosamunda (*f.*) (*Got.* "Protettrice dei cavalli") 30 *apr.*

Rosangela (*f.*) (*nome doppio*) *v.* Rosa

Rosanna (*f.*) (*comb.* di Rosa, *v.* e Anna, *v.*) *var.* Roanna, Roanne, Rosanne, Roseann, Roseanne

Rosanne (*f.*) *v.* Rosanna

Rosaria (*f.*) (nome *der. dalla devozione per la Madonna del Rosario*) onomastico: il 7 *ott.* oppure la prima domenica di ottobre

Rosario (*m.*) (nome *der. dalla devozione per la Madonna del Rosario*) onomastico: il 7 *ott.* oppure la prima domenica di ottobre; *v.* Russel

Rosaura (*nome doppio*: Rosa + Aura "Rosa d'oro") 23 *ag.*; *v.* Rosa

Rosco (*m.*) *v.* Roscoe

Roscoe (*m.*) (*Teut.* "Dalla foresta del cervo" o "Veloce") *dim.* Ross, Rossie, Rossy

Rose (*f.*) *v.* Rosa, 23 *ag.*; 11 *mar.*

Roseann / Roseanne (*f.*) *v.* Rosanna

Roselani (*f.*) (*Ing.*; *Haw.* "Rosa celestiale")

Roselina (*f.*) (*Prov.* "Incoronata di rose") 17 *gen.*

Roseline (*m.*) (*Fr.*) *v.* Rosa

Rosella (*m.*) *v.* Rosa

Rosellen (*f.*) (*comb.* di Rose e Helen)

Rosellina (*f.*) *dim.* di Rosella

Roselyn (*f.*) (*nome doppio*) *v.* Rosalinda

Rosemary (*f.*) (*comb.* di Rose e Mary) Anche "*Pianta erbacea*") *var.* e *dim.* Romy, Rosamaria, Rosemarie

Rosemeri (*f.*) (*Br.*) *v.* Rosemary

Rosertas (*m.*) *v.* Roberto

Rosetta (*f.*) *v.* Rosa

Rosilyn (*f.*) *v.* Rosalinda

Rosina (*f.*) (*dim.* di Rosa)

Rosine (*f.*) (*Fr.*) *v.* Rosa

Rosio (*m.*) (*Lat.* "Odoroso" "Profumato") 1 *set.*

Rosita (*f.*) *v.* Rosa

Rosmunda (*f.*) (*Ted.ant.* "Bocca di rosa" "Bocca rossa") 14 *giu.*; 15 *lug.*

Rosolino (*f.*) *v.* Rosa, Rosalia

Ross (*m.*) (*Fr. ant.*: "Rosso") (*Teut.* "Cavallo") (*Irl., gael:* "Delle montagne") (*Scoz., gael.:* "Colui che viene dalla penisola") *dim.* Rosse, Rossie, Rossy ; *v.* anche Roscoe

Rossana (*f.*) (*sans.* "Brillante") (*Lat.* "Rilucente") (*Per.* "Alba" "Aurora") 15 *giu.*; *var.*

287

Roxana, Roxane, Roxann, Roxanna, Roxanne, Roxi, Roxie, Roxina, Roxine, Roxy (*Ing.*); Rossano, Rossella (*It.*)

Rossano (*m.*) (*sans.* "Brillante") (*Lat.* "Rilucente") (*Per.* "Alba") 15 *giu.*; v. Rossana

Rossella (*f.*) (*Sans.*: "Brillante") (*Lat.* "Rilucente") 15 *giu.*; v. anche Rossana

Rossiter (*m.*) (*nome con orig. da cognome*)

Rosslyn (*f.*) (*nome doppio*) v. Rosalinda; *var.* Rozlyn

Rossman (*m.*) ("Cavaliere")

Rossore (*m.*) (*Tosc.*: da Lussorio "Splendente") 21 *ag.*

Rosula (*m.*) (*Lat.* "Corbezzolo") 14 *set.*

Roswell (*m.*) (*Teut.* "Potente destriero") *var.* Roswald

Roth (*m.*) (*Ted. ant.*: "Dai capelli rossi o dalla carnagione rossastra") ("Rosso")

Rothwell (*m.*) (*nome con orig. da cognome*)

Roula (*f.*) v. Merrie

Rourke (*m.*) v. Roarke

Rowan (*f.*) ("Albero dalle bacche rosse") *var.* Rowen

Rowe (*m.*) v. Rolando

Rowen (*m.*) ("Rossiccio") v. anche Rooney

Rowena (*f.*)(*gael.*"Lodata" "Gloriosa") 23 *lug.* // *var.* e *dim.* Rowenna, Winnie

Rowland (*m.*) v. Roland

Rowley (*m.*) ("Campo scabro")

Roxana / Roxanne (*f.*) v. Rossana

Roy (*m.*)(*Fr.* "Re") (*Celt.* "Dai capelli rossi") *var.* Roi, Royal (*Fr.*); Loe (*Haw.*); Rey (*Sp.*); *dim.* di Conroy, Leroy

Royal (*m.*) (*Fr.* "Regale") *dim.* Roy

Royall (*m.*) v. Royal

Royan (*m.*) (*nome con orig. da cognome*)

Royce (*m.*) (*Ing. ant.* "Figlio del re") *dim.* Roy

Royd (*m.*) (*Norv. ant.* "Dalla foresta disboscata")

Royden (*m.*) (*Ing. ant.* "Dalla collina del re") // *var.* e *dim.* Roy, Roydon

Roye (*m.*) v. Roy

Roz (*f.*) (*abbr.*)

Rozene (*f.*)(*Ind. Nordam.*) v. Rosa

Ruan / Ruane (*m.*) (*nome con orig. da cognome*)

Ruana (*f.*)(*hindu*: strumento musicale simile alla viola) v. Almira

Ruben (*m.*) (*Ebr.*: "Figlio della provvidenza") 1 *ag.* // *var.* e *dim.* Reuben, Reuven, Rube, Rubin, Ruby (*Ing.*); Reuben (*Fr.*; *Ted.*); Rouvin (*Gr.*); Ruvim (*Rus.*) // Rubenda, Raahben

Rubert v. Roberto

Ruberta v. Roberta

Ruberto v. Roberto

Rubetta (*f.*) v. Ruby

Rubi (*f.*) *v.* Ruby

Rubia (*f.*) *v.* Ruby

Rubiano (*m.*) (*Lat.* "Rossiccio") 1 *set.*

Rubie (*f.*) *v.* Ruby

Rubin (*m.*) ("Rosso rubino")

Rubina (*f.*) *v.* Ruby

Ruby (*f.*) (*Ing.* "Rubino") *var.* Rubetta, Rubi, Rubia, Rubie, Rubina

Ruchel (*f.*) *v.* Rachele

Ruchi (*f.*) (*hindu:* "Un amore che cresce nel desiderio di piacere e di brillare per l'amato")

Rudbert (*m.*) *v.* Roberto

Rudd (*m.*) ("Rosso")

Rudesindo (*m.*) (*Sp. ant.* "Sindaco rude") 5 *ott.*

Rudi (*m.*) *dim.* di Rodolfo

Rudland (*m.*) *v.* Rolando

Rudo (*m.*) (*Shona, Zimb.:* "Amore")

Rudolf (*m.*) (*Sl.; Scan.*) *v.* Rodolfo

Rudolfo (*m.*) *v.* Rodolfo

Rudolph (*m.*) (*Ted.*) *v.* Rodolfo

Rudra (*f.*) (*hindu* "Bambino della pianta *Rudraksha*")

Rudy (*m.*) *dim.* di Rodolfo, di Rudyard

Rudyard (*m.*) (*Ing. ant.* "Dal recinto rosso") *dim.* Rudy

Rue (*f.*) ("Erba pungente" "Ruta")

Ruel (*m.*) (*nome con orig. da cognome*)

Ruella (*f.*) (*combinaz.* di Ruth e Helen) *var.* Ruelle

Ruey (*m.*) (*abbr.*)

Rufe (*m.*) *v.* Ruffo

Ruffillo (*m.*) *var.* di Ruffo, 18 *lug.*

Ruffo (*m.*) (*Lat.* "Fulvo") 18 *dic.*; 14 *nov.*; *var.* Rufe, Rufina, Rufiniano, Rufino, Rufus; *v.* anche Rufo

Rufina (*m.*) (*Lat.:* "Appartenente alla famiglia *Rufus*, della gens *Cornelia*") 2, 10, 19 *lug.*; 31 *ag.*

Rufiniano (*m.*) (*Lat.* "Che è della famiglia di Rufo") 9 *set.*

Rufino (*m.*) (*Lat.* "Dai capelli rosso chiaro") 11, 19 *ag.*; 28 *feb.*; 7 *apr.*; 14 *giu.*; 19, 21, 30 *lug.*; 4, 9 *set.*; 16 *nov.*

Rufo (*m.*) *v.* Ruffo; 19 *apr.*; 1 *ag.*; 25 *set.*; 7, 21, 28 *nov.*; 18 *dic.*

Ruford (*m.*) (*Ing.ant.:* "Dal guado rosso") *var.* Rufford

Rufus (*m.*)(*Lat.*"Dai capelli rossi") *dim.* Rufe

Ruggero (*m.*) (*Sass.:* "Lanciere glorioso") 15 *ott.*; 30 *dic.*;28 *gen.*; Dodge, Roar, Rodge, Rodger, Rodgers, Rog, Roger, Rogerio, Rogelic, Rogelio, Rogeric, Rogge, Roggie, Rogier, Role, Rosser, Rotkar, Rudeger, Riduger, Rutger, Rutje, Ruttger

Ruggiero (*m.*) *v.* Ruggero

Rulande (*f.*) *v.* Rolando

Ruland *v.* Rolando

Rulant *v.* Rolando

Rule (*m.*) (*nome con orig. da*

cognome)

Rulfo (*m.*) (*tronc.di Austrulfo* "Lupo dell'est") 14 *set.*

Rumoldo (*m.*) (*Ted. ant.:* "Dominatore") 24 *giu.*

Runako (*m.*)(*Zezuru,Zimb.:*"Bello")

Rupert (*m.*) *v.* Roberto

Ruperta (*f.*) *v.* Roberta

Ruperto (*m.*) *Sass.* "Rilucente di gloria") 27 *mar.*; 15 *mag.* *v.* Roberto

Rupli (*m.*) *v.* Roberto

Ruprecht (*m.*) *v.* Roberto

Ruri (*f.*) (*Giap.* "Smeraldo")

Rurik (*m.*) (*Sl.*) *v.* Rory, Roderick, Roderico

Rusalka (*f.*) (*Cec.* "Ninfa del bosco")

Rushton (*m.*) ("Città dei giunchi")

Ruskin (*m.*) (*Fr. ant.* "Dai capelli rossi") *dim.* Russ

Ruslan (*Rus.*)

Russ (*m.*) *abbr.* di Russell

Russell (*m.*) (*Fr. ant.* "Dai capelli rossi") // *var.* e *dim.* Rus, Russ, Rustie, Rusty (*Ing.*); Rosario (*It.*)

Rusticiano (*m.*) (*var.*di *"Rustico"* "Campagnolo" "Agreste") 26 *ott.*

Rustico (*m.*) (*Lat.* "Campagnolo" "Contadino" "Agreste") 24 *set.*; 9, 26 *ott.*; 9 *ag.*; 31 *dic.*

Rustin (*m.*) (*nome con orig. da cognome*)

Rusty (*m.*) (*nome con orig. da cognome*)

Rustyn (*m.*) (*nome con orig. da cognome*)

Rut (*f.*) *v.* Ruth

Ruth (*f.*) (*Ebr.* "Amica") 16 *lug.*; 16 *ag.*; *var.* Ruthe, Ruthie

Ruthann (*f.*) (*nome doppio*) *var.* Ruthanne, Ruthanna

Rutheford (*m.*) (*Ing. ant.:* "Dal passaggio del bestiame") *dim.* Ford

Ruthellen (*f.*) (*nome doppio*)

Rutilio (*m.*) (*Lat.* "Biondo rossastro") 2 *ag.*

Rutilo (*m.*) (*Lat.* "Rifulgente") 4 *giu.*

Rutledge (*m.*) (*Ing. ant.* "Dal laghetto rosso")

Rutley (*m.*)(*Ing.ant.* "Dal campo della radice") *dim.* Lee, Leigh.

Rutolo (*m.*) (*Lat.* "Biondeggiante") 18 *feb.*

Ruy (*m.*) *v.* Roderick, Rodrigo

Rwizi (*m.*) (*Zezuru, Zimb.* "Del fiume")

Ryal (*m.*) *v.* Royal

Ryall (*m.*) *v.* Royal

Ryan (*m.*) (*Irl., gael.* "Piccolo re") *var.* Ryon

Ryba (*m.*) (*Cec.* "Pesce")

Rycroft (*m.*) (*Ing. ant.:* "Dal campo di segale")

Ryder (*m.*) *v.* Rider

Ryel (*m.*) *v.* Royal

Ryell (*m.*) *v.* Royal

Ryerson (*m.*) (*nome con orig. da cognome*)

Ryken (*m.*) (*nome con orig. da cognome*)

Rylan (*m.*) (*Ing. ant.*: "Dalla terra della segale") *var.* Ryland

Ryley (*m.*) ("Campo del re")

Rylla (*f.*) (*raro*)

Rynor (*m.*) *nome con orig. da cognome*

Ryon (*m.*) *v.* Ryan

S

Saba (*m.*) (*Ebr.*: "Convertito di origine araba") 24, 12 *apr.*; 14 *gen.*; 5 *dic.*

Sabatino (*m.*) (*Ebr.* "Nato di sabato") 2 *apr.*; 14 *gen.*

Sabazio (*m.*) (*Lat.*: nome imposto a chi nasceva di sabato) 19 *set.*

Sabele (*Lat.* "Proveniente dalla Sabina") 17 *giu.*

Sabin (*m.*) *v.* Sabino

Sabina (*Lat.*) *v.* Sabino // 29 *ag.*; 27 *ott.* // *var.* e *dim.* Bine, Binele, Sabe, Sabi, Sabie, Sabien, Sabienne, Sabin, Sabiniano, Sabinka, Sabino, Sabinus, Saby, Saidhbhinn, Savin, Savina, Savine, Savinka, Saviniane, Savinien, Savino, Vinia

Sabine (*f.*) (*Fr.*) *v.* Sabina

Sabiniano (*m.*) (*Lat.*: "Appartenente ai Sabini") 25 *set.*; 29 *gen.*; 7 *giu.*; *v.* Sabino

Sabino (*m.*) (*Lat.* "Del paese dei Sabini") 30 *dic.*, 29 *ag.*; 25, 17 *gen.*; 9 *feb.*; 13 *mar.*; 2, 7 *lug.*; 15 *ott.*; 11 *dic.*

Sabra (*m.*) (*Ebr.* "Cactus spinoso" "Nativo di Israele")

Sabrina (*f.*) (*Celt.* "Affilata") (da *Sabratha*, antica città africana) // (*Afr.*: "Cerimonia di ringraziamento" "Festa") 29 *gen.*

Saburo (*m.*) (*Giap.* "Terzogenito")

Sacerdote (*Lat.*) 4, 5 *mag.*; 12 *set.*

Sacha (*m.*) e (*f.*) (*Rus.*) *v.* Alessandro, Alessandra; *var.* Sasha

Sachi (*f.*) (*Giap.* "Beatitudine") *var.* Sachiko

Sada (*f.*) (*Giap.* "La casta")

Sadie (*f.*) *v.* Sara

Sadiki (*m.*) (*Sw. Afr.* "Fedele")

Sadira (*f.*) (*Per.* "Loto")

Sadler (*m.*) ("Sellaio")

Sadoc (*Ebr.* "Giusto") 2 *giu.*

Sadot (*Ebr.* "Giusto") 20 *feb.*

Sadria (*f.*) (*Per.* "Albero del Loto")

Sadye (*f.*) *v.* Sara

Sadzi (*f.*) (*Ind. Carrier:* "Il sole della terra")

Saffiro (*Lat.* "Prezioso") 6 *set.*

Saffo (*f.*) (*Gr.* "Dotta") 1 *nov.*

Safford (*m.*)(*Ing.ant.* "Guado del salice") *dim.* Ford

Sagan (*m.*) *nome con orig. da cognome*

Sagara (*f.*) (*hindu:* "Oceano")

Sagare (*m.*) (*Ebr.* "Candido") 6 *ott.*

Sage (*m.*) ("Salvia")

Sager (*m.*) (*nome con orig. da cognome*)

Sahen (*m.*) (*India:* "Falcone")

Sakari (*f.*) (*India:* "Dolce" "Dolcezza")

Saki (*f.*) (*Giap.:* "Capo" "Punta")

Sakima (*m*) (*Ind. Nordam.* "Re")

Sakti (*f.*) (*hindu:* "Energia")

Sakuna (*f.*) (*India:* "Uccello")

Sakura (*f.*) (*Giap.:* "Fiore di ciliegio")

Sal (*m.*) *v.* Salisbury; Salvatore

Sala (*f.*) (*Hindu* "Il sacro albero sala")

Salaberga (*m.*) (*Ted. ant.* "Di illustre nobiltà") 22 set.

Saladino (*m.*) (*Ar.:* "Potente") 1 *nov.*

Salario (*m.*) (*Lat.:* "Venuto dalla valle del Tevere") (da "sale") 22 *ott.*

Salazar (*m.*) *nome con orig. da cognome*

Salesio (*nome imposto in onore di San Francesco di Sales*) 24 *gen.*

Salih (*m.*)(*Ar.* "Buono" o "Giusto")

Salim (*m.*) (*Ar.* "Pace") (*Sw.* "Sicuro") *var.* Saleem

Salisbury (*m.*) (*Ing. ant.:* "Dalla roccaforte") *dim.* Sal

Sallustia (*f.*) (*Lat.* "Che ha salute") 14 *set.*

Sallustiano (*m.*) (*Lat.* "Figlio o seguace di Sallustio") 18 *giu.*

Sallustio (*m.*) *v.* Sallustia

Sally (*f.*) (*Ing.*) *dim.* di Sara; *v.* anche Salvatore

Salmalin (*m.*) (*hindu* "Provvisto di artigli")

Salomè (*f.*) (*aram.* "Felice") 22 *ott.*; 29 *giu.*; 17 *nov.* // *var.* e *dim.* Sal, Salama, Saloma, Salomi, Salomie, Selima, Soloma

Salomina (*f.*) (*dim.* di Salomè) 2 *apr.*

Salomon (*m.*) (*Sp.*) *v.* Solomon

Salomone (*m.*) (*Ebr.* "Pacifico") 13 *mar.*; 25 *giu.*; 28 *set.*; *v.* Solomon

Salter (*m.*) *nome con orig. da cognome*

Salustio (*Lat.* "Salute") 2 *feb.*

Salutare (*m.*) (*Lat.* "Che augura salute") 13 *lug.*

Salvador (*m.*) (*Sp.*) *v.* Salvatore

Salvatore (*m.*) (*Lat.*"Dio è salvezza" "Colui che salva") 18 *mar.* // *var.* e *dim.* Sal, Sallie, Sally, Salvador, Sauveur, Turi, Turiddu, Xavier

Salvia (*f.*) (*Lat.* "Salvia")

Salvino (*m.*) (*abbr. di Diotisalvi, antico nome augurale*) 12 *ott.*

Salvio (*m.*) (*Lat.* "Libero") 11 *gen.*; 26 *giu.*

Salvo (*m.*) (*Lat.* "Molto chiaro") 10 *set.*

Sam (*m.*) *v.* Samantha, Samson; Samuele

292

Samanta (*f.*) ("Fanciulla sacra") *v.* anche Samantha

Samantha (*f.*) (*Aram.:* "Ascoltatrice") *dim.* Sam, Sammi, Sammie, Sammy; *v.* Samanta

Samara (*f.*)(*Ebr.* "Attenta"-"Donna di Samaria") *dim.* Mara, Sammie, Sammy

Samaritana (*f.*) (*Ebr.* "Donna della Samaria") 20 *mar.*

Sameh (*f.*) (*Ar.* "Colei che perdona")

Samein (*m.*) (*Ar.*) *v.* Simone

Samman (*m.*) (*Ar.* "Droghiere") *var.* Sammon

Samona (*f.*) (*Gr.* "Originario di Samos") 15 *nov.*

Samson (*m.*) (*Ebr.* "Come il sole") // *var.* e *dim.* Sam, Sammie, Sammy, Sampson, Sansom, Sanson, Sansone, Shimshon, Sonnie, Sonny

Samuel (*m.*) (*Fr.*; *Port.*; *Sp.*; *Ung.*; *USA*) *v.* Samuele, 20 *ag.*

Samuela (*f.*) (*Ebr.*) *v.* Samuel; *var.* Samella, Samuella, Samuelle

Samuele (*m.*) (*Ebr.* "Colui che è ascoltato da Dio") 16 *feb.*; 20 *ag.*; 10 *ott.*// *var.* e *dim.* Sam, Sammie, Sammy, Samuel (*Ing.*); Samuel (*Sp.*; *Port.*); Sameli, Somhairle

Sanborn (*m.*) (*Ing. ant.* "Ruscello sabbioso") // *var.* e *dim.* Sandborn, Sandy

Sancho (*m.*) (*Sp.*) (*Lat.* "Santificato") *var.* Sancio, Sanzio

Sancia (*f.*) (*femm.* di Sancio") 17 *giu.*

Sancio (*m.*) (*Sp.* "Che ha indole buona") 5 *giu.*; *v.* Sancho

Sandalo (*m.*) (*Sp.:* "Ingenuo" "Semplice") 3 *set.*

Sande (*Ing.*) *v.* Alessandro; (*Bul.*) *v.* Alessandra

Sander (*m.*) (*Ing.*; *Bul.*) *v.* Alessandro

Sanders (*f.*) (*Ing.* "Figlio di Alessandro") *var.* Saunders; *v.* Alessandro

Sanderson (*m.*) ("Figlio di Alessandro")

Sandi (*Ing.*) *v.* Alessandra

Sandie (*dim. Ing.*) *v.* Alexandre

Sandor (*m*)(*Ung*) *v.*Alessandro

Sandoval (*m.*) *nome con orig. da cognome*

Sandra (*f.*) *v.* Alessandra

Sandrina (*It.*) *v.* Alessandra

Sandrine (*Fr.*) *v.* Alessandra

Sandrino *v.* Alessandro

Sandro *v.* Alessandro

Sandrocchia (*f.*) *v.*Alessandra

Sandy (*m.*) (*Fr.*; *Ing.*) *v.* Alessandro, Sanford

Sanford (*m.*) (*Ing. ant.* "Dall'incrocio sabbioso") *dim.* Sandy

Sanger (*m.*) *nome con orig. da cognome*

Sano (*m.*) (*abbr.* di Ansano" "In salute") 1 *dic.*

Sansone (*m.*) (*Ebr.* "Piccolo sole") 27 *giu.*; 28 *lug.*

Santa (*Lat.*) 14 *set.*

Santana (*m.*)

Santaromana (*f.*) ("Donna armata") 18 *ag.*

Sante (*f.*) (*Ted.* "Verità"); dalla festività di *Ognissanti*, 16 *ag.*; *var.* Santi

Santiago (*m.*) (*Sp.*: da *San Jago* cioè San Giacomo) *v.* Giacomo

Santina (*f.*) (*Lat.*: "Piccola santa") 2 *mag.*; 14, 22 *set.*

Santino (*m.*) (*Lat.* "Piccolo santo" o "Giovane santo") 22 *set.*; 22 *mag.*; 31 *ag.*; 1 *ott.*

Santippa (*f.*) (*Gr.*: "Cavallerizza bionda") 23 *set.*

Santo (*m.*) (*Lat.*) 2 *giu.*; 28 *mar.*; 2 *lug.*; *v.* Sante

Santorre (*m.*)(*Gr.* "Fulvo" "Biondo") 1 *nov.*

Santuccia (*f.*) (*Lat.* "Piccola santa") 21 *mar.*

Santulo (*dim.* di Santo)15 *dic.*

Santuzza (*f.*) *v.* Santo, 1 *nov.*

Sanura (*f.*) (*Sw.*, *Afr.*: "Come gatta")

Sanuye (*f.*) (*Ind. Miwok:* "Nuvole rosse arrivano con il tramonto")

Sanya (*f.*) (*India* "Nata di sabato")

Sanya (*Rus.*) (*m.*) *v.* Alessandro

Sanyi (*Ung.*) *v.* Alessandro

Sanzio (*m.*) *v.* Sancho

Sapata (*f.*) (*Ind. Miwok* "Orso che danza sulle zampe anteriori intorno ad un albero" o "Orso che abbraccia un albero")

Sapiente (*m.*) (*Lat.* "Che ha saggezza, prudenza, intelligenza")

1 *nov.*

Sapore (*m.*) (*Lat.* "Che ha garbo" "Che ha spirito") 20 *nov.*

Sapphira (*f.*) (*Gr.* "Zaffiro") *var.* Saphira, Sapphire, Sephira

Sappho (*f.*) (*Poetessa greca*)

Sara (*f.*)(*Ebr.*: "Principessa""Nobildonna")10 dic.; 9 ott.; 20 *apr.*; 13 *lug.*// *var.* e *dim.* Sadella, Sadie, Sadye, Saida, Sal, Sallie, Sally, Sarah, Sarena, Sarene, Sareen, Saretta, Sarette, Sari, Sarina, Sarine, Sarita, Shara, Shari, Zara, Zarah, Zaria, Xaria (*Ing.*); Sarotte, Zaidee (*Fr.*); Sari, Sarika, Sarolta, Sasa (*Ung.*); Sala, Salcia (*Pol.*); Sarka, Sarra (*Rus.*); Chara, Charita, Sarita (*Sp.*) // Saleidh

Sarad (*m.*) (*hindu* "Nato in autunno")

Sarah (*f.*) (*Fr.*) *v.* Sara, 9 *ott.*

Sarbello (*m.*) (*Celt.* "Guerriero luminoso") 29 *gen.*

Sarena (*f.*) *v.* Sara

Saretta (*f.*) *v.* Sara

Sargent (*m.*) (*Fr. ant.* "Attendente militare") // *var.*e *dim.* Sarge, Sargeant, Sergent

Sargon (*m.*) ("Re legittimo")

Sari (*f.*) *v.* Sara

Saril (*f.*) (*Tur.*: "Il rumore dell'acqua che scorre")

Sarillo (*m.*) *dim.* di Rosario

Sarina (*f.*) *v.* Sara

Sario (*m.*) (*Celt.* "Che fa pulizia") 23, 24 *nov.*

Sarmata (*m.*) (*Lat.* "Originario della Sarmazia") 11 *ott.*

Sarne (*m.*) (*raro*)

Sarngin (*m.*) (*hindu* "Arciere")

Saro (*m.*) *dim.* di Rosario

Sarojin (*m.*) (*hindu:* "Come il loto")

Sarolta (*f.*) (*Ung.*) unione di Sara e di Charlotte

Sasa (*f.*) (*Rus.*) *v.* Alessandra

Sasha (*f.*) (*m.*) (*Rus.*) *dim.* di Alessandra e Alessandro

Sashenka (*Rus.*) *v.* Alessandro

Sashka (*Rus.*) *v.* Alessandro

Saskia (*f.*) (*Ol.*)

Satinka (*f.*) (*Ind. Nordam.* "Magica ballerina")

Satiro (*Lat.* "Lascivo") 17 *set.*; 12 *gen.*; 7 *giu.*

Sativola (*f.*) (*gael.* "Donna istruita") 2 *ag.*

Satore (*m.*) (*Lat.* "Seminatore") 1 *set.*

Saturniano (*m.*) (*Lat.:* "Soddisfatto" "Sazio") 16 *ott.*

Saturnina (*f.*) (*Lat.* "Malinconia") 4 *giu.*

Saturnino (*m.*) (*Lat.* "Di carattere malinconico") 27, 29 *nov.*; 19, 31 *gen.*; 2, 6, 11, 15, 21 *feb.*; 7, 22 *mar.*; 2, 16 *apr.*; 2, 13 *mag.*; 7 *lug.*; 22 *ag.*; 1, 6, 14, 16, 30 *ott.*;15, 23, 29 *dic.*

Saturno (*m.*) (*Lat.:* "Seminatore") 19 *apr.*; 3 *giu.*

Saturo (*m.*) (*Lat.* "Satollo" "Sazio") 7 *mar.*

Saul (*m.*)(*aram.* "Richiesto" "Desiderato) (*Ebr.* "L'eletto) 25 *gen.* // *var.* e *dim.* Sol, Sollie, Solly

Saunders (*Ing.*) *v.* Alessandro

Saura (*f.*) (*hindu:* "Adoratori del sole)

Saveria (*f.*) (*femm.* di Saverio)

Saverio (*m.*) (*orig. etn.* "Dal castello di *Xavier*", vicino a Pamplona dove nacque San Francesco Saverio) 3 *dic.*; 31 *gen.*; Xavier, Xavière (*Fr.*); Javier, Javiera (*Sp. Port.*) // Javier, Saveria, Savedrio, Savy, Ver, Veria, Verlein, Xablier, Xaveer, Xaver, Xaverius, Xaverl, Xaviera, Xever, Xidi

Savignano (*m.*) (*orig. etn.* "Di Savigny") 31 *dic.*

Saville (*m.*) (*Ing. ant.* "Tenuta del salice") *var.* Savill

Savina (*f.*) *v.* Sabina, 30 *gen.*

Savino (*m.*) *v.* Sabino, 16 *ott.*; 11 *lug.*; 25 *gen.*; 30 *dic.*

Sawa (*f.*)(*Giap.* "Palude") (*Ind. Nordam., Miwok:* "Roccia")

Sawnie (*m.*) (*Ing.*) *v.* Alessandro

Sawyer (*m.*) *v.* Sayer

Saxon (*m.*) (*Ing. ant.* "Sassone""Spadaccino") // *var.* Saxe

Sayer (*f.*) (*Gall.* "Carpentiere") *var.* Sawyer, Sayers, Sayre, Sayres

Scarlett (*f.*) (*Pers. lett. di* "Via col vento")

Schafer (*m.*) (*nome con orig. da cognome*)

Schuyler (*m.*) (*Ted.:* "Scolaro"

"Rifugio") *dim.* Sky

Sciuscià (da "Sunshine")

Scolastica (*f.*) (*Lat.* "Che insegna") 10 *feb.* 26 *apr.*

Scott (*m.*)(*Ing.ant.*"Nativo della Scozia") // *var.* e *dim.* Scot, Scotti, Scottie, Scotty

Scubicolo (*m.*) (*Celt.* "Che è ben fatto") 11 *ott.*

Seaborn (*m.*) ("Nato al mare")

Seabrook (*m.*) (*Ing. ant.*: "Ruscello sulla costa") // *var.* e *dim.* Brook, Seaborn, Seabrooke

Seadon (*m.*) (*Ing. ant.* "Collina sul mare") *dim.* Don, Donny

Sealy (*m*) (*Ing. ant.* "Benedetto" "Felice") *var.* Seeley, Seelye

Seamus (*m*) *v.* James, Giacomo

Sean (*m.*) (*Irl.*) *v.* John, Giovanni; *var.* Shaine, Shane, Shayn, Shayne

Searle (*m.*) (*Teut.* "Amato") *var.* Serle

Seaton (*m.*)(*Ing.ant.* "Città sulla costa") // *var.* e *dim.* Seton, Tony

Sebastian (*m.*) *v.* Sebastiano

Sebastiana (*f.*) *v.* Sebastiano, 16 *set.*; *var.* Sebastienne

Sebastiane (*f.*) *v.* Sebastiana

Sebastiano (*m.*) (*Gr.* "Venerabile" "Onorabile") (*Lat.* "Augusto") 20, 26, 30 *gen.*; 8 *feb.*; 20 *mar.*; 3 *dic.*; *var.* Basch, Bast, Bastel, Basten, Bastion, Bastiano, Bastien, Bastienne, Bastin, Bastina, Sebastiana,

Sebastiane, Sébastien, Sebastini, Sebastino, Sèbastienne, Seva, Sevastiana, Sevastiane

Sebastien (*m*) (*Fr*) *v.* Sebastiano

Sebbo (*gael.* "Pallido") 29 *ag.*

Sebino (*m.*) *v.* Sebastiano

Seconda (*f.*) *v.*Secondo, 10 *lug.*

Secondario (*m*) (*Lat.* "Che viene dopo il primo (figlio) 2 *ott.*

Secondiano (*m.*) (*Lat.* "Appartenente a Secondo") 9 *ag.*

Secondilla (*f.*) (*dim.* di Seconda) 2 *mar.*

Secondina (*f.*) (da *Secundina,* gens romana che risiedeva nella Gallia Belgica) 15 *gen.*

Secondino (*masch.* di Secondina) 1 *set.*; 1 *gen.*; 18, 21 *feb.*; 21 *mag.*

Secondo (*m.*) (*Lat.* "Il secondogenito") 29, 24 *mar.*; 9 *gen.*; 15, 21 *mag.*; 1 *giu.*; 31 *lug.*; 7, 26 *ag.*; 15 *nov.*; 19, 29 *dic.*

Secondolo (*m.*) (*dim.* di Secondo) 7 *mar.*

Secunda (*f.*) *v.* Seconda

Seda (*f.*) (*Arm.* "Eco attraverso i boschi")

Sedgewick (*m.*) (*Ing. ant.* "Città vittoriosa") // *var.* e *dim.* Sedge, Sedgwick, Sedgewinn

Sedna (*f.*) (*Esk.* "La Dea del cibo")

Sef (*m.*) (*Eg.* "Ieri")

Segel (*m.*) (*Ebr.* "Tesoro")

Seibert (*m.*) ("Brillante conquistatore")

Seif (*m.*) (*Ar.*: "Spada della religione")

Seki (*f.*) (*Giap.* "Grande" "Barriera" "Pietra")

Selby (*m.*) (*Ing. ant.* "Fattore" "Fattoria del castello")

Seldon (*m.*) (*Ing. ant.* "Valle dei salici" "Valle del castello") // *var.* e *dim.* Don, Donnie, Donny, Selden

Selena (*f.*) *v.* Selene

Selene (*f.*) (*Gr.:* "Ente divino" "Luminosa" "La Luna") 2 *apr.*; *var.* Cela, Celene, Celie, Celina, Celinda, Celine, Lena, Lina, Sela, Selena, Selia, Selie, Selina, Selinda, Seline, Sena

Selesio (*m.*) (*Gr.* "Che risplende") 12 *set.*

Seleuco (*m.*) (*Lat.* "Abitante di Seleucia") 24 *mar.*; 16 *feb.*

Selig (*m.*) (*Teut.* "Benedetto") *var.* Zelig

Selima (*f.*) (*Ebr.* "Pace")

Selina (*f*)(*Gr.*"Rametto di prezzemolo" o "La luna") *v.* Selene

Selinka (*f.*) (*Rus.*) *v.* Celeste

Selma (*f.*) (*Ar.* "Sicura" "Certa") *abbr.* di Anselma, Salomè

Selvaggia (*f.*)(*Lat.* "Abitante dei boschi" "Libera" "Scatenata") (*femm.* di Silvestro)

Selwyn (*m*)(*Anglo-sass.* "Amico" "Cortigiano") // *var.* e *dim.* Selwin, Winnie, Winny, Wynn

Sem (*f.*) (*Ebr.* "Fama" "Reputazione")

Sema (*f.*) (*Gr.* "Un segno dai cieli")

Semiramide (*f.*) (*Ass.* "Amante dei colombi") 1 *nov.*

Sempronia (*f.*) (nome *der.* da un' antica famiglia romana)

Sempronio (*m.*) (*Gr.:* "Esperto") 5 *dic.*

Sen (*f.*) e (*m.*) (*Giap.* "Fata del bosco")

Senatore (*m.*) (*Lat.* "Saggio") 28 *mag.*

Senesio (*m.*) (*Lat.* "Vecchio saggio") 4 *mag.*

Sennen (*m.*) (*Lat.* "Tesoro d'avorio") 30 *lug.*

Senoc (*Gr.* "Anziano") 24 *ott.*

Senofonte (*m.*) (*Gr.* "Che stermina gli stranieri") 26 *gen.*

Senon (*m.*) (*Sp.* "Vivo" "Dato da Zeus")

Senorina (*f.*) (*orig. etn.* "Giovane vergine") 23 *apr.*

Senta (*m.*) (*orig.etn.* "Originario di Zenta") 26 *lug.*

Senwe (*m.*) (*Baduma, Afr.* "Uno stelo secco di grano")

Sepp (*m.*) (*Ted.*) *v.* Joseph, Giuseppe

Septima (*f.*) (*Lat.* "La settimogenita")

Sequano (*m.*) (*Lat.:* "Che appartiene ai Sequani") 9 *set.*

Serafina (*f.*) (*aram.* "Splendente") (*Ebr.* "Ardere") ("Dolce" "Purissima") 29 *lug.*; 17 *mar.*; 3, 8 *set.*; *var.* Serafine, Seraphina, Seraphine

Serafino (*m.*) (*aram.* "Splendente") (*Ebr.* Ardere") 12 *ott.*;

16 *lug*.

Seraphina (*f.*) *v.* Serafina

Serapia (*f.*) (*Lat.* "Luminosa" "Solare") 3 *set.*; 29 *lug*.

Serapione (*m.*) (*Lat.* "Sole") 21, 26 *mar.*; 25, 28 *feb.*; 13, 27 *lug.*; 27 *ag.*; 12 *set.*; 30 *ott.*; 14 *nov*.

Serena (*f.*) (*Lat.* "Pura e felice") 16 *ag.*; 30 *gen*.

Serenella (*f.*) 30 *gen.*, *dim.* di Serena

Serenico (*m.*) 7 *mag.*, *var.* di Sereno

Sereno (*m.*) (*Lat.* "Tranquillo" "Felice") 23, 28 *feb.*; 2 *ag.*; 7 *mag*.

Serge (*m.*) (*Fr.*) 7 *ott.*, *v.* Sergio

Sergei (*m.*) *v.* Sergio

Sergia (*femm.* di Sergio) 9 *set*.

Sergio (*f.*) (*Lat. etim. inc.* forse "Custode") 9, 8, 25 *set.*; 24 *feb.*; 13 *mag.*; 27 *lug.*; 7, 8 *ott.*// *var.* e *dim.* Goulia, Sergia, Sergine, Sergoulig, Serguei, Serguiane, Serj // Serge (*Fr.*); Sergius (*Ing.*); Sergej (*Rus.*)

Serotina (*f.*) (*Lat.* "Tardiva") 31 *dic*.

Servando (*m.*) (*Lat.*: "Che serve") 23 *ott*.

Servane (*f.*) (*Fr.*) 1 *lug.*; *var.* Servan

Servazio (*m.*) (*Lat.* "Salvato") 13 *mag*.

Servidio (*m.*) (*Lat.* "Che serve Dio") 13 *gen.*; 16 *set*.

Serviliano (*m.*) (*Lat.* "Appartenente alla famiglia *Servilia*") 20 *apr*.

Servilio (*m.*) (*Lat.* "Appartenente alla gens *Servilia*") 24 *mag.*; 21 *feb.*; 23 *dic*.

Servo (*m.*) (*Lat.* "In servitù" o "Figlio di Servio") 17 *ag.*; 7 *dic*.

Servolo (*m.*) (*Lat.* "Che ama servire") 24 *mag.*; 23 *dic*.

Servulo (*m.*) (*Lat.* "Che è in servitù") 21 *feb*.

Sesto (*m.*) (*Lat.* "Sestogenito" "Sesto figlio") 28 *mar.*; 31 *dic*.

Set (*f.*) (*Ebr.* "Posto da Dio")

Seth (*m.*) (*Ebr.* "Nominato")

Settimia (*femm.* di Settimo") 30 *lug*.

Settimino (*m.*) (*dim.* di Settimo") 1 *set.*; 28 *ag*.

Settimio (*m.*) 22 *set.*; 24 *ott. var.* di Settimo

Settimo (*m.*) (*Lat.* "Nato di sette mesi") 17 *ag*.

Seumas (*m.*) *v.* James, Giacomo

Severa (*femm.* di Severo) 20 *lug*.

Severiano (*m.*) (*Lat.* "Appartenente a Severo") 23 *gen.*; 21 *feb.*; 20 *apr.*; 9 *set.*; 8 *nov*.

Severin (*m.*) (*Fr.*) *v.* Severino

Severina (*f.*) 8 *gen.* // *var.* e *dim.* Severa, Severiana, Severiane, Severianka, Sèverienne

Severine (*f.*) (*Fr.*) 8 *gen. v.* Severina

Severino (*m.*) (*dim. del nome personale Severo*: "Che è abbastanza severo") 23 *ott.*; 8 *gen.*; 2, 11 *feb.*; 7 *ag.*; 1, 19, 27 *nov.*; 21 *dic.* // *var.* e *dim.* Sévere, Severiano, Séverien, Severijn, Séverin, Séverine, Severinus, Sevir, Sovrin // Soren (*Scan.*)

Severn (*m.*) ("Confine")

Severo (*m.*) (*Lat.* "Austero" "Inflessibile") 1, 15 *feb.*; 29 *apr.*; 6, 7 *lug.*; 8, 20 *ag.*; 1, 15 *ott.*; 6, 8 *nov.*; 2, 30 *dic.*// Soren (*Scan.*) // *v.* Severino

Sevier (*m.*) (*nome con orig. da cognome*)

Sevilen (*m.*) (*Tur.* "Amato")

Seward (*m.*)(*Ing. ant.* "Guardiano del mare")

Sewell (*m*)(*Teut.*"Vittorioso sul mare") *var.* Sewald, Sewall

Seymour (*m.*)(*Teut.* "Famoso navigatore" o "Sarto") // *var.* e *dim.* Morey, Morrie, Morry, Seymore; *v.* Maurizio

Shada (*f.*) (*Ind. Nordam.* "Pellicano")

Shadwell (*m*) (*Ing. ant.* "Sorgente nel giardino") *dim.* Shad

Shae (*f.*)

Shah (*m.*) ("Sovrano")

Shahane (*m.*) *v.* Sean

Shahar (*f.*) (*Ar.* "La luna")

Shaina (*f.*) (*yid.:* "Bella") *var.* Shaine, Shane, Shanie, Shayna, Shayne.

Shaka (*f.*) (*USA:* "Guerriera")

Shalom (*m.*) (*Ebr.* "Pace") *var.* Sholom

Shamfa (*f.*) (*Som.* "Luce del sole" "Bel tempo")

Shamir (*m.*) (*Ebr.* "La pietra shamir", pietra preziosa)

Shammara (*f.*) (*Ar.* "Ella ancheggia")

Shamus (*m.*) (*Irl.*) *v.* James, Giacomo

Shanahan (*m.*) (*Irl. gael.* "Uomo saggio") *dim.* Shan, Shana, Shane

Shand (*m.*) (*nome con orig. da cognome*)

Shandy (*m.*) (*Ing. ant.* "Piccolo e rumoroso") *var.* Andy, Shan, Shandie

Shane (*m.*) (*Irl.*) *v.* John, Giovanni, Sean

Shani (*f.*)(*sw.*, *Afr.* "Stupenda" "Meravigliosa")

Shanleigh (*m.*) *v.* Shanley

Shanley (*m.*) (*nome con orig. da cognome*)

Shanna (*f.*) (*Am.*) *v.* Shannon

Shannon (*f.*) (*fiume dell'Irlanda*) (*Irl. Gael.* "Piccola, vecchia, saggia") *var.* Shana, Shani, Shanon, Shannah, Shannen, Shauna, Shawna, Shawni // Shannan (*USA*)

Shanon (*m.*) (*Ebr.* "Pacifico") *var.* Shanan

Shappa (*f*) (*Ind. Nordam.* "Fulmine rosso")

Sharai (*f.*) (*Ebr.* "Pricipessa")

Sharif (*m.*) (*Ar.* "Onesto")

Sharissa (*f.*) (*Am.*) (*forse comb. di Sharon e Melissa* "Dolce e

cara principessa") // *var.* e *dim.*
Shari, Sharie, Sharice, Sharine,
Sheri, Sherie, Sherice, Sheris-
sa, Rissa

Sharma (*f.*) (*Comb.* di Sharon e
Mary) *var.* Sharmine

Sharn (*m.*) (*raro*)

Sharon (*f.*) (*Ebr.: nome biblico*)
// *var.* e *dim.* Sharai, Sharonne,
Sharrie, Sharry, Sherrie, Sherry, Sherye // *v.* Sara

Shaw (*m.*) (*Ing. ant.* "Pianta-
gione" "Boschetto")

Shawn (*m.*) (*USA*) *var.*di Sean,
John; *v.* Giovanni

Shawna (*f.*) (*Am.*) *femm.* di
Shawn; *var.* Sean, Shana,
Shanna, Shannon, Shauna,
Shawn, Shawni, Shawnee

Shay (*m*)("Intelligente")

Shea (*m*)("Intelligente")

Sheaffer (*m.*) (*nome con orig. da
cognome*)

Sheba (*f.*) *v.* Saba

Sheehan (*m.*)(*gael.*"Piccolo""Pacifico")

Sheena (*f.*) (*Irl.*) *v.* Jane, Giovanna // *var.* Shena

Sheera (*f.*) (*Ebr.* "Canto" "Canzone") *var.* Shira, Shirah

Sheffield (*m.*) (*Ing. ant.* "Campo di grano") *dim.* Sheff

Sheila (*f.*) (*Anglo-sass.* "Incu-
dine") 22 *nov.*; *v.* anche Cecilia

Shelby (*m.*) (*Ing. ant.* "Fattoria
sulla sponda") *dim.* Shelley,
Shelly

Sheldon (*m.*) (*Ing. ant.* "Valle in

collina") // *var.* e *dim.* Shelley,
Shelly, Shelton, Skelton

Shelley (*f.*) *v.* Rachele; Rochelle;
Sheila

Shelley (*m.*) (*Ing. ant.* "Campo
sul costone") *var.* Shelly; *v.*
anche Shelby; Sheldon

Shelly (*f.*) *v.* Rachele

Shelton (*m.*) ("Città alta")

Shem (*m.*) ("Rinomato" "Celebre") (*yid.* "Nome") *abbr.* di
Shemuel; *v.* Samuele

Shen (*m.*) (*Eg.:* "Amuleto sacro")

Shepherd (*m.*) (*Ing. ant.* "Pastore" "Pecoraio") // *var.* e
dim. Shep, Shepard, Shepp,
Sheppard, Shepperd

Shepley (*m.*) (*Ing. ant.* "Campo
delle pecore") *dim.* Shep, Lee,
Leigh

Sherborne (*m.*) (*Ing. ant.* "Ruscello limpido") *var.* Sher-
born, Sherbourne, Sherburn,
Sherburne

Sheridan (*m.*) (*gael.:* "Uomo
selvaggio") *dim.* Dan, Dannie,
Danny

Sherlock (*m.*) (*Ing. ant.* "Dai bei
capelli")

Sherman (*m.*)(*Anglo-sass.*"Tran-
ciatore") *dim.* Mannie, Manny,
Sherm

Sherry (*f.*) *v.*Charlotte; Sharon

Sherwin (*m.*) (*Ing. ant.* "Amico
splendido") *dim.* Win, Winnie,
Winny

Sherwood (*m.*) (*Ing. ant.* "Foresta luminosa" o "Foresta della Contea") *dim.* Woodie, Woody

Shika (*f.*) (*Giap.* "Cervo")

Shimon (*m.*) *v.* Simone

Shina (*f.*)(*Giap.* "Beni" o "Virtù")

Shing (*m.*) (*Cin.* "Vittoria")

Shino (*f.*) (*Giap.* "Bambù sottile")

Shiri (*f.*) (*Ebr.* "La mia canzone") *var.* Shira, Shirah

Shirley (*f.*) (*Ing. ant.* "Campagna luminosa") // *var. e dim.* Sherley, Sheryl, Shirl, Shirla, Shirlee, Shirleen, Shirlene, Shirlie, Shirline, Shyrle

Shiro (*m.*) (*Giap.* "Quartogenito")

Shizu (*f.*) (*Giap.*: "Quieta" o "Pura") *var.* Shizue, Shizuka, Shizuko, Shizuyo

Shonari (*m.*) (sw., *Afr.* "Forte")

Shoshannah (*f.*) (*Ebr.* "Rosa") *var.* Shoshana, Shoshanna

Shoushan (*f.*) (*Arm.*) *v.* Susanna

Shulamith (*f.*) (*Ebr.* "Pacifica")

Shumana (*f.*) (*Ind., Hopi* "Donna serpente a sonagli") *var.* Chuma, Chumana, Shuma

Shumba (*m.*)(*Zezuru,Zimb.*"Leone")

Shura (*f.*) (*m.*) (*Rus.*) *v.* Alessandro, Alessandra

Shuri (*f.*) (*Ing., git.: sign. sc.*)

Shurik (*m.*) (*Rus.*) *v.* Alessandro

Shurka (*f.*) e (*m.*) (*Rus.*) *v.* Alessandro, Alessandra

Siagrio (*m.*) (*Gr.* "Cacciatore di porci") 27 *ag.*

Sian (*f.*) *v.* Giovanna

Siardo (*f.*) (*Celt.* "Pulitore") 19 *dic.*

Sibil (*f.*) *v.* Sibilla

Sibilla (*f.*) (*Dor.* "Che fa conoscere la volontà di Dio") 19 *mar.* // *var. e dim.* Beele, Bela, Beleke, Biel, Bilgen, Cibilla, Cilli, Sèbille, Sib, Sibbie, Sibeal, Sibel, Sibell, Sibie, Sibil, Sibille, Sibyl, Sibylla, Sibyllina, Sybyl

Sibyl (*f.*) *v.* Sibilla

Sibylle (*f.*) (*Fr.*) *v.* Sibilla, 8 *ott.*

Sicario (*m.*) (*Ebr.* "Che agisce per conto di Dio") 26 *mar.*

Sico (*m.*) *Gr.* "Fico") 30 *mag.*

Sicuro (*m.*) (*Lat.* "Tranquillo e audace") 2 *dic.*

Sid (*m.*) *abbr.* di Sidney

Sidney (*m.*) e (*f.*) (*Fr. ant.*: "Saint Dennis") // (Anche da Sidone, città della Fenicia) // *var. e dim.* Cid, Cyd, Si, Sid, Sidon, Syd, Sydney, Sydny (*Ing.*); Sidonio (*Sp.*)

Sidonia (*f.*) (*orig. etn.* "Che proviene da Sidone" *antica località fenicia*) 23 *ag.*; Sid, Sidel, Sidney, Sidoine, Sidonius, Sitta, Sydney, Zdenka

Sidonie (*f.*) (*Fr.*) *v.* Sidonia, Sidonio 21 *ott.*

Sidonio (*m.*) (*Lat.* "Originario abitante di Sidone") 21 *ag.*

Sidra (*f.*) (*Lat.* "Delle stelle" o

"Della costellazione")

Siegfried (*m.*) (*Fr.*) *v.* Sigfrido

Siegmund (*m.*) (*Fr.*) *v.* Sigismondo

Sierra (*m.*) ("Montagna")

Sigfreda (*f.*) (*Teut.*) *femm.* di Sigfrido

Sigfrid (*m.*) *v.* Sigfrido

Sigfrido (*m.*) (*Ted. ant.* "Vittoria della pace" "Difensore vittorioso") 15 *feb.*; 22 *ag.*; 27 *nov.*// *var. e dim.* Siegfried, Sig, Sigfried, Singefrid (*Ing.*); Siffre, Sigfroi (*Fr.*); Siegfried, Seifert, Seifried (*Ted.*); Szigfrid, Zigfrid (*Ung.*); Sigefriedo (*It.*); Zigfrids (*Let.*); Sigvard, Siurt (*Norv.*); Zygfryd, Zygi (*Pol.*); Fredo, Siguefredo (*Port.*); Zigfrids (*Rus.*); Sigfrido, Sigifredo (*Sp.*) // Seyfrid, Sievert, Sifrit, Siffre, Siffrid, Sigefroy, Sigfreda, Sigfrid, Suffridus, Suffried

Sigiberto (*m.*) (*Ted.* "Illustre per le vittorie") 11 *lug.*

Sigismond (*m.*)(*Fr.*) *v.* Sigismondo

Sigismondo (*m.*)(*Teut.* "Che protegge con la vittoria" "Protettore vittorioso") 1 *mag.* // *var. e dim.* Mundel, Segismunda, Segismundo, Siegel, Siegismond, Sig, Siggy, Sigismond, Sigismonda, Sigismonde, Sigismund, Sigismunda, Sigismundo, Sigmond, Sigmund, Sigmunda, Sigismundo,

Zygmunt

Sigmund (*m.*) *v.* Sigismondo

Signe (*f.*)(*Norv. ant.* "Bello e vittorioso consigliere")(*Lat.* "Cantante") *forse var.* di Sigfrid

Sigrid (*f.*) (*Norv. ant.* "Consigliere bello e vittorioso ")

Sigurd (*m.*) (*Norv. ant.* "Guardiano vittorioso")

Sihu (*f.*) (*Ind. Nordam.:* "Fiore" o "Cespuglio")

Siko (*f.*)(*Mashona, Zimb.:* "Strillatrice")

Sikowocho (*m.*) (*Mozambico*)

Sil (*m.*) (*Frisone, Ol.*)

Sila (*f.*) (*Gr.* "Che considera") 13 *lug.*

Silano (*m.*) (*orig. etn.* "Originario della Sila") 10 *lug.*

Silas (*m.*) *v.* Silvano

Silivia (*f.*) (*Haw.*) *var.* di Silva

Silly (*f.*) (*Ing.*) *v.* Silvia

Silva (*f.*) (*Lat.* "Dei boschi") *v.* anche Silvia

Silvain (*m.*) (*Fr.*) *v.* Silvano

Silvana (*femm.* di Slvano) 28 *feb.*; 1 *giu.*

Silvano (*m.*) (*Lat.* "Divinità delle selve" "Dio delle foreste") 4, 22 *set.*; 6, 20, 10 *feb.*; 8 *mar.*; 4, 24, 5 *mag.*; 10 *lug.*; 21 *ag.*; 5 *nov.*; 2 *dic.*; *var.* Silas, Silvan, Silvanus, Sylvan // Silvain (*Fr.*); Sylvester (*Ing.*); Silvestro, Silvio (*It.*); *v.* Silvio

Silvanus (*m.*) *v.* Silvano

Silver (*m.*) ("Argento")

Silverio (*f.*) (*Lat.* "Che ama le

selve, le foreste") 20 *giu.*

Silvester (*m.*) *v.* Silvano, Silvestro; *v.* Silvio

Silvestro (*m.*) (*Lat.* "Abitante dei boschi") 31 *dic.*; 2 *gen.*; 16 *mar.*; 15 *apr.*; 10 *mag.*; 9 *giu.*; 20, 26 *nov.*; *v.* anche Silvano

Silvia (*Lat.*, *femm.* di Silvio) 3, 5 *nov.*; 4 *mag.*; 11 *mar.*; 21 *apr.* // *var.* e *dim.* Sila, Silane, Silas, Silouan, Silvaine, Silvane, Silve, Silvester, Silvestre, Silviane, Silvin, Sylvaine, Sylvan, Sylvana, Sylvère, Sylvette, Sylvin, Sylvya, Zilvia // Silvère, Sylvie (*Fr.*); Silly, Sylva, Sylvia (*Ing.*); Silva, Silvana, Silvano, Silverio, Silvestro, Silvio, Silvina (*It.*); Silvia, Silvio (*Sp.*)

Silviano (*m.*) (*Lat.* "Amante dei luoghi boschivi") 10 *feb.*

Silvie (*f.*) (*Fr.*) *v.* Silvia

Silvino (*m.*) (*Lat.* "Che ama i boschi") 17 *feb.*; 31 *mag.*; 12, 28 *set.*

Silvio (*m.*) (*Lat.* "Dei boschi") 1, 15 *mar.*; 21, 23 *apr.*; 1 *giu.*; 19 *ag.*// *var.* e *dim.* Sila, Silane, Silas, Silouan, Silvaine, Silvane, Silvester, Silvestre, Silviane, Silvin, Sylvaine, Sylvan, Sylvana, Sylvère, Sylvette, Sylvia, Sylvie, Sylvin, Sylvya, Zilvia // Sylve, Sylvie (*Fr.*); Silvius, Syl, Sylvester, Sylva, Sylvia (*Ing*); Silva, Silvia, Silvana, Silvina, Silvano, Silverio,

Silvestro (*It.*); Silvia, Silvio (*Sp.*)

Sima (*f.*) (*aram.* "Tesoro")

Sima (*m.*) *v.* Massimo

Simao (*m.*) (*Mozambico*)

Simen (*m.*) (*Ing.*, *git.* "Simile" "Uguale" o "Egli è noi")

Simeone (*m.*) (*Ebr.* "Mandato da Dio per esaudire i genitori" "Mandato dalla Provvidenza") 18 *feb.*; 5, 17 *gen.*; 1 *set.*; 1 *giu.*; 2, 26 *lug.*; 8 *ott.*; 16 *nov.*; *v.* Simone

Simia (*m.*) (*Mozambico*)

Similiano (*m.*) (*Lat.* "Conforme a quanto dice di essere") 16 *giu.*

Simitrio (*m.*) (*Gr.* "Contemporaneo") 26 *mag.*

Simmaco (*m.*) (*Gr.*: "Alleato in bat-taglia""Compagno d'armi") 19 *lug.*; 22 *ott.*

Simonetta (*f.*) *v.* Simona

Simon (*m.*) (*Fr.*) *v.* Simone

Simona (*f.*) (*Ebr.* "Mandata da Dio a esaudire il desiderio dei suoi genitori" "Colei che ascolta e ubbidisce Dio") 5 *gen.*; *v.* Simone

Simone (*m.*) (*aram.* "Mandato da Dio a esaudire il desiderio dei suoi genitori" "Colui che ascolta e ubbidisce Dio") **28** *ott.*; 16, 21 *apr.*; 18 *lug.*; 3 *nov.* // *var.* e *dim.* Shimon, Siem, Sim, Sima, Sime, Simèone, Simmer, Simmeri, Simmie, Simonette, Sym, Syma, Scymon

// Simon, Simone (*Fr.*); Simon, Simeone (*Gr.*); Simone (*Ing.*); Simona, Simonetta (*It.*); Simèon, Simone (*Sp.*); *v.* Simeone

Simonino (*m.*) (*dim.* di Simone) 24 *mar.*

Simplicia (*f.*) (*femm.* di Simplicio) 14 *apr.*

Simpliciano (*m.*) (*Lat.* "Che ama la semplicità") 16 *ag.*

Simplicio (*m*) (*Lat.* "Che è semplice") 2, 10 *mar.*; 15 *mag.*; 24 *giu.*; 29 *lug.*; 12, 26 *ag.*; 8, 20 *nov.*

Simpson (*m.*) (*Ing. ant.* "Figlio di Simone") // *var.* e *dim.* Sim, Simson, Sonnie, Sonny

Sinclair (*m.*) (*Lat.* "Splendente" "Illustre")(*Fr. ant.*: "St.Clair")

Sindinio (*m.*) (*Gr.* "Venuto da Sinda") 19 *dic.*

Sindolfo (*m.*) (*Ted. ant.* "Aiutante potente") 20 *ott.*; 10 *dic.*

Sinead (*f.*) (*Irl.*) *v.* Giovanna

Sinesio (*m.*) (*Lat.*: "Originario di Sines") 21 *mag.*; 12 *dic.*

Sinfloriano (*m.*) (*Gr.*: "Che è adatto") 8 *nov.*; 7 *lug.*

Sinforosa (*f.*) (*Gr.*: "Che attira tutti intorno a sè") 18 *lug.*; 2 *lug.*

Sinfronio (*m.*) (*Gr.* "Che ama aiutare il prossimo") 3 *feb.*; 26 *lug.*; 25 *ag.*

Sinisio (*m.*) 22, 27 *nov.*; *v.* Sinesio

Sinistro (*m.*)(*Fr.*: "Che sta dalla parte del cuore") 9 *apr.*

Sinizio (*m.*) 15 *giu.*, *v.* Sinesio

Sintiche (*m.*) (*Gr.*: "Confabulante") 22 *lug.*

Siona (*m.*) (*Tonga*)

Sipeta (*f.*) (*Ind. Miwok* "Staccare" "Estrarre")

Sipo (*f.*) (*Ndebele, Zimb.*: "Dono")

Sira (*f.*) (*Lat.*: "Originaria della Siria") 8 *giu.*

Sirena (*f.*) (*Gr.* "Cantante dolcissima")

Sireno (*m.*) 23 *feb.*; *v.* Sirena

Siricio (*m.*) (*Gr.*: "Proveniente dalla Siria") 26, 25 *nov.*; 12 *gen.*; 21 *feb.*

Siridione (*m.*)(*Lat.* "Appartenente ai Sirii") 2 *gen.*

Sirio (*m.*) (Nome di stella)

Siro (*m.*) (*Gr.* "Ardente di grazia") (*Lat.* "Originario della Siria") 9, 3 *dic.*; 29 *giu.*

Sisika (*f.*) (*Ind. Nordam.* "Rondine" o "Tordo")

Sisinio (*m.*) (*Fen.* "Ardente di grazia") 11, 29 *mag.*; 18 *gen.*; 23, 29 *nov.*

Sissi (*f.*) *v.* Elisabetta

Sissie (.) *v.* Cecilia, Elisabetta

Sissy (*f.*) (*Am.*) (*dim.* di Sister "Sorella")

Sisto (*m.*) (*Ted. ant.* "Guerriero vittorioso") 3, 6 *apr.*; 28 *mar.*; 5, 7, 19 *ag.*; 1 *set.*; *v.* Sesto

Sita (*f.*) (*hindu* "Solco")

Sita (*m.*) (*Sp.*: *dim.* di Rosita)

Siti (*f.*) (*Sw.* "Signora")

Siva (*m.*) (*hindu* "Il Dio Siva")

Sivan (*m.*) (*Ebr.* "Nato nel nono mese")

Sivia (*f.*) (*Ebr.* la femmina di alcuni animali: Volpe, Cerva, Daina") *var.* Civia, Sivie, Tzivya.

Siviardo (*m.*) (*Ted. ant.:* "Tutore della vittoria") 1 *mar*

Siyolo (*m.*) (*Xhosa, Afr.* "Gioioso")

Skelly (*m.*) (*gael.:* "Affabulatore") *var.* Skelley, Skellie

Skip (*m.*) (*Norv. ant.:* "Proprietario di nave" "Armatore") // *var.* e *dim.* Skipp, Skipper, Skippie, Skippy

Sky (*m.*) ("Cielo")

Skye (*m.*) ("Cielo")

Skylar (*m.*) *v.* Schuyler

Skyler (*m.*) *v.* Schuyler

Slade (*m.*) (*Ing. ant.:* "Abitante della valle" "Bambino della valle")

Slane (*m.*)(*Cec.*"Salato" "Salmastro")

Slater (*m.*) (*nome con orig. da cognome*)

Slaton (*m.*) (*nome con orig. da cognome*)

Slavik (*m.*) (*Rus.*) *dim.* di Stanislav

Slayton (*m.*) (*nome con orig. da cognome*)

Slevin (*m.*) (*Irl., gael.* "Montanaro") *var.* Slaven, Slavin

Sloan (*m.*) e (*f.*) (*gael.* "Guerriero") *var.* Sloane

Slocum (*m.*) (*nome con orig. da cognome*)

Sly (*m.*) *v.* Sylvester

Smaragdo (*m.*)(*Lat.*"Risplendente") 8 *ag.*; 10 *mar.*

Smeralda (*m.*) *v.* Esmeralda

Smitty (*m.*) *v.* Smith

Snezana (*f.*) (*Ser.*) Biancaneve

Soave (*f.*)(*Lat.* "Piacevole ai sensi") 1 *nov.*

Sobele (*m.*) (*Ebr.* "Convertito") 5 *ag.*

Socrate (*m.*)(*Gr.* "Sano") 17 *set.*; 19 *apr.*

Socrazio (*m.*) (*pers. lett.*)

Sofia (*m.*) (*Gr.* "Sapienza") 18, 23, 30 *set.*; 1 *ag.*; 15, 30 *apr.*; 25 *mag.*; 4 *giu.*; 3 *nov.* // *var.* e *dim.* Sophia, Sophie, Sophy, Sunya (*Ing.*); Zofia, Zofie, Zofka (*Cec.*); Sophie (*Fr.*); Sofi, Sophoon (*Gr.*); Sonja (*Norv.*); Zocha, Zofia, Zosia, Zosha (*Pol.*); Sofya, Sofka, Sonia, Sonja, Sonya (*Rus.*); Chofa, Chofi, Fifi, Sofi, Soficita (*Sp.*); Sofi (*Sv.*); Sofya (*Tur.*); Zofia(*Ucr.*) // Fei, Fia, Fieke, Fig, Fiken, Phie, Sadhba, Sadhbn, Sofa, Sofie, Sopher, Sophi, Sophus, Vike, Viki, Vikli, Zoffi // *v.* anche Sonia

Sofian (*m.*) (*Ar.* "Devoto")

Sofonia (*m.*) (*Ebr.* "Protetta dal Signore") 3 *dic.*

Sofronia (*femm.* di Sofronio) 10 *mag.*; *var.* Sophronia

Sofronio (*m.*) (*Gr.:* "Prudente"

"Giudizioso") 11 *mar.*; 8 *dic.*

Sol (*m.*) (*Lat.* "Sole") *v.* anche Saul; Solomon

Solana (*f.*) (*Sp.* "Luce del sole")

Solange (*f.*) (*Fr.*) (*Celt.* "L'unica eletta") 10 *mag.*; Solemnia, Solemnio, Solène, Solenne, Soline, Soulein, Souline

Solas (*m.*) (*Eg.* "Asse o perno del sole") 14 *lug.*

Soledad (*f.*) *v.* Dolores

Solennio (*m.*) (*Lat.* "Celebre") 25 *set.*

Solita (*f.*)

Solocone (*m.*)(*Gr.*"Anziano venuto dalla Cilicia") 17 *mag.*

Solomon (*m.*) (*Ebr.* "Pacifico") // *var.* e *dim.* Salmon, Salomon, Shalom, Sholon, Sol, Sollie, Solly

Solon (*m.*) (*Gr.* "Il saggio")

Solutore (*m.*) (*Lat.* "Pagatore") 20 *nov.*; 13 *nov.*

Solvejg (*f.*)

Soma (*f.*) (*hindu:* "Luna")

Somerset (*m.*) (*Ing. ant.* "Coloni che si insediano nei territori nel periodo estivo")

Somerville (*m.*) (*Ing. ant.* "Tenuta estiva")

Songan (*m.*) (*Ind. Nordam.:* "Forte")

Sonia (*f.*) (*Rus.*) *dim.* di Sofia

Sonja (*f.*) (*Rus.*) *dim.* di Sofia; *v.* Sofia

Sonni (*m.*) *v.* Sonny; (*f.*) *dim.* di Sunshine

Sonnie (*m.*) (*dim.*) *v.* Mason

Sonny (*m.*) (*dim.*) di Sunshine, Sansone, Mason

Sonya (*f.*)(*Rus.*; *Scan.*) *v.* Sofia

Sopatra (*f.*) (*Lat.* "Salvatrice del padre") 9 *nov.*

Sophia (*m.*) *v.* Sofia

Sophie (*f*)(*Fr.*) *v.*Sofia; 25*mag.*

Sora (*f.*) (*Ind. Nordam.* "Una gorgheggiante canzone d'uccello")

Sorek (*m.*) ("Colui che sceglie il vino rosso")

Sorem (*m.*) (*nome con orig. da cognome*)

Soren (*m.*) *v.* Severo, Sorren

Sorrell (*m.*) ("Castano chiaro con riflessi ramati")

Sorren (*m.*) (*nome con orig. da cognome*)

Sosipatro (*m.*) (*Gr.:* "Salvatore del padre") 25 *giu.*

Soso (*f.*) (*Ind. Miwok* "Scoiattolo che rosicchia un buchetto in un nocciolo")

Sosso (*m.*) (*Gr.* "Conservatore") 23 *set.*

Sostegno (*m.*) (*Lat.*) 3 *mag.*

Sostene (*m.*) (*Gr.* "Uomo sano, for-te") 10 *set.*; 28 *nov.*

Sosteneo (*m.*) (*Gr.:* "Figlio di Sostene") 12 *feb.*

Sostrato (*m.*) (*Lat.* "Sottratto" "Allontanato") 8 *giu.*; 8 *lug.*

Sotera (*f.*) ("Conservata" "Salvata") 10 *feb.*

Sotero (*m.*) (*Gr.:* "Salvatore") 22 *apr.*

Sovrana (*f.*) *v.* Regina

Sozomene (*m.*) (*Ion.:* "Forza della società.) 1 *nov.*

Sozonte (*m.*) (*Ant. fr.:* "Eccelso") 7 *set.*

Spalding (*m.*) (*Ing. ant.* "Campo diviso") *var.* Spaulding

Spano (*m.*) (*Lat.* "Spagnolo") 25 *ott.*

Spartaco (*m.*)(*Gr.* "Seminatore") 22 *dic.*

Speciosa (*f.*) (*Lat.*: "Splendida") 18 *giu.*

Specioso (*m.*) (*Lat.*: "Di bell'aspetto") 15 *mar.*

Spencer (*m.*) (*Ing.* "Guardiano" "Inserviente") // *var.* e *dim.* Spence, Spense, Spenser

Sperandea (*f.*) (*nome augurale:* "Speranza nella divinità") 11 *set.*

Sperandio (*m.*) *v.* Sperandea

Speranza (*f.*) (*Lat.*) 1 *ag.*

Speranzio (*m.*) 28 *ag.*

Sperato (*m.*) (*Lat.* "Bramato" "Sospirato") 17 *lug.*

Spes (*Lat.* "Speranza") 23 *nov.*

Spiridione (*m.*) (*Gr.:* "Regalo" "Dono") 14 *dic.*

Spirito (*m.*) (*Lat.* "Soffio")

Sprague (*m.*) (*Teut.* "Vivace")

Spring (*f.*) (*Ing.* "Primavera")

Stacey (*m.*) e (*f.*) *v.* Stacy

Stache (*f.*) (*Gr.* "Spiga") 31 *ott.*

Stacy (*f.*) *v.* Anastasia; Eustacia

Stafford (*m.*) (*Ing. ant.* "Guado dell'approdo") *dim.* Ford

Stalina (*f.*) (*It.*) *der.* da Stalin

Stalino (*f.*) (*It.*) *der.* da Stalin

Stan (*m.*) (*abbr.* dei nomi contenenti "*Stan*")

Stanbury (*m.*) (*Ing. ant.* "Fortezza di pietra") *dim.* Stan

Stancio (*m.*) (*Sp.*) *dim.* di Constantino

Standish (*m.*) (*Ing. ant.* "Parco pietroso") *dim.* Stan

Stane (*m.*) (*Ser.*) *dim.* di Stanislav

Stanfield (*m.*) (*Ing. ant.* "Campo roccioso") *dim.*Field, Stan

Stanford (*m.*) (*Ing. ant.* "Guado pietroso") // *var.* e *dim.* Stamford, Stan

Stanhope (*m.*) (*Ing. ant.* "Fosso roccioso") *dim.* Stan

Stanislao (*m.*) (*Pol.* "Che eccelle in gloria") 11 *apr.*; 7, 8 *mag.*; 15 *ag.* // *var.* e *dim.* Stan, Stanek, Stanig, Stanislas, Stanislaus, Stanislav, Stanko, Stanzel, Stanzig, Stenz, Stenzel

Stanislas (*m.*) (*Fr.*) *v.* Stanislao

Stanislaus (*m.*) (*Pol.*) *v.* Stanislao

Stanislav (*m.*) (*Sl.*) *v.* Stanislao

Stanko (*m.*) (*Sl.*) *v.* Stanislao

Stanley (*m.*) (*Ing. ant.* "Campo roccioso") // *var.* e *dim.* Lee, Leigh, Stan, Stanleigh

Stanton (*m.*) (*Ing. ant.* "Fattoria pietrosa") *dim.*Stan, Tony

Stanway (*m.*) (*Ing. ant.* "Abitante nella strada sassosa") *dim.* Stan

Stanwick (*m.*) (*Ing. ant.* "Paese pietroso") *dim.* Stan, Wick

Stanwood (*m.*) (*Ing.ant.* "Foresta di pietra") *dim.* Stan, Woodie, Woody

Star (*f*) (*Ing.* "Stella") *var.* Starr

Statteo (*m.*) (*Gr.* "Che odora di mirra") 28 *set.*

Stearne (*m.*) *v.* Sterne

Stedman (*m.*) (*Ing. ant.* "Abitante della fattoria") *var.* Steadman

Steele (*m.*) (*nome con orig. da cognome*) (*sans.* "Egli resiste") (*Ing.* "Duro come l'acciaio") *var.* Steel

Steelman (*m.*) (*nome con orig. da cognome*)

Stefania (*f.*) 18 *set.*; 2 *gen.*; *v.* Stefano // *var.* e *dim.* Stef, Stefa, Stefania, Stefanie, Steffa, Steffi, Steffie, Stepania, Stepanie, Stepha, Stephana, Stephania, Stephanie, Stephie, Stevana, Stevanie, Stevena, Stevenie, Teena (*Ing.*); Stefania, Stefka (*Cec.*); Etienette, Stéphanie (*Fr.*); Stefanie, Stepka (*Rus.*) Stefani, Stephanie, Stephanine (*Ted.*); Stamatios (*Gr.*); Stefa, Stefania, Stefcia, Stefka (*Pol.*) // Oanya, Stepa, Stepanida, Stepanyda, Stephane, Stephania, Stephanie, Stesha, Steshka

Stefano (*m.*) (*Gr.* "Corona d'alloro" "Vittorioso" "Incoronato") 3, 31, 26 *dic.*; 2, 8, 13 *feb.*; 1, 17, 25, 27 *apr.*; 2, 6, 16 *ag.*; 7, 17, 23 *set.*; 12 *giu.*; 29 *ott.*; 20, 21, 22, 28 *nov.*// *var.* e *dim.* Stef, Steffen, Steph, Stephanie, Stephanus, Stephen, Stephon, Stevan, Steve, Steven, Stevenson, Stevie, Stevy (*Ing.*); Stefan (*Bul. Cec. Pol.*); Tapani, Teppo (*Finl.*); Etienne, Stéphane, Stephanie, Tiennot (*Fr.*); Stefanos, Stefos, Stephanos, Stavros (*Gr.*); Stefans (*Let.*); Steffen (*Norv.*); Estevao (*Port.*); Stepka (*Rus.*); Esteban, Estevan, Stevan, Teb (*Sp.*); Stefan, Steffel, Stephan, Stephanie, Stephy (*Ted.*); Stefan, Ste-nya, Stepan, Stepanya, Stamos (*Rus.*); Isti, Istvan (*Ung.*) // Esteffe, Estève, Estienne, Staffan, Staines, Steaphan, Stefa, Stefaans, Stefani, Steffert, Stephanson, Stephen, Stephon, Stevenje, Stiobban

Steger (*m.*) (*nome con orig. da cognome*)

Stein (*m.*) ("Pietra")

Steiner (*m.*) (*nome con orig. da cognome*)

Stella (*f.*) (*Lat.* "Stella" "Luminosa come un astro") 1 *lug.*; 11 *mag.*; *v.* Ester // *var.* e *dim.* Eister, Essa, Essie, Esta, Estela, Estelene, Estelon, Etta, Ettie, Etty, Stelle, Stellin // Estelle, Esther (*Fr.*); Heather, Hester, Hesther, Hetty (*Ing.*); Ester, Esterina (*It.*); Estella, Estrellita, Estrella (*Sp.*)

Stellina (*f.*) *dim.* di Stella

Stepano (*m.*) *v.* Stefano

Stephane (*m.*) (*Fr.*) *v.* Stefano

Stephanie (*f.*) (*Fr.*) *v.* Stefania

Stephen (*m.*) *v.* Stefano

Stercazio (*m.*) (*Lat.* "Che concima") 24 *lug.*

Sterling (*m.*) (*Ing. ant.* "Di eccellente qualità" "Genuino") *var.* Stirling

Sterne (*m.*) ("Austero")

Stesha (*f.*) (*Rus.*) *v.* Stefania

Steve (*m.*) *v.* Stefano

Steven (*m.*) *v.* Stefano

Stevenson (*m.*) ("Figlio di Stefano")

Stevie (*m.*) *v.* Stefano

Stewart (*m.*) (*Ing. ant.* "Inserviente" "Amministratore") // *var.* e *dim.* Steward, Stu, Stuart

Stiggur (*m.*) (*Ing., git.* "Cancello")

Stiliano (*m.*) (*Lat.* "Che è diritto") 27 *nov.*

Stillman (*m.*) (*Ing. ant.* "Uomo tranquillo") *dim.* Mannie, Manny

Stillwell (*m.*)(*Anglo-sass.*:"Quieta sorgente")

Stimmata (*f.*) (Nome derivato dalle Stimmate di San Francesco) 17 *set.*

Stin (*m.*) *v.* Stefano

Stina (*f.*) (*Ted.*) *abbr.* di Cristiana

Stiriaco (*m.*) (*Gr.* "Che è freddo come il ghiaccio") 2 *nov.*

Stoddard (*m.*) (*Ing. ant.* "Stal-liere" o "Insegna del birraio")

Stoffel (*m.*) (*Ted.*) *v.* Christopher

Stoker (*m.*) ("Abitante di villaggio")

Stone (*m.*) ("Pietra")

Stonor (*m.*) (*nome con orig. da cognome*)

Stormy (*f.*) (*Ing.*: "Burrascosa" "Tempestosa") *var.* Storm, Stormi, Stormie

Stratone (*m.*) (*Gr.* "Che è nell'esercito") 17 *ag.*; 9 *set.*

Stratonico (*m.*) (*Gr.* "Venuto da Stratonicea") 13 *gen.*

Stratton (*m.*) (*nome con orig. da cognome*)

Strom (*m.*) (*nome con orig. da cognome*)

Stroud (*m.*) (*Ing. ant.*: "Biglietto")

Struthers (*m.*) (*Gael.*: "Corso d'acqua") *var.* Struther

Stu (*m.*) (*abbr.*) *v.* Stuart

Stuart (*m.*) *v.* Stewart

Sturmio (*m.*) (*Sass.*: "Tempestoso" "Burrascoso") 17 *dic.*

Successo (*m.*) (*Lat.* "Che riesce in ciò che vuole") 19 *gen.*; 28 *mar.*; 16 *apr.*; 9 *dic.*

Sudi (*m.*) (*Sw.* "Fortuna")

Sue (*f.*) (*Ing.*) *v.* Susanna

Sue Ellen (*f.*) (*comb.* di Sue e Ellen)

Suela (*f.*) (*abbr. Sp.*) *v.* Consuela; *var.* Chela, Suelita

Suffield (*m.*)(*Ing. ant.* "Dal campo a Sud)

Sugi (*f.*) (*Giap.* "Cedro")

309

Suitberto (*m.*) (*Ted. ant.* "Celeberrimo") 1 mar.

Suke (*f.*) (*Haw.*) var. di Susan

Suki (*f.*) (*Giap.* "Amata")

Suki (*f.*) (*Ind. Miwok:* Nome di una specie di falco dalla lunga coda) *var.* Sukei

Sukoi (*f.*) (*Afr.* "Prima figlia femmina dopo il maschio")

Sula (*f.*) (*Is.* "Sula", grande uccello marino) *abbr.* di Ursula

Suletu (*f.*) (*Ind. Miwok* "Volare intorno")

Sullivan (*m.*) (*gael.* "Occhi neri, scuri")

Sulpizio (*m.*) (*Lat.* "Che appartiene alla gens *Sulpicia*") 29, 17 *gen.*; 20 *apr.*

Sultan (*m.*) (*Sw.* "Sovrano")

Sumi (*f.*) (*Giap.* "La casta" o "La raffinata")

Sumner (*m.*) (*Lat.*: "Colui che convoca" "Funzionario ecclesiastico") (*Ing.* "Estate") *var.* Summner

Suni (*f.*) (*Ind. Zuni* "Indiano Zuni")

Sunki (*f.*) (*Ind. Hopi:* "Catturare")

Sunny (*f.*) (*Ing.* "Luminosa")

Sunshine (*f.*) (*USA* "Luce del sole" "Sole")

Surano (*f.*) (*Gr.*: "Che ha belle gambe") 24 *gen.*

Surata (*f.*) (*hindu:* "Gioia ferita")

Suri (*f.*) (*Todas, India:* "Coltello")

Surya (*f.*) (*hindu* "Il Dio del sole")

Susanna (*f.*) (*Eg.* "Fior di loto") (*aram.* "Giglio") 11 *ag.*; 18 *gen.*; 24 *mag.*; 19 *set.*; 23 *lug.*// *var.* e *dim.* Siusan, Sosana, Sosanna, Sosannah, Sue, Suka, Sukee, Sukey, Suki, Sukie, Suky, Susan, Susana, Susanah, Susannah, Susanne, Susetta, Susette, Susi, Susie, Susy, Suzanna, Suzannah, Suzanne, Suze, Suzetta, Suzette, Suzi, Suzie, Suzy, Zsa Zsa (*Ing.*; *USA*); Shoushan (*Arm.*); Suzana (*Bul.*); Suzan, Zuza, Zuzana, Zuzanka, Zuzka (*Cec.*); Susanne, Susetta, Suzanne, Suzette (*Fr.*); Susanne, Suse (*Ted.*); Suke, Suse (Haw.); Sonel (*Ebr.*); Zsa Zsa (*Ung.*); Sosanna (*Irl.*); Zuza, Zuzanna, Zuzia, Zuska (*Pol.*); Suzana (*Rum.*); Susanka (*Rus.*); Siusan (*Scoz.*); Susanna, Susy (*Ted.*) // Chana, Siusaidh, Siusan, Sanna, Sanne, Sanneri, Sudi, Sussana

Susannah (*f.*) v. Susanna

Sutcliff (*m.*) (*Ing. ant.* "Scogliera a Sud") // *var.* e *dim.* Cliff, Sutcliffe

Sutherland (*m.*) (*Norv. ant.*: "Terra del Sud")

Sutki (*f.*) (*Ind. Hopi:* "Una spirale di argilla per vasi rotta")

Sutton (*m.*) (*Ing. ant.* "Città del Sud")

Suzamni (*f.*) (*Ind. Carrier.* comb. di Susan e Annie)

Suzanne (*f.*) (*Fr.*) *v.* Susanna, 11 ag.

Suzu (*f.*) (*Giap.* "Piccola campana" "Campanello") *var.* Suzue

Suzue (*f.*) (*Giap.* "Collare di campanelli")

Sven (*m.*) (*Norv. ant.* "Gioventù") *var.* Svend, Swain, Swaine

Svend (*m.*) (*Dan.*)

Svetlana (*f.*) (*Sl.* "Stella") *var.* Swetlana.

Sveva (*f.*) ("Di origini sveve")

Svevo (*m.*) ("Di origini sveve")

Svituno (*m.*) (*gael.:* "Amante del prossimo") 2 *lug.*

Swanhilda (*f.*) (*Teut.* "Cigno virginale") *dim.* Hilda.

Sweeney (*m.*) (*gael.* "Piccolo e-roe)

Sy (*f.*) (*dim.* di Sybil)

Sybil (*f.*) (*Gr.* "Profetessa") // *var.* e *dim.* Sib, Sibbie, Sibby, Sibel, Sibell, Sibella, Sibelle, Sibilla, Sibille, Sibley, Sibyl, Sibyll, Sibylla, Sibylle, Sybyl, Sybyla, Sybyle

Sydney (*m.*) e (*f*) (*Fr. ant. femm.* di Sidney) (*Ing. da* San Dionigi) // *var.* e *dim.* Cyd, Sid, Sidell, Sidelle, Sidna, Sidney, Sydel, Sydella, Sydelle, Sydna

Sylvain / Sylvaine (*f.*) (*Fr.*) *v.* Silvia

Sylvanus (*m.*) *v.* Silvano

Sylvester (*m.*) (*Lat.* "Della foresta" Silvestre") *var.* Silvester; *v.* anche Silvano

Sylvestre (*f.*) (*Fr.*) *v.* Sylvain

Sylvia / Sylviane (*f.*) (*Fr.*) *v.* Silvia

Sylvie (*f.*) (*Fr.*) *v.* Silvia

T

Tab (*m.*) (*Ing.* "Tamburino") (*Ted. ant.* "Brillante tra la gente") // *var.* e *dim.* Tabb, Tabbie, Tabby, Taber, Tabor

Tabb (*m.*) (*Ing.*) *v.* Tab

Tabia (*f.*) ("Talento")

Tabib (*m.*) (*Tur.* "Dottore")

Tabita (*f.*) (*aram.* "Gazzella") 25 *ott.*

Tabitha (*f.*) (*Gr. Aram.* "Gazzella") // *var.* e *dim.* Tab, Tabatha, Tabbitha, Tabbi, Tabbie, Tabby

Tabor (*m.*)(*Ung. Tur.* "Dall'accampamento fortificato")

Tacey (*f.*)("Silenziosa")

Tacha (*f.*) *v.* Natalia

Taci (*f.*) (*Ind. Zuni* "Mastello")

Tacy (*f.*)("Silenziosa")

Tad (*m.*) (*gall.* "Padre") *var.* Tadd, Thad; *v.* Thaddeus, Taddeo

Tadd (*m.*) *dim.* di Thaddeus; *v.* Taddeo

Taddea (*f.*) *v.* Taddeo; *var.* Thada, Thadda, Thdea

Taddeo (*m.*) (*aram.* "Colui che loda" "Confessore") 28 *ott.*;

311

var. e *dim.* Tad, Tadd, Taddy, Thad, Thadd, Thaddeus, Thaddaeus, Thaddy (*Ing.*); Tadeas, Tades (*Cec.*); Thadee (*Fr.*); Thaddaus (*Ted.*); Tade (*Ung.*); Tadek, Tadzio (*Pol.*); Faddei, Fadey, Tadey (*Rus. Ucr.*); Tadeo (*Sp.*)

Tadeo (*m.*) (*Sp.*) *v.* Thad; *var.* Tadd

Tadewi (*f.*) *v.* Tadi

Tadi (*m.*) (*Ind. Omaha* "Vento")

Tadita (*f.*) (*Ind. Omaha:* "Al vento" "Corridore") *var.* Tadeta

Tadzi (*m.*) (*Ind. Carrier, Can.* "Strolaga")

Taffy (*f.*) (*Soprannome*)

Tage (*m.*) (*orig. esotico-etn.*)

Tagg (*m.*) (*nome con orig. da cognome*)

Taggart (*m.*) (*nome con orig. da cognome*)

Taggert (*m.*) (*nome con orig. da cognome*)

Tague (*m.*) (*raro*)

Tahara (*f.*) (*raro*)

Tahir (*m.*) (*Ar.* "Casto" "Puro")

Tahni (*f.*) (*raro*)

Taide (*f.*) (*Eg.*) 8 *ott.*

Taija / Teija (*f.*) (*orig. esotico-etn.*)

Taima (*f.*)(*Ind.Nordam.*"Scoppio di tuono")

Taimi (*f.*) *v.* Taima

Taina (*f.*) *v.* Taima

Taipa (*f.*)(*Ind. Miwok* "Spiegare le ali")

Tait (*m.*) (*Scan.*: "Allegro") *var.* Taite, Tate

Taj (*f.*) (*raro*)

Taka (*f.*)(*Giap.* "Alta" "Onorabile" "Falcone")

Takala (*f.*) (*Ind. Nordam. Hopi* "Barba della pannocchia")

Takara (*f.*) (*Giap.:* "Tesoro" "Oggetto prezioso")

Takenya (*f.*) (*Ind. Miwok* "Un falcone che si avventa e atterra sulla preda con le sue ali")

Taki (*f.*) (*Giap.* "Cascata che si immerge")

Takis (*m.*) (*Gr.*) *v.* Pietro

Takuhi (*f.*) (*Arm.:* "Regina") *var.* Takoohi

Tal (*m.*) e (*f.*) (*Isr.*) (*Ebr.* "Rugiada" o "Pioggia")

Tal (*m.*) e (*f.*) *abbr.* dei nomi inizianti per "*Tal*"

Tala (*f.*) (*Ind. Nordam.*"Lupo")

Talasi (*f.*) (*Ind. Hopi* "Fiore della pannocchia")

Talbert (*m.*) (*nome con orig. da cognome*)

Talbot (*m.*) (*Teut.* "Valle luminosa") (*Ing. ant.* "Segugio") // *var.* e *dim.* Talbert, Talbott, Tallie, Tally

Taleleo (*m.*) (*Gr.* "Dal lungo vestito") 3 *nov.*

Talia (*f.*)(*Ebr.* "Rugiada" "Rugiada celestiale") // (*Sp.*) *dim.* di Natalie, Natale: *var.* Tal, Talya, Tallia, Talor, Talora

Talia (*f.*) *v.* Natalia

Talib (*m.*) (*Ar.* "Cercatore")

Talita (*f.*) (*aram.* "Bambina") 1 *mag.*

Talitha (*f.*) (*aram.* "Potente") *var.* Taletha

Tallen (*m.*) (*nome con orig. da cognome*)

Talley (*m.*) (*nome con orig. da cognome*)

Talli (*m.*) (*Ind. Nordam., Lenape: sign. sc.*)

Tallucio (*m.*) ("Vestito di luce") 4 *mar.*

Tallulah (*f.*) (*Ind. Chotaw* "Acqua che salta") // *var.* e *dim.* Lula, Tallie, Tallou, Talula, Tallula, Tally

Talman (*m.*) (*Aram.* "Ingiuriare" "Opprimere") // *var.* e *dim.* Tal, Tallie, Tally, Talmon

Talo (*m.*) (*Gr.* "Che soffre alle gambe") 11 *mar.*

Talor (*m.*) (*Ebr.* "Rugiada del mattino") *var.* Tal, Talia, Talora

Talora (*f.*) (*Ebr.* "Rugiada del mattino") *v.*Talia

Talya (*f.*) *v.* Natalia

Tam (*m.*) *dim.* di Thomas

Tama (*f.*) (*Ind. Nordam.* "Fulmine" "Saetta")

Tama (*f.*) (*Giap.:* "Preziosa" "Gioiello")

Tamaki (*f.*) (*Giap.* "Bracciale" "Braccialetto") *var.* Tamako, Tamayo

Taman (*m.*) (*Ser.; Cr.:* "Nero" "Scuro")

Tamara (*f.*)(*Ebr.* "Palma") (*Rus.* "Modesta" "Riservata) 1 *nov.* // *var.* e *dim.* Tamar, Tamaree, Tamma, Tami, Tamie, Tammara, Tammi, Tammie, Tammy (*Ing.*); Mara (*Cec.*); Tama, Tamarka, Tamochka (*Rus.*)

Tamas (*m.*)(*Ung.*) *v.*Tommaso

Tamatha (*f.*) (*raro*)

Tamela (*f.*) (*raro*)

Tameron (*f.*) (*raro*)

Tami (*f.*) (*Giap.* "Popolo, gente")

Tamika (*f.*) (*USA*) (*Giap.* "Ragazza del popolo") // *var.* Tami, Tamike, Tamiko, Tamiyo

Tamma (*f.*) (*Giap.* "Preziosa") *v.* Tama

Tammaro (*m.*) (*Lat.* "Venuto dai monti") 15 *ott.*; 1 *set.*

Tammianne (*f.*)(Nome doppio)

Tammie (*f.*) *v.* Tammy

Tammy (*f.*) *v.* Tamara; Thomasina; *var.* Tammi; (*m.*) *dim.* di Thomas

Tamra (*f.*) *v.* Tamara

Tana (*f.*) *v.* Tanya

Tanaka (*f.*) (*Giap.* "Colei che vive vicino a una risaia")

Tancredi (*m.*) (*Ted.:* "Consigliere geniale") 9 *apr.*

Tandy (*f.*) (*nome con orig. da cognome*)

Tane (*m.*) (*raro*)

Taneisha (*f.*) *v.* Tanisha

Tanek (*m.*) (*Pol.*) (*Gr.:* "Immortale") // *var.* e *dim.* Arius (*Ted.*); Atanazy, Atek (*Pol.*);

Afon, Afonya, Fonya, Opanas, Panas, Tanas (*Rus.*)

Tanguy (*Fr.*) 19 *nov.*

Tani (*m.*) e (*f.*) (*Giap.* "Valle")

Tania (*f.*) *v.* Tanya; (*Rus.*) *dim.* di Stefania, 26 *dic.*

Tanisha (*f.*) (*Hausa, Afr.* "Nata di lunedì"); *Am. mod. pop.*

Tanner (*m.*) (*Ing.ant.* "Lavoratore del cuoio") // *var.* e *dim.* Tan, Tann, Tanney, Tannie, Tanny

Tano (*m.*) (*Ghana* "Il fiume Tano") *var.* Tanno

Tano (*m.*) (*It*) *dim.* di Gaetano

Tansy (*f.*) (*Gr.* "Tenace" "Erba medicinale") (*Ind. Hopi* "Il fiore di tanaceto") *var.* Tansi, Tansie

Tanya (*f.*) 12 *gen.* (*Rus.*) *dim.* di Tatiana; *var.* Tania, Tanka, Tata, Tanka, Tinia, Tuska, Tusya; *v.* Nathania

Tao (*f.*) (*Cin.* "Pesca" "La via")

Tara (*f.*) (*gael.* "Pinnacolo roccioso" "Torre") *var.* Tarra,Tarah, Tera, Terra

Taraco (*m.*) (*Ebr.* "Che urla") 11 *ott.*

Tarant (*m.*) ("Volatile" "Alato")

Tarasio (*m.*) (*Lat.* "Che turba") 25 *feb.*

Tarbula (*Gr.* "Che turba") 22 *apr.*

Tarcisia (*f.*) (*femm.* di Tarcisio) 24 *dic.*; *var.*Tersilia, Tersilla

Tarcisio (*m.*) (*Lat.* "Originario di Tarso") 15 *ag.*; 31 *gen.*

Targ (*m.*) (*nome con orig. da cognome*)

Tarleton (*m.*) (*Ing. ant.* "Città di Thor") *dim.* Tony

Tarlton (*m.*) (*nome con orig. da cognome*)

Taro (*m.*) (*Giap.* "Primogenito maschio" "Ragazzo grosso")

Tarquin (*m.*) (*raro*)

Tarquina (*f.*) *v.* Tarquino

Tarquino (*m.*) (*Lat.* "Abitante di Tarquinia")

Tarrance (*m.*) *var.* Terrance

Tarsicio (*m.*) (*Gr.* "Originario di Tarso") 15 *ag.*

Tarsilla (*f.*) (*Gr.* "Oriunda di Tarso") 24 *dic.*

Tarso (*m.*) (*Fen.* "Che contempla") 28 *mar.*

Taryn (*f.*) (*raro*)

Tas (*m.*) (*Ing., git.* "Nido d'uccello)

Tasarla (*f.*) (*Ing., git.*: "Mattino" e "Tramonto")

Tasha (*f.*) (*Rus.*) *dim.* di Natasha // *v.* Natalia

Tashka *v.* Natalia

Tasia (*f.*) *v.* Anastasia

Tasida (*m.*) e (*f.*) (*Ind. Sarcee:* "Cavaliere")

Taska (*f.*) *v.* Natalia

Tassilo (*Ted.*) ("Ordinatore") 11 *dic.*

Tassos (*f.*) (*Gr.*) *v.* Teresa

Tasya (*f.*) (*Rus. Sp.*) *dim.* di Anastasia

Tasya *v.* Natalia

Tata *v.* Natalia

Tate (*m.*) e (*f.*) (*Teut.* "Allegro") (*Ind. Nordam.* "Ventoso" o "Grande parlatore") *var.* Tait, Taite

Tatiana (*f.*) (*Sl.: orig. sc.* "Regina delle fate") (*orig. Sab. sign. sc.*) (*Lat.:* da Tazio) 12 *gen.*; 16 *mar.*; 24 *ag.* // *var.* e *dim.* Tana, Tania, Tanya, Tatyana, Taziana; *v.* anche Tiziana

Tatjana (*f.*) *v.* Tatiana; *v.* anche Tiziana

Tatu (*f.*) (*Sw.* "Terzogenito")

Tatum (*f.*)(*Ing.,*) (*nome con orig. da cognome*) ("Essere allegra") *var.* Tate

Tauno (*m.*) (*Finl.*) *dim.* di Donaldo

Taura (*f.*) (*dal segno astrologico del Toro*)

Tavare (*m.*) (*nome con orig. da cognome*)

Tavis (*m.*) (*nome con orig. da cognome*)

Tavish (*m.*) (*Scoz.,* gael. "Gemello") *v.* Thomas; *var.* Tavis, Tevis, Tevish

Tawia (*f.*) (*Ashanti, Afr.* "Nata dopo due gemelli")

Tawia (*f.*)(*Pol.*) *dim.*di Ottavia

Tawna (*f.*) (*raro*)

Tawnie (*f.*) (*Ing., git.* "Piccola")

Tawno (*m.*) (*Ing., git.* "Picco-lo" "Minuscolo"); *var.* (*f.*) Tawnie

Tawny (*f.*) (*Ing.* "Color miele") *var.* Tawney, Tawni, Tawnie

Tayib (*m.*) (*India*) (*Ar.* "Buono")

Taylan (*m.*) (*raro*)

Tayler (*m.*) *v.* Taylor

Taylor (*m.*) (*Ing.* "Sarto") *var.* Tayler, Taylour

Taziana (*f.*) (*Lat.*) 5, 12 *gen.*; 18 *ag.*; *v.* Tatiana

Taziano (*m.*) (*Sab.* "Figlio di Tazio") 12 *set.*; 16 *mar.* *v.* Tatiana

Tazio (*m.*) (*Sab.* "Anziano" "Avolo") 22 *set.*

Tazu (*f.*) (*Giap.* "Cicogna di risaia")

Tea (*f.*) (*Gr.* "Dea" "Spirito divino") 19 *dic.*; 25 *lug.*; 23 *feb.*; *v.* Thea, Teodora

Teague (*m.*)(gael.: "Poeta" "Bardo")

Teake (*m.*) (*raro*)

Teal (*m.*) *v.* Teel

Tearle (*m.*) (*Ing. ant.* "Severo")

Tebaldo (*m.*) *v.* Teobaldo

Tecla (*f.*) (*Gr.:* "Gloria a Dio") (*Germ.* "Lucente") (*Celt.* "Cavallerizza") 23 *set.*; 26 *mar.* 19 *ag.*; 10 *gen.*; *var.* Tekla, Thecla, Thekla

Ted (*m.*) *dim.* di: Edward, Theobald, Theodore, Theodoric; *var.* Tedd, Teddie, Teddy

Tedda (*f.*) *v.* Teodora

Teddy (*m.*) (*dim.* di Edward, Theodore) *v.* Teodora

Teel (*m.*) (*nome con orig. da cognome*)

Teena (*f.*) *dim.* di Christine; Er-

315

nestine

Tegolo (*m.*) (*Lat.* "Che protegge" "Protettore") 25 *ott.*

Teise (*f.*) (*Br.*)

Telchide (*m.*) (*Ion.* "Che lavora i metalli") 10 *ott.*

Telek (*m.*) (*Pol.* "Colui che taglia il ferro" "Fabbro")

Telem (*m.*) (*Ebr.* "Guado vicino al dirupo" "Solco") *v.* Clifford

Telemaco (*m.*) (*Gr.*"Colui che combatte da lontano") 1 *gen.*

Telesforo (*m.*) (*Gr.* "Che porta a fine il suo scopo") 5 *gen.*; 30 *apr.*; 31 *mag.*

Telford (*m.*) (*Fr. ant.* "Lavoratore del ferro") // *var.* e *dim.* Ford, Telfer, Telfor, Telfour

Telia (*f.*) *v.* Matilde

Telica (*f.*) (*Ar.* "Nata con la neve") 22 *mar.*

Tem (*m.*)(*Ing.,git.*"Paese" "Campagna") // (*Eg.* "Il Dio Creatore Tem")

Teman (*m.*) (*Isr.*) (*Ebr.* "Parte destra")

Temira (*f.*) (*Ebr.*: "Alta") *var.* Timora

Temistocle (*m.*) (*Gr.* "Famoso per la sua giustizia") 21 *dic.*

Tempest (*f.*) (*Fr. ant.* "Tempesta""Tempestosa") *var.*Tempestt

Temple (*m.*) ("Casa consacrata")

Templeton (*m.*) (*Ing. ant.* "Città del tempio") *dim.*Temple, Tony

Tennyson (*m.*) (*Ing.* "Figlio di Dennis. "

Teobaldo (*m.*) (*Gr.* "Forte capitano") 16 *mag.*; 10 *gen.*; 1, 8 *lug.*; 6 *nov.*; Dietbald, Dietbold, Tebaldo, Tebaud, Tepod, Thebault, Theobald, Theodbald, Thibald, Thibault, Thibaut, Thièbaud, Tibaldo, Tibold, Tibbolt, Tiebout

Teoctisto (*m.*) (*Lat.* "Testimone di Dio") 26 *set.*

Teodata (*f.*) (*Lat.*: "Donata da Dio") 17 *lug.*

Teodato (*m.*) (*Lat.* "Donato da Dio") 6 *mag.*

Teodechilde (*f.*) (*Germ.* "Guerriera di Dio") 10 *ott.*

Teodemiro (*m.*) (*Ted. ant.* "Celebre fra il popolo") 25 *lug.*

Teodolinda (*f*) (*Ted. ant.*"Benefica verso il popolo") 22 *gen.*

Teodolo (*Gr.* "Servo di Dio") 3 *mag.*; 23, 31 *mar.*; 4 *apr.*

Teodomiro (*m.*) *v.* anche Teodoro

Teodor (*m.*) *v.* Teodoro

Teodora (*f.*) (*femm.* di Teodoro) (*Gr.* "Dono di Dio") 28 *nov.*; 6 *feb.*; 13 *mar.*; 1, 17, 28 *apr.*; 7 *mag.*; 11, 17 *set.* // *vár.* e *dim.* Dora, Dori, Doriana, Dory, Dorina, Fedora, Feodora, Tea, Tedda, Teddi, Teddie, Teddy,Tedra, Teodora, Thea, Theda, Theo, Theodosia

Teodorica (*f.*) *v.* Teodorico

Teodorico (*m.*) (*Ted. ant.*: "Sovrano del popolo" "Governatore") 1 *lug.*; *v.* Theodoric // *var.* e *dim.* Darik, Darrik, Der, Derek, Derk, Derrick, Derrik, Dieter, Dietrich, Dirk, Ted, Teddie, Teddy, Teo

Teodoro (*m.*) (*Gr.* "Dono di Dio") (*Anagramma di Doroteo*) 9 *nov.*; 7, 17, 24 *gen.*; 2, 7, 19 *feb.*; 3, 17, 26, 29 *mar.*; 15, 20, 22, 27 *apr.*; 5, 16 *mag.*; 26, 27, 29 *lug.*; 2, 5, 4, 15, 19, 20 *set.*; 23, 29 *ott.*; 12, 26 *nov.*; 7, 14, 15, 26, 27 *dic.*// *Var.* e *dim.* Ted, Tedd, Teddie, Teddy, Teodor, Teodore, Theo, Theodor, Tudor (*Ing.*); Feodor (*Bul.*); Bohdan, Fedor, Tedik, Teodor, Teodus (*Cec.*); Thery, Thièry, Thièrry (*Fr.*); Fedora, Teo, Tea, Dora, Doriana, Doriano, Dory, Teodomiro, Teodosio, Todaro (*It.*); Fedor, Teodor, Teos, Teodorek, Tolek (*Pol.*); Tewdor, Theodor (*Ted.*); Tivadar, Todor (*Ung.*); Feodor, Feodore, Fedinka, Fedir, Fedar, Fedya, Fiodor, Teodor, Todor, Todos (*Rus.*) // Diounia, Dioussia, Dore, Dores, Dorey, Dorie, Dory Dorle, Dorli, Doorsie, Doortje, Fediana, Fedoulia, Fedoussia, Feodora, Feodorit, Fiodora, Fiodorka, Fjodora, Teeddie, Teddy, Teodora, Teodoreto, Teodors, Thed, Thederl, Thea, Theodoor, Theodoret, Theodorik, Theodorine, Theodoros, Theodorus, Theo-

dosius, Toader, Tudor, Tudyr

Teodosia (*f.*) *v.* Teodora; 29 *mag.*; 20, 23 *mar.*; 2 *apr.*

Teodosio (*m.*) *v.* Teodoro; 26 *mar.*; 1 *ag.*; 11 *gen.*

Teodota (*f.*) (*Lat.*: "Dono di Dio") 17 *lug.*

Teodoto (*Lat.* "Dono di Dio") 18, 6 *mag.*; 4 *gen.*; 2 *nov.*

Teodulo (*m.*) (*Gr.*: "Servo di Dio") 2 *mag.*; 17 *feb.*; 3, 27 *lug.*; 16 *ag.*; 12 *nov.*

Teofane (*m.*) (*Gr.* "Luce di Dio") 12 *mar.*; 4 *dic.*

Teofila (*f*)(*Gr.*"Amica di Dio") 28 *dic.*; *v.* Tanya; (*Rus.*) *dim.* di Stefania, 26 *dic.*

Teofilo (*m.*) (*Lat.* "Amico di Dio") 19 *mag.*; 8 *gen.*; 6, 28 *feb.*; 5, 7 *mar.*; 2, 10, 13 *ott.*; Offy, Teofil, Tofilia, Teofilo, Theophila, Theophilia, Theophilus

Teofrasto (*m.*) (*Gr.* "Interprete di Dio") 1 *nov.*

Teogene (*m.*) (*Gr.* "Generato dagli dei") 5 *gen.*; 26 *gen.*

Teona (*f.*) (*Gr.* "Venuto da Teos") 3 *gen.*; 23 *gen.*

Teonesto (*m.*) (*Lat.* "Pieno di Dio") 30 *ott.*

Teonilla (*f.*) (23 *ag.*)

Teopempio (*m.*) (*Lat.* "Mandato da Dio") 3 *gen.*

Teopompo (*m.*) (*Gr.* "Compagno di Dio") 21 *mag.*

Teoprepio (*m.*) (*Gr.* "Profeta") 27 *mar.*

Teotimo (*m.*) (*Gr.:* "Che onora Dio") 20 *apr.*

Teotonio (*m.*) (*Gr.:* "Generato da Dio") 15 *feb.*

Terence (*m.*) (*Lat.:* "Tenero" "Grazioso") // *var. e dim.* Terrance, Terrence, Terry

Terenzia (*f.*) (Dea della mietitura) *femm.* di Terenzio; *var.* Terence (*Fr. Ing.*)

Terenzio (*m.*) (*Sab.* "Delicato" o "Tornitore" "Mugnaio") (*Lat.* "Appartenente alla gens Terenzia") 21 *giu.*; 15 *lug.*; 10 *apr.*; 4, 27, 24 *set.*; *var.* Terence (*Ing.*)

Teresa (*f.*) (*Gr.* "Cacciatrice") 1, 3, 15 *ott.*; 3, 7 *mar.*; 26 *ag.*; 23 *nov.* // *var. e dim.* Tera, Teresa, Terese, Teressa, Teri, Terie, Terri, Terrie, Terry, Tery, Tess, Tessa, Tessie, Tessi, Tessy, Theresa, Trace, Tracey, Traci, Tracie, Tracy, Tresa, Zita (*Ing.*); Tereza (*Bul. Port.*); Terezia, Terezie, Terezka, Reza, Rezka (*Cec.*); Tereson, Thérèse, Tessa (*Fr.*); Resel, Resi, Therese, Theresia, Tresa, Trescha (*Ted.*); Tassos (*Gr.*); Rezi, Riza, Rizus, Teca, Tercsz, Terez, Tereza, Terike, Terezia, Teruska, Treszha (*Ung.*); Maria Teresa, Teresina, Tersa (*It.*); Terese (*Norv.*); Renia, Tesa, Tesia, Terenia, Tereska (*Pol.*); Terezilya, Zilya (*Rus.*); Techa, Tere, Teresita, Tete (*Sp.*); Tereza (*Br.*) // Resa, Resia, Reseri, Resli, Theresia, Toiresia, Toireasa

Teresina (*f.*) (*dim.* di Teresa) 15 *lug.*

Teresio (*m.*) (*masch.* di Teresa) 28 *feb.*

Tereza (*f.*) (*Br.*) *v.* Teresa

Teri-Ann (*f.*) (*nome doppio*: Teresa e Ann)

Terra (*f.*) (*Lat.* "Terra")

Terrell (*m.*) (dal *Norv. ant.* "Thor") (*Ing. ant.* "Come Thor" "Sovrano del tuono") *var.* Terrell, Terrie, Terril, Terrill, Tirrell, Terry, Tyrrell

Terril (*m.*) *v.* Terrel

Terry (*m.*) *dim.* di Terence

Terry (*f.*) *dim.* di Teresa

Terryl (*m.*) *v.* Terrell

Terryn (*f.*) (*raro*)

Tersilia (*f.*) *v.* Tarcisia

Tersilla (*f.*) *v.* Tarcisia

Tertia (*f.*) (*Lat.* "Terzogenita") *var.* Terza.

Tertius (*m.*) (*Lat.* "Terzogenito")

Tertulla (*f.*) (*Lat.* "Terzogenita") 3 *mar.*

Tertulliano (*m.*) (*Gr.* "Immacolato") 27 *apr.*

Teryl (*f.*) (*raro*)

Teryn (*f.*) *v.* Terryn

Terzo (*m.*) (*Lat.* "Terzo") 6 *dic.*

Tesauro (*m.*) (*Lat.:* "Tesoro") 12 *set.*

Tesia (*f.*) (*Pol.*) *v.*Teofila, Ortensia

Tesifonte (*m.*) (*Gr.* "Originario di Ctesiphon") 15 *mag.*

Tess / Tessie (*f.*) *v.* Teresa

Tessa (*f.*) (*dim.ing.*) *v.* Teresa

Testske (*f.*) (*Frisone, Ol.*)

Tetsu (*f.*) (*Giap.* "Ferro")

Teudosia (*f*) *v.*Teodosia, 12*ott.*

Teuseta (*m.*) (*Gr.* "Che vive in Dio") 13 *mar.*

Teva (*m.*) (*Ebr.* "Natura")

Tevis (*m.*) ("Uno scellino")

Tewis (*m.*) *v.* Matteo

Thacasa (*f.*) (*Mozambico*)

Thackery (*m.*) (*nome con orig. da cognome*)

Thad (*m.*) *abbr.* di Thaddeus

Thaddea (*femm.* di Thaddeus) *v.* Taddea

Thaddeus (*Ted.*) (*m.*) *v.* Taddeo

Thais (*f.*) (*Gr.* "Schiavo")

Thalassa (*f.*) (*Gr.* "Mare")

Thalia (*f.*) (*Gr.* "In fiore")

Thane (*m.*) (*Ing. ant.* "Seguace" "Signore del feudo") *var.* Thain, Thaine, Thayne

Thanos (*m.*) (*Gr.*) *dim.* di Arturo

Thatcher (*m.*) (*Ing. ant.* "Artigiano specializzato nella copertura dei tetti") *dim.* Thacher, Thackeray, Thatch, Thaxter

Thaxton (*m.*) (*nome con orig. da cognome*)

Thayne (*m.*) *v.* Thane

Thea (*f.*) (*Gr.* "Dea")

Thea (*f.*) *dim.* di Alethea; *v.* Panthea, Theodora

Thecla (*f.*) (*Celt.* "Cavallerizza") *var.* Tecla, Thekla

Theda (*f.*) *v.* Teodora

Thelma (*f*) (*Gr.* "Lattante" "Poppante") *var.* Kama (Haw.)

Thema (*f.*) (*Akan, Gha.* "Regina") *var.* Tayma

Themba (*m.*) (*Xhosa, Sud Afr.* "Speranza")

Theobald (*m.*) (*Teut.* "Principe del popolo""Patriota") // *var.* e *dim.* Ted, Teddie, Teddy, Thebault, Theo, Thibaud, Thibaut, Tibold, Tybald, Tybalt

Theodor (*m.*) *v.* Teodoro

Theodora (*f.*) (*Fr.*) *v.* Teodora

Theodore (*m.*) (*Fr.*) *v.* Teodoro

Theodoric (*m.*) *v.* Teodorico

Theodosia (*f.*) *v.* Teodora

Theola (*f.*) (*Gr.* "Portata in Paradiso")

Theone (*f.*) (*Gr.* "Religiosa") // *var.* Theona, Theonie

Theophile (*m.*) (*Fr.*) *v.* Teofilo 10 *ott.*

Thera (*f.*) (*Gr.* "Selvaggia")

Theresa (*f.*) *v.* Teresa

Therese (*f.*) (*Fr.*) *v.* Teresa

Theron (*m.*) (*Gr.* "Cacciatore") *var.* Theran, Therrin, Therron

Thetis (*f.*) (*Ing.*) (dal *gr.*: "Teti", *Ninfa marina, madre di Achille*)

Thibaud (*f.*) (*Fr.*) *v.* Teobaldo, 8 *lug.*

Thierry (*m.*) (*Fr.* 1 *lug.*) *v.* Teodoro; *var.* Thery, Thièry

Thiess (*m.*) *v.* Matteo

319

Thirza (*f.*) (*Ebr.* "Desiderabile") *var.* Thyrza, Tirza, Tirzah

Thisbe (*f.*) (*Gr.* "Posto delle colombe")

Thom (*m.*) *v.* Thomas, Tommaso

Thomas *v.* Tommaso

Thommy *v.* Tommaso

Thor (*m.*) (*Fr.* "Torre") 8 *lug.* // *var.* e *dim.* Thora, Thore, Thorina, Thure, Toe, Tore, Tosse

Thor (*m.*) (*Norv. ant.*: "Tuono" "Dio del tuono") // *var.* Tor

Thora (*f.*) (*Teut.*) *v.* Thor

Thorbert (*m.*) ("Splendore di Thor") *var.* Torbert

Thordis (*f.*) (*Norv. ant.* "Dedicata a Thor") *var.* Thora, Tora

Thorley (*m.*) (*Ing. ant.* "Campo di Thor") *var.* Torley

Thorndike (*m.*) (*Ing. ant.* "Dal terrapieno del biancospino") // *var.* e *dim.* Thorn, Thorndyke

Thorne (*m.*) *nome con orig. da cognome*

Thornton (*m.*) (*Ing. ant.* "Dalla fattoria del biancospino") *dim.* Thorn, Thorne, Tony

Thorpe (*m.*) (*Ing. ant.*: "Del villaggio") *var.* Thorp

Thorson (*m.*) ("Figlio di Thor")

Thurman (*m.*) (*Scan.* "Sotto la protezione di Thor" "Guardiano della torre") *var.* Thurmond

Thurston (*m.*) (*Scan.* "Pietra di Thor") *var.* Thorsten, Thurstan

Thyra (*f.*) (*Gr.*: "Colei che porta lo scudo")

Tia (*f.*) (*abbr.*)

Tiana (*f.*) (*raro*)

Tiara (*f.*) ("Copricapo ingioiellato")

Tibaldo (*m.*) (*Ted. ant.*: "Che emerge fra il popolo") 8 *lug.*; *v.* Teobaldo

Tiberia (*f.*) *v.* Tiberio, 10 *nov.*; *var.* Tibera

Tiberio (*m.*) (*Lat.* "Proveniente dal Tevere") 9 *ag.*; 10 *ott.*; 10 *nov.*

Tiburzio (*m.*) (*Lat.* "Nativo di Tivoli") 14 *apr.*; 11, 21 *ag.*; 9 *set.*

Tichico (*m.*) (*Gr.* "Nato casualmente") 29 *apr.*

Tichino (*m.*) (*Ebr.* "Intermediario") 20 *apr.*

Ticho (*m.*) *v.* Patrizio

Ticone (*m.*) (*Ebr.* "Mediatore") 16 *giu.*

Tierney (*m.*) (*gael.*: "Signorile") *var.* Tiernan

Tietje (*f.*) (*Frisone, Ol.*)

Tiffani (*f.*) *v.* Tiffany

Tiffany (*f.*) (*Gr.*: "Manifestazione di Dio") // *var.* e *dim.* Tifanie, Tiffa, Tiffani, Tiffanie, Tiff, Tiffie, Tiffy

Tigge (*m.*) (*Soprannome*)

Tigide (*m.*) (*Celt.* "Sostenitore") 3 *feb.*

Tigrane (*Fr.* "Tigre") 12 *gen.*

Tigrio (*m.*) (*Lat.* "Venuto dal Tigris") 12 *gen.*

Tila (*f.*) *v.* Matilde

Tilda (*f.*) (*Est.*) *dim.* di Matilda; *v.* Matilde

Tilden (*m.*) (*Ing. ant.* "Dalla valle degli uomini generosi")

Tildy (*f.*) *v.* Matilde

Tilford (*m.*) (*Ing. ant.* "Dal guado degli uomini generosi")

Tillie (*f.*) *v.* Matilde, Odette

Tillie (*f.*) *v.* Tilly

Tilly (*f.*) ("Albero di tiglio") *dim.* di Mathilda; *v.* Matilde

Tilton (*m.*) (*Ing. ant.*: "Dalla proprietà degli uomini generosi") *var.* Tiltan, Tilten, Tiltin

Tim (*m.*) *abbr.* di Timothy

Timin (*m.*) (*Ar.*: Serpente di mare")

Timmi (*f.*) *dim.* di Timothea; *var.* Timi, Timie, Timmie

Timolao (*m.*) (*Gr.* "Onore del popolo") 24 *mar.*

Timon (*m.*) ("Onorevole") // *v.* anche Timoteo

Timone (*m.*)(*Gr.*: "Stimato" "Solitario") 19 *apr.*

Timotea (*f.*) (*Gr.* "Colei che onora Dio") 24 *gen.* // *var.* e *dim.* Thea, Tim, Timmi, Timmie, Timmy, Timothie

Timoteo (*m.*) (*Gr.* "Colui che onora Dio") 6, 24 *gen.*; 24 *mar.*; 6 *apr.*; 3, 9, 21, 22 *mag.*; 10 *giu.*; 19, 22, 23 *ag.*; 8 *set.*; 19 *dic.* // *var.* e *dim.* Tim, Timkin, Timmie, Timmy, Timoteo, Timothèe, Timotheus, Timon, Tymon (*Ing.*); Timotei (*Bul.*); Timo (*Finl.*); Timothèe

(*Fr.*); Timotheus (*Ted.*); Timotheus (*Gr.*); Timot (*Ung.*); Tiomoid (*Irl.*); Timoteus (*Norv.; Sv.*); Tymek, Tymon (*Pol.*); Timoteo (*Port.; Sp.*); Tima, Timka, Timofei, Timofey, Timok, Tisha, Tishka (*Rus.*)

Timothea (*f.*) *v.* Timotea

Timotheo (*m.*) *v.* Timoteo

Timothy (*m.*) (*Ing.*) *v.* Timoteo

Timur (*m.*)(*Ebr.* "Alto" "Grandioso")

Tina (*f.*) (*abbr.*) *dim. di nomi terminanti in* "ina" *come* Agostina, Albertina, Augustina, Cristina; Ernestina, *Martina*, Valentina, ecc.

Tinamarie (*f.*) (*nome doppio*)

Tindario (*Sic.*) 7, 8 *set.*

Tinko (*m.*) *v.* Martino

Tino (*m.*) *dim.di nomi terminanti in* "ino" *come* Agostino, Albertino, Augustino ecc.

Tinto (*m.*) (*Sp.*: "Rosso")

Tiponya (*f.*) (*Ind. Miwok* "Un gufo dalle grandi corna ficca la testa sotto il corpo e perfora l'uovo che si sta schiudendo")

Tippi (*f.*) (*raro*)

Tirannione (*m.*) (*Gr.* "Nativo di Tiro") 20 *feb.*

Tirone (*m.*) (*Lat.* "Originario di Tiro") 18 *set.*

Tirso (*m.*) (*Gr.*: "Contemplatore") 28, 24 *gen.*; 24 *set.*

Tirtha (*f.*) (*hindu* "Guado")

Tirza (*f.*)(*Ebr.* "Cipresso" "Desiderabile")

Tirzah (*f.*) ("Piacevolezza")

Tisa (*f.*) (*Sw.* "Nonogenita")

Tish *v.* Tisha

Tisha (*f.*) (*abbr.*)

Tita (*f.*) *v.* Margherita

Titania (*f.*) (*Pers. lett.*: Regina delle fate nel "Sogno di una notte di mezza Estate" di Shakespeare)

Tito (*m.*) (*Lat.* "Che difende" "Difensore") 26, 4 *gen.*; 6, 21 *feb.*; 2 *apr.*; 2 *giu.*; 16 *ag.*; *var.* Tite (*Fr.*); Titos (*Gr.*); Titus (*Ing.*); Tito (*Sp.*); Titek, Tytus(*Pol.*); *v.* anche Roberto

Titta (*m.*) *abbr.* di Battista

Titus (*m.*) *v.* Tito

Tivon (*m.*) (*Ebr.* "Naturalista" "Amante della natura")

Tivona (*f.*) *femm.* di Tivon

Tiwa (*f.*) (*Ind. Zuni* "Cipolle")

Tiziana (*femm.* di Tiziano) 17 *lug.*; Titienne (*Fr.*); Titia, Titty(*Ing.*); Tithianas (*Ted.*)

Tiziano (*m.*) (*Lat.* "Discendente di Tito") (*Gr.* "Che difende") 3 *mar.*; 12, 16 *gen.*; 4 *mag.*; Titian (*Fr.*); Titian (*Ing.*)

Tizio (*m.*) (*der. da* Tito)

Tjerk (*m.*) (*Frisone, Ol.*)

Tjitske (*m.*) (*Frisone, Ol.*)

Tleze (*m.*) (*Mozambico*)

Toaldo (*m*)(*Long.*"Dalla splendente spada") 7 *set.*

Tobal (*m.*) (*Sp.*) *dim.* di Cristobal

Tobbar (*m.*) (*Ing., git.*"Strada")

Tobey (*m.*) (*Ing.*) *v.* Tobia

Tobeylynn (*f.*) (*nome doppio*)

Tobia (*m.*) (*Ebr.* "Gradito al Signore" "Dio è buono") 2 *nov.* // *var.* e *dim.* Toba, Tobe, Tobey, Tobi, Tobiah, Tobie, Tobin, Tobit, Tobi, Tobye, Tova, Tovah, Tovia, Tovie

Tobias (*m.*) *v.* Tobia

Tobit (*m.*) e (*f.*) *v.* Tobia

Toby (*m.*) e (*f.*) *Dim.* di Tobia

Todd (*m.*) (*U.S.A.*) (*Norv.* "Volpe") // *var.* e *dim.* Tod, Toddie, Toddy.

Todor (*m.*) (*Ung.; Rus.*) *dim.* di Teodoro

Tohon (*m.*) (*Ind. Nordam.* "Coguaro" "Puma")

Toki (*f.*) (*Giap.* "Eternamente costante")

Toland (*m.*) (*Ing. ant.*: "Dalla terra del pedaggio") *var.* Tolland, Towland

Tolbert (*m.*) ("Vincitore luminoso")

Tolek (*m.*) (*Pol.*) *dim.* di Anton, Anthony, Teodor, Theodore

Tolikna (*f.*) (*Ind. Miwok* "Le lunghe orecchie del coyote che sbattono")

Toliver(*m.*) (*nome con orig. da cognome*)

Tolliver (*m.*) (*nome con orig. da cognome*)

Tolomeo (*m.*) e (*f.*) (*Eg.* "Bellicoso" "Valoroso") 24 *ag.*; 19 *ott.*; 20 *dic. v.* Bartolomeo

Tolson (*m.*) (*nome con orig. da*

cognome)

Tom (*m.*) *abbr.* di Thomas (*v.*)

Tomaide (*m.*) (*Ebr.* "Figlio di Tommaso") 14 *apr.*

Tomalynn (*f.*) (*nome composto*: Tomasine e Lynn)

Tomas (*m.*) (*Sp.*) *v.* Tommaso

Tomhas (*m.*) *v.* Tommaso

Tomi (*m.*) (*Kalarbari, Nig.* "Il popolo, la gente") // (*Giap.* "Ricco")

Tomi (*Ung.*) *dim.* di Tommaso

Tomlin (*m.*) (*Ing. ant.* "Piccolo gemello") // *dim.* di Thomas; *var.* Tomki

Tommasina (*f.*)(*Ebr.*) *Femm.*di Tommaso; 7 *mar.* // *var.* e *dim.* Tammi, Tammie, Tammy, Tamsin, Tamsyn, Thomasa, Thomasine, Tomasina, Tomasine, Tommi, Tommie, Tommy

Tommaso (*m.*) (*Ebr.*; *aram.*: "Gemello") **28**, 11 *gen.*; 7 *mar.*; 6 *feb.*; 24 *mag.*; 3, 22 *giu.*; 3, 6, 15 *lug.*; 13, 25 *ag.*; 2 *ott.*; 8, 22, 25 *set.*; 6, 30 *ott.*; 21, 29 *dic.* // *var.* e *dim.* Massey, Tam, Tamas, Tameas, Tammany, Tammen, Tammie, Tammy, Tavis, Tavish, Thom, Tom, Tomm, Tommie, Tommy (*Ing.*); Toomas (*Est.*); Tuomas, Tuomo (*Finl.*); Thumas (*Fr.*); Thoma (*Ted.*); Tamas, Tomi (*Ung.*); Tomasina, Tomaso, Tomasso, Masaccio, Maso, Masetto (*It.*); Tomelis (*Lit.*); Tomcio, Tomek, Tomislaw, Slawek (*Pol.*); Tomaz, Tome (*Port.*); Foma, Fomka (*Rus.*); Tavis, Tavish,Tevis, Tevish (*Scoz.*); Chumo (*Sp.*)// Khoma, Maas, Macey, Massey, Tam, Tam-my, Tomas, Tomasa, Tomasi, Tomè, Toms, Thomase, Thomasin, Thomasine, Thomè, Thomel, Thomelin

Tommi (*f.*) *v.* Tommaso

Tommy (*m.*) *v.* Tommaso

Tomo (*f.*) (*Giap.*: "Sapiente" "Intelligente")

Toni (*m.*) e (*f.*) (*Ven.*) *dim.* di Antonio;(*Sl.;Ung.*) *v.*Antonio

Tonia (*f.*) *dim.* di Antonia

Tonie (*f.*) *dim.* di Antoniette

Tony (*m.*) *v.* Antonio

Tonya (*f*)(*Rus.*) *dim.*di Antonia

Topaz (*f.*) (*Topazio*)

Topwe (*m.*) (Zimb. "Il vegetale topwe")

Tor (*m.*) (*Nig.* "Re") // (*Scan.* *var.* di Thor)

Tora (*f.*) (*Giap.* "Tigre")

Toran (*m.*) *v.* Toren

Torell (*m.*) (*nome con orig. da cognome*)

Torello (*Lat.* "Piccolo toro") 16 *mar.*

Toren (*m.*) (*nome con orig. da cognome*)

Torey (*f.*) *v.* Tory

Tori (*f.*) (*Giap.* "Uccello")

Tori (*f.*) *v.* Tory

Torin (*m.*) (*Irl., gael.* "Capo")

Torpe (*Lat.* "Rigido") 29 *apr.*; 17 *mag.*

Torquato (*m.*) (*Lat.* "Ornato di collana" "Vincitore del nemico in battaglia") 15 *mag.*; 19 *lug.*; 1 *feb.*

Torr (*m.*) *v.* Tor

Torrance (*m.*)(*gael.*"Delle collinette" "Ramo più alto") // *var.* e *dim.* Torey, Torrence, Torrey, Torry

Torre (*m.*) *v.* Tor

Torren (*m.*) *v.* Toren

Torrey (*f.*) (*nome con orig. da cognome*)

Toru (*m.*) (*Orig. esotico-etn.*)

Torvik (*m.*) (*nome con orig. da cognome*)

Tory (*f.*) *dim.* di Victoria

Tosca (*f.*) (*Lat.* "Donna dell'Etruria") 5 *mag.*

Tosco (*m.*) (*Lat.* "Etrusco") 27 *giu.*; 10 *set.*; 17 *nov.*

Tosha (*f.*) *v.* Letizia

Toshi (*f.*) (*Giap.*"Anno") *var.* Toshie, Toshiko, Toshiyo

Toshio (*m.*) (*Giap.* "Astro del ragazzo") *var.* Toshi

Tosia (*f.*) (*Pol.*) *dim.* di Antonina

Toski (*f.*) (*Ind. Hopi* "Cimice schiacciata")

Tosya (*f.*) (*Rus.*) *dim.* di Antonia

Totò *v.* Antonio

Totsi (*f.*) (*Ind. Hopi* "Mocassini")

Tourmaline (*f.*) ("Tormalina" pietra preziosa) *var.* Tourmalina

Toussaint (*m.*) (*Fr.*: *contr.* di "Tous les Saints": Ognisanti) 1 *nov.*; Tossanus, Toussain, Toussaine, Toussainte

Tovi (*m.*) (*Ebr.* "Buono") *var.* Tov

Towera (*m.*) (*Mozambico*)

Townley (*m.*) (*Ing. ant.*: "Dal campo della città") *dim.* Lee

Townsend (*m.*) (*Ing. ant.* "Della periferia" "Suburbano")

Traca (*m.*) ("Sentiero" "Tracciato")

Tracey (*m.*) *v.* Tracy

Tracy (*m.*)(*Lat.* "Audace" "Coraggioso") (*Irl.*, *gael.* "Combattente") *v.* Teresa; *var.* Traci, Trace, Tracey, Tracie; *dim.* di Patricia

Traeger (*m.*) (*nome con orig. da cognome*)

Trager (*m.*) (*nome con orig. da cognome*)

Trahern (*m.*) (*Gall. ant.*: "Forte come il ferro")

Trainor (*m.*) *v.* Traynor

Tranquillino (*m.*) (*Lat.*:"Calmo" "Sereno") 6 *lug.*

Tranquillo (*m.*) (*Lat.* "Quieto" "Calmo") 15 *mar.*

Trasea (*m.*) (*Gr.* "Audace" "Temerario") 5 *ott.*

Trasfigurato (*m.*) (*dalla Santa Trasfigurazione del Signore sul monte Tabor*) 6 *ag.*

Trasone (*m.*) (*Gr.* "Coraggioso nel predicare") 11 *dic.*

Trava (*f.*) (*Cec.* "Erba")

Traver (*m.*) ("Incrocio")

Travis (*m.*) (*Fr. ant.* "Dagli incroci") *var.* Traver, Travers, Travus

Traynor (*m.*) ("Eroe")

Trella (*f.*) (*Sp.*) *abbr.* di Estrella; *v.* Stella

Tremain (*m.*) (*Celt.* "Dalla casa vicino alla roccia") *var.* Tremaine, Tremayne

Tremayne (*m.*) (*Celt.* "Dalla città di pietra") *var.* Tremain, Tremaine

Trent (*m.*) (*Lat.* "Rapido" "Ruscello veloce") (Nome di località)

Trenton (*m.*) (Nome di località)

Tresa (*f.*) (*Ted.*) *v.* Teresa

Tressa (*f.*) *v.* Tressie

Tressie (*f.*) (*raro*)

Trevin (*m.*) (*raro*)

Trevino (*m.*) (*nome con orig. da cognome*)

Trevor (*m.*) (*gael.* "Prudente" "Discreto") // *var.* e *dim.* Trev, Trevar, Trever

Trey (*m.*) (*Ing.* "Terzogenito")

Tricia (*f.*) *v.* Patricia

Trick (*m.*) *v.* Patrizio

Trifena (*f.*) (*Gr.* "Delicata")31 *gen.*

Trifilo (*m.*) (*Gr.* "Che viene da Trifila") 15 *ag.*

Trifina (*f.*) (*var.* di Trifena) 5 *lug.*

Trifone (*m.*) (*Gr.* "Delicato") 10 *nov*, 4 *gen.*; 3 *lug.*;

Trifosa (*m.*) (*Gr.* "Delicato")10 *nov.*

Trilby (*f.*) (*raro*)

Trina (*f.*) (*hindu* "Pungente" "Penetrante") // (*Ted.*) *dim.* di Caterina

Trinette (*f.*) (*Fr.*) *dim.* di Caterina

Trisa (*f.*) (*Ted.*) *v.* Teresa

Trish (*f.*) *v.* Patrizia

Trisha (*f.*) *dim.* di Patricia // (*f.*) (*hindu* "Sete" "Arsura")

Tristan (*m.*) (*Fr.*) *v.* Tristano

Tristana (*m.*) *v.* Tristano

Tristano (*m.*) (*Celt.* "Severo" "Audace") (*Fr. ant.* "Triste") 15 *giu.*; 12 *nov.*; *var.* Trestan, Tristam, Trestana, Tristan, Tristana, Trystan

Trixie (*f.*) *v.* Beatrice.

Trofino (*m.*) (*Gr.* "Educato") 11, 18 *mar.*; 29 *dic.*

Tron (*m.*) (*nome con orig. da cognome*)

Trovaso (*m.*) (*Lomb.* "Guerriero dalla lancia acuta") 19 *giu.*

Troy (*m.*) (Nome di città: "Troia") (*Irl.*, *gael.* "Fante") (*Fr. ant.* "Dalla regione del popolo dai capelli ricci")

Truda (*f.*) (*Ted. ant.* "Fanciulla battagliera") (*Pol.*) *dim.* di Gertrude; *var.* Trude, Trudey, Trudi, Trudie, Trudy

Trudeau (*m.*) (*nome con orig. da cognome*)

Trudell (*m.*) (*nome con orig. da cognome*)

Trudie (*f.*) *v.* Trudy

Trudy (*f.*) *v.* Gertrude; *var.* Trudi

True (*m.*) ("Verità")

Truman (*m.*) (*Ing. ant.* "Uomo fedele") *var.* Truema, Trumon

Trumlin (*m.*) *v.* Bartolomeo

Tua (*m.*) (*gael.* "Vigilante") 27 *dic.*

Tuccio (*m.*) *v.* Rolando

Tucker (*m.*) (*Ing. ant.* "Scialle di pizzo")

Tudal (*m.*) *v.* Tugdual

Tudino (*m.*) (*Lat.* "Venuto da Todi") 9 *mag.*

Tudor (*m.*) *v.* Teodoro

Tugdual (*m.*) (*Fr.*) 1 *dic.*; Toal, Tual, Tuala, Tualig, Tudalenn, Tudalez, Tugal, Tully, Tuzal

Tukuli (*m.*) (*Ind. Miwok* "Il bruco che cammina a testa in giù su un albero durante l'estate")

Tula (*f.*) (*hindu: "Nata sotto il segno astrologico della Bilancia"*)

Tulia (*f.*) (*gael.:* "Pacifica") *var.* Tullia

Tullia (*f.*)(*Lat.*) *v.* Tullio 5 *ott.*

Tulliano (*m.*) (*var.* di Tertulliano) 27 *apr.*

Tullio (*m.*) (*Lat.* "Appartenente alla famiglia Tullia") 5 *ott.*; 19 *feb.*

Tullis (*m.*) *v.* Tully

Tullo (*m.*) (*Gr.* "Bambino paffuto e grasso")

Tully (*m.*) (*Irl., gael.:* "Tranquillo e pacifico" "Devoto a Dio" "Colui che vive con la pace di Dio") *var.* Tull, Tulley, Tullie

Tulsi (*f.*) (*hindu* "La sacra pianta tulasi" (*basilico*)

Tumbane (*f.*) (*Mozambico*)

Tunu (*m.*) (*Ind. Miwok* "Cervo che pensa di andare a mangiare cipolle selvatiche")

Tupi (*m.*) (*Ind. Miwok* "Spingere fuori" "Tirare su")

Turi (*m.*) (*Sp.*) *dim.* di Arturo; Salvatore

Turibio (*m.*) (*Celt.* "Appartenente ai Taurini") 16 *apr.*; 23 *mar.*

Turiddu (*dim.* di Salvatore)

Turner (*m.*) (*Lat.* "Colui che lavora al tornio")

Tusa (*f.*) (*Ind. Zuni* "Cane della prateria")

Tusca (*f*)(*Lat.*"Etrusca") 5*mag.*

Tuscana (*f.*) (*Lat.* "Donna della Toscana") 14 *lug.*

Tuska (*f.*) *v.* Natalia

Tussio (*m.*) (*Lat.* "Che tossisce") 9 *ag.*

Tusya (*m.*) *v.* Natalia

Tuwa (*f.*) (*Ind. Hopi* "Terra")

Twia (*m.*) e (*f.*) (*Gha. Afr.* "Nato dopo due gemelli")

Twyla (*f.*) (*raro*)

Twila (*f.*) (*raro*)

Ty (*m.*) (*abbr.*) *v.* Tyler, Tyrone, Tyson

Tybalt (*m.*) *v.* Teobaldo

Tyee (*m.*) (*Ind. Nordam.* "Capo")

Tylda (*f.*) *v.* Matilde

Tyler (*m.*) (*Ing. ant.* "Fabbricante di tegole") *dim.* Ty

Tymon (*m.*) (*Pol.*) *v.* Timoteo

Tyna (*f.*) (*Cec. Sl.*) *dim.* di Cristina e Celestina; (*Am. mod.*) Tina

Tynan (*m.*) ("Scuro")

Tyne (*f.*) (*Ing.*) (*nome di fiume*)

Tynek (*m.*) *v.* Martino

Tyner (*m.*) (*nome con orig. da cognome*)

Tyra (*f.*) ("Abbigliamento" "Ornamenti")

Tyree (*m.*) (*nome con orig. da cognome*)

Tyrell (*m.*) *v.* Terrell

Tyrone (*m.*)(*Gr.*"Sovrano") (Nome di località) (*Irl.*, *gael.* "Dalla terra di Owen") *dim.* Ty, Tye

Tyrus (*m.*) ("Roccia")

Tyson (*m.*) (*Teut.* "Figlio del tedesco" "Igneo") *dim.* Sonnie, Sonny, Ty

Tzigana (*f.*) (*Ung.* "Zingara") *var.* Tzigane, Zigana

U

Ubalda (*f.*) *v.* Ubaldo

Ubaldesca (*f.*) (*Germ.* "Degli Ubaldi") 28 *mag.*

Ubaldo (*m.*) (*Franco-alam.* "Di ardita intelligenza") (*Sass.* "Forte soccorritore") 9 *mar.*; 16, 1 *mag.*; 9 *apr.*; 15 *giu.*

Uberta (*f.*) 3 *nov.* // *v.* Uberto *dim.* Berta, Bertie, Berty

Ubertino (*m.*) *dim.* di Uberto, 16 *feb.*

Uberto (*m.*) (*Ted. ant.* "Illustre per il suo senno" "Intelligenza brillante") 3 *nov.*; 13 *mag.* // *var.* e *dim.* Bert, Bertie, Berty, Burt, Hobard, Hobart, Huberto, Hubie, Hugh, Hughie

Uboldo (*m.*) *v.* Ubaldo

Uccio (*m.*) (*dim.* di Ferruccio, Mariuccio, ecc.)

Ude (*m.*) *v.* Odette

Udell (*m.*) (*Ing. ant.*: "Dalla valle del tasso") // *var.* e *dim.* Dell, Udadale, Udall

Udelle (*f.*) (*Anglo-Sass.* "Donna della ricchezza") *var.* Uda, Udele, Udella

Udo (*m.*) (*Igbo, Nig.* "Pace")

Udo (*f.*) *v.* Odette

Ughetta (*dim.*) *Femm.* di Ugo

Ugo (*m.*) (*Ted. ant.* da "Ugh", *"Spirito":* "Intelligente" "Spirito perspicace" "Pensieroso" "Ingegnoso") 1, 29 *apr.*; 8, 10, 30 *ott.*; 12 *feb.*; 13 *giu.*; 17 *nov.* // *var.* e *dim.* Huey, Hughes, Hughie, Hugo

Ugolina (*m.*) 8 *ag.*; *dim. femm.* di Ugolino

Ugolino (*m.*) (*Tosc.*) (*dim.* di Ugo) 10 *ott.*; 22 *ag.*; 21 *mar.*

Ugone (*m.*) (*Lat.*) 9 *apr.*; 19 *mar.*, *v.* Ugo

Uguccione (*m.*) (*Tosc.*) (*var.* di Ugo) 12 *feb.*

Uhuru (*m.*) (*Kenia* "Libertà")

Ula (*f.*) (*Celt.* "Gioiello del mare") *var.* Eula, Ulla

Ulan (*m*) (*Bari, Sudan* "Gemello primogenito") *var.* Lado

Uland (*m.*) (*Teut.* "Di nobile terra")

Ulani (*f.*)(*Haw.*"Graziosa" "Allegra")

Ulberto (*m.*) (*var.* di Alberto) 22 *nov.*

Uldarico (*m.*) (*Ted.*) *v.* Ulderico 4 *lug.*

Ulderico (*m.*) (*Teut.* "Ricco di beni ereditati") 4, 10 *lug.*; 19 *apr.*; 7 *ag.*; *var.* Ulrico, Olderico

Ulfa (*f.*) ("Lupa") 31 *gen.*

Ulfo (*masch.* di Ulfa) 22 *gen.*

Ulima (*f.*) (*Ar.* "Saggia")

Ulisse (*Gr.* "Uomo irritato") 1 *Nov.*; Ulysse (*Fr.*); *var.* Odisseo; Odyssèe, Odysseus, Uillioc, Ulick, Ulises, Ulyxes

Uliva (*f.*) (*Lat.* "Donna di pace") 10 *giu.*

Ulla (*m.*) (*dim.* di Ursula)

Ulmer (*m.*) (*Norv. ant.* "Fama di lupo")

Ulpiano (*m.*) (*Lat.*: "Proveniente da Ulpio") 3 *apr.*

Ulric (*m.*)(*Fr.*) *v.*Ulrico 10 *lug.*

Ulrica (*f.*) (*Teut.*) *femm.* di Ulrico // *var.* e *dim.* Rica, Rika, Ulrika

Ulrich (*m.*) *v.* Ulrico

Ulrico (*m.*) (*Germ.* "Signore dei lupi") 2 *mar.*; 20 *feb.*; 10 *lug.*; *v.* Ulderico // *var.* e *dim.* Odalric, Odalrich, Oldrick, Olrik, Rick, Rickie, Ricky, U-dalric, Uhde, Uhlig, Uldarico, Ulderic, Ulderika, Ulla, Ullman, Ulman, Ulric, Ulrica, Ulrich, Ulrick, Ulrik, Ulrika Ulrike, Ulrikke, Urle, Rika

Ulrike (*f.*) *v.* Ulrica

Ulstano (*m.*) (*Orig. etn.* "Originario di Ulster") 19 *gen.*

Ulysse (*m.*) *v.* Ulisse

Ulysses (*m.*) (*Gr.* "Adirato") *v.* Ulisse

Ulyssine (*f.*) *dim. femm.* di Ulisse

Uma (*f.*) (*hindu* "Madre")

Umberta (*f.*) *v.* Umberto

Umberto (*m.*)(*Fr.*)(*Long.* "Grande per nobiltà" "Nobile" "Gigante brillante") 6 *set.*; 16 *dic.*; 4, 25 *mar.*; 13,20 *nov.*; *var.* e *dim.* Bert, Bertie, Berty, Burt

Umeko (*f.*) (*Giap.* "Piccolo fiore di prugna") *var.* Ume, Umeyo

Umeno (*Giap.* "Terra dei susini)

Umi (*m.*) (*Malawi* "Vita")

Umile (*Lat.*) 26 *nov.*

Umiltà (*f.*) (*Lat.* "Che è umile") 23, 12 *Mag*

Una (*f.*) (*Ind. Hopi* "Ricordare")

Una (*f.*) (*Lat.* "Singolare") *var.* Ona, Oona

Undine (*f.*) (*Lat.* "Onda") *var.* Ondine

Unity (*f.*) (*Ing.* "Unità")

Unna (*Fr.*) (*Lat.* "Liberato dagli Unni") 25 *lug.*

Upton (*m.*) (*Ing. ant.* "Dalla città alta") *dim.* Tony

Urano (*Giap.* "Terra costiera")

Urban (*m.*) (*Fr.*) *v.* Urbano, 29 *lug.*

Urbania (*f.*) (*Lat.* "Cortese")

Urbano (*m.*) (*Lat.* "Abitatore della città" "Uomo dai modi educati") (*Lat.* "Dalla città" "Cittadino") 25 *mag.*, 29 *lug.* // *var.* e *dim.* Bahn, Bahne, Urb, Urbaine, Urban, Urbana, Urbanilla, Urbanus, Urbice

Urbi (*f.*) (*Benin, Nig.* "Principessa")

Uri (*m.*) (*Ebr.* "Mia luce")

Uriah (*m.*) (*Ebr.* "Dio è la mia luce") *var.* Uriel

Urie (*m.*) (*Ebr.* "Dio è la mia luce" "La fiamma di Jehovah") *var.* Uri, Uriah, Uriel

Uriele (*m.*) (*Fr.*) (*Ebr.* "Luce del Signore) 1 *ott.*; 22 *gen.*

Ursula (*f.*) (*Lat.* "Orsa" "Piccola orsa") 21 *ott.* // *var.* e *dim.* Ours, Oursa, Oursoula, Ulla, Urs, Ursala, Urschi, Ursela, Ursi, Ursin, Ursina, Ursinin, Ursinus, Urso, Ursule, Urzili // Orsel, Orson, Ursa, Urse Ursel, Ursie, Ursley, Ursola, Ursuline, Ursy (*Ing.*); Vorsila (*Cec.*); Sula, Ulli, Urmi (*Est.*); Ursule (*Fr.*); Orsa, Orsetta, Orso, Orsola (*It.*); Urzula (*Let.*); Ursule (*Rum.*); Ulla, Ursel (*Ted.*); Ursulina (*Sp.*)

Ursule (*f.*) (*Fr.*) *v.* Ursula

Ushi (*f.*) (*Cin.* "Toro") (*Segno zodiacale*)

Uta (*f.*) *v.* Ottilie

Ute (*f.*) *v.* Ottone

Utina (*f.*) (*Ind. Nordam.*: "Donna del mio paese")

Uzoma (*m.*) (*Ibo, Nig.*: "Nato durante il viaggio")

V

Vachel (*m.*) (*Fr.*: "Guardiano del bestiame")

Vadin (*m.*) (*Hindi:* "Oratore")

Vail (*m.*) (*Ing.* "Dalla valle") // *var.* Vale

Vaino (*m.*) (Finl.)

Val (*f.*) e (*m.*) *v.* Valentina, Valentino, Valeria, Valerio

Valarie (*f.*) *v.* Valeria

Valda (*f.*) (*Norv.:* "Governatrice")

Valda (*f.*) (*Teut.*) *femm.* di Valdemaro

Valdemaro (*m.*) (*Teut.* "Forte e famoso") 11 *mag.*; Valdemar, Waldemar, Waldo, Waldl, Woldemar

Valdis (*m.*) (*Teut.* "Impetuoso in battaglia") *dim.* Val

Valencia (*f.*) (*nome di posto, città*)

Valene (*f.*) (Raro)

Valente (*m.*) (*Lat.* "Robusto" "Sano" "Che gode di ottima salute") 14 *feb.*

Valentin (*m.*) *v.* Valentino

Valentina (*f.*) (*femm.* di Valentino) // *var.* e *dim.* Teena, Tina, Val, Vala, Vale, Valencia, Valentia, Valentine, Valli, Vallie, Vally

Valentine (*f.*) e (*m.*) (*Fr.*) *v.* Valentina, Valentino

Valentiniano (*m.*) (*Lat.* "Figlio di Valentino") 3 *giu.*

Valentino (*m.*) (*Lat.*: "Sano" "Forte") 14 *feb.*; 7 *gen.*; 16 *mar.*; 2 *mag.*; 26 *lug.*; 16, 20 *ott.*; 3, 11, 13 *nov.*; 2, 11, 13, 16 *dic.* // *var.* e *dim.* Bai-lintin, Balint, Lalensia, Val, Valeda, Valence, Valens, Valensia, Valente, Valentia, Valentik, Vallentina, Valention, Valiaka, Vallatina, Vallie, Valtin, Valtl // Valentin, Valentine (*Fr.*); Valent, Valentin (*Ing.*)

Valenzione (*m.*) (*Lat.* "Originario di Valentina") 25 *mag.*

Valera (*f.*) (*nome con orig. da cognome*)

Valere (*m.*) (*Fr.*) *v.* Valerio

Valeria (*f.*) (*femm.* di Valerio) 28 *apr.*; 5 *giu.*; 14 *mar.*; 9 *dic.* // *var.* e *dim.* Valèrie, Valerian, Valeriana, Valeriane, Valerianka, Valèrien, Valèrienne, Valerjis, Valero, Valèry, Valeska, Valier, Valioucha, Valiouchka, Valora, Valoree, Valorie, Waleria

Valeriana (*f.*) *v.* Valeria, Valeriano 17 *giu.*

Valeriano (*m.*) (*Lat.* "Della gens Valeria") *v.* Valerio; 14 *apr.*;

23 *lug.*; 17 *feb.*; 23 *ag.*; 12, 15, 17, 27, 28 *set.*; 27 *nov.*; 15 *dic.*

Valerico (*m.*) (*Ted. ant.* "Signore potente") 1 *apr.*; 12 *dic.*

Valerie (*f.*) (*Fr.*) *v.* Valeria

Valerio (*m.*) (*Lat.* "Forte" "Robusto") 16, 28, 29 *gen.*; 28 *apr.*; 14 *giu.*; 16 *nov.*; Val, Vale, Valère, Valaree, Valaria, Valerey, Valerye, Valli, Vallie, Vally, Valry (*Ing.*); Valeriana, Valeriano, Valeria (*It.*); Wala, Waleria (*Pol.*); Lera, Lerka, Valka, Valya (*Rus.*); Valeriana (*Sp.*)

Valery (*f.*) (*Fr.*) 1 *apr.*; *v.* Valèrie

Valeska (*f.*) (*Sl.*) *femm.* di Wladislav; *var.* Vladislava; (*Pol.*) *v.* Valeria

Valfredo (*m.*) (*Teut.* "Re, pacifico difensore dei pellegrini") 15 *feb.*

Valicia (*f.*) (*raro*)

Valin (*m.*) (*hindi*) *v.* Balin

Valina (*f.*) (*raro*)

Valinda (*f.*) (*comb. di nomi*)

Valissa (*f.*) (*raro*)

Vallabonso (*m.*) (*Ted. ant.*: "Che saluta con bontà") 7giu.

Valli (*f.*) (*abbr.*)

Valma (*f.*) (*Finl.*) *dim.* di Wilhelmina

Valonia (*f.*) (*Lat.* "Della valle") *var.* Vallona, Vallonia, Valona

Valora (*f.*) ("Audace")

Valpurga (*f.*) (*Ted. ant.* "Difesa dei pellegrini") 1 *mag.*; 25 *feb.*

Valtena (*f.*) (*Ted. ant.* "Che domina") 3 *ag.*

Valter (*m.*) *v.* Gualtiero, Walter

Valtiero (*m.*) *v.*Gualtiero, Walter

Van (*m.*) e (*f.*) (*Ol.* "Da" "Di") (*Ted.* "Figlio di..") *v.* Evan

Vance (*m.*) (*Ing.*: "Trebbiatore") *dim.* Van

Vanda (*f.*) (*Ted. ant.* "Destrezza") 17 *apr.//* *v.*anche Wanda

Vandor (*m.*) (*raro*)

Vandregisilo (*m.*) (*Ted. ant.* "Forte difensore") 22 *lug.*

Vane (*m.*) (*nome con orig. da cognome*)

Vanessa (*f.*) (*Lat.* "Fanciulla vanitosa per la sua bellezza) 4 *feb.* // *var.* e *dim.* Vanesa, Van, Vanie, Vanna, Vanni, Vannie, Vanny

Vanetta (*f.*) (*raro*)

Vania / Vanja (*m.*) (*Rus.*) *dim.* di Ivan

Vaningo (*m.*) (*Gall.* "Senza vanità") 9 *gen.*

Vann (*m.*) (*nome con orig. da cognome*)

Vanna (*f.*) (*Lat.* "Che vaglia") 23 *lug.*; *v.* Giovanni

Vanne (*f.*) (*raro*)

Vanness (*m.*) (*Ol.* "Dalle montagne") *dim.* Van

Vanni (*m.*) *v.* Giovanni

Vanya (*Rus.*) *v.* Vania

Varden (*m.*) (*Fr. ant.* "Dalle verdi colline") *var.* Vardon, Verden, Verdon

Vardis (*f.*) (*Isr.*) (*Ebr.* "Rosa") // *var.* e *dim.* Varda, Vardia, Vardice, Vardina, Vardit

Vargas (*m.*) (*nome con orig. da cognome*)

Vargo (*m.*) (*raro*)

Varian (*m.*) (*Lat.*: "Capriccioso")

Varico (*m.*) (*Ted. ant.* "Forte guerriero") 15 *nov.*

Varina (*f.*) (*Sl.*) *var.* di Barbara

Varmondo (*m.*)(*Long.* "Dominato dalla gioia") 9 *ag.*

Varner (*m.*) (*raro*)

Varney (*m.*) (*Celt.*: "Dal boschetto degli ontani")

Varo (*m.*) (*Lat.* "Che ha le pustole") 19 *ott.*

Vartan (*m.*) (*Arm.* "Rosa")

Vasco (*m.*) (*Sp. sign. sc.*)

Vashti (*f.*) (*Per.* "Bella")

Vasilis (*m.*) (*Gr.*) *v.* Basilio

Vasin (*m.*) (*Ind.* "Dominatore" "Signore")

Vasinto (*m.*) italianizzazione di Washington

Vassili (*m.*) *v.* Basilio

Vassily (*m.*) (*Rus.*) *v.* Basilio

Vatusia (*f.*) (*Afr. Umbundu:* "Essa ci lascia indietro")

Vaughn (*m.*) (*Gall.* "Piccolo") *var.* Vaughan

Veda (*f.*) (*Sans.:* "Saggezza") *var.* Vedis

Vedasto (*m.*) (*Lat.* "Appartenente alla gente Vedia") 7 *feb.*

Vedetta (*f.*) (*It.* "Guardiana")

var. Vedette

Vega (*f.*) (dalla stella *Vega: Costellazione della Lyra*)

Vela (*f.*) (*nome con orig. da cognome*)

Velda (*f.*) (*Teut.* "Dalla grande saggezza") *var.*Valda, Valeda, Veleda

Velio (*m.*) (*Orig. etn.* "Proveniente da Velia") 12 *feb.*; 11 *mag.*

Velma (*f.*) *v.* Wilhelmina

Velvet (*f.*) (*Ing.* "Velluto")

Venantino (*m.*) (*Lat.* "Cacciatore") 1 *apr.*

Venanzio (*Lat.* "Cacciatore") 18 *mag.*; 1 *apr.*; 14 *lug.*; 5 *ag.*; 10, 13, 23 *ott.*; 14 *dic.*

Vencel (*m.*) (*Ung.* "Ghirlanda" "Corona")

Venceslao (*m.*) (*Pol.* "Gloria della corona") 28 *set.*; *var.* Vaclav, Venceslas, Venxislaus, Wenzeslaus, Wenzel, Wjatscheslaw

Vendelino (*m.*) (*Bret.* "Proveniente da Vendin") 21,22 *ott.*

Venera (*f.*) (*Lat.* "Rispettosa") 27 *lug.*

Veneranda (*f.*) (*Lat.* "Che è degna di venerazione") 14 *nov.*

Venerando (*m.*) (*Lat.* "Uomo che è degno di essere venerato") 14 *nov.*; 25 *mag.*; 18 *gen.*; 25 *dic.*

Venere (*f.*) (*Lat.* "La Dea dell'amore")

Venerio (*m.*) (*Lat.* "Di Venere")

13 *set.*

Veneta (*f.*) (*raro*)

Venetia (*f.*) *v.* Venezia

Venezia (*f.*) (*It.*: nome di città) *var.* Venetia

Venita (*f.*) (*raro*)

Venton (*m.*) (*raro*)

Ventura (*Lat.* "Il futuro") 3 *mag.*

Venturino (*m.*) (*Lat.*: "Futuro prossimo") 28 *mar.*

Venus (*f.*) *v.* Venere

Venusta (*f.*) (*Lat.* "Di aspetto casto" "Virtuosa") 10 *mag.*; 2 *giu.*

Venustiano (*m.*) (*Lat.* "Che è virtuoso e casto") 30 *dic.*

Venusto (*Lat.*"Dignitoso" "Decoroso") 6, 22, 29 *mag.*; 12, 23 *apr.*; 21 *ag.*

Vera (*f.*) (*Rus.* "Fede") (*Ted.* "Protezione") 24 *gen.*; 17 *set.*; *var.* Verena, Verene, Verina, Verine, Verita, Verity, Verla; Vlaa (*Pol.*); Vèra, Veruska (*Rus.*)

Verano (*m.*) (*Lat.* "Primaverile") 29 *ott.*; 19 *ott.*

Verbena (*f.*) (*dalla pianta omonima*)

Verdell (*m.*) e (*f.*) (*raro*)

Verdiana (*f.*) ("La verdeggiante") *femm.* di Virgilio; *v.* Veridiana

Verecondo (*m.*) (*Lat.* "Modesto" "Rispettoso") 22 *ott.*

Vered (*m.*) (*Ebr.* "Rosa")

Veremondo (*m.*) (*Celt.* "Rispettato da tutti") 6 *set.*; 22

ott.; 9 *ag.*; 13 *feb.*

Verena (*f.*) (*Lat.* "Timorosa") 1 *set.*; *v.* Vera

Verenzio (*m.*) (*Lat.* "Rispettoso" "Riguardoso") 12 *set.*

Veriano (*m.*) (*Lat.* "Che afferma il vero") 9 *ag.*

Veridiana (*f.*) (*Lat.*: "Fresca" "Giovanile") 1 *feb.*

Verilla (*f.*) (*Celt.* "Guardiana") 1 *ott.*

Verissimo (*f.*) (*Lat.* "Che afferma solo il vero") 1 *ott.*

Verla (*f.*) (*raro*)

Vern (*m.*) (*Lat.* "Felice" "Primaverile") *dim.* di Vernon

Verna (*f.*) (*Lat.* "Come sorgente") *var.* Verda, Verina, Verneta, Vernice, Vernita, Virena, Virina, Virna

Vernerio (*m.*) *v.* Werner

Vernon (*m.*) (*Lat.* "Felice" "Primaverile") // *var.* e *dim.* Vern, Verne

Vero (*m.*) (*Lat.* "Sincero") 1 *ag.*; 2 *dic.*

Verona (*f.*) ("Veriticra")

Veronica (*m.*) (*Lat.*: *Vera Icona*: "Immagine somigliante al vero") (*Gr.* "Colei che porta alla vittoria") 9, 12 *lug.*; 13 *gen.*; 3, 4 *feb.*; 15 *apr.* // *var.* e *dim.* Berenice, Bernice, Bernie, Berny, Nika, Roni, Ronnie, Ronny, Veronika (*Ing.*); Verona, Veronika, Veronka (*Cec.*); Verenice, Verone, Veronique (*Fr.*); Veronike (*Ted.*); Berenike (*Gr.*)// Berènice, Berenike, Bunny, Fronika, Ronky, Ronnie, Veron, Veronik, Veronika, Veronike, Veroucha, Verounia, Vonnie, Vroni, Vroon // *v.* Berenice

Veronique (*f.*) (*Fr.*) *v.* Veronica

Verulo (*m.*) (*orig. etn.* "Originario di Verulum") 21 *feb.*

Vesna (*m.*) (*Ser.* "Primavera")

Vespera (*f.*) (*Lat.* "Stella della sera" "Venere")

Vesta (*f.*) (*Lat.*: *Dea protettrice del focolare domestico*)

Vestia (*m.*) (*der.* da Vesta)

Vestina (*f.*) (*Lat.* "Appartenente ai Vestini") 17 *lug.*

Veta (*m.*) (*Sl.*) *v.* Elisabetta

Veturio (*m.*) (*Sab.* "Che appartiene alla gens Vetusia") 17 *lug.*

Vezio (*m.*) (*Lat.* "Vetusto" "Antenato") 2 *giu.*

Vi (*f.*) (*abbr.*)

Viale (*m.*) (*Lat.* "Che sorveglia i viaggiatori") 22 *set.*

Viana (*f.*) (*raro*)

Vianna (*f.*) (*raro*)

Vianne (*f.*) (*raro*)

Viatore (*m.*) (*Lat.* "Viandante" "Pellegrino") 21 *ott.*; 14 *dic.*

Vic (*m.*) *dim.* di Victor

Vicelino (*m.*) (*Sass.* "Incaricato") 12 *dic.*

Vickie (*f.*) *dim.* di Victoria

Vicky (*f.*) *v.* Victoria

Vico (*m.*) *v.* Ludovico

Victoire (*Fr.*) *v.* Vittore, Vittorio

Victor (*m.*) *v.* Vittore, Vittorio

Victoria (*f.*) *v.* Vittoria

Vida (*m.*) e (*f.*) ("Vita")

Vida (*f.*) (*Ebr.* "Amata") *femm.* di David

Vidal (*m.*) (*orig. esotico-etn.*)

Vidiano (*m.*) (*Prov.* "Vedovo") 8 *set.*

Vidone (*m.*) (*Lat.* "Vedovo") 20 *feb.* 2 *giu.*

Vidonia (*f.*) (*Port.* "Ramo di vite")

Vidor (*m.*) (*Ung.* "Allegro") *v.* Ilario

Vierì (*m.*) (*It.*)

Vigberto (*m.*) (*Ted. ant.* "Guerriero celebre") 13 *ag.*

Vigilia (*f.*) (*Lat.* "Che veglia in meditazione") 19 *apr.*

Vigilio (*m.*) (*Lat.* "Che veglia" "Vigilante") 26 *giu.*; 2 *mar.*; 26 *set.*

Vigore (*m.*) (*Lat.*: "Robustezza" "Gagliardia") 3 *Nov*

Vilfredo (*m.*) ("Che ha fertile volontà") 11 *dic.*

Vilgeforte (*m.*) (*Germ.* "Che ha molta volontà") 20 *lug.*

Villana (*f.*) (*Lat.* "Donna della campagna") 28 *feb.*

Villano (*m.*) *Lat.* "Uomo della campagna") 7 *mag.*

Villeado (*m.*) (*Ted. ant.* "Felicissimo") 8 *Nov.*

Villibaldo (*m.*) (*Ted. ant.* "Molto ardito") 7 *feb.*

Villibrordo (*m.*) (*Long.* "Che ha

334

Vimio (*Lat.* "Vimine") 12 *giu.*

Vina (*f.*) (*Anglo-sass.* "Della vite") *var.* Veena

Vincent (*m.*) (*Fr.*) *v.* Vincenzo

Vincenza (*f.*) (*Lat.* "Vittoriosa") *femm.* di Vincenzo, 18 *mag.*; 4, 28 *giu.* // *var.* e *dim.* Censa, Ensa, Enza, Vincenta, Vincenzina, Vinnie, Vinny

Vincenzina (*f.*) *v.* Vincenza

Vincenzo (*m.*) (*Lat.* "Che vince") 22, 1, 27 *gen.*; 5, 19, 20, 29 *apr.*; 24 *mag.*; 9, 19, 24 *lug.*; 6 *ag.*; 1, 2, 27 *set.*; 27 *ott.*; 21, 14 *nov.* // *var.* e *dim.* Cente, Centina, Sént, Uinsionn, Vicenc, Vicencia, Vicencio, Vicenta, Vicente, Vicentia, Vicentius, Vicenzan, Vicenze, Vikacha, Vikenti, Vikentia, Vincentius, Vinciane, Zenz, Zenzel // Bink, Vin, Vince, Vincent Vinn, Vint (*Ing.*); Vincenc, Vinco (*Cec.*); Vincent, Vincenz, Vinciane (*Fr.*); Binkentios (*Gr.*); Vinci (*Ung.*); Enzo, Vicenzo, Vincenzina (*It.*); Wicek, Wicent, Wicus (*Pol.*); Kesha, Vika, Vikent, Vikenti, Vikesha (*Rus.*); Cencio, Chenche, Vincente, Vincenta (*Sp.*); Vincentia, Vincenz (*Ted.*)

Vinciane (*m.*) (*Fr.*) *v.* Vincenzo 11 *set.*

Vindemiale (*m.*) (*Lat.* "Nato al tempo della vendemmia") 2

mag.

Vindonio (*m.*)(*Lat.*"Proveniente dai monti Vindii") 1 *set.*

Vinebaldo (*m.*) (*Ted. ant.* "Vincitore valoroso") 1 *nov.*

Vinfrido (*m.*)(*Sass.*: "Amico della pace") 5 *giu.*

Vinia (*f.*) *v.* Sabina

Vinnie (*f.*) *v.* Melvin

Vinny (*f.*) *v.* Melvin

Vinoco (*m.*) (*Ted. ant.* "Vignaiuolo") 6 *nov.*

Vinson (*m.*) (*Ing. ant.*: "Figlio di Vincenzo") *dim.* Sonny, Vin, Vince, Vinnie, Vinny

Vinton (*m.*) (*Ing. ant.*: "Città del vino") *dim.* Tony, Vin, Vinnie, Vinny

Viola (*f.*) (*Lat.*: Nome floreale) 6, 3 *mag.*; 8 *set.* // *var.* e *dim.* Ibolya, Letta, Ola, Olia, Olioucha, Vi, Vila, Viola, Violaine, Violante, Violantilla, Viole, Violet, Violeta, Violetka, Violett, Violetta, Violette, Violka, Vitulia, Volia // *v.* anche Ione, Iole, Yolanda

Violaine (*f.*) (*Fr.*) *v.* Violetta

Violante (*f.*) (*Lat.* "Simile alla viola")

Violenzio (*m.*)

Violet (*f.*) (*Ing.*) *v.* Viola

Violetta (*f.*) (*dim.* di Viola) 5 *ott.*

Violette (*f.*) (*Fr.*) *v.* Violetta, 5 *ott.*

Virda (*f.*) (*Lat.* "Fresca" "In fiore" "Verde") *var.* Virdis, Virida, Viridia

Virgil (*m.*) *v.* Virgilio

Virgile (*m.*) (*Fr.*) 5 *mar.*; *v.* Virgilio

Virgilia (*f.*) *femm.* di Virgilio

Virgilio (*m.*) (*Etr. sign. sc.*) (*Lat.*: "Colui che porta sostegno" "Fiorente) 27 *nov.*; 5 *mar* // *var.* e *dim.* Verge, Vergil, Virge, Virgi, Virgil, Virgilia, Virgila, Virgiliane, Virgilius, Virgiliz

Virgine (*f.*) (*Fr.*) 7 *gen.*; *v.* Virginia

Virginia (*f.*) (*Etr. sign. sc.*) (*Lat.*"Pura""Zenzero" "Fiore fragrante") 7 *mag.*; 7 *gen.*; 5 *ag.* // *var.* e *dim.* Ginger, Ginney, Ginni, Ginnie, Ginny, Jinny, Vergie, Virgy (*Ing.*); Virginie (*Fr.*); Vegenia (*Haw.*); Gina, Ginata, Ginia (*Sp.*) // Guinia, Virgie, Virgine, Virguinia

Virginio (*m.*) (*Lat.* "Casto e puro") 22 *apr.*

Virida (*f.*) (*Sp.* "Verde")

Virjean (*f.*) (*raro*)

Virone (*Gael.* "Di grandi virtù") 8 *mag.*

Visitazione (.) 31 *mag.*; 2 *lug.*

Visolela (*f.*) (*Afr. Umbundu:* "I desideri sono come cascate, non puoi dominarli"

Vissia (*m.*) (*Lat.* "Che ha avuto una visione") 12*apr.*

Vistremondo (*m.*) (*Ted. ant.* "Uomo forte") 7 *giu.*

Vita (*f.*) (*Lat.* "Vita") *var.* Veta,

Vida, Vitia

Vitale (*m.*) (*Lat.* "Che dà la vita") 4, 3 *nov.*; 9, 11 *gen.*; 14 *feb.*; 9 *mar.*; 21, 28 *apr.*; 10 *lug.*; 1 *set.*

Vitalia (*f.*) (*Lat.* "Figlia di Vitale") 14 *ott.*

Vitaliana (*f.*) *v.* Vitaliano

Vitaliano (*m.*) (*Lat.* "Figlio di Vitale") 27 *gen.*; 30 *dic.*; 16 *lug.*

Vitalico (*m.*) (*Lat.* "Che ha particolare vitalità") 4 *set.*

Vitalina (*f.*) (*Lat.* "Che ha vitalità") 13 *ag.*

Vito (*m.*) (*Sass.*) *v.* Guido (*Lat.* "Forza" "Pieno di vita") 15 *giu*; 2, 20 *gen*; 21, 29 *mag*;22 *ag*; Guy, Vital, Vitalien (*Fr.*)

Vittore (*m.*) (*Lat.* "Vincitore") 8 *mag.*; 31 *gen.*; 26 *feb.*; 6, 10, 20, 30 *mar.*; 1, 2, 12, 20 *apr.*; 9, 13, 14, 17, 21, 28 *giu.*; 21, 24, 28 *lug.*; 23 *ag.*; 10, 14, 16, 18, 22, 30 *set.*; 10, 17 *ott.*; 2 *nov.*; 3, 15, 20, 28, 29 *dic.* // *v.* Vittorio

Vittoria (*f.*) *v.* Vittore, 23, 15 *dic.*; 17 *nov.*; 12 *set.* // *var.* e *dim.* Vicki, Vickie, Vicky, Victorina, Viki, Vikie, Viky (*Ing.*); Viktoria (*Bul.*); Viktorie, Viktorka (*Cec.*); Victoire (*Fr.*); Nike (*Gr.*); Vitoria (*Port.*); Tora, Vika, Viktoria (*Rus.*); Vika, Viki (*Ser.*); Victoriana, Victorina, Vitoria (*Sp.*); Viktoria (*Sv.; Norv.*); Viktoria,

Vike (*Ted.*) // Victorine, Vikki

Vittoriano (*m.*) (*Lat.* "Di Vittore") 26 *ag.*

Vittorico (*m*) (*Lat.* "Che vince") *v.* Vittore, 24 *feb.*; 11 *dic.*

Vittorina (*f.*) *v.* Vittorino

Vittorino (*m.*) (*dim.* di Vittore) 2, 8, 11, 13 *nov.*; 26, 25 *feb.*; 6, 29 *mar.*; 15 *apr.*; 15 *mag.*; 10, 8, 13 *giu.*; 7 *lug.*; 5 *set.*; 5 *ott.*; 2, 18 *dic.*

Vittorio (*m.*) (*Lat.* "Vincitore") *v.* Vittore, 21 *mag.*; 21 *lug.*; 1 *set.*; 30 *ott.*; 2 *apr.* // *var.* e *dim.* Gyoso, Toyo, Vichouta, Vick, Vicki, Vicky, Vico, Victorie, Victoria, Victoric, Victorico, Victoriano, Victorien, Victorienne, Victorin, Victorine, Victrice, Viktor, Viktorii, Viktorik, Viktorina, Vitiana, Vitoucha, Vitoulia // Victor, Victorien (*Fr.*); Vic, Victor (*Ing.*); Vittoria, Vittoriano, Vittore, Vittorino Victor (*Sp.*); Viktor (*Ted.*)

Vittricio (*m.*) (*Lat.* "Vincitore") 7 *ag.*

Vitturo (*m.*) (*Lat.* "Che vincerà") 18 *dic.*

Viva (*f.*) ("Lunga vita!")

Vivaldo (*m.*) (*Ted. ant.* "Che domina la volontà") 23 *giu.*; 1 *mag.*

Viveca (*f.*) (*raro*)

Vivenzio (*m.*) (*Lat.* "Che ha tanta vitalità") 13 *gen.*; 4 *ag.*

Vivenziolo (*m.*) (*dim.* di Venzio)

12 *lug.*

Vivian (*m.*) (*Ing.*) *v.* Viviana

Viviana (*f.*) (*Lat.* "Piena di vita") 2, 21 *dic.*; 28 *ag.*; 10 *mar.* // *var.* e *dim.* Bibian, Bibiane, Veia, Vi, Vibien, Viv, Vivence, Vivencion, Viventiol, Vivia, Vivian, Vivianka, Viviane, Vivianne, Viviano, Vivie, Vivien, Vivienne, Vivine, Vivio, Vivyan

Viviane (*f.*) (*Fr.*) *v.* Viviana

Viviano (*m.*) (*Lat.* "Che ha vita") 28 *ag.*; 10 *mar.*; 20 *mag.*

Vivien (*f.*) (*Fr.*) *v.* Viviana

Vivienne (*f.*)(*Fr.*) *v.* Viviana

Vivina (*f.*) *v.* Viviana

Vladimir (*m.*) *v.* Vladimiro

Vladimira (*f.*) *v.* Vladimiro

Vladimiro (*m.*) (*Sl.* "Grande nel potere") // (*Rus.*) *v.* Walter, 15 *lug.*; Mira, Vavoulia, Vavoussia, Volodia, Vlad, Vlada, Vladia, Vladimir, Vladimira, Wladimir

Vladislao (*m.*) *v.* Ladislào

Vladislav (*m*) (*Cec.; Ser.; Cr.*) *v.* Ladislào

Vladislovas (*Lit.*) (*m.*) *v.* Ladislào

Vladlen (*m.*) (*Rus.*) (Vladimir + Lenin)

Vlaicu (*Rum.*) *v.* Ladislào

Vodino (*m.*) (*ant. scăn.*: "Sole") 23 *lug.*

Voleta (*f.*) (*Fr. ant.*: "Velata") *var.* Voletta

Volfango(*m*) (*Ted. ant.* "Attento" "Col passo del lupo") 31 *ott.* // *var.* e *dim.* Gangel, Wolf, Wolfe, Wolfein, Wolfagang, Wolfgang, Wulfke, Wulfling

Volframo (*m.*) (*Ted. ant.*: "Valido aiutante") 1 *nov.*

Volney (*m.*) (*Teut.* "Spirito del popolo")

Volusiano (*m.*) (*Lat.* "Appartenente alla gens Volusia") 18 *gen.*

Von (*m.*) ("Di") (*aristocratico*)

Vonda (*f.*) (*raro*)

Vonetta (*f.*) (*raro*)

Vonna (*f.*) (*abbr.*)

Vonni (*f.*) (*abbr.*)

Vulandi (*m.*) (*Mozambico*)

Vulcan (*m.*) (*Ing.*) *v.* Vulcano

Vulcano (*It.*) (*Dio del fuoco*)

Vulfranno (*m.*) (*long.:* "Lupo errante") 20 *mar.*

Vulmaro (*m.*)(*Ted. ant.* "Creatore di felicità") 20 *lug.*

Vulpiano (*m.*) (*Lat.* "Astuto" "Furbo") 3 *apr.*

Vunibaldo (*m.*) (*Sass.* "Amico audace") 18 *dic.*

W

Waban (*m.*) (*Ind.Nordam.* "Vento dell'Est")

Wade (*m.*) (*Ing. ant.*: "Vagabondo" "Colui che abita dove si attraversa il fiume")

Wadsworth (*m.*) (*Ing. ant.* "Proprietà di Wade")

Wainwright (*m.*) (*Ing.ant.* "Fabbricante di carri") *dim.* Wayne, Wright

Waite (*m.*) (*Ing.* "Guardiano")

Wakanda (*f.*) (*Ind. Nordam., Uroni; Oki; Sioux:* "Poteri magici interiori") // *var.* e *dim.* Kanda, Wakenda, Kenda

Wakefield (*m.*) (*Ing. ant.* "Campo bagnato")

Walcott (*m.*) (*Ing. ant.* "Casa recintata")

Walda (*f.*) (*Teut.*) *femm.* di Waldo

Waldemar (*m.*) (*Fr.*) *v.* Valdemar

Walden (*m.*) (*Ing. ant.* "Figlio della valle boscosa" o "della foresta nella valle") // *var.* e *dim.* Wald, Waldon, Wallie, Wally

Waldo (*m.*) (*Teut.* "Potente") *v.* Oswald; Waldemar

Waldron (*m.*) (*Teut.* "Abitante della foresta" "Corvo potente")

Walford (*m.*) (*Ing. ant.* "Passaggio del Gallese")

Walker (*m.*) (*Ing. ant.* "Tessitore")

Wallace (*m.*) (*Gall. ant.* "Gallese") (*Teut.* "Straniero") // *var.* e *dim.* Wallache, Wallas, Wallie, Wallis, Walli, Wally, Walsh, Welch, Welsh

Walli (*m.*) (*abbr.*)

Wallis (*m.*) e (*f.*) (*Ing. ant.*) *v.* Wallace; *dim.* Wallie, Wally

Wally (*f.*) (*Ted. ant. dim.* di Walburga: "Colei che protegge") 15 *feb.*; *v.* anche Wallis

Walston (*m.*) (*anglo-sass.* "Pietra angolare") *dim.* Tony.

Walt (*m.*) *abbr.* di Walter

Walter (*m.*) (*Ted. ant.* "Colui che comanda il popolo in guerra") 4, 5 *giu.*; 22 *gen.*; 28 *feb.*; 2 *mag.*; 22 *lug.*; 2 *ag.*; 16 *nov.*; 8 *apr.*// *var.* e *dim.* Wallie, Wally, Walt (*Ing.*); Valtr, Vladko, Waltr (*Cec.*); Gauthier, Gautier(*Fr.*); Gualberto, Gualtiero, Valter, Valterio(*It.*); Valter, Valters (*Let.*); Vacys, Vanda, Vandele, Waldemar (*Lit.*); Ladislaus (*Pol.*); Dima, Dimka, Vladimir, Volya, Vova, Vovka (*Rus.*); Gualterio, Gutierre, Waterio (*Sp.*); Walli, Walther, Waltli (*Ted.*) // Bhailtair, Galtier, Galtière, Gaultier, Gauthiere, Waltar, Waltersjie, Walterus, Walthera, Waly, Walz, Wat, Welter, Wolt, Wouter // *v.* Gualtiero

Walton (*m.*) (*Ing. ant.* "Città cinta da mura") *dim.* Tony, Wallie, Wally, Walt

Wanda (*f.*) *v.* Guendalina // *v.* anche Vanda

Waneta (*f.*) (*Ind. Nordam.* "Destriero")

Wanetta (*f.*) (*raro*)

Wapi (*m.*) (*Ind. Nordam.*: "Fortunato")

Ward (*m.*) (*Ing. ant.* "Guardiano") *var.* Warden, Worden

Wardell (*m.*) (*Ing. ant.* "Guardiano della collina")

Ware (*m.*) (*Ing. ant.* "Prudente")

Warfield (*m.*) (*Ing. ant.* "Campo presso la diga")

Warford (*m.*) (*Ing. ant.* "Guado presso la diga") *dim.* Ford

Warley (*m.*) (*Ing. ant.* "Campo presso la diga") *dim.* Lee, Leigh

Warner (*m.*) (*Teut.* "Difensore armato") *var.* Werner, Wernher

Warren (*m.*) (*Teut.* "Difensore") (*Ing.* "Guardiano del torneo") *var.* Waring

Warrick (*m.*)(*Teut.*: "Sovrano difensore") (*Ing. ant.*: "Roccaforte") *var.* Warwick

Warton (*m.*) (*Ing. ant.* "Città presso la diga") *dim.* Tony

Washburn (*m.*) (*Ing. ant.* "Ruscello che scorre") *dim.* Bernie, Burnie, Burny

Washington (*m.*)(*Ing.unt.*: "Proprietà dell'uomo appassionato")

Watson (*m.*) (*Ing. ant.* "Figlio di Walter") *dim.* Sonnie, Sonny

Waverly (*m.*) (*Ing. ant.* "Campo del pioppo tremulo") *dim.* Lee, Leigh

Waylan (*m.*) (*raro*)

Wayland (*m.*) (*Ing. ant.* "Terra vicino alla strada maestra")

Waylon (*m.*) (*raro*)

Wayne (*m.*) (*Ing.ant.*"Che fabbrica carri") *dim.* di Wainwright

Wazika (*m.*) (*Ind. Nordam.:* "Combattente disperato")

Webb (*m.*) (*Ing. ant.* "Tessitore") *var.* Weber, Webster, Web

Webster (*m.*) (*Ing. ant.* "Tessitore")

Welborn (*m.*) ("Fonte perenne")

Welby (*m.*) (*Ing. ant.* "Fattoria della sorgente" o "Presso il pozzo")

Welcome (*f.*) (*Ing. ant.* "Benvenuta")

Weldon (*m.*) (*Ing. ant.*: "Sorgente in collina")

Welford (*m.*) (*Ing. ant.*: "Sorgente presso l'incrocio)

Wellington (*m.*) (*Ing. ant.*: "Proprietà dell'uomo ricco")

Wells (*m.*) (*Ing. ant.*: "Sorgente") *var.* Welles

Wemilat (*m.*)(*Ind.Nordam.:*"Colui a cui tutti portano qualcosa")

Wemilo (*m.*)(*Ind. Nordam.:* "Colui a cui tutti parlano")

Wen (*m.*) (*Ing., git.* "Nato in inverno")

Wenceslas (*m.*) (*Fr.*) *v.* Venceslao, 28 *set.*

Wenda (*f.*) (*raro*)

Wendell (*m.*) (*Teut.* "Girovago") *var.* Wendall, Wendel

Wendi (*f.*) *v.* Wanda, Guendalina;

Wendy (*f.*) (*USA*) *v.* Guendolina;

Wanda

Wenona (*f.*) (*Ind. Nordam.*) *v.* Venonah

Wenonah (*f.*) (*Ind. Nordam.*: "Figlia primogenita") // *var.* e *dim.* Wemona, Winnie, Winny, Wimona, Winonah

Werner (*m.*) (*Fr.*) (*Teut.* "Difensore armato") 19 *apr.* // *var.* e *dim.* Garnier, Granier, Guarnerio, Vernerio, Vernier, Warner, Wennie, Wernher, Wernz, Wessel, Widsel

Werther (*m.*) (*Ted. ant.* "Colui che custodisce l'esercito)

Wes (*m.*) (*abbr.*)

Wescott (*m.*) (*Ing. ant.* "Villino a Ovest)

Wesh (*m.*) (*Ing., git.* "Dalla foresta" "Boschi")

Wesla (*f.*) (*Ing. ant.*) *femm.* di Wesley

Wesley (*m.*) (*Ing. ant.* "Campo ad Ovest")

West (*m.*) (*nome con orig. da cognome*)

Westbrook (*m.*) (*Ing. ant.* "Abitante vicino al ruscello a ovest") // *var.* e *dim.* Brook, Brooke, Wes, West, Westbrooke

Weston (*m.*) (*Ing. ant.* "Proprietà a Ovest") *dim.* Tony, Wes, West

Wetherby (*m.*) (*Ing. ant.* "Fattoria dei montoni castrati")

Wetherly (*m.*) (*Ing. ant.* "Campo dei castrati") *dim.* Lee, Leigh

Weyland (*m.*) *v.* Wayland

Weylin (*m.*) (*Celt.* "Figlio del lupo")

Wharton (*m.*) (*Ing. ant.* "Tenuta del grano") // *dim.* Tony

Wheeler (*m.*) (*Ing. Ant.* "Colui che fabbrica ruote")

Whickham (*m.*) (*Ing. ant.* "Recinto del paese") *dim.*Wick

Whit (*m.*) (*abbr.*)

Whitacker (*m.*) *v.* Whitfield

Whitby (*m.*)(*Ing.*: "Fattoria bianca")

Whitcomb (*m.*) (*Ing. ant.* "Valletta bianca") *dim.* Whit

Whitelaw (*m.*) (*Ing. ant.* "Collina bianca")

Whitfield (*m.*)(*Ing. ant.* "Campagna bianca")

Whitford (*m.*) (*Ing. ant.* "Guado limpido") *dim.* Whit, Ford

Whitley (*m.*) (*Ing. ant.* "Campo bianco") *dim.* Lee, Leigh, Whit

Whitman (*m.*) (*Ing. ant.*: "Dai bei capelli" "Dai capelli bianchi") *dim.* Whit

Whitney (*m.*) e (*f.*) (*Ing. ant.* "Isola bianca")

Whittacker (*m.*) (*Ing. ant.* "Colui che abita il campo bianco") // *dim.* Whit

Whittier (*m.*) (*nome con orig. da cognome*)

Wicent (*m.*) (*Pol.*) *v.* Vincent

Wichado (*m.*) (*Ind. Nordam.* "Volenteroso")

Wickley (*m.*) (*Ing. ant.* "Campo

del paese") *dim.* Lee, Leigh, Wick

Wilanu (*m.*) (*Ind. Miwok* "Versare l'acqua sulla farina di ghiande per la lisciviazione")

Wilbert (*m.*) *v.* Wilburt

Wilbur (*m.*) ("Risoluto") *v.* Gilbert

Wilburn (*m.*) ("Torrente selvaggio")

Wilburt (*m.*) (*raro*)

Wilcox (*m.*) (*nome con orig. da cognome*)

Wilda (*f.*) ("Selvaggia")

Wilde (*m.*) (*nome con orig. da cognome*)

Wilder (*m.*) ("Sbalorditivo")

Wildon (*m.*) (*Ing. ant.* "Dalla valle selvaggia") *var.* Will

Wiley (*m.*) ("Accattivante") *v.* Guglielmo

Wilford (*m.*) ("Pacificatore")

Wilfred (*m.*) (*Teut.*: "Colui che sancisce la pace" "Risoluto") 12 *ott.* // *var.* e *dim.* Vilfred, Vilfrid, Vilfrida, Wilf, Wilfer, Wilfreda, Wilfrid, Wilfried, Wilfridus, Wilfroy,Will, Willie, Willy

Wilfreda (*f.*) (*Teut.*) *femm.*di Wilfred; *dim.* Freddie, Freddy, Willie, Willy

Wilfrid (*m.*) (*Fr.*) *v.* Wilfred

Wilhelm (*m.*) (*Ted.*) *v.* Guglielmo

Wilhelmina (*f.*) *femm.* di Guglielmo

Will (*m.*) (*Ing. ant.*) *abbr.* di William

Willa (*f.*) *v.* Wilhelmina; Guglielmina

Willalma (*f.*) (*nome doppio*)

Willard (*m.*) (*Teut.* "Deciso" "Coraggioso") *dim.*Will, Willie, Willy

Willem (*m.*) (*Ol.*) *v.* Guglielmo

William (*m.*) *v.* Guglielmo

Willman (*m.*) (*nome con orig. da cognome*)

Willodene (*f.*) (*raro*)

Willoughby (*m.*) (*Teut.* "Luogo dei salici") *dim.* Will, Willie, Willy

Willow (*f.*)(*Ing.*: "Dall'albero del salice" "Libertà")

Willy (*m.*) (*Fr.*) *dim.* di William

Wilma (*f.*) *v.* Guglielmina

Wilman (*m.*) (*nome con orig. da cognome*)

Wilmer (*m.*) (*Teut.* "Famoso" "Risoluto") // *var.* e *dim.* Will, Willie, Willy, Wilmar

Wilmot (*m.*) (*Teut.*: "Spirito saldo") *dim.* Will, Willie, Willy

Wilny (*m.*) (*Ind. Nordam.*: "Uccello che canta volando")

Wilona (*f.*) *v.* Wilone

Wilone (*f.*) (*Ing. ant.* "Desiderata") *var.* Wilonah

Wilson (*m.*) (*Ing. ant.* "Figlio di William") *dim.* Sonny, Will, Willie, Willy

Wilt (*m.*) (*abbr.*)

Wilton (*m.*) (*Ing. ant.* "Dalla fattoria con la fonte" "Fattoria della sorgente) // *var.* e *dim.*

Tony, Will, Willie, Willy, Wilt

Wilu (*m.*) (*Ind. Nordam.: Mi-wok:* "Falco chiamato Wi")

Winda (*f.*) (*Sw.* "Caccia")

Windsor (*m.*) (*Ing. ant.* "Ansa del fiume")

Winema (*f.*) (*Ind. Nordam., Mi-wok:* "Donna capo")

Winfield (*m.*) (*Teut.* "Amico del terreno" "Amico della terra" "Terra amica") // *var.* e *dim.* Field, Win, Winn, Winnie, Winny, Wyn

Winfred (*m.*) (*Ing. ant.* "Amico tranquillo") // *var.* e *dim.* Fred, Win, Winfrid, Winnie, Winny

Wingi (*m.*) (*Ind. Nordam.:* "Volenteroso")

Winifred (*f.*) (*Teut.* "Amica della pace; Amica pacifica") // *var.* e *dim.* Freddie, Freddy, Winnie, Winnifred, Winny

Winkell (*m.*) (*Ing. ant.* "Curva della strada") *dim.*Win, Winnie, Winny

Winn (*m.*) (*nome con orig. da cognome*)

Winnie (*m.*) *dim.* di Medwin, Winslow, Winston, Winthrop, Winward

Winny (*m.*) *dim.* di Medwin, Winslow, Winthrop, Winward

Winola (*f.*) (*Ted. ant.* "Amica graziosa")

Winona (*f.*) ("Primogenita")

Winslow (*m.*) (*Ing. ant.* "Collina dell'amico") *dim.* Win, Winnie, Winny

Winston (*m.*) (*Ing. ant.* "Dalla città amica") // *var.* e *dim.* Tony, Win, Winn, Winnie, Winny, Winsten, Wyn

Winthrop (*m.*) (*Ing. ant.* "Paese amico") *dim.* Win, Winnie, Winny

Winton (*m.*) (*Ing. ant.* "Città del vino")

Winward (*m.*) (*Ing. ant.* "Amico e guardiano" "Attraverso la foresta amica" "Custode di mio fratello") *dim.* Ward, Win, Winn, Winnie, Winny, Wyn

Wisia (*f.*) (*Pol.*) *v.* Vittoria

Wladislav (*Sl.*) *v.* Ladislào; *femm.* Valeska

Wladislaw (*Pol.*) *v.* Ladislào; *femm.* Valeska

Wolcott (*m.*) (*Ing. ant.* "Villino di Wolfe") *var.* Woolcott

Wolfagang (*Fr.*) *v.* Volfango

Wolfe (*m.*) (*Teut.:* "Lupo") *var.* Wolf

Wolfgang (*m.*) *v.* Volfango

Wolford (*m.*) (*nome con orig. da cognome*)

Wolfram (*m.*) (*Teut.* "Lupo corvo")

Woodley (*m.*) (*Ing. ant.* "Campo alberato")

Woodrow (*m.*) (*Ing. ant.* "Dalla siepe vicino alla foresta") // *var.* e *dim.* Wood, Woodie, Woody

Woodward (*m*) (*Ing. ant.* "Guardiano della foresta") *dim.* Ward, Woodie, Woody

Woody (*m.*) (*abbr. dei nomi che terminano con Wood*) *v.* Ellwood, Eastwood ecc.

Worth (*m.*) (*Ing. ant.* "Dalla fattoria")

Worthington (*m.*) (*anglo-sass.* "Sponda del fiume") *dim.* Tony

Wren (*f.*) ("Piccolo uccello marrone")

Wrenn (*f.*) (*nome con orig. da cognome*)

Wright (*m.*) (*Ing. ant.* "Artigiano")

Writsaet (*m.*) (*med.*) (*Frisone, Ol.*)

Wuliton (*m.*) (*Ind. Nordam.*: "Fare bene")

Wunand (*Ind. Nordam.* "Dio è buono")

Wuyi (*m.*) (*Ind. Miwok* "Il volo planato dell'avvoltoio")

Wyanet (*f.*) (*Ind. Nordam.*: "Bella")

Wyatt (*m.*) (*Fr. ant.* "Piccolo guerriero" "Guida") *var.* Wiatt, Wyat, Wye

Wycliff (*m.*) (*Ing. ant.*: "Bianche scogliere") *dim.* Cliff

Wylde (*m.*) (*nome con orig. da cognome*)

Wylie (*m.*) (*Ing. ant.* "Affascinante") *v.* anche Wyley; William

Wylma (*f.*) *v.* Guglielmina

Wyman (*m.*) (*Ing. ant.* "Guerriero") *dim.* Mannie, Manny

Wymer (*m.*) (*Ing. ant.*: "Distinto in battaglia")

Wyndham (*m.*)(*Ing. ant.* "Paese ventoso")

Wynelle (*f.*) (*raro*)

Wynetta (*f.*) ("Piccola amica")

Wynn (*m.*) e (*f.*) (*Celt.*; *Gall. ant.* "Uomo giusto" "Donna giusta") *var.*Win,Winn, Winne, Winnie, Winny, Wyn, Wyne, Wynn, Wynne

Wynna (*m.*) e (*f.*) *v.* Wynne

Wynne (*m.*) e (*f.*) *v.* Winn

Wynono (*m.*) (*Ind. Nordam.*: "Figlio primogenito")

Wyott (*m.*) *v.* Wyatt

Wyrick (*m.*) (*raro*)

Wystan (*m.*) (*anglo-sass.* "Pietra della discordia") *dim.* Stan

Wythe (*m.*) (*Ing.* "Colui che abita presso i salici")

X

Xanthe (*f.*) (*Gr.* "Giallo oro" "Biondo") *var.* Xantha

Xanthus (*m.*) *v.* Xanthe

Xavier (*m.*) (*Fr.*) *v.* Saverio // (*Ar.* "Lucido" "Risplendente")

Xaviera (*f.*) (*Sp., Bas.*) *femm* di Xavier

Xaviere (*m.*) *v.* Xavier

Xenia (*f.*) (*Gr.*: "Ospitale") // *var.* e *dim.* Xena (*Ing.*; *Gr.*); Chimene (*Fr.*); Zena, Zenia

Xenos (*m.*)(*Gr.* "Ospite" "Straniero")

Xerxes (*m.*) (*Per.*) *v.* Serse

343

Ximenes (*m.*) (*Sp.*) *v.* Simone
Xipenete (*m.*) (*Mozambico*)
Xuxa (*f.*) (*Br.*)
Xylia (*f.*) (*Gr.* "Della foresta") *var.* Xyla, Xylina, Xylona
Xylon (*m.*) (*Gr.* "Abitante della foresta")

Y

Yachi (*f.*) (*Giap.* "Ottomila") *var.* Yachico, Yachiyo
Yachne (*f.*) (*Ebr.; Lit.; Pol.;* "Graziosa")
Yadid (*m.*) (*Ebr.* "Amico" o "Amato")
Yadin (*m.*) (*Ebr.* "Dio giudicherà") *var.* Yadon
Yaeger (*m.*) (*raro*)
Yager (*m.*) (*raro*)
Yakecen (*m.*) (*Ind. Dene* "Andare all'unisono col cielo")
Yakez (*m.*) (*Ind. Carrier* "Paradiso")
Yale (*m.*) (*Teut.* "Colui che paga" "Colui che produce")
Yale (*m.*) (*Ing. ant.* "Dove le valli si incrociano" "Dall'angolo della terra")
Yaluta (*f.*) (*Ind. Miwok* "Fioritura, sbocciare")
Yamuro (*m.*) (*Zezuru, Zimb.* "Aiutante")
Yanaba (*f.*) (*Ind. Navaho:* "Lei incontra il nemico")
Yancy (*m.*) (*Ind. Nordam.*) (*Fr.* "Inglese": *Der.* da "English-man") *var.* Yancey, Yankee
Yann (*m.*) (*Fr.*) *v.* Giovanni
Yannick (*m.*) e (*f.*) (*Fr.*) *v.* Giovanni
Yannis (*m.*) (*Gr.*) *v.* Giovanni
Yarb (*m.*) (*Ing., git.* "Erba")
Yardley (*m.*) (*Ing. ant.* "Dalla campagna recintata") *dim.* Lee, Leigh
Yarin (*m.*) (*Ebr.* "Capire") *var.* Javin (*Ing.*)
Yarkona (*f.*) (*Ebr.* "Verde")
Yarmilla (*f.*) (*Sl.* "Commerciante di mercato")
Yasar (*m.*) (*Ar.:* "Ricchezza" "Opulenza") *var.* Yaser, Yasser
Yasmeen (*f.*) (*Ar.* "Gelsomino") *v.* Gelsomina, Jasmine
Yasmin (*f.*) *v.* Gelsomina, Jasmine
Yasu (*f.*) (*Giap.* "Pacifica" o "Tranquilla") *var.* Yasuko, Yasuyo
Yates (*m.*) (*Ing. ant.* "Abitante dei cancelli" "Abitante alle porte della città") *var.* Yeats
Yazid (*m.*) (*Ar.*) *v.* Giuseppe
Yaziz (*m.*) (*Ar.*) *v.* Giuseppe
Yeager (*m.*) (*raro*)
Yehudi (*m.*) *v.* Judah, Giuda
Yelena (*f.*) (*Rus.*) *v.* Elena
Yemina (*f.*) (*Ebr.* "Mano destra")
Yemon (*m.*) (*Giap.* "Guardiano del cancello")
Yenene (*f.*) (*Ind. Nordam., Miwok* "Il serpente morde una

persona che dorme")

Yepa (*f.*) (*Ind. Nordam.:* "La fanciulla della neve")

Yerik (*m.*) (*Rus.*) *v.* Jeremy, Geremia

Yetta (*f.*) *v.* Henrietta

Yeva (*f.*) (*Rus.*) *v.* Eva

Yeyinou (*f.*) (*Dahomey, Afr.:* "Gloriosa")

Ynes (*f.*) (*Sp.*) *v.* Agnese

Ynez (*f.*) (*Sp.*) *v.* Agnese

Yoki (*f.*) (*Ind. Nordam.:* "L'uccello blu sull'altipiano")

Yoko (*f.*) (*Giap.* "Femminile" "Ragazza positiva" o "Ragazza dell'oceano")

Yolanda (*f.*) *v.* Iolanda

Yolande (*f.*) (*Fr.*) *v.* Iolanda

Yoluta (*f.*) (*Ind. Nordam.:* "Addio al seme della primavera")

Yonina (*f.*) (*Ebr.:* "Colomba") *femm.* di Jonas; *var.* Jona, Jonati, Jonina, Yona, Yonit, Yonita

Yori (*f.*) (*Giap.* "Fidata" "Leale")

York (*m.*) (*nome di luogo*) (*Celt. ant.* "Dalla tenuta dei tassi") (*Ing. ant.* "Dalla te-nuta del cinghiale") *var.* Yorke

Yorke (*m.*) (*nome di luogo*)

Yoshi (*f.*) (*Giap.* "Buona" "Rispettosa") *var.* Yoshie, Yoshiko, Yoshiyo.

Yoshino (*f.*) (*Giap.* "Terra buona" "Terra fertile")

Yovela (*f.*) (*Ebr.* "Allegria")

Yucel (*m.*) (*Tur.* "Sublime")

Yuki (*f.*) (*Giap.* "Neve" "Fortuna") *var.* Yukie, Yukiko, Yukiyo

Yukio (*m.*) (*Giap.* "Ragazzo di neve")

Yule (*m.*) (*Ing. ant.* "Nato a Natale"); *var.* Yul

Yuma (*m.*) (*Ind. Nordam.* "Il figlio del capo")

Yunus (*m.*) (*Tur.*) *v.* Jonah

Yuri (*m.*) (*Rus.*) *v.* Giorgio

Yusef (*m.*) (*Ar.*) *v.* Giuseppe; *var.* Yazid

Yutu (*m.*) (*Ind. Miwok* "Ghermire")

Yves (*m.*) (*Fr.* "Piccolo arciere" "Figlio dell'arco di tasso") 20 *mag.* // *var.* e *dim.* Eozen, Erwan, Iv, Iva, Ivain, Ivar, Ivetta, Ivona, Ivonne, Ivonou, Iwo, Von, Vonne, Vonnie, Yeun, Yf, Yft, Yve, Yven, Yveline, Yvette, Yvon, Yvona, Yvonne, Youna // Ivo (*It.*)

Yvette (*f.*) *v.* Yvonne, Ivo

Yvon (*m.*) (*Fr.*) *v.* Ivo

Yvonne (*f.*) *v.* Ivana

Z

Zabrina (*f.*) *v.* Sabrina

Zaccaria (*m.*) (*Ebr.* "Servo di Dio") 15, 22 *mar.*; 26 *mag.*; 10 *giu.*; 5 *lug.*; 6 *set.*; 5, 17 *nov.* // *var.* e *dim.* Zach, Zacharia, Zack, Zak (*Ing.*); Sakari

(*Finl.*); Zacharie (*Fr.*); Sa-
charja, Zacharia (*Ted.*); Zacha-
rias, Zako (*Ung.*); Zacarias
(*Port.*; *Sp.*); Sachar, Zakhar
(*Rus.*); Sakarias, Sakarja, Za-
kris (*Norv.; Sv.*) // Zaariah,
Zak, Zechariah, Zeke; *v.* anche
Abdullah (*Ar.*)

Zacchaeus (*m.*) ("Puro") *v.* Zaccheo

Zaccheo (*Aram.* "Colui di cui
Dio si ricorda") (*Ebr.* "Essere
puro") 10 *lug.*; 23 *ag.*; 17 *nov.*

Zach (*m.*) (abbr.) *v.* Zachary

Zachary (*m.*) *v.* Zaccaria

Zada (*f.*)(*Ar.* "Fortunata" "Prospera" "Fiorente") *var.* Zaida,
Zayda

Zaffiro (*Pietra preziosa*) *v.* Sapphira

Zahara (*f.*) (*sw., Afr.* "Fiore")

Zahid (*m.*) (*Ar.* "Pieno di ab-
negazione o ascetico")

Zahra (*m.*) (*sw.* "Fiore")

Zahur (*m.*) (*sw.* "Fiore")

Zaid (*m.*) (*Ar.*) *abbr.* di Yazid

Zaira (*f.*) (*Ar.* "Fiorita") 21 *ott.*

Zak (*m.*) *v.* Zaccaria

Zaki (*m.*) (*Ar.* "Intelligente")

Zakiya (*f.*) (*sw. Afr.*: "Intelligente")

Zalika (*f.*) (*orig. esotico-etn.*)

Zaltana (*f.*) (*Ind. Nordam.:* "Alta montagna")

Zama (*m.*) (*Lat.* "Venuto da Zama") 24 *gen.*

Zamarr (*m.*) (*raro*)

Zambda (*Ebr.* "Che cogita") 19

feb.

Zamir (*Ebr.*"Uccello" "Canzone") (*m.*) // *var.* Zemer

Zana (*f.*) *v.* Zanna

Zander (*m.*) *v.* Alessandro

Zandra (*Ing.*) *v.* Alessandra

Zane (*m.*) (*Ing.*) *v.* John

Zanebono (*m.*) (*Mantovano* =
Giovanni Buono) 23 *ott.*

Zaneta (*f.*) ("Grazia di Dio") *v.*
Zanna

Zanipolo (*m.*) (*Ven.* "Piccolo
dono del Signore") 24, 29 *giu.*

Zanita (*f.*) (*Gr.* "Dai lunghi
denti") 27 *mar.*

Zanna (*f.*) (*Let.*) *v.* Giovanna

Zanobi (*m.*) (*Lat.* "Assai vivo")
25 *mag.*; 20 *ott.*

Zante (*m.*) (*raro*)

Zaphar (*f.*) (*Ar.* "Splendore"

Zara (*f.*) (*Ar.* "Principessa")
(*Ebr.* "Lo splendore dell'alba")

Zarah (*f.*) *v.* Zara

Zareb (*m.*) (*Sudan"* Che protegge contro i nemici")

Zared (*m.*) (*Ebr.* "Imboscata")

Zarek (*m.*) (*Pol.*) (*Gr.:* "Che Dio
protegga il re")

Zaria (*f.*) (*raro*)

Zarifa (*f.*) (*Ar.* "Graziosa")

Zarita (*f.*) (*raro*)

Zasu (*f.*) ("Sconosciuta")

Zayit (*m.*) e (*f.*) (*Ebr.*"Oliva")
var. Zeta, Zetana

Zazie (*Fr.*)

Zea (*f.*) (*Lat.* "Grano")

Zeb (*m.*) *v.* Zebedia

Zebada (*f.*) (*Ebr.*) *femm.* di

Zebadiah
Zebadiah (*m.*) (*Ebr.* "Dono del Signore") *dim.* Zeb

Zebedeo (*m.*) (*aram.* "Servitore di Dio") 1 *nov.*

Zebina (*m.*) (*Gr.* "Che è dotato") 13 *nov.*; 27 *mar.*

Zebulon (*m.*) (*Ebr.* "Dimora") *dim.* Zeb

Zechariah (*m.*) *v.* Zaccaria

Zed (*m.*) ("Giustizia")

Zedekiah (*m.*)(*Ebr.* "Dio è virtuosissimo") *dim.* Zed

Zee (*f.*) (*orig. da cognome*)

Zeeman (*m*) (*Ted.* "Marinaio")

Zefirino (*m.*) (*v.* Zefiro) 26 *ag.*; 20 *dic.*

Zefiro (*m.*) (*Gr.* "Apportatore della vita" "Venuto di primavera") 27 *nov.*

Zeheb (*m.*) (*Tur.* "Oro")

Zeila (*f.*) (*Ted.*) *v.* Marcella

Zeke (*m.*) *abbr.* di Zechariah

Zeki (*m.*) (*Tur.* "Intelligente" o "Sapiente")

Zel (*f.*) (*Per.* "Cembalo"; *Tur.* "Campana")

Zelda (*f.*) (*Am. mod.*) *v.* Griselda

Zelenka (*f.*) (*Cec.:* "Piccola e verde" "Innocente e fresca")

Zelia (*f.*) (*Gr.* "La rivale")

Zelie (*f.*) (*Fr.*) *var. e dim.* Zèa, Zèlè, Zèlia, Zèline

Zelig (*m.*) *v.* Selig

Zelimir (*m.*) (*Sl.* "Egli desidera la pace")

Zelinda (*f.*)(*Long.* "Scudo della vittoria")

Zella (*f.*) ("Ombra")

Zelma (*f.*) (*raro*)

Zelmar (*m.*) (*raro*)

Zelwin (*m.*) (*raro*)

Zena (*f.*) *v.* Xenia // 23 *giu.*

Zenaide (*f.*) (*Gr.* "Che ha consacrato la vita a Dio") 11 *ott.*; 5 *giu.*

Zenia (*f.*) *v.* Xenia

Zeno (*m.*) (*Gr.* "Vivere") 12 *apr.*; 23 *giu.*// *var. e dim.* Zèna, Zènas, Zènè, Zènebe, Zènobie, Zènibin, Zènodora, Zènodore, Zènon, Zènomina // *v.* Zenone

Zenobia (*f.*) (*femm.* di Zenobio) 12 *apr.* 30 *ott.*; *var.* Zena, Zenaida, Zenda, Zenna, Zenobie

Zenobio (*m.*) (*Gr.* "Colui che ha vita per merito di Giove) 20 *feb.*; 29, 30 *ott.*; 24 *dic.*; 25 *mag.*; *var.* Zanobi

Zenon (*m.*) *v.* Zenone

Zenone (*m.*)(*Gr.*) *v.* Zeno, 12, 5, 20 *apr.*; 14 *feb.*; 23 *giu.*; 9, 25 *lug.*; 3, 5, 8 *set.*; 8, 22, 26 *dic.* // *var. e dim.* Zeno (*Fr.*); Zewek (*Pol.*); Zinon (*Rus.*); Cenon, Zenon (*Sp.*)

Zenos (*m.*) ("Dono di Giove")

Zèphyrin (*m.*) (*Fr.:* "Zeffirino") 26 *ag.*; *v.* Zefiro

Zera (*f.*) (*Ebr.* "Seme, semenza")

Zerdali (*f.*) (*Tur.* "Albicocca selvatica")

Zerlinda (*f.*) (*Am. mod.*; *Ebr.*; *Sp.* "Bella aurora")

Zesiro (*m.*) (*Ug.* "Maggiore di due gemmelli")

Zetico (*Gr.* "Indagatore" "Ricercatore") 23 *dic.*

Zigana (*f.*) (*Ung.* "Gitana")

Zihna (*f.*) (*Ind. Hopi* "Filato")

Zilla (*f.*)(*Ebr.* "Ombra")// var. Zillah

Zina (*f.*) (*Afr. Nsenga:* "Nome")

Zina / Zena (*f.*) ("Donna")

Zinnia (*f.*) (*dal fiore omonimo*)

Ziona (*f.*) (*Ebr.* "Eccellente" "Donna di Zion")

Zione (*f.*)(*Bantu,* "Guardami")

Zione (*f.*)(*Malawi, Bantu, Chichewa:* "Io sono presente")

Zipporah (*f.*) (*Ebr.* "Passero") var. Zippora

Zita (*Per.* "Vergine") // (*Tosc. med.* "Ragazza") 27 *apr.*

Ziven (*m.*) (*Sl.* "Vigoroso e vivo") var. Ziv, Zivon

Zizi (*f.*) (*Ung.*) *v.* Elizabetta

Zoe (*f.*) (*Fr.*) (*Gr.* "Vita") Zoa, Zoello, Zoilo 5 *lug.*; 2 *mag.*

Zoello (*m.*)(*Gr.*"Figlio di Zoe") 24 *mag.*

Zofia (*f.*) (*Cec.; Pol.; Ucr.*) *v.* Sofia

Zoheret (*f.*) (*Ebr.:* Colei che brilla")

Zohra (*f.*) (*Ar.*: "Fanciulla in fiore")

Zoilo (*Gr:.* "Vivace") 24, 27 *giu.*

Zola (*f.*) (*It.* "Palla di terra")

Zora (*f.*) (*Sl.* "Alba" "Aurora") var. Zorah, Zorana, Zorina

Zorina (*f.*) (*Sl.* "Dorata") var. e dim. Zora, Zorana, Zori, Zorie, Zory.

Zorya (*m.*) (*Ucr.* "Stella")

Zosima (*f.*) femm. di Zosimo 15 *lug.*

Zosimo (*m.*) (*Gr.* "Vita") 30 *mar.*; 3 *gen.*; 4 *apr.*; 19 *giu.*; 28 *set.*; 14, 19, 26, 27 *dic.*

Zotico (*m.*) (*Gr.* "Vitale") 12, 31 *gen.*; 10 *feb.*; 2 *giu.*; 20 *apr.*; 21 *lug.*; 22 *ag.*; 21 *ott.*; 31 *dic.*

Zsa Zsa (*f.*) *v.* Susanna

Zuberi (*m.*) (*sw., Afr.* "Forte")

Zuleika (*f.*) (*Ar.*: "Giusta" "Onesta")

Zuleima (*f.*) (*Ar.*)

Zunisa (*f.*) (*orig. esotico-etn.*)

Zuri (*f.*) (*sw.* "Bella")

Zuza (*f.*) (*Cec.*) *v.* Susanna

Zytka (*f.*) (*Pol.*) abbr. di nomi *femm.* che terminano in "-*ita*": Brigita, Rosita, Margarita, ecc.; var. Zyta

ab.	= aborigeno	*Cin.*	= Cinese	*Gael.*	= gaelico
abbr.	= abbreviaz.	*comb.*	= combinaz.	*Gal.*	= Gallico
Afr.	= Africa	*contr.*	= contrazione	*Gall.*	= Gallese
ag.	= agosto	*Cr.*	= Croato	*gen.*	= gennaio
Al.	= Algerino	*Crist.*	= Cristiano	*Germ.*	= Germanico
Alam.	= Alamanno	*Dan.*	= Danese	*Gha.*	= Ghana
Am.	= America	*der.*	= derivazione	*Git.*	= Gitano
Ang.	= Angola	*dial.*	= dialettale	*giu.*	= giugno
ant.	= antico	*dic.*	= dicembre	*Gr.*	= Greco
apr.	= aprile	*dim.*	= diminutivo	*Giap.*	= Giapponese
Ar.	= Arabo	*div.*	= divinità	*Haw.*	= Hawaii
Aram.	= Aramaico	*Dor.*	= Dorico	*Iber.*	= Iberico
Arm.	= Armeno	*Ebr.*	= Ebraico	*inc.*	= incerto
Asia M.	= Asia Minore	*Eg.*	= Egiziano	*Ind.-Nordam.*=	
Ass.	= Assiro	*Esk.*	= Eschimese		Indiano Nordamerica
Austr.	= Australia	*Est.*	= Estone	*Indon.*	= Indonesia
Bab.	= Babilonese	*etim.*	= etimo	*Ing.*	= Inglese
Bas.	= Basco	*etn.*	= etnico	*Ingh.*	= Inghilterra
Bel.	= Belga	*Etr.*	= Etrusco	*Ion.*	= Ionico
Br.	= Brasiliano	*Eu.*	= Europa	*Ira.*	= Iranico
Bret.	= Bretone	*f.*	= femminile	*Irl.*	= Irlandese
Bulg.	= Bulgaria	*feb.*	= febbraio	*Is.*	= Islandese
Cal.	= Calabrese	*femm.*	= femminile	*Isl.*	= Islamico
Cald.	= Caldaico	*Fen.*	= Fenicio	*Isr.*	= Israele
Cartag.=	Cartaginese	*Fiam.*	= Fiammingo	*It.*	= Italiano
Cec.	= Cecoslovacco	*Finl.*	= Finlandese	*Lat.*	= Latino
Celt.	= Celtico	*Finn.*	= Finnico	*Let*	= Lettone
Celtib.	= Celtibero	*Fr.*	= Francese	*lett.*	= letterario

Long.	= Longobardo	*Polin.*	= Polinesia	*Sp.*	= Spagnolo
Luc.	= Lucano	*Port.*	= Portoghese	*Sri-L.*	= Sri Lanka
lug.	= luglio	*prov.*	= proverbio	*Sum.*	= Sumerico
m.	= maschile	*prof.*	= profeta	*Sv.*	= Svedese
Ma.	= Magiaro	*Prov.*	= Provenzale	*Sviz.*	= Svizzero
Mac.	= Macedone	*Rod.*	= Rodhesia	*sw.*	= swahili
Mad.	= Madagascar	*Rom.*	= Romano	*Tanz.*	= Tanzania
mag.	= maggio	*Rum.*	= Rumeno	*teut.*	= teutonico
mar.	= marzo	*s.to*	= santo	*Tosc.*	= Toscano
masch.	= maschile	*s.ta*	= santa	*tronc.*	= troncato
med.	= medievale	*Sab.*	= Sabino	*Tur.*	= Turco
Mes.	= Mesopotamico	*Sam.*	= Samotracia	*Ug.*	= Uganda
mod.	= moderno	*Sann.*	= Sannitico	*Ung.*	= Ungherese
monos.	= monosillabico	*sans.*	= sanscrito	*v.*	= vedi
Muss.	= Mussulmano	*Sass.*	= Sassone	*voc.*	= vocabolo
Nig.	= Nigeria	*sc.*	= sconosciuto	*var.*	= variante/i
nov.	= novembre	*Scan.*	= Scandinavo	*Ven.*	= Veneto
Norm.	= Normanno	*Scoz.*	= Scozzese	*Viet.*	= Vietnam
Norv.	= Norvegese	*sec.*	= secolo	*Vis.*	= Visigoto
Ol.	= Olanda	*sem.*	= semitico	*V.Test.*	= Vecchio
or.	= orientale	*Ser.*	= Serbo		Testamento
orig.	= origine,	*set.*	= settembre	*yid.*	= yiddish
	originario	*sett.*	= settentrionale	*Yor.*	= Yoruba
Ostr.	= Ostrogoto	*sign.*	= significato	*Zimb.*	= Zimbabwe
ott.	= ottobre	*Sir.*	= Siria		
Per.	= Persiano	*Sl.*	= Slavo		
pers.	= personaggio	*Slov.*	= Sloveno		
Piem.	= Piemontese	*sost.*	= sostantivo		

Con il tuo aiuto possiamo migliorare questo Nominario

Mandaci i tuoi suggerimenti,
le correzioni che ti sembrano necessarie
e soprattutto
segnalaci i nomi che non hai trovato
(possibilmente con il loro significato,
origine, storia ecc.).
Ti assicuriamo che verranno inseriti
nelle prossime edizioni.

**e r r e
emme**

Per comunicare con l'Autore
o con la Erre emme edizioni
puoi scrivere a
via Naro 81 - 00040 Pomezia (Roma)
oppure telefonare o inviare un fax allo **06/ 91 100 13**